SAINT LOUIS

DU MÊME AUTEUR

Le comté de Tripoli sous la dynastie toulousaine, Geuthner, 1945.

Le Royaume latin de Jérusalem, P.U.F., 1953 (trad. angl., Amsterdam, 1979).

Les Ducs de Bourgogne et la formation du duché du Xe au XIVe siècle, Les Belles Lettres, 1954.

Histoire de la Bourgogne, P.U.F., 1957.

Simon de Saint-Quentin, Histoire des Tartares, Geuthner, 1965.

L'Esprit de la croisade, Editions du Cerf, 1969.

Orient et Occident, Contacts et relations, Londres, 1976.

La Papauté et les missions d'Orient au Moyen Age, École de Rome, 1977.

Les Relations entre Orient et Occident au Moyen Age, Londres, 1977.

Histoire de la Bourgogne, Privat, 1978.

Jean RICHARD

SAINT LOUIS

roi d'une France féodale,
soutien de la Terre sainte

Fayard

Avant-propos

*Il est difficile pour un historien d'aborder une biographie de
saint Louis. La figure du roi a pris de son vivant même une telle
grandeur que l'histoire côtoie l'hagiographie, et l'image de saint
Louis s'est à tel point associée à celle de la France que le sujet
ne peut qu'inspirer un certain sentiment de crainte. A le voir
vivre, d'ailleurs, l'homme commande l'admiration, même si
celle-ci peut se nuancer de réserves. Mais un historien ne se
doit-il pas toujours d'aborder avec respect les hommes dont il
fait l'objet de son étude ?*

*Ce qui rend le sujet plus délicat encore, c'est qu'il ne s'agit pas
seulement de suivre dans les étapes de sa vie le Capétien qui
naquit à Poissy en 1214 pour mourir devant Tunis en 1270. Son
existence est étroitement liée au destin du royaume de France
pendant ce demi-siècle. Un demi-siècle pendant lequel la
royauté est parvenue à intégrer au royaume les grands fiefs normand, poitevin, saintongeais, breton et languedocien, dont Philippe Auguste et Louis VIII avaient pris possession par la force.
Un demi-siècle au cours duquel l'autorité royale a pris de nouveaux traits, non sans déborder, grâce au prestige acquis par le
roi, les limites du royaume — au Levant, en Italie, aux Pays-
Bas, en Angleterre. C'est aux dimensions de la Chrétienté que
s'élargit l'action du roi des fleurs de lys, et la Papauté elle-même
finit par s'incliner devant elle.*

Saint Louis a donné son nom à son siècle, qui constitue le

*cœur de ce qu'on appelle parfois le « Moyen-Age classique ».
Classique, il l'est par l'apparence d'un ordre universellement
accepté. Mais il ne s'agit là que d'une apparence : les mutations
n'y sont pas moins à l'œuvre. Dans les structures sociales, où de
nouvelles couches accèdent à l'exercice des pouvoirs de commandement. Dans le domaine de l'économie, où s'amortit une
expansion commencée deux siècles plus tôt, et où se mettent en
place de véritables réseaux bancaires. Dans l'ordre religieux,
que modifie la montée des Frères Mendiants. Dans la pensée, où
la mise en place des synthèses scolastiques ne va pas sans boule-
verser des théories concurrentes. C'est le temps des constructions
gothiques les mieux raisonnées, mais où s'amorcent de nouvelles
recherches ; celui du Sourire de Reims et du Beau Dieu
d'Amiens, celui d'un certain apogée de l'art du vitrail, que
d'autres formes vont bientôt remplacer. Le modèle féodal continue à imposer leurs cadres aux États ; mais des tensions se révèlent déjà.*

*Nous n'essaierons pas d'entrer dans la description de ce « siè-
cle de saint Louis » dont jadis Henri Wallon avait essayé
d'associer le tableau au récit de la vie du roi. Celle-ci, à elle
seule, ne risque-t-elle pas par son ampleur de dépasser les forces
d'un historien ? Depuis le temps où le grand érudit que fut Le
Nain de Tillemont rassemblait les matériaux d'une Vie de saint
Louis qui ne vit le jour que deux siècles plus tard, en passant
par ce XIXe siècle où un Elie Berger, un Boutaric, un Natalis de
Wailly accumulaient à leur tour des trésors d'érudition pour
nous donner des synthèses partielles, il est certain que l'on
attend le grand ouvrage qui épuiserait le sujet. Et cependant, on
ne compte pas ceux qui ont écrit, et souvent de façon excellente,
des Vies du saint roi ou des tableaux de son règne. Et nous vou-
drions rendre hommage aux nombreux historiens qui, par leurs
livres et leurs articles, ont nourri une bibliographie considérable,
où nous avons puisé à pleines mains, éclairant de la sorte tous
les aspects de l'histoire de saint Louis.*

*Il ne saurait entrer dans notre propos de donner « le » Saint
Louis qui ferait autorité dans le monde savant pendant des
décennies. D'ailleurs, est-il aujourd'hui possible, sauf à ceux qui
consacreraient une vie entière à cette œuvre, d'atteindre à ce*

résultat ? M. Carolus-Barré, qui connaît si bien saint Louis et son règne, avait organisé pour le cinquième centenaire de la mort du roi un colloque qui a rassemblé des études de poids, et qui pourrait être le point de départ de ce travail. Mais il nous faut attendre la publication d'œuvres dont la réalisation se poursuit. M. Le Goff nous laisse espérer une analyse psychologique qui replacerait saint Louis dans l'univers mental du XIIIᵉ siècle. L'étude des rouages de l'administration royale, qui se mettent alors en place, a été déjà largement avancée, en particulier du fait du même Carolus-Barré et des historiens américains groupés autour de Joseph R. Strayer (nous sommes particulièrement redevable à William C. Jordan et à son Louis IX and the Challenge of the Crusade*) ; elle reste cependant à poursuivre. Et ce roi a été reconnu comme saint : notre ami Robert Folz nous promet un ouvrage consacré à la sainteté des rois au Moyen-Age. On voit que le moment n'est pas venu de faire la synthèse de tous ces travaux.*

Tel ne sera pas notre propos. Si nous avons été pressenti pour écrire le présent livre, c'est en raison de nos études précédemment publiées dans deux domaines qui nous sont plus familiers : l'histoire des principautés féodales et celle des croisades.

Or le temps de saint Louis, c'est celui où la structure féodale reste l'ossature même du royaume de France comme des autres royaumes de la Chrétienté. Il n'est alors possible de gouverner les hommes que par l'intermédiaire des princes et des seigneurs qui constituent la pyramide des vassalités. L'Église elle-même est puissance féodale, parce que les églises ont elles aussi leurs seigneuries et leurs vassaux. Les légistes, qui fournissent à la monarchie ses plus fidèles serviteurs, sont formés à un droit qui associe les règles régissant les fiefs aux principes romains. Et c'est sans doute l'un des plus grands succès de saint Louis que d'avoir su faire vivre une royauté forte dans une France féodale. A ses grands vassaux, lesquels étaient au bord de la rébellion lors de son avènement, le roi a imposé son autorité, et en même temps il leur a fait confiance en les associant à son gouvernement. Il nous a semblé que c'était là un des traits essentiels du règne.

Ce règne est aussi celui où la France capétienne fait pleine-

ment sienne l'entreprise de la croisade. Pour saint Louis, dès le moment où il fait venir à Paris les reliques de la Passion pour leur offrir le magnifique écrin de la Sainte-Chapelle, il est présent en pensée dans la Terre sainte. Deux fois croisé, il a passé outre-mer six des années de son règne ; il n'a cessé de pourvoir l'Orient latin en moyens de prolonger l'existence des colonies franques ; les papes ont fini par s'en remettre à lui de la gestion de ces secours. C'est la croisade qui l'a amené à être présent en Méditerranée, cette Méditerranée où la royauté avait pris pied par l'annexion au domaine royal du Languedoc oriental et par la création d'Aigues-Mortes. C'est elle qui l'a amené à prendre contact avec les Mongols et, peut-être inconsciemment, à préparer ceux-ci à l'idée d'une alliance. C'est elle qui l'a fait finalement consentir aux entreprises de son frère Charles en Italie. C'est sans doute elle, enfin, qui lui a fait prendre conscience de l'urgence d'une réforme du royaume fondée sur la justice.

Les deux axes que nous avons choisi de privilégier dans notre essai d'évocation de la figure de saint Louis ne sauraient faire oublier qu'il est d'autres directions que nos sources nous permettent d'explorer. Car, pour cette époque, notre documentation est déjà diversifiée. Aux biographies, souvent riches en détails vivants, en dialogues qui paraissent pris sur le vif, et que la canonisation de Louis IX a multipliés pour notre plus grand profit, s'ajoutent les chartes conservées dans le Trésor des Chartes de la royauté, dans les archives des grands feudataires et des églises ; la correspondance des papes et des souverains. Mais c'est aussi le moment où commence la collection des actes du Parlement, et l'utilisation des Olim nous a réservé d'heureuses surprises.

A ces sources officielles se joignent les poèmes par lesquels trouvères et troubadours évoquaient les questions d'actualité avec une liberté et souvent avec un accent passionné qui échappent à la convention dans laquelle les biographes du roi ou les rédacteurs des actes sont parfois enfermés. Tout comme le moine anglais Mathieu Paris, ce sont des contemporains des événements qui nous apportent le témoignage d'une opinion publique ou d'un secteur de cette opinion, témoignage qu'ils traduisent à la façon des modernes journalistes, non sans souci tantôt d'informer de façon plus ou moins sensationnelle, tantôt de chercher à agir sur leurs auditeurs. L'indépendance relative de leur jugement, la verdeur, parfois, de leur critique, ont l'avantage, aux yeux de l'historien, d'atténuer ce qui pourrait être le conformisme d'autres sources d'information. Aussi leur avonsnous fait de larges emprunts. Non sans regretter de n'avoir pu laisser ces extraits dans leur langue d'origine, dont les adaptations que nous avons tentées en français moderne sont loin de pouvoir rendre l'élégance, la vigueur, le pittoresque. Mais nous savons que la belle langue qu'écrivait Joinville elle-même n'est pas couramment intelligible pour le lecteur d'aujourd'hui ; à plus forte raison celle des troubadours, qui recherchaient de surcroît l'hermétisme dans leurs vers...

Ces témoins qui ont écrit de son temps, qui l'ont parfois pris à partie, qui ont pris parti dans les débats où il fut mêlé, peuvent nous aider à dégager la figure du roi d'une image parfois conventionnelle que nous comparerions à celle que nous ont laissée tant les sculptures et les peintures de nos églises que les imagiers d'Épinal. Nous avons essayé de rappeler quels étaient les comportements des hommes du XIIIᵉ siècle pour montrer dans quelle mesure celui de saint Louis a été exceptionnel. Nous ne croyons pas qu'à la voir plus humaine, la figure du roi Louis apparaisse moins hors du commun.

PREMIÈRE PARTIE

Avant la croisade

CHAPITRE PREMIER

Les années de formation

L'image que l'on conserve des premiers temps du règne de saint Louis est celle du fils auprès de sa mère. D'une mère pieuse, à la dévotion rigide, qui enseigne à son enfant qu'elle préférerait le savoir mort que coupable d'un péché mortel ; d'une mère autoritaire, voire un peu abusive, dont le fils ne s'émancipe guère qu'en partant pour la croisade. C'est aussi la régente énergique, qui mate les barons coalisés, qui réprime les agitations des étudiants parisiens, qui rétablit l'autorité royale. On oublie même parfois, semble-t-il, que cette reine est une mère de famille dont le dernier enfant n'était pas encore né lors de la mort de son mari, une mère de famille nombreuse qui n'a pas négligé davantage l'éducation de ses autres fils et de sa fille. Et qu'à côté de la reine Blanche, on aperçoit toute une équipe de conseillers qui avaient été ceux de son beau-père et ceux de son époux.

Ces années sont celles où, lentement, son fils aîné se forme à l'exercice du pouvoir. Héritier d'une longue lignée de Capétiens qui lui lèguent un royaume bien établi, mais un domaine royal démesurément accru par des conquêtes de fraîche date réalisées surtout aux dépens de leurs propres vassaux, Louis a accédé au trône prématurément. Peut-être son père, ce Louis VIII qui reste l'un des moins connus parmi les rois de France, avait-il beaucoup compté pour lui ; nous ne le saurons jamais. Sa mère, une étrangère qui n'a pas de parenté dans le royaume, s'est trouvée aux prises avec des guerres inachevées, des revendications venant des barons dépossédés comme des féodaux fidèles à la couronne, avec les troubles de l'Église, avec les conflits des grands lignages. Il a fallu que le jeune roi tienne sa place, à l'armée comme au conseil. Si sa mère l'a formé à la dévotion, si son précepteur lui a enseigné son rudiment, cela a été pendant les intervalles d'une chevauchée qui le menait d'Angers à Troyes ou de Bellême à Vendôme, et quand il n'écoutait pas disputer les prélats et les barons. Louis IX a appris à gouverner bien moins par les leçons que son maître pouvait tirer de saint Augustin que par une rude pratique. Il ne s'en est pas moins fait de son métier de roi cette très haute idée qu'il a voulu transmettre à son fils en lui disant : « J'aimerais mieux qu'un Écossais vînt d'Écosse et gouvernât le peuple bien et loyalement à ta place, si tu devais ouvertement le mal gouverner. »

L'héritage des Capétiens

Louis IX, qui commença son règne le 8 novembre 1226, était le neuvième souverain de la dynastie capétienne, et près de deux cent quarante ans s'étaient écoulés depuis qu'en 987 Hugues Capet avait été appelé au trône. Une rare fortune avait permis que, pendant tout ce temps, chaque roi capétien eût pu transmettre sa couronne à un fils, ce qui avait épargné à la dynastie les luttes successorales qui avaient éprouvé la plupart des monarchies de l'Occident.

L'héritage ne s'en était pas moins, peu à peu, transformé. Les premiers Capétiens, Hugues Capet, Robert le Pieux, Henri Ier, Philippe Ier, avaient régné comme leurs prédécesseurs carolingiens, sur un royaume désormais séparé de l'Empire par la ligne des quatre rivières (Escaut, Meuse, Saône et Rhône) définie au traité de Verdun de 843 et retrouvée depuis que les revendications des Carolingiens de France sur la Lorraine avaient été abandonnées. Au Sud, le royaume dépassait la ligne des Pyrénées du côté catalan, le comté de

Barcelone et ses annexes relevant de la couronne de France. Ce royaume, ils le gouvernaient avec l'aide des grands, prélats ou princes territoriaux, qui fréquentaient leur cour ; la réalité du pouvoir était laissée, dans chaque principauté, aux puissants dynastes qui, depuis la fin du IXe siècle, s'y étaient établis.

C'est au temps de Philippe Ier que s'était produite une mutation qui donne sa couleur particulière au règne de Louis VI. Les grands désertent la cour royale, et ce sont désormais des seigneurs de moindre rang et des prélats de la France du Nord qui assistent le roi dans ses tâches de gouvernement. Des chevaliers et des barons du domaine royal, des clercs appartenant aux mêmes familles, peuplent les services encore très modestes de la maison royale. L'autorité du souverain, qu'on invoque encore jusqu'au sud des Pyrénées, et qui se manifeste à l'occasion de la menace d'une invasion venant de l'Empire, en 1124, comme capable de rameuter les grands barons autour de l'oriflamme, ne s'exerce normalement que dans le propre domaine du roi. Celui-ci constitue un conglomérat de comtés et de châtellenies qui réunit la région de Paris à l'Orléanais, dépassant la Loire grâce à l'acquisition de la vicomté de Bourges, atteignant la Manche à Montreuil-sur-Mer. Encore Louis VI s'exténuait-il à maintenir ouverte la route de Paris à Orléans au prix de campagnes dirigées contre un sire de Montlhéry ou du Puiset.

Face à cette royauté besogneuse, les ducs de Normandie avaient constitué un « empire normand », fortement appuyé sur leur duché, mais qui tirait des ressources considérables de l'Angleterre conquise par Guillaume le Bâtard. Une autre grande famille, celle des Thibaudiens, avait réuni à ses domaines de la vallée de la Loire, qui s'échelonnaient de Sancerre à Blois, les comtés de Champagne et de Brie, avec un semis de terres joignant les uns aux autres. Le roi de France, pris entre ces deux puissants voisins, avait réussi à s'assurer du Sénonais et du Gâtinais ; mais il devait disputer interminablement le Vexin aux Normands.

Un instant même, on avait pu craindre que la maison thibaudienne recueillît l'héritage de la dynastie normande, lorsqu'Étienne de Blois s'était mis en possession de l'héritage d'Henri Ier Beauclerc. Le danger avait été écarté, du fait de la revendication du duché et de l'Angleterre par la fille d'Henri, l'impératrice Mathilde, et son époux, Geoffroy Plantagenêt, comte d'Anjou. Mais la victoire de ces derniers avait eu pour conséquence l'adjonction des possessions des Plantagenêts, l'Anjou, le Maine et la Touraine, à l'Angleterre, à la Normandie et au Perche, en 1154. Et, de surcroît, Henri II Plantagenêt, profitant de la séparation de Louis VII et d'Aliénor d'Aquitaine, intervenue en 1152, épousait celle-ci et prenait possession de tout le Sud-Ouest du royaume : comtés de Poitou, de Saintonge, duché de Gascogne, avec la mouvance de la Marche, du Limousin, du Périgord et de plusieurs seigneuries du Berry, sans préjudice de prétentions sur le comté de Toulouse.

Or c'est ici qu'il convient de se mettre en face des réalités de la royauté féodale. Plus riche de domaines, de revenus, disposant de davantage de vassaux que le roi de France, Henri II (cependant lui aussi roi couronné, mais outre-Manche) n'en restait pas moins le vassal de ce dernier. Et Louis VII, dont une historiographie aujourd'hui bien dépassée avait fait un pauvre homme, a su maintenir les prérogatives de la couronne. Sa croisade (1147-1149), bien qu'il eût subi de lourdes pertes au cours de la traversée de l'Asie Mineure et échoué dans sa tentative de prendre Damas, lui avait permis de s'affirmer comme le chef du baronnage français ; mieux, le roi Roger II de Sicile lui a dû de pouvoir s'affirmer victorieusement contre le pape et contre l'empereur ; et l'Orient latin l'a regardé comme son protecteur. Louis VII, lorsque le Plantagenêt a voulu s'emparer de Toulouse, s'est porté sur la ville menacée : Henri II a reculé devant son suzerain (1159). Le même Louis VII a pu faire accepter par ses vassaux le principe de la « paix du roi », adaptation de la « paix de Dieu » qui permettait de courir sus à tout violateur de l'ordre public. Il a imposé le jugement de sa cour au duc de Bourgogne et à l'évêque de Langres. Il a réuni ses troupes pour mettre à la raison ceux qui malmenaient les églises placées sous la garde royale. Et, de la sorte,

il a commencé à semer le royaume d'enclaves où le jeu d'un
« pariage », associant le roi et l'église détentrice de tel bourg
ou de telle seigneurie dans une exploitation commune, permettait d'installer des officiers royaux dans des régions étrangères au domaine royal. Ainsi l'abbé de Vézelay et ses moines
avaient eu maille à partir avec le comte de Nevers, qui soutenait contre eux leurs propres bourgeois : Louis VII, à la suite
de son intervention, peut disposer de Vézelay comme d'une
base d'opérations ; il y réunit par exemple l'armée qui met à
la raison, en 1166, le comte de Chalon, coupable d'avoir attaqué les moines de Cluny. Cluny, à son tour, conclut un
pariage pour Saint-Gengoux ; une abbaye d'Autun en conclut
un autre pour Saint-Pierre-le-Moûtier : autant de points d'où
s'exercera par la suite l'action des prévôts, puis des baillis du
roi.

Ainsi l'arrière-grand-père de saint Louis, même s'il avait
fait parfois pâle figure en face de son trop puissant vassal, le
roi d'Angleterre, avait-il maintenu intacts aussi bien le cadre
du royaume — dont cependant la Catalogne allait se séparer
— que le principe de la souveraineté royale. Et celle-ci avait
commencé à se manifester bien au-delà des limites du
domaine propre de la couronne. Lorsque le pape Alexandre III avait cherché refuge en France, en raison de l'appui
que l'empereur donnait à son rival, Victor IV, Louis VII
n'avait pas hésité à le soutenir : il y avait gagné une nouvelle
autorité sur le clergé de France. Et lorsque Frédéric Barberousse accorda un privilège scellé d'une bulle d'or à l'archevêque de Lyon, le roi de France scella également en or celui
qu'il accordait à l'évêque de Mende.

Tempérament bien différent, sans doute, que celui de Philippe-Auguste ! Le fils de Louis VII supportait impatiemment
une situation qui permettait à ses grands vassaux de jouer les
princes indépendants. Le comte de Flandre, le duc de Bourgogne, durent successivement supporter le poids des armes
royales, et se faire rudement ramener à l'obéissance. Il s'assurait la possession du Vermandois et du Valois, de l'Artois et
d'une partie de la Picardie. Mais c'est au Plantagenêt qu'il
réservait ses coups.

A vrai dire, il connut d'abord des échecs. Il avait soutenu le second fils d'Henri II contre son père ; mais il se brouilla avec lui au cours de la croisade qu'ils menèrent ensemble. Et, lorsqu'il chercha à profiter de la captivité de Richard Cœur-de-Lion, intercepté à son retour par le duc d'Autriche, pour s'agrandir à ses dépens, Richard eut bientôt fait de reprendre le terrain perdu. Mais l'archer trop adroit qui blessa mortellement le Plantagenêt au siège d'une obscure place forte rendit à Philippe toutes ses chances. Jean sans Terre, qu'il trouvait désormais devant lui, n'était pas un adversaire à sa mesure ; l'Empire était divisé entre deux compétiteurs ; le comte de Flandre et de Hainaut s'en allait conquérir l'empire de Constantinople. Une incartade de Jean, qui enleva la fiancée d'un de ses vassaux, offrit à Philippe un prétexte : le refus du roi d'Angleterre de comparaître devant la cour des pairs fut sanctionné par une sentence le privant de tous ses fiefs, confisqués au profit de son seigneur le roi de France.

On sait comment Jean sans Terre, incapable de réaction, se laissa enlever la Normandie, le Perche, l'Anjou, le Maine, la Touraine et même une partie du Poitou. L'essoufflement de l'armée royale ne lui permit pas d'aller plus loin. Mais c'est seulement en 1214 que le roi d'Angleterre, débarquant sur le continent, entreprit de reconquérir ses domaines à la faveur de l'alliance conclue avec l'empereur Otton de Brunswick. La défaite du premier à la Roche-aux-Moines, puis celle du second à Bouvines, mettaient fin à l'entreprise. De surcroît, les comtes de Boulogne et de Flandre, alliés de l'empereur, étaient tombés aux mains du roi de France : celui-ci n'eut garde de les relâcher.

Cependant Philippe ne poussa pas ses avantages à la faveur d'une nouvelle campagne d'Aquitaine. Sans doute n'avait-il pas l'intention de limiter l'effet de la confiscation prononcée en 1202 aux seuls fiefs des Plantagenêts, en laissant au fils d'Aliénor d'Aquitaine l'essentiel de l'héritage maternel. Mais il avait laissé son fils, le futur Louis VIII, répondre à l'appel des barons anglais soulevés contre leur roi et passer en Angleterre pour y faire valoir les droits à la couronne qu'il revendiquait du chef de sa femme Blanche de

Castille, petite-fille d'Henri II. Son attitude en cette affaire
avait été assez réservée ; il s'était gardé d'apporter une
aide substantielle à son fils. L'aventure de celui-ci (1216-
1217) avait tourné court, du fait de la mort de Jean sans
Terre, du ralliement des barons anglais au nouveau roi
Henri III et de la prise de position du pape en faveur de ce
dernier.

C'est seulement après la mort de son père que Louis VIII
reprit la guerre contre le Plantagenêt, en prenant prétexte des
agressions commises par les marins de La Rochelle. En réalité, c'est surtout le fait que le comte de la Marche eût transféré son hommage du roi d'Angleterre au roi de France qui
lui offrait une occasion favorable. En quelques mois, Niort et
La Rochelle ouvraient leurs portes à Louis VIII, qui recevait
l'hommage des barons du Limousin et du Périgord. Sans
doute le pape intervenait-il à nouveau, réclamant la restitution à Henri III des territoires indûment occupés. Mais une
trêve opportune suspendit les hostilités.

Louis VIII pouvait-il se prévaloir, comme l'avait fait son
père, de la sentence de 1202 pour continuer à dépouiller
Henri III — qui, il est vrai, n'avait pas prêté hommage pour
ses fiefs français — de ses terres ? On peut se le demander.
On peut aussi se demander de quelle façon les habitants des
territoires conquis acceptaient cette confiscation : du vivant
même de Philippe-Auguste on constate que nombreux sont
les barons et chevaliers de Normandie, du Perche, de Touraine et d'Anjou qui sont restés fidèles au lien vassalique, et à
qui leur fidélité a valu de perdre leurs fiefs, confisqués par le
roi de France, qui les distribua à ses serviteurs. Il avait paru
nécessaire à Philippe de s'attacher les bourgeois de Rouen et
de Poitiers par des chartes de commune. Louis VIII aussi
éprouva des difficultés de la part des Rochelais et de certains
barons qui ne s'étaient soumis qu'en apparence. Ni la
papauté, à laquelle Jean sans Terre avait reconnu un droit de
suzeraineté sur son royaume, ni la royauté anglaise n'avaient
accepté le fait accompli. Ainsi le premier grand accroissement domanial réalisé par les Capétiens au détriment d'un de
leurs grands vassaux, en rupture avec la politique qui avait

été celle de la dynastie jusqu'à la mort de Louis VII, restait-il
fragile et chargé d'incertitudes.

Il en était de même pour le second : l'annexion au domaine
royal de la plus grande partie du Languedoc. On sait qu'à la
suite du meurtre de son légat, Innocent III avait excommunié
le comte de Toulouse et ses complices, « exposé en proie »
les biens des hérétiques cathares et de leurs fauteurs, et prêché la croisade contre eux. Philippe-Auguste, s'il n'avait pas
participé en personne à l'expédition de 1208, s'était refusé à
intervenir en faveur de Raymond VI de Toulouse et avait
autorisé ses barons à partir pour la croisade d'Albigeois. Les
victoires de Simon de Montfort, puis la décision du IVᵉ concile de Latran confirmant la dépossession du comte de Toulouse, avaient permis au comte de Montfort-l'Amaury de se
titrer comte de Toulouse et duc de Narbonne : Philippe avait
accepté de recevoir son hommage pour le comté, pour
le duché ainsi que pour les domaines saisis sur le vicomte
Raymond-Roger, Béziers et Carcassonne. Et, lorsque
Raymond VII, succédant à son père, avait entamé la reconquête des terres de sa maison, le roi de France avait autorisé
son fils à participer aux campagnes de 1216 et de 1219.

Quant à Louis VIII, après l'échec des tentatives de Raymond VII et du comte de Foix pour obtenir d'être relevés de
l'excommunication qu'ils avaient encourue en envahissant les
possessions du fils de Simon, Amaury de Montfort, il avait
accepté que ce dernier lui cédât les fiefs tenus par son père et
par lui-même. Et, en 1226, il s'était lui-même rendu dans le
Midi pour se mettre en possession des biens cédés. Cette
campagne, marquée par la prise d'Avignon, lui avait permis
d'occuper les territoires qui devaient constituer les nouvelles
sénéchaussées de Beaucaire et de Carcassonne ; il y avait
laissé une armée d'occupation, sous le commandement
d'Amaury de Montfort et d'Humbert de Beaujeu, car ni Raymond VII, toujours maître de Toulouse, ni le comte de Foix
n'avaient déposé les armes. La question était d'autant plus en
suspens que la victoire remportée par Simon de Montfort à
Muret sur le roi d'Aragon n'avait pas fait oublier les prétentions de la maison d'Aragon à la suzeraineté sur de nombreux

fiefs languedociens et que nombre de seigneurs dépossédés, qu'ils eussent ou non des sympathies pour les Cathares, aspiraient à recouvrer leurs biens et continuaient à inquiéter les conquérants.

Ainsi les deux règnes de Philippe-Auguste et de Louis VIII s'étaient-ils caractérisés par une considérable extension du domaine royal, commençant avec les territoires qui avaient appartenu à la maison de Vermandois, puis se continuant grâce à des décisions de justice par la mainmise sur les fiefs de la maison d'Anjou, et ensuite sur ceux de la maison de Saint-Gilles, sans préjudice de nombreuses acquisitions de détail. Mais le fondement juridique de ces agrandissements restait, pour beaucoup d'entre eux, sujet à controverse. L'héritage, ici, n'allait pas sans contestations : le nouveau roi ne devait pas tarder à s'en aviser.

Ses prédécesseurs lui léguaient encore les rouages d'une administration en cours de développement. A la maison royale, qui assurait, grâce au labeur des officiers et des serviteurs de l'hôtel la vie quotidienne du souverain, mais aussi la gestion du domaine et des finances ; à la chancellerie qui assurait la transmission des volontés du roi, Philippe-Auguste avait adjoint les auxiliaires grâce auxquels il pouvait se faire obéir par les innombrables agents locaux entre lesquels se diluait l'autorité royale. Pour veiller à la bonne administration de la justice, pour assurer la rentrée de ses revenus, Philippe s'en était remis à des baillis ou — dans les anciennes possessions des Plantagenêts — à des sénéchaux. D'abord chargés de concentrer en leurs mains les recettes provenant de l'exploitation des terres domaniales, des redevances, des profits de justice, ces personnages allaient devenir les grands serviteurs de la monarchie capétienne, ceux qui la rendaient présente dans le domaine royal, comme dans les terres des grands vassaux.

Plus important sans doute aux yeux des contemporains que ce premier développement d'une administration monarchique, le cortège des vassaux du roi s'était lui aussi renforcé.

Le *Premier Registre de Philippe Auguste* nous apporte un recensement des « barons du roi de France », de ses comtes,

de ses ducs, de ses « chevaliers portant bannière » qui, pour
les hommes du XIIe et du XIIIe siècles, représentaient la véritable force de la royauté française. La somme de leurs services,
de leurs fidélités, constituait la principale richesse de celle-
ci : ce sont ces vassaux du roi qui lui apportaient leur conseil
pour l'aider à élaborer ses décisions, leur aide pour faire
triompher ses droits ou assurer l'exécution de ses sentences. Le roi pouvait châtier durement leurs défaillances : si
Louis VII avait vainement prononcé la confiscation des fiefs
d'Henri II quand celui-ci avait épousé Aliénor sans son
consentement, Philippe-Auguste avait réussi à rendre cette
mesure effective à l'égard de Jean sans Terre.

Leurs contingents constituaient l'armée royale, lorsque le
roi avait fait parvenir à chacun d'eux la « semonce » qui
fixait le lieu du rassemblement. En supprimant l'intermédiaire de plusieurs grands barons, en exigeant davantage des
autres, les rois capétiens avaient accru le nombre des hommes
dont ils disposaient.

Aux contingents des vassaux, l'armée royale ajoutait ceux
des communes, les milices urbaines qu'on avait en particulier
vu combattre à Bouvines. Peut-être n'était-ce pas un fait nouveau : Louis VI déjà avait tiré parti des services des roturiers
de ses terres. Mais le développement du mouvement d'éman-
cipation urbaine n'avait fait que renforcer les liens unissant
au roi les hommes de ce qu'on allait bientôt appeler ses
« bonnes villes ».

Certes, le service n'était pas toujours rendu de bon cœur ;
certains des vassaux de Philippe-Auguste avaient regimbé
devant les exigences de leur seigneur. Louis VIII, lors de sa
campagne de Languedoc, avait pu s'apercevoir que tous ne le
suivaient pas avec enthousiasme et que certains — à commencer par le puissant comte de Champagne — entendaient
ne pas dépasser les strictes limites du contrat féodal. Il
n'empêche que celui-ci représentait la meilleure des forces du
royaume et que c'est grâce au service assuré par les barons,
les chevaliers, les milices des communes, au charroi fourni
par telle église ou par telle communauté, que l'ost royal
constituait une force redoutable, aux effectifs sans doute

supérieurs à ceux des autres royaumes d'Occident, l'Empire excepté.

A cette force militaire — occasionnellement renforcée par des soldats de métier, comme les routiers du célèbre Cadoc —, Philippe-Auguste avait ajouté un autre élément, grâce à une intensive campagne de construction de forteresses dont on a découvert de nos jours l'ampleur et le caractère méthodique. De ce réseau de châteaux et de places fortes, la pièce principale était la nouvelle enceinte de Paris, qui mettait à l'abri des mésaventures la plus grande cité du royaume, celle dont le roi faisait désormais sa résidence majeure. Certes, saint Louis n'allait pas avoir à compter sur des murailles pour défendre son royaume contre une invasion étrangère ; ces forteresses n'en tenaient pas moins une place appréciable dans l'héritage qui lui était transmis.

Un royaume solide, aux traditions monarchiques déjà bien assises, cimentées par le lien féodal ; une administration déjà efficace ; un domaine étendu, bien que son accroissement tout récent laissât subsister des problèmes redoutables : les huit Capétiens qui avaient précédé saint Louis lui laissaient un héritage enviable.

L'ENFANCE DU ROI LOUIS

C'était dans l'espoir de mettre fin à la longue querelle des Capétiens et des Plantagenêts qu'avait été résolu le mariage du fils aîné de Philippe-Auguste avec une nièce du roi d'Angleterre, au moment où l'avènement de Jean sans Terre paraissait faciliter un rapprochement des deux couronnes. Le projet, d'ailleurs, avait été esquissé du vivant de Richard Cœur-de-Lion ; il prit corps lors de l'entrevue que son successeur eut avec le roi Philippe à Gaillon, en 1200. Aliénor d'Aquitaine, alors largement septuagénaire, tenait beaucoup à cette réconciliation : elle se rendit elle-même en Castille auprès de sa fille Aliénor et de son gendre Alphonse VIII, pour aller chercher sa petite-fille Blanche, qu'elle ramena en

France au mois d'avril. Au cours d'une nouvelle entrevue, qui eut lieu au Goulet, on négocia le contrat de mariage : Jean sans Terre donnait à sa nièce des terres en Berry et inféodait à son futur mari le comté d'Évreux, que Philippe venait de lui restituer. C'est en terre normande que fut célébré le mariage (car le royaume de France était en interdit), à proximité de Vernon où se déroulèrent les festivités des noces. Et le roi de France assigna alors son douaire à sa nouvelle bru, en le constituant des trois châtellenies de Lens, Hesdin et Bapaume, prises sur l'Artois qui était l'héritage personnel de Louis de France.

Ce dernier n'avait que douze ou treize ans ; il était né du premier mariage de Philippe-Auguste, avec Isabelle de Hainaut. Sa mère, morte à la veille du départ de son mari pour la croisade, avait apporté à la maison de France, avec la beauté réputée des femmes de la famille de Hainaut (on se plut à retrouver dans les traits de saint Louis cet héritage de sa grand-mère), un peu de sang carolingien. Son oncle, le comte de Flandre, avait constitué pour elle lors de ce mariage le comté d'Artois, qu'elle avait transmis à son fils. Mais Louis n'en était pas moins étroitement tenu en tutelle par son père, qui ne consentit à l'armer chevalier que le 17 mai 1209 ; et c'est seulement à cette date qu'il prit possession de l'Artois, des châtellenies gâtinaises de Lorris, du Fay, de Vitry-aux-Loges et de Boiscommun, ainsi que de celle de Poissy, située sur la Seine, en aval de Paris. Et le roi exigeait de son fils l'engagement qu'il s'abstiendrait de participer à des tournois.

C'est à Poissy que Louis allait naître, le 25 avril 1214. La date de cette naissance a été contestée, les chroniqueurs avançant des données qui permettaient de la fixer soit en 1213, soit en 1215 ou même en 1216. Le lieu aussi : on a affirmé que Blanche, pour éviter qu'on ne suspendît pour elle la sonnerie des cloches de la collégiale, avait voulu aller faire ses couches à la Grange-aux-Dames, près de Neuville-en-Hez. En tout cas, le lieu du baptême est assuré : saint Louis a dit un jour, parlant de ce baptême, que c'était à Poissy qu'il avait reçu le plus haut honneur qui fût jamais. Qu'il ait vu le jour dans ce château est très probable : Louis IX s'intitulait en privé « Louis de Poissy » : les hagiographes en ont conclu qu'il voulait ainsi rappeler l'église où il avait été baptisé ; mais il est plus probable qu'il se conformait à la coutume fréquente chez les princes du Moyen-Age de prendre le nom du lieu de leur naissance, qui valait à tel d'entre eux de s'appeler Jean de Gand ou Louis de Male.

Il n'était pas le fils aîné de ses parents : il avait été précédé peut-être par une fille, morte peu après sa naissance, et certainement par un garçon, Philippe, qui vit le jour en 1209 et mourut en 1218, peu après avoir été marié à l'héritière des comtés de Nevers, Auxerre et Tonnerre. Blanche donna ensuite à son mari six ou sept autres enfants : Robert, en 1216 ; Jean, en 1219 ; Alphonse, en 1220 ; Philippe-Dagobert, Isabelle, en 1225 ; sans doute un Étienne, mort peu de temps après son baptême ; enfin Charles, qui naquit plusieurs mois après la mort de son père.

Le ménage était fort uni : Louis, homme pieux, généreux, aimable et vaillant, gardait irréprochablement la foi conjugale. Quant à Blanche, la campagne de son mari en Angleterre lui donna l'occasion de se dépenser sans compter pour fournir à Louis les secours dont il avait besoin : elle parcourut l'Artois pour obtenir des hommes et des subsides ; elle menaça même son beau-père de mettre ses enfants en gage pour procurer de l'argent à son époux. Il est vrai que Louis combattait pour les droits de sa femme : sa campagne d'Angleterre visait à assurer à celle-ci le trône anglais en tant qu'héritière d'Henri II, dont Blanche était la petite-fille, eu égard à ce que les barons refusaient désormais de reconnaître Jean sans Terre comme leur souverain. On sait que la mort de celui-ci, qui permit à ses vassaux rebelles de se rallier à son fils Henri III, mit fin à l'expédition de 1216-1217.

Blanche avait aussi des droits qu'elle aurait pu faire valoir sur l'héritage de son propre père. Celui-ci avait réglé sa succession de telle sorte que, si ses deux fils Henri et Ferdinand mouraient sans enfants, le royaume de Castille reviendrait au fils aîné de sa fille Blanche. En 1217, Henri mourait, après son frère cadet. La sœur de Blanche, Bérangère, avait épousé en 1198 le roi Alphonse de Léon : elle se mit en possession

du trône de Castille au nom de son fils, Ferdinand, qui réunissait ainsi les royaumes de Castille et de Léon. Blanche et
Louis auraient été en droit de revendiquer la couronne : ils
ne le firent pas, peut-être parce que Philippe-Auguste s'y
opposait, ce qui évita au futur saint Louis une aventure espagnole. Quelques années plus tard, l'opposition grandissant
contre Bérangère, plusieurs seigneurs castillans s'adressèrent
à Louis VIII et à la reine Blanche pour leur rappeler les dernières dispositions prises par Alphonse VIII et les inviter à
envoyer le jeune Louis prendre possession de la couronne.
Blanche ne donna pas suite à cette invitation, et un troubadour devait affirmer par la suite que c'est elle qui s'opposait
à ce que son fils fît valoir ses droits au trône castillan. Ferdinand III — qui devait, lui aussi, être canonisé — n'eut donc
pas à entrer en compétition avec son cousin. Néanmoins, les
rapports entre la reine et sa famille espagnole ne paraissent
pas avoir été très suivis. Si l'on trouve quelques noms espagnols dans son entourage, et si le fils du roi de Portugal,
Alphonse d'Espagne, fut élevé à la cour de France, la reine
ne paraît pas avoir trouvé d'appui dans sa parenté castillane.

Les hagiographes, et le sire de Joinville en particulier, mais
aussi Charles d'Anjou, déposant au procès de canonisation
de son frère, ont insisté sur la part prépondérante que tint la
reine Blanche dans la formation de son fils. Nous savons
qu'elle lui inspira son horreur du péché mortel, qu'elle « lui
apprit à croire en Dieu et à l'aimer », qu'elle « lui faisait
écouter, tout enfant qu'il était, toutes les heures et les sermons aux fêtes ». Mais nous savons en réalité fort peu de
chose sur sa prime enfance, bien que nous connaissions le
nom de sa nourrice, Marie la Picarde. La reine, nous dit-on,
attirait autour de lui toute sorte de gens de religion. Mais ne
faut-il pas aussi faire place aux exemples et aux propos de
son père et de son grand-père ? Louis a plus d'une fois fait
référence à ce qu'il avait appris de Philippe-Auguste : « que
l'on devait récompenser ses serviteurs plus ou moins selon
leur service », que l'on ne pouvait gouverner sa terre « si l'on
ne savait aussi hardiment refuser que donner » ; et on le voit
rappeler à un serviteur maladroit comment Philippe l'avait

renvoyé pour avoir mis sur le feu du bois qui pétillait en brûlant. L'enfant a donc reçu aussi une éducation masculine.

Il nous faut toutefois nous résigner à ignorer qui le forma
aux armes, le préparant à son métier de chevalier. Et, ce qui
est plus important encore, à qui il dut cette connaissance du
droit coutumier, indispensable au souverain médiéval, qui lui
permit d'être si attentif tant à maintenir ses droits qu'à ne pas
les outrepasser. Louis VIII mourut quand il n'avait encore
qu'une douzaine d'années ; il faut admettre que ce sont les
serviteurs de la monarchie, les vieux conseillers de Philippe-
Auguste, qui furent parmi ceux auxquels il dut sa formation
si profonde de prince et de « prud'homme ».

Nous ne connaissons pas davantage le nom de ce précepteur à qui il fut confié par sa mère quand il atteignit sa quatorzième année. Mais nous savons que ce précepteur le mena
assez rudement, comme il convenait aux éducateurs en un
temps où, sur leurs pierres tombales, ceux-ci se font représenter verges en main, celles-ci étant le symbole même de leur
profession. Le maître accompagnait son élève tout au long de
sa journée et lui donnait des leçons au cours de ses promenades et même à la chasse. Et, nous dit-on, l'élève témoignait
au maître respect et obéissance.

Quel était le contenu de cet enseignement de type scolaire ?
S'il n'a pas fait de saint Louis un érudit, ni même un véritable
lettré, il a mis le jeune prince en état de pouvoir retrouver un
passage de saint Augustin, de savoir assez de latin pour être
capable non seulement de suivre les offices, mais d'écouter
un sermon : d'après Guillaume de Saint-Pathus, quand il
allait entendre les leçons qui se donnaient aux écoles des
Dominicains de Compiègne, il demandait aux Frères de faire
ensuite un sermon à l'intention des laïcs qui l'avaient accompagné. C'est qu'ayant pu suivre l'enseignement donné en
latin par le maître, il était à même de donner connaissance à
ses familiers non formés aux lettres du contenu des livres
qu'il lisait dans sa chambre.

Le choix de ces livres peut refléter la formation qu'il avait
reçue : peu de « livres des maîtres », dit Geoffroy de Beaulieu, mais l'Écriture sainte. Cependant les historiens

d'aujourd'hui estiment que plus que de la Bible elle-même, il
était imprégné de la doctrine augustinienne. Rien d'étonnant
à cela : ce qu'un précepteur royal pouvait enseigner à son
pupille, au XIIIᵉ siècle, c'était la vision du monde dessinée par
saint Augustin dans *La Cité de Dieu*, une théorie politique
fondée sur la correspondance de l'ordre du monde avec la
volonté divine. Cette formation correspond à celle que les
auteurs des *Miroirs des princes*, manuels de sagesse érudite,
entendirent donner à ceux pour qui ils écrivaient. Toujours
est-il que, pour Louis, ce n'est pas aux laïcs à se mêler de doctrine : la disputation n'est pas faite pour eux et lui-même ne
se pique pas de théologie. Évoquant l'histoire d'un chevalier
qui avait interrompu un débat entre Juifs et Chrétiens en
frappant le porte-parole des premiers, il disait à Joinville :
« Le laïc, quand il entend médire de la loi chrétienne, ne doit
la défendre que par l'épée, dont il lui faut donner dans le ventre autant qu'elle peut entrer. » Nous tenons là la limite de
cette formation scolaire, qui paraît ne pas avoir dépassé le
niveau convenable à un « prud'homme », instruit de sa foi,
de ses devoirs envers ses sujets, nourri des préceptes de
bonne conduite et de bon gouvernement que les clercs
avaient tirés de l'enseignement de l'Antiquité transmis par les
Pères de l'Église, mais sans préoccupations intellectuelles
autres que celle qu'un prince, attentif aux traditions de sa
maison, pouvait avoir en matière historique.

Depuis la mort de son frère Philippe — et il n'avait alors
que quatre ans —, Louis était l'aîné d'une famille nombreuse.
Il semble avoir eu beaucoup d'affection et d'intimité avec son
frère Robert, le futur comte d'Artois, très proche de lui par
l'âge, dont le tempérament impétueux lui causa quelque
souci. Sa sœur Isabelle avait de nombreux traits communs
avec lui ; comme lui, elle s'efforça de mener dans le siècle
une vie religieuse intense. Il a continué longtemps à veiller
sur Alphonse, même après que celui-ci, marié, eut pris possession de son apanage. Il n'est pas jusqu'à son indulgence
pour Charles d'Anjou, le benjamin de la famille, qui ne
puisse s'expliquer par cette différence d'âge. Reste qu'il nous
faut tenir compte de l'atmosphère de la famille royale, avec

les jeux et les disputes des enfants, qui ont été élevés ensemble jusqu'au momènt où chacun a eu son « hôtel ». Un compte de 1234, où figurent déjà « les valets et les écuyers de Monseigneur Alphonse », mentionne encore les dépenses de « l'hôtel des enfants ».

Philippe-Auguste était mort le 14 juillet 1223 ; Louis VIII et sa femme furent couronnés le 6 août suivant. Et presqu'aussitôt le nouveau roi entreprenait une campagne contre les possessions continentales qui restaient au roi d'Angleterre : il envahissait en 1224 le Poitou méridional et la Saintonge. En 1226, il allait partir pour une autre campagne, en Languedoc cette fois. C'est entre ces deux expéditions, au mois de juin 1225, qu'il réglait sa succession. Il destinait à Louis, son fils aîné, la couronne royale et le duché de Normandie, avec tout l'or et l'argent qui étaient conservés dans la tour du Louvre, et qui devaient être utilisés pour les seules nécessités du royaume. Il disposait de l'Artois en faveur de son second fils, Robert ; du Maine et de l'Anjou en faveur du troisième, Jean ; du Poitou et de l'Auvergne en faveur du quatrième, Alphonse. Le cinquième, Philippe-Dagobert, devait être d'Église, ainsi que les autres fils qui pourraient naître après lui. L'or et les pierreries des couronnes et des joyaux du roi étaient destinés à financer la fondation d'une abbaye de chanoines réguliers de l'ordre de Saint-Victor (l'abbé de Saint-Victor, Jean, figurait avec trois évêques comme exécuteur testamentaire du souverain). Ses biens meubles seraient vendus pour acquitter ses legs pieux, après prélèvement de 30 000 livres pour la reine Blanche et de 20 000 pour sa fille Isabelle.

Ce testament établissait ainsi une distinction entre l'ancien domaine de la couronne, celui que Philippe-Auguste avait hérité de son père, et qui était dévolu au futur roi, sans que ce fût nécessaire de le préciser, et les acquisitions réalisées par Philippe et par Louis lui-même, dont ce dernier disposait pour les répartir entre ses enfants. Il allait être le point de départ de la tradition des apanages. Mais il assurait à l'avance à Louis, dans la mesure où celui-ci survivrait à son père, la succession à la couronne ainsi qu'une belle dotation territoriale.

Rien à cette date, cependant, ne pouvait laisser supposer que Louis VIII allait laisser la place à son fils aîné après à peine plus de trois années de règne. Le roi n'avait que trente-neuf ans lorsqu'il partit pour soumettre les villes et les barons du Midi. Mais, au retour de sa chevauchée, tandis qu'il arrivait à Montpensier, il éprouva une violente attaque de dysenterie, accompagnée de fièvre. On était le 29 octobre 1226. Le 3 novembre, le roi faisait appeler les barons et les évêques qui l'accompagnaient, Gautier Cornut, archevêque de Sens, les évêques de Beauvais, Senlis, Chartres et Noyon, les comtes de Blois, de Boulogne, de Montfort et de Sancerre, les sires de Bourbon et de Coucy. C'était pour leur enjoindre de se rendre au plus tôt auprès de son fils Louis — ou, si celui-ci était mort entre-temps, auprès de Robert —, de lui jurer fidélité et de le faire couronner aussitôt : vingt-neuf sceaux, appendus au bas de l'acte, portaient témoignage de cet engagement. D'autre part, Louis VIII faisait rédiger des lettres adressées à ses sujets, les invitant à reconnaître son successeur, à lui jurer fidélité et à assister à son couronnement. Enfin, il recommandait à ses fidèles de faire donner la régence à Blanche de Castille.

Les circonstances, en effet, rendaient cette succession dramatique. Jusqu'à l'avènement de Philippe-Auguste, les Capétiens avaient estimé indispensable de faire couronner leur fils aîné de leur vivant pour éviter toute contestation sur l'ordre de la succession, et Louis VII avait encore agi de la sorte en 1179. Philippe-Auguste, le premier, avait manqué à cette tradition, ce qui ne va pas sans poser aux historiens une question difficile : le vieux roi, facilement soupçonneux et jaloux de son autorité, n'avait pas toujours témoigné une entière confiance à son fils du premier lit, cependant homme fait, combattant éprouvé, mais dont son père n'avait pas soutenu toutes les initiatives. Peut-être aussi estimait-il la couronne assez assurée, et les droits de Louis assez bien établis, pour se passer du couronnement anticipé. Pour Louis VIII, qui avait préparé sa succession dès 1225, c'est peut-être le jeune âge de

ses fils qui l'avait amené à différer la cérémonie du couronnement, s'il l'avait estimée nécessaire. Mais il mourait prématurément, loin de la reine, de ses enfants, du siège habituel de la
royauté, ses fils étant encore très jeunes ; la désignation par
testament a pu lui paraître une formalité insuffisante.

De fait, des recherches récentes ont montré qu'il n'existait
pas encore, au début du XIIIe siècle, de coutume bien établie
en ce qui concernait la dévolution de la couronne de France :
on sait que ce fut au temps des fils de Philippe le Bel que les
légistes se mirent au travail, en attendant que l'on découvrît
l'usage que l'on pouvait faire de la fameuse loi salique. La
seule règle précise, c'était la désignation, par le dernier détenteur de la couronne, de celui qu'il choisissait comme héritier,
en enjoignant aux barons, aux prélats et aux sujets du
royaume de lui transférer leur fidélité. Ce qui est certain, c'est
que le roi Louis se sentait obligé de multiplier les précautions
pour assurer sans heurts le passage du pouvoir royal à son
fils aîné.

Au soir du 3 novembre, l'état du souverain s'aggravait. Il
mourut, semble-t-il, dans la nuit du 7 au 8 novembre. L'évêque de Senlis, l'Hospitalier Frère Guérin, chancelier du
royaume, prit les devants, tandis que s'organisait le cortège
funèbre qui rapportait le corps du roi à Paris. Cependant la
reine et ses enfants, qui avaient été informés du retour de
Louis VIII, s'étaient mis en route pour aller à sa rencontre.
Le chancelier rencontra Louis, qui chevauchait en avant de la
litière maternelle, et lui apprit la mort du roi.

Les obsèques de Louis VIII furent célébrées à Saint-Denis.
C'est l'archevêque Gautier Cornut qui officiait — et il lui fallut délivrer aux moines une charte de non-préjudice, de façon
à ce qu'aucun de ses successeurs ne pût se prévaloir de ce
précédent pour célébrer sans y être invité l'office pontifical
dans l'église abbatiale. Louis VIII fut enseveli près de son
père.

L'enfance de Louis IX était achevée. Il n'avait encore que
douze ans et il lui restait quelque huit ans avant d'atteindre
l'âge où il serait déclaré majeur. Mais déjà les responsabilités
de la couronne allaient tomber sur ses épaules, tandis que se

poursuivait son éducation. Car, dès ce moment, c'est en son nom que devaient être prises toutes les décisions ; et la reine régente, aux prises avec des situations difficiles, ne pouvait se dispenser d'associer son fils à ses actes.

UNE RÉGENCE DIFFICILE

Les historiens nous disent le vif chagrin qui fut celui de la reine Blanche, apprenant qu'elle était veuve, et de ses enfants, lorsque Frère Guérin leur avait apporté la nouvelle de la mort du roi. Mais Blanche, qui attendait à ce moment la naissance du futur Charles d'Anjou, avait d'autres raisons de souci. Quand elle avait épousé Louis VIII, elle apparaissait comme le gage d'un rapprochement entre Capétiens et Plantagenêts ; la rupture entre les deux couronnes était intervenue presque aussitôt et avait pris un tour définitif. Blanche elle-même, en secondant les projets de son mari sur l'Angleterre, avait contribué à aggraver cette rupture. Elle n'avait donc plus de soutien à attendre de sa propre famille : la Castille était trop loin pour que Ferdinand III pût apporter une aide quelconque à sa tante. Et celle-ci n'avait pratiquement en France aucun lignage qui la touchât d'assez près pour qu'elle pût compter sur son appui : elle faisait ainsi figure d'étrangère. Elle n'avait, dit Joinville « ni parents, ni amis dans tout le royaume ».

Louis VIII lui avait déféré la régence. Ceci pouvait-il être considéré comme conforme aux usages du royaume ? Certes, les exemples ne manquent pas de femmes qui aient gouverné des baronnies au nom de leur fils mineur. Blanche de Navarre, veuve de Thibaud III de Champagne, et Alix de Vergy, veuve d'Eudes III de Bourgogne, avaient exercé ou exerçaient encore la régence pour Thibaud IV et pour Hugues IV, leurs enfants. Et depuis un siècle et demi (depuis que Philippe Ier avait succédé à Henri Ier), aucun Capétien n'avait accédé au trône avant d'avoir atteint l'âge d'homme, encore qu'Adèle de Champagne eût prétendu gouverner le royaume sous le nom de Philippe-Auguste, lequel n'avait guère plus de quinze ans.

Louis VIII avait un frère, Philippe Hurepel, fils de Philippe-Auguste et d'Agnès de Méranie. Alors âgé de vingt-cinq ans, doté par son père des comtés de Mortain, de Domfront et d'Aumale, héritier par sa femme du comté de Boulogne — dont le titulaire, son beau-père Renaud de Dammartin, était toujours, depuis sa capture à Bouvines, prisonnier au château du Goulet —, il avait été admis en 1224 à prêter hommage à Louis VIII qu'il avait accompagné dans ses campagnes. Il était à ses côtés à Montpensier et figurait parmi ceux qui s'étaient engagés à respecter les volontés du roi défunt. Il ne semble pas qu'il ait songé à contester la désignation de la régente : Blanche, d'ailleurs, s'empressa de le récompenser de sa fidélité en rattachant la mouvance du comté de Saint-Pol à celui de Boulogne, et, un peu plus tard, en lui accordant une pension.

En exécution des décisions du roi défunt, la reine envoya des convocations à ceux qui devaient assister au couronnement de son fils ; parallèlement, les barons qui avaient assisté aux derniers moments de Louis VIII invitaient leurs pairs à cette cérémonie. La reine et son entourage quittèrent Paris pour Reims ; au passage, Louis fut armé chevalier à Soissons. A Reims, l'archevêque venant de mourir, c'est au premier de ses suffragants, l'évêque de Soissons, qu'incomba le soin de couronner le roi et de lui donner l'onction royale de l'huile de la Sainte-Ampoule, que trois cents chevaliers en armes étaient allés quérir à l'abbaye de Saint-Rémy. Le chancelier, l'évêque de Senlis, l'assistait. Un litige survint ; il s'était déjà produit lors du couronnement de Louis VIII. La comtesse de Flandre et la comtesse de Champagne prétendaient toutes deux au privilège de remettre l'épée au nouveau roi. Comme en 1223, on adopta une solution provisoire, et c'est Philippe Hurepel qui fut chargé de la remise de l'épée.

Mais la composition de l'assemblée révélait de beaucoup plus graves désaccords. On y voyait certes le duc de Bourgogne, les comtes de Blois, de Bourgogne, de Dreux, de Bar-le-Duc, les comtesses de Flandre et de Champagne, le sire de

Coucy, la dame de Beaujeu et bien d'autres ; le « roi d'Outre
mer », c'est-à-dire Jean de Brienne, qui avait été roi de Jérusalem jusqu'au 9 novembre 1225, date à laquelle l'empereur
Frédéric II, qui venait d'épouser sa fille, lui avait brutalement
signifié qu'il était dessaisi de sa couronne, était présent lui
aussi. Jean de Brienne allait, à plusieurs reprises, figurer dans
l'armée royale au cours des campagnes des années suivantes.
Le sire de Beaujeu et le comte de Montfort étaient absents
parce qu'ils commandaient les troupes stationnées en Languedoc. Mais l'absence d'Hugues le Brun de Lusignan, comte
de la Marche, celle d'Hugues de Châtillon, comte de Saint-
Pol, et celle de Pierre de Dreux, comte de Bretagne, était préoccupante. Quant à Thibaud IV, comte de Champagne, il
s'était bien mis en route pour se rendre au couronnement, et
ses fourriers étaient arrivés à Reims pour préparer ses loge-
ments, lorsqu'un messager lui avait intimé l'interdiction, de la
part de la reine, de pénétrer dans la ville, ainsi que la menace,
de la part des barons, d'une guerre dirigée contre lui, s'il
s'avisait de répondre à cette marque de défiance en mettant
garnison dans ses châteaux.

La raison de cet ostracisme tenait à ce que la conduite de
Thibaud, au cours de la campagne de 1226, avait prêté à sus-
picion. Son père ayant épousé la fille du roi de Navarre, il
avait noué des liens avec le baronnage méridional ; il n'avait
accompagné l'armée royale qu'à contrecœur, et il passait
pour avoir des relations étroites avec le comte de Toulouse
(c'est d'ailleurs lui qui devait servir de médiateur lors du
règlement des difficultés entre Raymond VII et saint Louis).
Il s'était prononcé contre la décision d'assiéger Avignon et on
l'avait accusé d'entretenir des intelligences avec les assiégés ;
après une violente altercation, il avait quitté l'armée avec ses
hommes, en faisant état de ce que les quarante jours du service féodal étaient écoulés. Louis VIII l'avait alors menacé de
saisir ses fiefs et de lui faire la guerre. Et le bruit courait que
la maladie qui avait emporté le roi était le résultat d'un
empoisonnement dont le comte de Champagne était l'instiga-
teur.

D'autres raisons, que nous retrouverons, expliquent l'hostilité des barons envers Thibaud IV. Et, parmi les embarras de la régente, où les affaires de Champagne ont tenu une grande place, cette hostilité a joué un grand rôle. Blanche de Castille, pour sa part, avait invité Thibaud à se rendre au couronnement, où la mère du comte de Champagne dut se substituer à son fils ; on ne peut se défendre de l'impression que ce sont les barons qui ont forcé la main de la reine mère.

Les mêmes barons ont prêté hommage à la reine après la cérémonie du couronnement. On comptait parmi eux nombre de Normands, de Poitevins, d'Angevins, ce qui était rassurant quant à la fidélité des provinces récemment rattachées au domaine de la couronne. Mais il y eut négociation : les barons paraissent avoir obtenu de la régente la réparation des injustices commises par les deux derniers Capétiens au préjudice de leurs vassaux. Et ils lui réclamèrent la remise en liberté des deux comtes retenus en prison depuis Bouvines, Ferrand de Portugal et Renaud de Dammartin.

Blanche se refusa à libérer ce dernier, qui devait mourir peu après (on affirma qu'il avait lui-même mis fin à ses jours). Quant à Ferrand, Louis VIII avait déjà promis de le rendre à la liberté avant la Noël de 1226, à des conditions d'ailleurs très lourdes : une rançon de 50 000 livres, dont moitié payable d'avance, les châteaux de Lille, Douai et l'Écluse servant de gage jusqu'au paiement du reste, et divers engagements complémentaires. Blanche paraît avoir adouci ces conditions, et le comte de Flandre, qui fut libéré au début de janvier 1227, allait être l'un de ses plus fermes soutiens.

On ne saurait donc dire, malgré ces concessions, que la régente ait prêté la main à une réaction contre les méthodes de son beau-père et de son mari. En fait, elle disposait pour l'aider dans sa tâche de gouvernement des auxiliaires de l'un et de l'autre. Les grands officiers de la couronne restaient, avec le chancelier Guérin, le chambrier Barthélémy de Roye, le connétable Mathieu de Montmorency, le bouteiller Robert de Courtenay. Guérin devait rendre les sceaux en 1227, peu avant sa mort ; quant au connétable, c'est en 1230 qu'il mourut, et Amaury de Montfort, qui lui succéda, avait été l'un des meilleurs compagnons de Louis VIII. L'équipe gouvernemen-

tale restait donc, en gros, celle de Philippe-Auguste. Toutefois Blanche put bénéficier de l'aide du cardinal Romain
Frangipani, qu'Honorius III avait envoyé comme légat dans
le royaume de France et dans le royaume d'Arles en vue de la
croisade contre les Albigeois. Le légat, qui avait accompagné
Louis VIII, parvint à négocier un compromis avec les églises
du royaume qui se montraient réticentes au paiement de ce
qui restait à acquitter des décimes octroyées pendant trois ans
au feu roi sur le revenu des bénéfices ecclésiastiques pour
financer sa croisade : il leur fit accepter le paiement d'une
somme forfaitaire de 100 000 livres qui fut la bienvenue pour
le trésor royal. Il mit fin à un conflit qui opposait la royauté à
l'archevêque de Rouen ; il ramena la paix dans l'université de
Paris. Et c'est lui qui entama les négociations qui devaient
finalement aboutir au règlement des difficultés avec le comte
de Toulouse. Habile diplomate et légiste avisé, Romain Frangipani rendit certainement de grands services à la reine, dont
les adversaires firent courir le bruit qu'elle entretenait de coupables relations avec le cardinal. Mais il avait regagné Rome
dès la fin de 1227 et, lorsqu'il revint en France, en 1228, ce fut
essentiellement pour séjourner en Languedoc.

Dans l'immédiat, la reine se trouvait aux prises avec une
coalition qui réunissait le comte de Bretagne, Pierre Mauclerc, le comte de Champagne, Thibaud IV, et le comte de la
Marche, Hugues le Brun de Lusignan. Cette coalition, en fait,
s'était nouée durant les derniers mois du règne de Louis VIII.
Le comte de la Marche, à qui ce dernier avait promis une part
importante des conquêtes à réaliser sur le roi d'Angleterre, et
notamment Bordeaux, paraît avoir été fort déçu par l'abandon de la campagne menée contre le Plantagenêt, que le roi
avait interrompue pour se tourner contre Toulouse. Les
mobiles de Thibaud sont plus obscurs ; on a avancé qu'il
éprouvait dès lors pour Blanche de Castille une véritable passion, qui l'aurait amené à prendre en haine l'époux de celle-
ci. Il se peut aussi qu'il ait été hostile à l'attaque dirigée par
Louis VIII contre Raymond VII.
C'est Pierre Mauclerc qui avait les raisons de mécontente-

ment les plus évidentes. Sa femme Alix, héritière du comté de Bretagne, était morte en 1221 ; Pierre devrait donc renoncer à jouir de ce fief à la majorité de son fils Jean. Il songeait à se remarier avec une autre dame de fief, et il avait jeté son dévolu sur la comtesse Jeanne de Flandre. Celle-ci avait bien un mari ; mais le comte Ferrand était enfermé au Louvre depuis 1214, et l'on avait découvert que Ferrand et Jeanne étaient parents à un degré prohibé par l'Église. La comtesse avait obtenu de Rome l'annulation de son mariage. C'est alors que Louis VIII se jeta au travers du projet qu'avaient formé ses deux grands vassaux. Grâce au légat Romain Frangipani, il fit révoquer la sentence d'annulation et obtint les dispenses nécessaires à la validation de l'union de Jeanne avec Ferrand. Il promit à ce dernier de le libérer et la comtesse dut s'engager à reprendre la vie commune avec son époux.

Pierre, frustré, entra alors en négociation avec le roi d'Angleterre. Il avait accompagné Louis VIII dans son expédition, mais l'avait quitté aussitôt après le siège d'Avignon ; et, rentré dans son comté, il concluait avec Henri III un accord qui comportait une promesse d'assistance réciproque, et qui prévoyait le mariage de la fille du comte de Bretagne, Yolande, avec le souverain Plantagenêt. Hugues de Lusignan entrait dans la coalition, et tous deux croyaient pouvoir compter sur Thibaud de Champagne. Là-dessus, Louis VIII mourut, et les alliés entrèrent en contact avec un des principaux seigneurs de Saintonge, Savary de Mauléon, en même temps qu'avec Richard de Cornouailles, qui séjournait alors à Bordeaux. Ce qui rendait cette coalition redoutable, c'est que, non contents de réclamer la restitution des terres auxquelles ils prétendaient avoir droit, les trois comtes remettaient en cause la légitimité des conquêtes réalisées au détriment des Plantagenêts, en affirmant que les confiscations prononcées à l'encontre de ceux-ci étaient contraires au droit des fiefs. Et ils préparaient la guerre : Pierre Mauclerc mit garnison dans les châteaux de Bellême et de Saint-James de Beuvron, que le roi lui avait donnés en garde.

C'est alors que Blanche de Castille obtint un succès décisif,

en détachant Thibaud IV de la coalition. Le comte de Champagne, par la proximité où se trouvaient ses terres par rapport
au cœur du domaine royal, par la suzeraineté qu'il exerçait
sur les comtés de Blois, Chartres, Sancerre, par l'étendue de
ses alliances familiales, représentait un adversaire redoutable.
Est-ce parce que l'armée royale fit mine de se porter sur la
Champagne, ou parce que lui-même, effrayé de l'ampleur de
la conjuration — où il n'était entré que sous l'empire de l'irritation éprouvée du fait de l'affront dont il avait été victime lors du couronnement royal —, avait changé de parti
et révélé à la reine le danger qu'elle courait ? Toujours est-
il que Thibaud se rallia à la régente, dont il devait faire
la dame de ses pensées, celle qu'il allait célébrer dans ses
chansons :

> « Celle que j'aime est de telle seigneurie
> Que sa beauté me fait outrecuider. »

Débarrassée de toute menace venant de la Champagne,
l'armée royale put se porter sur Chinon, d'où elle était en
mesure d'intervenir efficacement contre les comtes de la
Marche et de Bretagne, au cas où les Anglais seraient sortis
de Guyenne. La reine et le roi convoquèrent Hugues le Brun
et Pierre Mauclerc à Chinon, puis à Tours. Les deux comtes
atermoyèrent et finirent, après des conférences tenues à Loudun, par accepter de rencontrer Louis et Blanche de Castille
à Vendôme, au printemps de 1227. Blanche obtenait d'eux
qu'ils fissent hommage ; mais cette soumission était acquise à
très haut prix. Pierre Mauclerc promettait de donner sa fille
en mariage au troisième fils de Louis VIII, Jean, qui devait
recevoir en apanage le Maine et l'Anjou : la reine acceptait de
remettre immédiatement Angers, Le Mans, Baugé et Beau-
fort-en-Vallée au comte de Bretagne, en attendant la célébration du mariage. Pour Hugues le Brun, il s'engageait à marier
une de ses filles à Alphonse de Poitiers, et un de ses fils à Isabelle de France ; il renonçait à certaines des terres que lui
avait données Louis VIII pour obtenir son aide contre le roi
d'Angleterre, mais en échange d'une rente de 10 000 livres

tournois à percevoir pendant dix ans, gagée sur Saint-Jean d'Angély et sur une partie de l'Aunis.

Cependant l'accord de Vendôme n'avait pas désarmé l'hostilité des autres barons envers la régente. Ceux-ci se réunirent à Corbeil, au moment où le roi revenait d'Orléans à Paris, dans l'intention d'enlever ce dernier pour le soustraire à l'influence de la régente. Louis se jeta dans le château de Montlhéry ; Blanche semonça les chevaliers du domaine royal, les bourgeois de Paris et des villes voisines. Ce fut une masse d'hommes qui se portèrent au-devant du roi. Celui-ci en garda un souvenir très vif, et c'est lui qui raconta à Joinville comment le chemin, depuis Montlhéry jusqu'à Paris, était plein de gens, en armes ou sans armes, qui priaient Dieu de donner bonne et longue vie à Louis et de le défendre de ses ennemis.

En ce début de 1228, Blanche s'inquiéta des armements de Philippe Hurepel, qui fortifiait Calais. Elle apprit que son beau-frère avait été circonvenu par un certain nombre de barons, appartenant aux lignages de Dreux, de Châtillon et de Coucy, qui avaient convaincu le comte de Boulogne de revendiquer la régence pour lui-même. On prétendit que c'était Enguerran de Coucy qui était l'âme de cette conspiration et qu'en réalité il travaillait pour lui-même, parce qu'il convoitait la régence et peut-être la couronne. Quant au prétexte, il était fourni par la volonté de châtier Thibaud de Champagne, accusé de s'être rebellé contre Louis VIII et d'avoir machiné la mort de ce dernier. Une campagne de propagande, dont témoignent plusieurs poèmes, dénonçait la collusion de Blanche de Castille avec Thibaud ; elle visait aussi Ferrand de Flandre et le principal conseiller de la reine, l'archevêque de Sens, Gautier Cornut ; on affirmait que la régente puisait dans le trésor royal pour envoyer de l'argent à ses parents espagnols. On lui reprochait de retarder le mariage du jeune roi — il avait alors quatorze ans — pour rester maîtresse du pouvoir (il est vrai que, lorsqu'il avait un an, Louis avait été promis à la fille du comte de Nevers, qui devait épouser son frère Philippe, au cas où ce dernier mourrait avant le mariage...). Ce que cette propagande laissait entrevoir, c'était le renvoi de la régente et de son entourage, et le gouvernement du royaume par les grands barons, sous l'autorité nominale du jeune roi qu'on aurait déclaré majeur du fait de son mariage.

A cette ligue des barons, la reine riposta en faisant appel aux villes. Elle réclama un serment de fidélité à celles de Picardie, de Normandie, du Vermandois, du Valois, de l'Artois et du Vexin : Ham, Montreuil-sur-Mer, Corbie, Saint-Riquier, Amiens, Roye, Péronne, Montdidier, Tournai, Chambly, Noyon, Laon, Senlis, Beaumont-sur-Oise, Crépy-en-Laonnais, Saint-Quentin, Arras, Doullens, Hesdin, Lens, Pontoise, Chaumont, Verneuil et Rouen prêtèrent ce serment.

Ce n'est pas à la régente que s'attaquèrent les barons, mais à Thibaud de Champagne. Celui-ci avait soutenu une guerre contre le comte de Nevers : Blanche de Castille avait réussi à réconcilier les deux adversaires en octobre 1229. Mais Thibaud se brouilla avec le duc de Bourgogne et le comte de Bar-le-Duc : les mécontents, avec Philippe Hurepel à leur tête, entrèrent en relation avec ces derniers, et le comte de Boulogne envoya son défi au Champenois.

La reine, sur ces entrefaites, somma les barons de se rendre à l'ost royal. En effet, la situation s'était aggravée du côté de la Bretagne. Pierre Mauclerc avait repris contact avec le roi d'Angleterre ; en octobre 1229, il était allé lui prêter hommage. Blanche de Castille l'invita à se rendre à Melun pour répondre de cette forfaiture, à la fin de décembre. Pierre fit défaut. La convocation à l'ost royal ne pouvant être éludée, les barons coalisés suspendirent leurs hostilités contre Thibaud, et se rendirent à l'armée dont le jeune Louis IX prenait lui-même la tête. Mais, pour montrer leur mauvaise volonté, chacun d'eux n'amenait qu'un contingent symbolique. Par contre, Thibaud parut à la tête de trois cents chevaliers. Et la campagne de janvier 1230 aboutit à la réoccupation des places angevines (Angers, Baugé, Beaufort) cédées à Mauclerc en 1227 ; on assiégea Bellême qui capitula.

Les barons qui n'avaient suivi le roi qu'à contrecœur, car Pierre appartenait au lignage de Dreux, comme la plupart des conjurés de 1228, n'entendaient pas prolonger leur séjour en

Bretagne. Le comte de Bretagne, de son côté, prenait prétexte de la guerre menée contre lui pour dénoncer sa vassalité à l'égard du roi de France ; il se mettait à la disposition d'Henri III qui débarqua à Saint-Malo, mais n'osa pas se porter sur la Normandie, et alla s'établir à Nantes. Ceci déclencha une nouvelle campagne : en mai 1230, l'armée royale enleva Clisson et vint assiéger Ancenis. Hugues de Lusignan était resté fidèle à Blanche de Castille, qui avait payé cette fidélité de l'abandon de l'Aunis et de Saint-Jean-d'Angély.

La régente fit alors prononcer la déchéance de Pierre Mauclerc, dont certains vassaux, comme André de Vitré, avaient refusé de transférer leur fidélité au roi d'Angleterre. Mais la sentence resta sans effet : les secours anglais étaient sur place, et les barons qui avaient accepté en décembre précédent d'accorder à Thibaud IV une trêve expirant le 1er juillet avaient hâte d'entreprendre « leur » guerre. Il fallut donc licencier l'armée sans pousser plus loin les opérations. Cette fin brusquée de la campagne assurait un an de sursis au comte Pierre : ce n'est qu'en juin 1231 que l'armée royale allait à nouveau entrer en Bretagne et se porter sur Saint-Aubin-du-Cormier où intervint enfin une trêve conclue pour trois ans.

Mais, entre-temps, les affaires de Champagne avaient pris une tournure dramatique. Attaqué à la fois par le nord et par le sud, Thibaud était pendant l'été dans une situation critique. C'est en vain que son allié, Ferrand, s'était jeté sur les comtés de Boulogne et de Saint-Pol qu'il ravageait pour obliger Philippe Hurepel à revenir dans ses domaines. Il fallut que la régente et le roi se portent en Champagne à la tête d'une armée. Les coalisés, fort gênés par la présence du roi à qui ils avaient fait hommage, essayèrent de le convaincre que, s'ils avaient envahi la Champagne, c'était pour châtier Thibaud de sa félonie envers son père Louis VIII, ce qui aurait dû leur rendre le roi favorable. Ils suggérèrent aussi que Louis IX se retirât pour laisser l'armée royale combattre celle des barons, qui ne pouvaient sans manquer à leur serment affronter le souverain en personne. Rien ne fit : les parties durent se résigner à régler pacifiquement leurs désaccords. Et, à l'automne de 1230, il ne restait plus que la question de Bretagne à trancher : encore allait-elle rester en suspens jusqu'en 1234. Néanmoins, on peut considérer que la partie était gagnée pour la régente avant la fin de l'année 1230.

Lorsqu'on lit, par exemple, le livre de Joinville, on retient l'impression que l'histoire des années 1226-1230 est celle d'une lutte de la régente contre une coalition de barons ligués contre celle-ci qu'ils ne pouvaient supporter en tant qu'étrangère, et qui leur refusait les donations de terres qu'ils exigeaient, coalition mouvante, sans cesse rompue et sans cesse renouée. La réalité paraît plus complexe, et ceci ne facilitait d'ailleurs pas la tâche de Blanche de Castille. La guerre de Champagne était une guerre privée, dans laquelle le roi ne se décida à intervenir que pour l'empêcher d'aller trop loin, lorsque Thibaud IV parut sur le point de perdre son comté. La guerre de Bretagne, où Pierre Mauclerc, qui convoitait l'Anjou et le Perche, avait fait intervenir le roi d'Angleterre, se doublait d'une autre querelle privée : celle du comte de la Marche contre le Plantagenêt. Guerre privée et rébellion contre l'autorité royale se mêlaient donc de façon inextricable.

Néanmoins le principe même de l'autorité royale restait sauf. Le roi d'Angleterre, duc de Guyenne, n'avait pas prêté hommage à Louis IX, pas plus qu'à son père : c'est qu'il contestait la validité de la sentence qui l'avait privé de ses fiefs et qu'il ne pouvait se faire l'homme du roi de France qu'une fois cette question réglée. Le comte de Bretagne est allé jusqu'à dénoncer sa vassalité envers le roi capétien pour avouer Henri III comme seigneur : lui aussi, en raison de la dépendance féodale de la Bretagne envers la Normandie, pouvait se dire fondé à attendre ce règlement pour prêter son hommage. Quant à la Champagne, si les barons ligués contre Thibaud ont véhémentement dénoncé la partialité de la régente envers celui-ci, ils n'en ont pas moins quitté « leur » guerre pour se rendre à l'ost royal en Anjou. Et, lorsque saint Louis réunit, en novembre 1230, une assemblée pour prendre une ordonnance interdisant aux Juifs le prêt à intérêt, presque tous les barons ont répondu à sa convocation, et tous adhèrent à cette mesure.

La flambée d'opposition qu'a animée un moment Philippe Hurepel, la nécessité de tenir en échec les revendications du roi d'Angleterre, les autres difficultés que nous venons d'évoquer ont amené la régente à se défaire, au meilleur compte, des autres problèmes du moment. Le principal de ceux-ci tenait aux conséquences de la croisade contre les Albigeois : c'est le 20 avril 1229 que l'on parvenait à la conclusion d'un accord avec Raymond VII de Toulouse, compromis qui devait par la suite se révéler fort profitable pour la royauté. Mais, sur le moment, Blanche de Castille, probablement beaucoup moins hostile au comte de Toulouse que ne l'avait été son mari, restituait à Raymond une part très importante de ses domaines ; le principal avantage qu'elle tirait de cet accord était de se débarrasser du poids d'une guerre dans le Midi alors qu'elle avait besoin de toutes ses forces pour tenir en échec le roi d'Angleterre, ses alliés déclarés et ceux qui, plus ou moins directement, faisaient le jeu de l'un et des autres.

Plus obscure, la reprise du conflit entre le comte d'Auvergne, allié à son cousin le dauphin d'Auvergne, et le sire de Bourbon, qui représentait le roi dans la Terre d'Auvergne, avait elle aussi abouti à un accord, par lequel la régente n'avait rien sacrifié des prétentions de la royauté dans cette contrée.

Pendant ces années difficiles, Blanche avait eu toute la charge du gouvernement, même si la présence du jeune roi Louis à la tête de son armée et dans les assemblées manifestait la participation effective du souverain couronné aux actes de ce gouvernement. C'est à elle que le pape écrit directement ; c'est à elle que s'en prennent les trouvères du parti hostile à Thibaud de Champagne, qui n'hésitent pas à dénoncer celui-ci comme étant l'amant de la reine et qui accusent cette dernière d'exercer le pouvoir à la place de son fils. Mais il est rare qu'elle agisse en son nom propre. C'est toutefois le cas pour l'accord passé avec le comte de la Marche (15 mai 1230) : Blanche souscrit l'acte intitulé au nom du roi, en tant que régente, et prend l'engagement d'agir auprès de son fils, quand celui-ci aura atteint sa majorité, pour que les conventions dont il est question soient respectées.

La régente avait, certes, dû consentir des sacrifices sensibles : elle n'avait pas hésité à acquérir des alliés au prix de concessions territoriales ou financières. Il lui avait fallu se concilier les grands lignages, en guerre plus ou moins ouverte les uns contre les autres, et peu soucieux des intérêts de la royauté, sinon du royaume. Elle n'était pas parvenue à terminer de façon définitive les querelles que lui avait léguées le règne précédent. Ni les affaires de Bretagne, ni celles de Champagne, ni celles du Languedoc, n'avaient trouvé en 1231 leur solution ; les revendications anglaises gardaient toute leur acuité. La trêve de trois ans conclue avec Pierre Mauclerc marque cependant la fin d'une période difficile : celle des guerres de Bretagne conjuguées avec les guerres de Champagne. Elle marque aussi le moment où l'hostilité des grands lignages envers la régente s'atténue ; l'approche de la majorité du roi la rend d'ailleurs moins redoutable.

Il était temps. Non seulement les vieux conseillers de Philippe-Auguste et de Louis VIII disparaissent l'un après l'autre ; mais les deux grands barons sur lesquels la régente s'est appuyée vont lui faire défaut. Ferrand de Portugal meurt le 27 juillet 1233. Thibaud de Champagne se laisse entraîner à la perspective d'une réconciliation avec les lignages qui l'avaient poursuivi de leur haine, en envisageant son propre mariage avec une fille de Pierre Mauclerc. Peut-être est-ce la reine qui a alors agi auprès du pape Grégoire IX pour que fussent refusées les dispenses nécessaires à cette union (1232). Mais le projet reprend trois ans après sous une autre forme, lorsque Thibaud IV marie sa fille au fils du comte de Bretagne, au grand mécontentement du roi. L'hostilité de Thibaud aux autres barons, qui avait favorisé la réalisation de la politique de la régente, est désormais chose du passé.

Mais les premières difficultés, les plus graves aussi, sont elles aussi dépassées. L'autorité royale, qui n'avait d'ailleurs pas réellement été exposée à une « rébellion féodale » généralisée, est désormais bien assise, et c'est seulement après la fin de la régence que le royaume va connaître une nouvelle crise, à partir d'une coalition de barons soutenue par le Plantagenêt : celle de 1241-1242. Elle allait se placer dans un contexte tout différent.

CHAPITRE II

La royauté dans la France féodale

L'expérience des premières années du règne a-t-elle aidé le jeune roi à déterminer ce que l'on n'ose appeler les grandes lignes d'une politique, mais qui peut être du moins une façon d'envisager les problèmes qui se posaient à la royauté française ? Il nous apparaît que saint Louis a infléchi l'orientation suivie par ses deux prédécesseurs dans leurs relations avec leurs sujets, et tout spécialement leurs grands vassaux. Peut-être le tempérament propre du roi, son contrôle sur lui-même, son sens de la justice, sa volonté de conformer son gouvernement aux exigences de la morale et de la charité chrétiennes auraient-ils pu suffire à rendre Louis IX plus attentif que son père et son grand-père aux droits de ses vassaux. Mais les quatre années pendant lesquelles il avait pu voir sa mère tenir tête au roi d'Angleterre et au comte de Bretagne, soutenir une guerre larvée en Languedoc, tenir en échec la sourde hostilité des principaux barons du royaume pouvaient, elles aussi, lui apporter leur leçon.

L'histoire a retenu au crédit de Philippe-Auguste et de Louis VIII l'extension considérable qu'ils ont donnée au domaine royal et l'obéissance qu'ils ont su obtenir de leurs grands vassaux, en châtiant durement leurs sursauts d'indépendance. Elle a aussi enregistré la mise en place des premiers éléments de ce qui allait devenir l'administration du royaume de France, une des machines étatiques les plus efficaces qu'ait connues le Moyen-Age. Elle s'est moins attachée aux réactions des grands vassaux en présence de progrès domaniaux dont quelques-uns des princes féodaux faisaient les frais, ce qui ne pouvait manquer de susciter leurs inquiétudes, et de la place grandissante que tenait dans le gouvernement du royaume un entourage dont ils ne faisaient partie qu'occasionnellement.

Depuis Louis VI au moins, comme l'ont montré les travaux de J.-F. Lemarignier et de M. Éric Bournazel, la royauté capétienne avait cessé de faire appel aux grands barons et aux prélats de haut rang pour gérer son domaine et sa maison. Cette tendance était allée en s'accentuant. Dès le règne de Philippe-Auguste, la sénéchaussée du royaume n'a plus de titulaire. Les autres grands offices sont tenus, au moment où Louis IX accède au trône, par un Montmorency, un Roye, un Clément, qui sont des membres de lignages de chevaliers et de petits seigneurs de l'Ile-de-France, du Vermandois, du Gâtinais. Les clercs de l'entourage royal sont issus des mêmes milieux et des mêmes régions. Barons de second rang, chevaliers, bourgeois appartenant à la clientèle du roi, liés à celui-ci par l'hommage ou par d'autres liens quasi domestiques, peuplent le conseil, élaborent les sentences de justice, exécutent les ordres royaux.

Quant aux grands seigneurs, ils sont là pour de grandes fêtes, pour des assemblées solennelles, pour la tenue — exceptionnelle — de la cour des pairs. C'est surtout pendant les opérations de guerre que le roi a recours à eux. Il a besoin de leurs contingents ; il les associe à l'exercice du commandement. Mais ils peuvent se sentir exclus de la vie quotidienne du gouvernement royal. Ou, du moins, voir celui-ci comme le parallèle du gouvernement que chacun d'eux assure à sa propre principauté, avec l'aide d'un entourage qui ressemble à celui du roi.

Réintégrer les grands dans le schéma gouvernemental, était-ce là un impératif pour les souverains capétiens dans le premier quart du XIIIe siècle ? Philippe-Auguste, en accroissant ses domaines, s'était donné de nouveaux moyens pour mener sa politique et l'imposer à ses grands vassaux, du fait qu'il disposait désormais de ressources financières et de moyens militaires dépassant nettement les leurs. En 1224, Louis VIII avait imposé la présence de ses grands officiers au sein de la cour des pairs, où déjà les pairs ecclésiastiques, plus étroitement liés à la couronne que les pairs laïcs, contrebalançaient par leur nombre le poids de ces derniers.

Cependant la régente n'avait pu tenir en échec la rébellion bretonne et l'intervention anglaise que grâce aux contingents de ses grands vassaux. C'est la fourniture opportune par le comte Thibaud d'une armée plus forte que la normale qui avait assuré le succès de la campagne de Bellême, tandis que le retrait des grands barons et de leurs hommes, en 1230, avait obligé le roi à cesser de poursuivre ses opérations. De tels souvenirs ne pouvaient-ils inciter Louis IX à mieux s'attacher les princes féodaux pour en faire des auxiliaires dévoués de son gouvernement ?

LE DOMAINE ET SA GESTION

A la suite d'Auguste Longnon, l'école historique française a réservé, non sans raison, une place essentielle à l'histoire de l'accroissement continu du domaine royal des Capétiens, lesquels apparaissent avant tout comme des rassembleurs de terres. Sous cette optique, le rattachement au domaine des territoires précédemment inféodés aux grands vassaux fait figure de l'objectif primordial des rois de France. Toute aliénation — et c'est notamment le cas de la constitution d'apanages au profit des puînés de la famille royale — est ainsi regardée comme une aberration, sauf lorsqu'elle est compensée par une acquisition d'importance égale ou supérieure.

Cette perspective procède de celle des légistes de la fin du Moyen-Age. Ceux-ci, à partir du serment prêté par le roi, lors de son couronnement, de maintenir intacts les droits de la couronne, ont élaboré une théorie de l'intangibilité du domaine royal qui s'apparente à celle que le droit canonique applique aux terres d'Église. Cette théorie, du reste, allait devenir fort gênante lorsque la royauté, ayant besoin d'argent qu'elle attendait de « l'extraordinaire », chercha à monnayer ses possessions domaniales en les cédant au plus offrant. Il fallut alors recourir à la fiction d'un « engagement » qui laissait intact le principe de la propriété de la couronne tout en autorisant la remise du bien cédé à un acquéreur mué en créancier de la royauté qui pouvait rentrer dans ses droits en remboursant le preneur. Dès le règne de Charles V, le statut des apanages représente une autre application de cette théorie, puisque les terres remises aux apanagistes deviennent intransmissibles aux femmes comme participant à la nature de la couronne de France elle-même.

Mais, au temps de saint Louis et à plus forte raison de ses prédécesseurs, cette théorie est encore ignorée. La terre, c'est-à-dire l'ensemble des exploitations agricoles, des forêts, des eaux, des maisons, des châteaux aussi bien que les droits payés par ceux qui fréquentent les routes ou les marchés, les redevances pour l'emploi des équipements collectifs, les amendes ou exploits de justice perçus dans le ressort de ces possessions, est essentiellement considérée comme une source de revenus, voire comme la richesse par excellence. Le domaine royal, tout comme celui des seigneurs de grande volée ou de modeste lignage, fournit les ressources indispensables à la vie quotidienne de son détenteur aussi bien qu'à la poursuite de sa politique. Il assure des moyens financiers, mais aussi des moyens en hommes : les gens de guerre et les serviteurs de tout rang sont rétribués soit par l'inféodation de parcelles de ce domaine, soit par des gages prélevés sur les revenus domaniaux. Il n'est pas jusqu'au salut éternel des uns et des autres qui ne dépende de la possession du domaine, puisque c'est en prélevant sur celui-ci, ou sur les rentrées qui en proviennent, des aumônes consenties à des établissements religieux en retour de bénéfices spirituels, ou distribuées aux pauvres, qu'un riche peut espérer fléchir la justice de Dieu.

Aussi n'y a-t-il pas lieu de conférer à l'accroissement des ressources du roi, lorsqu'elles sont assises sur les possessions territoriales de ce dernier, un caractère exceptionnel. S'il est des portions du domaine que le souverain hésite à mettre

hors de sa main, ce sont les forteresses, villes fortes ou châteaux, dont dépend sa sécurité, ou qui appuient ses visées
politiques. Encore peut-il s'en dessaisir temporairement,
notamment en les assignant aux reines qui, si elles devenaient
veuves, les détiendraient à titre viager. A la mort de Philippe-
Auguste, sa veuve Ingeborg de Danemark reçut ainsi l'Orléanais, qu'elle tint jusqu'en 1236. Blanche de Castille avait reçu
en dot de son oncle Jean sans Terre trois châtellenies du
Berry (Issoudun, Graçay et Châteauroux) ; son mari lui avait
assigné en douaire Lens, Hesdin et Bapaume, que saint Louis
lui retira en 1237, lorsqu'il remit l'Artois à son frère Robert.
Elle reçut alors en compensation Meulan, Pontoise, Étampes,
Dourdan, Corbeil et Melun — des places intimement liées à
la tradition capétienne. En fait, ces châtellenies représentent
aux yeux du souverain les sources de revenus qui permettent
à la reine veuve de tenir son état. Il est d'ailleurs de règle
qu'elles reviendront à la couronne à la mort de leur détentrice ; mais ceci n'a rien que d'habituel, et tous les douaires
que constituent les barons du royaume à leurs épouses
connaissent le même sort.

L'accroissement du domaine royal, en fait, c'est l'accroissement des ressources de la monarchie, donc des moyens dont
dispose le roi pour entretenir sa maison, ses officiers, et
mener sa politique. Et le souci des Capétiens de rassembler
des terres procède sans doute en premier lieu du désir de réunir entre leurs mains des ressources accrues. Ce qui ne saurait
exclure, bien entendu, le souci d'occuper des positions stratégiques, dans la mesure où la connaissance de la géographie
permettait de les apprécier, et la volonté d'affaiblir tel vassal
trop puissant.

Aux possessions de Louis VI — Paris et Orléans, Corbeil,
Étampes, Melun, Sens, le Gâtinais, Poissy et le Vexin français, Senlis et deux terres excentriques, Montreuil-sur-Mer et
la vicomté de Bourges —, Louis VII avait peu ajouté. Philippe-Auguste triple l'étendue du domaine : au Nord-Est, il
acquiert l'Artois, le Vermandois, le Valois, la Picardie, les
comtés de Beaumont-sur-Oise et de Clermont-sur-Oise ; au
Nord-Ouest, le duché de Normandie, les comtés de Meulan,

d'Évreux, d'Alençon ; à l'Ouest, la Touraine, l'Anjou, le Maine et une partie du Poitou ; au Sud, le Berry occidental, Gien, Montargis, Sancoins, Riom et la terre d'Auvergne. Et, dans son règne si bref, Louis VIII conquiert la Saintonge et l'Aunis, le Perche et Saint-Riquier en Picardie, tandis que sa campagne de 1226 lui permet de faire une réalité des droits qu'Amaury de Montfort lui avait cédés sur Béziers, Carcassonne, Beaucaire et d'autres villes du Languedoc.

On se rend compte, à cette seule énumération, du poids formidable dont pèse désormais la monarchie dans la France féodale, et on devine l'accroissement de ressources auquel ceci correspond. Mais il serait illusoire de penser que la cartographie suffirait à rendre compte de la réalité de ce domaine. Jadis, Longnon avait doté d'une excellente carte l'édition de Joinville procurée par Natalis de Wailly. Le domaine royal y apparaissait comme un ensemble de territoires cohérents et bien délimités, au milieu d'autres territoires, ceux des grands fiefs. La démonstration de William M. Newman a prouvé que la consistance réelle du domaine ne saurait s'exprimer par le tracé linéaire de ses frontières.

Nous ne possédons pas encore, pour le temps de saint Louis de ces « prisées » qui évaluent dans le détail le revenu de l'une ou l'autre des portions du domaine. L'une des plus anciennes de ces « prisées » est l'évaluation du douaire de la reine Jeanne de Bourgogne, qui fut assigné en 1332 sur le Gâtinais, Sens et Melun, c'est-à-dire sur quelques-uns des éléments les plus anciens du domaine des Capétiens. Les conclusions de M. Guy Fourquin, qui l'a étudiée en détail, montrent que le plus gros du revenu que le roi tire de ce domaine ne vient pas de la terre arable proprement dite, celle que mettent en culture des tenanciers qui paient au souverain leurs cens et leurs redevances, mais de trois autres chapitres qui sont, en ordre croissant d'importance, les exploits de justice, les droits sur l'activité économique et les forêts.

Or, c'est la même impression que laisse, un siècle plus tôt, la consultation du compte des recettes du trésor royal, établi bailliage par bailliage, qui fut dressé en 1238. On n'y voit guère figurer, à vrai dire, les recettes provenant de l'administration de la justice, beaucoup des amendes, échoites ou autres profits étant perçus par des agents qui prennent à ferme l'exercice des fonctions judiciaires. Mais on y voit apparaître une appréciable rentrée qui provient de la vente de biens confisqués — ici, sur les hérétiques, car on est au moment de la grande campagne dirigée contre les Cathares et à laquelle est assez sinistrement associé le nom de l'inquisiteur Robert le Bougre. Pour fréquenter les marchés, emprunter les routes, bénéficier de la protection royale dans l'exercice de leur activité marchande, bourgeois et gens de négoce s'acquittent du paiement des péages, des hallages, des rouages. Quant aux forêts — et le compte cite celles de Roumare, de Lyons, de Vernon aussi bien que le bois de Bougival — elles nourrissent des troupeaux de porcs qui viennent y dévorer les fruits sauvages : leurs propriétaires paient une redevance à cette fin. Et le produit des coupes de bois paraît loin d'être négligeable.

Par contre, les droits sur les hommes rapportent relativement peu. Il est vrai que, dans la plus grande partie de l'ancien domaine royal, la mainmorte est ignorée ; la taille à merci a été abolie partout où s'applique le droit défini par la charte de franchises de Lorris-en-Gâtinais. Les chartes de commune évitent aux villes de subir l'arbitraire des officiers royaux ; là où il n'y a pas eu concession de communes, des franchises limitent les possibilités de lever des taxes excessives.

Le domaine royal — et il est semblable en cela aux principautés des grands féodaux — n'est cependant pas seulement un ensemble de terres et de droits dont on attend un revenu en argent ou en nature. C'est aussi un ensemble de tenures féodales, de fiefs, dont bénéficient un nombre considérable de chevaliers, d'écuyers, de sergents, qui doivent au roi leur service armé ou qui le servent d'autre manière. De ces fiefs, certains pourraient être considérés comme équivalant à tel ou tel comté dont on a l'habitude de ranger les détenteurs parmi les grands vassaux de la couronne. Ainsi la seigneurie de Nesle, en Picardie, que tenait une famille qui donna à saint Louis quelques-uns de ses meilleurs serviteurs ; ou celle de

Nemours, en Gâtinais, dont les seigneurs et leurs cadets peu-
plèrent la maison du saint roi et l'épiscopat français de son
temps. Ou celles de Montmorency, de Vierzon, de Mirebeau,
vassales du roi au titre de ses domaines du Vexin, de
Bourges ou de Poitiers. Les seigneurs de ces châteaux et bien
d'autres les tenaient en fief du roi ; ils étaient astreints par
leur serment à les mettre à sa disposition dès lors qu'ils
étaient reconnus « jurables et rendables », de façon à ce que
le suzerain pût s'en servir pour ses guerres. Ils devaient, sitôt
qu'ils avaient reçu la « semonce », apportée par un sergent
du roi, rejoindre l'ost royal avec un contingent de chevaliers
fixé soit par la coutume, soit par la semonce elle-même. Si,
dans leur fief, ils jouissaient des droits de justice au plus haut
degré, ils ne s'en reconnaissaient pas moins ressortissants de
la cour royale.

Beaucoup plus nombreux étaient les simples chevaliers qui
ne levaient même pas bannière, et qui tenaient directement
du roi un village ou simplement un certain nombre de terres
dont les tenanciers leur versaient les cens, champarts ou
autres redevances coutumières ; ou bien qui s'étaient vu assigner à titre de fief des rentes en argent ou en nature à prélever sur tel péage, sur tel droit de marché ou sur tel autre des
revenus du souverain. Ceci rétribuait un service personnel
qu'ils assuraient en rejoignant directement l'ost du roi, alors
que d'autres, arrière-vassaux de ce dernier au lieu d'être ses
vassaux directs, rejoignaient le contingent d'un seigneur châtelain auquel ils prêtaient hommage et qui avouait au roi les
fiefs détenus par eux.

De la sorte, ce qu'on appelle couramment le domaine royal
réunissait à la fois des éléments dont le roi tirait des revenus
alimentant son trésor ou bien rétribuant ses agents, et des
tenures féodales dont le revenu allait à ses vassaux, mais en
lui assurant un service armé que ceux-ci rendaient soit en
campagne, soit en gardant des forteresses, ce service étant
disponible en toute occasion.

S'y ajoutait un nombre appréciable de villes, ou de simples
bourgades, auxquelles avait été concédé soit le privilège de
s'administrer elles-mêmes par l'intermédiaire de maires, ou

de consuls, désignés par les habitants, soit celui de choisir des représentants pour assister les agents du roi qui rendaient la justice et assuraient la police dans ces localités, selon qu'elles bénéficiaient du statut de ville de commune, de consulat ou de ville franche. Particulièrement nombreuses en Picardie, en Artois, dans le Valois et le Vermandois, mais aussi en Sénonais, en Normandie, dans l'Ouest et en Languedoc, les communes ne représentaient pas seulement une forme de gouvernement mieux adaptée aux agglomérations urbaines que le régime seigneurial tel qu'il s'appliquait dans les villages, et permettant aux habitants de s'adonner à leurs activités propres en échappant à l'arbitraire des agents seigneuriaux : elles étaient aussi de petites républiques urbaines dont les ressortissants, associés par serment pour défendre la paix, étaient assujettis à un service armé. Elles contribuaient à fournir au roi les éléments de son armée, mais elles représentaient surtout un potentiel financier, du fait de la relative richesse de leurs bourgeois, et des ressources des marchés, de l'artisanat et du commerce, qui permettait au souverain d'escompter leur aide en matière financière.

Le domaine royal restait la juxtaposition de terres et d'hommes au statut très varié. Le régime des communes et des villes franches était réglé par des chartes souvent fort différentes dans leurs stipulations, et ce sont les Plantagenêts qui avaient accordé à Poitiers, La Rochelle ou Rouen les privilèges que Philippe-Auguste et Louis VIII s'étaient bornés à confirmer. Chaque comté, chaque châtellenie avait, au moment de son incorporation dans ce domaine, sa coutume, ses traditions de vie et de gestion : la royauté ne leur avait pas imposé un vêtement uniforme. Les anciennes possessions des Plantagenêts elles-mêmes différaient profondément entre elles : le Maine et l'Anjou, le Poitou et ses annexes, avaient des structures bien étrangères à celles que les ducs normands avaient établies dans leur duché. Et les Capétiens, en prenant possession, n'avaient fait que respecter ces structures.

Ainsi s'explique la diversité des modes d'administration et la variété des officiers qui assurent la gestion des domaines du roi. Dans les territoires qui venaient des premiers Capé-

tiens, on trouvait à peu près partout des prévôts. Ceux-ci,
normalement, prenaient à ferme aussi bien la levée des redevances payées par les censitaires que celle des exploits de justice, dans la mesure où leurs attributions comportaient le
droit de juger les hommes. Mais, dans le Nord, et particulièrement en Artois, le dessin des cours échevinales diffère de
celui des cours de prévôté. Ailleurs, les attributions des prévôts sont exercées par des châtelains. Dans le Centre et le
Midi, ce sont des juges, des viguiers, des bayles, ici fermiers,
ailleurs comptables de leurs recettes et de leurs dépenses.

Par-dessus ces institutions locales, dont la diversité défie
l'analyse, Philippe-Auguste avait introduit un rouage nouveau : le bailliage. Le roi nommait des baillis qui prenaient en
charge l'administration d'une vaste circonscription. Si Paris
et ses dépendances continuaient à relever du prévôt de la
ville, il y eut sous saint Louis des baillis à Amiens, à Senlis, à
Arras, à Saint-Omer, en Vermandois, à Sens, à Mantes, à
Étampes, à Orléans, à Bourges, à Tours. La Normandie était
aussi divisée en bailliages : ceux de Gisors, de Rouen, de
Caen, de Caux, du Cotentin, de Bayeux, d'Avranches,
d'Arques, de Verneuil.

Dans les territoires conquis sur les Plantagenêts ou sur les
barons méridionaux, le titre de sénéchal concurrence celui de
bailli ; mais ce dernier est le plus couramment utilisé au
temps de saint Louis. Le Poitou, l'Anjou, le Quercy, le Périgord forment des circonscriptions comparables aux précédentes ; la Rochelle, Beaucaire, Carcassonne sont le siège
d'autres baillis ou sénéchaux. Le roi se fait même représenter
dans des régions où son domaine propre se réduit à peu de
chose. Dans la terre d'Auvergne, c'est un baron du roi, le sire
de Bourbon, qui assure la garde du pays, et c'est seulement
en 1238 qu'apparaît un bailli, qui est en même temps connétable d'Auvergne. En Bourgogne, la royauté ne dispose que
de points d'appui dispersés ; Joceran de Brancion, un seigneur de la région, est appelé tantôt vicaire du roi en Bourgogne, tantôt châtelain du roi, tantôt bailli. Cette incertitude
sur la titulature montre que l'assise terrienne y semble mince
pour un véritable bailliage.

Mais, dans l'ensemble, les uns et les autres avaient mission de surveiller la gestion des officiers inférieurs et notamment de veiller à ce qu'ils rendissent loyalement la justice ; ils se trouvaient ainsi avoir à évoquer devant eux certains procès, et surtout ceux qui mettaient en cause des personnages importants. Ils exerçaient des fonctions de commandement, rassemblant les nobles des bailliages et les contingents des communes. Mais ils étaient avant tout des administrateurs : le roi leur confiait le soin de percevoir ceux des revenus qu'il préférait ne pas affermer à des prévôts, et en particulier ceux qui provenaient des forêts, ainsi que les amendes les plus importantes et les profits des confiscations. Ces rentrées, ils les acheminaient vers le trésor royal, soit en les déposant au château du Louvre, soit en les remettant au Temple de Paris, qui servait de dépôt à la monarchie, en trois versements annuels : ceux de la Toussaint, de la Chandeleur et de l'Ascension. Au préalable, ils prélevaient les gages à payer aux serviteurs du roi, à commencer par les leurs, le paiement des travaux effectués dans les châteaux et les bâtiments d'exploitation, les fiefs et les fondations pieuses assignés sur les revenus dont ils avaient la charge, et des frais de toute sorte, notamment ceux qu'occasionnait l'envoi de messagers. Encore les baillis de Normandie versaient-ils le reliquat de leur recette à d'autres termes que leurs homologues : à la Saint-Michel et à Quasimodo.

Ces revenus étaient très inégaux. En 1238, le bailli de Vermandois versait 21 576 livres, celui d'Amiens 966. Le prévôt de Paris s'acquittait d'un versement de 11 502 livres, le bailli de Sens, de 13 540 livres, tandis que les versements des baillis d'Orléans et de Bourges ne montaient respectivement qu'à 1 696 et 1 767 livres. N. de Wailly a évalué le total de ces recettes à 235 000 livres ; la moitié paraît provenir des seuls bailliages de Normandie, dont la superficie globale semble pourtant relativement limitée. Les régimes d'exploitation diffèrent ; le domaine royal laisse l'impression d'une mosaïque de territoires disparates dans leur consistance et dans leur statut, issus de principautés différentes et réunies par le hasard à des époques variées. L'ancien domaine capétien se distingue peut-être dans cet ensemble par une plus grande homogénéité et aussi par une tradition de service du roi qui fait de lui la pépinière des auxiliaires de la royauté.

Dans son essence, exception faite pour les terres d'Église, le domaine du roi est très semblable à celui des grands barons. Il l'emporte par son importance territoriale, par l'ampleur des revenus et par celle des services vassaliques que son détenteur peut en tirer, sur n'importe lequel des domaines que tiennent les grands vassaux. Néanmoins, le roi ne se comporte pas autrement à l'égard de ses terres domaniales et de leurs habitants que chacun de ses barons ne le fait dans sa propre terre.

Les grands fiefs

Ce sont les historiens modernes qui ont eu recours aux termes de grands fiefs et de grands vassaux pour désigner les principautés féodales et leurs chefs ; la terminologie médiévale ne connaît guère que ceux de baronnies et de barons, lesquels manquent de précision, puisqu'ils s'appliquent même à de simples seigneurs châtelains, ne tenant pas leur principal château en fief de la couronne, et à leurs terres. Parmi les grands barons, beaucoup retiennent des titres hérités de la tradition des temps carolingiens : ducs, comtes, vicomtes, mais d'autres ne portent pas le titre comtal ou vicomtal. Ce qui les caractérise dans leur ensemble, c'est qu'ils se regardent comme maîtres chez eux, sous réserve de l'hommage qu'ils rendent au roi et du respect des obligations que celui-ci entraîne : obéir aux semonces que le souverain leur adresse en se rendant soit à l'ost, en cas de guerre, soit à sa cour, pour répondre à une assignation ou pour participer à l'élaboration des jugements.

Un tour d'horizon est indispensable pour rendre compte de ce qu'était la France du temps de saint Louis et les hommes avec qui le roi avait à s'entendre ou, éventuellement, à en découdre. Le domaine royal s'étendant désormais de la

Manche au Massif Central et du cours inférieur de la Loire à celui de la Saône (du jour où, aux enclaves de Saint-Gengoux et de Couches, s'ajouta le comté de Mâcon, en 1239), avec une importante annexe entre la Garonne et la Méditerranée, chacun des grands vassaux était peu ou prou le voisin des terres du roi, situation bien différente de celle que la France présentait un demi-siècle plus tôt.

Le comté de Flandre, qui bordait la mer du Nord depuis les bouches de l'Escaut jusqu'aux abords de Calais, avait, à l'est de Bruges, des dépendances au-delà de l'Escaut, c'est-à-dire, puisque ce fleuve faisait la limite du royaume de France, en terre d'Empire. Mais il était essentiellement un fief français, que son union avec le Hainaut, conséquence du mariage de Marguerite d'Alsace avec Baudouin V de Hainaut (1171-1195), associait à un comté relevant, lui, presque entièrement de l'Empire. La mort de Baudouin VI de Constantinople (Baudouin IX pour les Flamands) avait fait passer son héritage à l'aînée de ses filles, Jeanne. Le mari de celle-ci, Ferrand de Portugal, avait été jeté en prison par Philippe-Auguste après Bouvines et c'est seulement lorsqu'on parla de la possibilité d'une dissolution du mariage qui aurait permis à Jeanne d'épouser Pierre Mauclerc que Louis VIII envisagea de remettre le comte de Flandre en liberté. On sait que Blanche de Castille exécuta la promesse de son époux, et qu'elle n'eut pas à se plaindre de la fidélité de Ferrand. Mais, quand celui-ci mourut, c'est la crainte d'un mariage de sa veuve avec un Plantagenêt qui décida la régente à favoriser la candidature d'un cadet de la maison de Savoie. Thomas de Savoie fut donc comte de Flandre et de Hainaut jusqu'à la mort de Jeanne (1237-1244).

L'héritière de Jeanne était sa sœur Marguerite, qui avait successivement épousé Bouchard d'Avesnes et Guillaume de Dampierre. Saint Louis allait avoir à arbitrer le conflit des Avesnes et des Dampierre, qui devait aboutir à la séparation des comtés de Flandre et de Hainaut. Tandis que le comté voisin de Namur, possession des Courtenay, qui avaient succédé à la maison de Hainaut sur le trône de Constantinople, allait lui aussi faire l'objet de ses interventions.

La Flandre proprement dite connaît alors un développement économique remarquable, du fait de l'activité de ses
villes, vouées au tissage de la laine et dont les draps sont universellement appréciés. Bruges est dès lors un centre
d'échanges maritimes. Tout ceci vaut au comte de Flandre
d'abondantes ressources financières, ce qui explique l'énormité de la rançon exigée de Ferrand. Les troubles sociaux qui
vont agiter le comté dans les dernières décennies du XIIIe siècle ne se manifestent pas encore.

Du comté de Champagne, sur lequel nous reviendrons, il
suffit de noter ici que lui aussi représente une agglomération
de territoires rassemblés par la dynastie thibaudienne, originaire des pays de la Loire. Le comte de Champagne est ainsi
encore le suzerain des comtés de Blois, de Chartres et de Sancerre. Suzeraineté à laquelle Thibaud IV n'a renoncé qu'en
1235. Le comte administre directement les comtés de Troyes,
de Meaux, de Bar-sur-Aube, le Bassigny, la vallée de l'Yonne
entre Montereau et Sens, celle de l'Armançon autour de
Saint-Florentin et plusieurs châtellenies dans la région de
Reims, de Soissons et de Châlons-sur-Marne. Les comtes de
Rethel, de Grandpré, de Roucy, de Porcien et de Joigny prêtent hommage au « comte palatin de Champagne et de
Brie », lequel vient d'ajouter à ses domaines le comté de Bar-
sur-Seine.

Les grandes foires de Troyes, de Lagny, de Provins, de
Bar-sur-Aube, où les marchands italiens viennent acheter les
draps des Flandres, assurent aux Thibaudiens d'importantes
recettes, c'est-à-dire le moyen de s'attacher de nombreux vassaux et de mener une politique qui, il est vrai, connaît dans
les premières années du règne de saint Louis des moments
difficiles.

Plus à l'est, le comté de Bar-le-Duc, qui doit son origine à
un démembrement du duché de Lorraine, commence à gravi-
ter dans l'orbite française, au temps des comtes Henri II
(1214-1239) et Thibaud II (1239-1291). Son chef-lieu et une
partie de ses terres se trouvent effectivement à l'ouest de la
Meuse, qui fait de ce côté la frontière de la France et de
l'Empire (c'est à Ivois et à Vaucouleurs que les rois de France

et les empereurs ont l'habitude de se rencontrer). Néanmoins
le Barrois regarde aussi du côté de la Lorraine.

Le duché de Bourgogne, aux mains d'une branche cadette
de la maison capétienne, représente une des formations politiques les mieux connues. Il peut fournir un exemple des tendances communes à toutes les principautés féodales du
temps. Le duc Hugues IV (1218-1272) est un contemporain
du roi de France. Comme lui, il a d'abord été sous la tutelle
de sa mère, la duchesse Alix de Vergy ; toute sa vie, il a poursuivi la consolidation de son duché en agrandissant son
domaine et en étendant sa mouvance féodale. L'acquisition
des comtés de Grignon (ancien comté d'Auxois) et de Cha-
lon-sur-Saône (1237) a permis de faire entrer dans le domaine
ducal des places comme Auxonne, Chalon, Charolles, Mont-
Saint-Vincent, dont les deux dernières étaient jusque-là
tenues directement en fief du roi par les comtes de Chalon.
La déconfiture financière de plusieurs lignages seigneuriaux,
et notamment, dans la seconde moitié du siècle, celle des
Montréal et des Brancion, a favorisé l'achat d'un nombre
appréciable d'autres châteaux avec leurs dépendances, tandis
que de très nombreuses acquisitions de détail facilitaient la
rationalisation de l'exploitation domaniale : le duc a pu
créer des parcs de chasse, des clos de vignes. Et, comme
ses prédécesseurs, il a vendu aux principales villes et
bourgades de sa terre des chartes de commune et de franchise. La création de nouveaux rouages administratifs,
les châtellenies, puis les bailliages, a permis d'améliorer tant la gestion du domaine que l'administration de la
justice.

Parallèlement, Hugues IV a entamé une politique de pénétration de l'autre côté de la Saône, en terre d'Empire, à la
faveur de la dislocation du comté de Bourgogne d'outre-
Saône et de la survie dans cette région d'un régime féodal
moins évolué que celui du royaume de France. Le comte lui-
même et de nombreux seigneurs ont fait entrer leurs châteaux
sous la suzeraineté du duc. Et, dans son propre duché,
Hugues s'est efforcé de multiplier les reprises de fief, c'est-à-
dire les actes par lesquels des seigneurs qui tenaient leurs

terres en alleu ont accepté de les transformer en fiefs relevant
du duc.

Tout ceci coûtait cher. Or, le duc de Bourgogne, souvent
fort gêné dans sa trésorerie, a réussi à trouver les sommes
indispensables pour mener à bien cette politique d'achats
domaniaux et d'accroissement de sa mouvance. L'exemple
mérite d'être médité. Hugues IV, auxquels ses deux mariages
(avec Yolande de Dreux, puis avec Béatrix de Champagne)
n'ont pas apporté de ressources exceptionnelles provenant de
la dot de l'une ou de l'autre, a cependant réussi à mettre en
œuvre de grosses sommes d'argent.

Or, ces mêmes caractéristiques — extension du domaine
proprement dit, reprise d'alleux en fiefs — se rencontrent
dans quasi toutes les grandes baronnies. Que ce soit la Bretagne de Pierre Mauclerc ou le Languedoc de Raymond VII
(dont les archives sont parvenues au Trésor des Chartes de la
royauté française), nous retrouvons les grands barons acceptant de racheter les terres mises en vente par leurs vassaux —
ceux-ci étaient tenus de les leur proposer avant de les offrir à
d'autres —, de prêter de l'argent à ceux-ci en contrepartie de
l'engagement de leurs domaines ou de leurs châteaux, et disposant à cette fin de ressources financières dont l'ampleur
nous surprend. Le perfectionnement des méthodes de gestion
et le recours à de nouveaux officiers ne sont pas réservés à la
royauté.

Un autre grand fief était constitué par les trois comtés de
Tonnerre, d'Auxerre et de Nevers, auxquels Hervé de Donzy
avait ajouté sa propre baronnie de Donzy lorsqu'il avait
épousé l'héritière du comte Pierre ; mais la baronnie ainsi
constituée fut ballottée au gré de mariages successifs. La
veuve d'Hervé épouse le comte Guigues de Forez ; sa fille, le
comte de Saint-Pol, Guy de Châtillon ; la fille issue de cette
union, le sire de Bourbon, Archambault de Dampierre. Enfin
les deux filles de ce dernier épousent les deux fils aînés de
Hugues IV de Bourgogne, en leur apportant le Bourbonnais
en même temps que l'ensemble nivernais. Une politique propre à ce dernier n'a pas réussi à se dégager ; Eudes de Bour-
gogne-Nevers, qui paraissait apte à la concevoir, était en

même temps l'héritier du duché de Bourgogne qui semblait appelé à absorber les trois comtés voisins. Mais Eudes mourut en 1266, ne laissant à son tour que des filles.

Par contre, le Bourbonnais, simple baronnie non titrée, prend rang parmi les grands fiefs sous le gouvernement de la maison champenoise de Dampierre-sur-Marne. Le fils de Guy de Dampierre, Archambault IX, exerce même au nom du roi les fonctions de gardien de la « terre d'Auvergne » jusqu'en 1237. C'est en effet grâce aux sires de Bourbon que l'intervention de Philippe-Auguste dans les affaires auvergnates s'est prolongée par la création, à côté du comté d'Auvergne dont Vic-le-Comte était le chef-lieu, et du dauphiné d'Auvergne qui appartenait à Dauphin, comte de Clermont, d'une « terre » dont Riom était la principale place forte. Mais, après avoir un temps formé un bailliage, l'Auvergne royale était destinée à entrer dans l'apanage d'Alphonse de Poitiers.

Plus à l'est, la seigneurie de Beaujeu, dont le titulaire, Humbert, fut un des meilleurs chefs de guerre de saint Louis, et le comté de Forez séparaient l'Auvergne de la vallée de la Saône. Pas plus que le Bourbonnais ou l'Auvergne, ces baronnies ne parviennent à une puissance comparable à celle de la Bourgogne, de la Champagne ou de la Flandre.

Au sud du Massif central, le vaste territoire qu'avait réuni la maison de Saint-Gilles se trouvait en 1226 dans une situation précaire. A la veille de la guerre d'Albigeois, Raymond VI gouvernait le Rouergue, le Toulousain, le duché de Narbonne, avec des droits de suzeraineté sur la plupart des seigneuries comprises entre le Rhône, les Pyrénées et les dépendances du duché de Guyenne. Du fait de la croisade, Simon de Montfort avait pris le titre de comte de Toulouse et de duc de Narbonne : il ne restait en dehors de son emprise que les terres possédées par Raymond à l'est du Rhône, dans le royaume d'Arles, lesquelles étaient en principe attribuées à l'Église de Rome. La rébellion des Toulousains et la reconquête opérée par Raymond VII avaient amené l'intervention de Louis VIII, qui succédait à Amaury de Montfort dans ce qui allait former les sénéchaussées de Beaucaire et Carcas-

sonne. Raymond se maintenait en Toulousain et conservait
l'alliance de plusieurs des comtes, vicomtes et seigneurs de la
région. C'est seulement le traité de 1229 qui donna une définition précise de ce comté de Toulouse ressuscité : les comtés
de Foix, de Comminges, la seigneurie de Mirepoix ayant
cessé de relever de lui, il conservait la mouvance des comtés
d'Armagnac et de Fézensac et un vaste domaine qui restait
un élément important de la mosaïque féodale française,
d'autant plus que Raymond avait repris pied au-delà du
Rhône.

Les Plantagenêts aussi, bien que dépouillés en vertu de la
sentence de Philippe-Auguste de tous leurs fiefs du royaume
de France, conservaient un territoire fort étendu. La pièce
essentielle en était le duché d'Aquitaine, que Philippe-
Auguste n'avait attaqué qu'après la mort de la reine Aliénor,
sa légitime détentrice. Mais les conquêtes de Philippe lui-
même, en Poitou, et de Louis VIII, en Poitou et en Saintonge,
n'avaient pas entamé le duché de Gascogne, et la Guyenne
anglaise continuait à comprendre Bordeaux et La Réole,
Blaye étant la première des places à échapper à l'occupation
capétienne. Henri III maintenait ses prétentions à la mouvance de plusieurs seigneuries importantes (vicomtés de
Béarn, de Turenne, de Limoges, comté de Périgord). Et, de ce
côté, la frontière restait mouvante, d'autant plus que les
anciens vassaux du roi d'Angleterre n'avaient pas tous
accepté sa dépossession. Quant à la situation de la Guyenne
au regard du droit féodal, elle était non moins irrégulière,
Henri III n'ayant pas prêté hommage au roi de France et
n'ayant aucune intention de le faire tant que celui-ci ne
l'aurait pas rétabli dans son droit.

Et cependant, l'Aquitaine des Plantagenêts restait prospère
et riche. La multiplication des bastides qui allaient jalonner
la frontière en témoigne, tout comme la prospérité du commerce bordelais : du fait du passage de La Rochelle sous la
domination capétienne, le très actif négoce des vins à destination de l'Angleterre s'était transféré de La Rochelle à Bordeaux. Le port de Bayonne était, lui aussi, fort actif. Mais le
roi d'Angleterre, qui pouvait compter sur les excellents

hommes d'armes gascons, allait avoir des difficultés à maintenir son autorité sur ses vassaux et ses sujets, du fait de son
éloignement qui l'obligeait à confier le gouvernement du
duché à des lieutenants plus ou moins bien acceptés par les
Gascons.

Le comté de la Marche, aux mains d'Hugues le Brun de
Lusignan et de son épouse Isabelle d'Angoulême, était l'un
des pions les plus importants sur l'échiquier féodal. Non seulement Blanche de Castille avait su jouer des revendications
du comte de la Marche à l'encontre du roi d'Angleterre, en
lui concédant la possession d'une partie des conquêtes réalisées sur ce dernier, dans l'Aunis en particulier, mais la puissante maison de Lusignan, bien implantée en Poitou, y possédait un grand nombre de forteresses ; le vicomte de Thouars,
le sire de Mirebeau lui étaient étroitement liés. Par ses
alliances, par la possession de la Marche, de l'Angoumois et
de l'Aunis, Hugues le Brun apparaissait comme un vassal à
ménager.

Sans doute n'en allait-il pas de même pour les comtes de
Blois, de Chartres, de Sancerre, les vicomtes de Châteaudun,
lesquels n'étaient d'ailleurs jusqu'en 1235 que les arrière-vassaux du roi, puisque le comte de Champagne s'interposait
entre eux et ce dernier dans la hiérarchie féodale. Le comté
de Vendôme et celui de Dreux, qui relevaient directement du
roi, n'étaient ni l'un ni l'autre de grande étendue.

Le seul très grand fief qui subsistât après les conquêtes de
Philippe-Auguste dans l'ouest de la France était le comté de
Bretagne. Le roi Philippe avait voulu le faire échapper à la
mouvance anglaise en mariant l'héritière du comté, Alix de
Thouars, à son propre parent, Pierre Mauclerc, qui appartenait à une branche de la maison capétienne, celle de Dreux.
Pierre, d'ailleurs, n'était que « baillistre » du comté, en attendant la majorité de son fils, Jean le Roux, qui n'intervint
qu'en 1237.

Pierre avait mis à profit son gouvernement pour renforcer
considérablement l'autorité comtale. En 1222, il avait enlevé
le comté de Penthièvre à la famille d'Avaugour ; il avait
confisqué la seigneurie de Lanvaux sur la famille de Léon ; il

avait couvert sa capitale, Nantes, du côté d'Ancenis en s'emparant de plusieurs châteaux ; il avait obtenu du roi la garde des forteresses du Perche (Bellême, la Perrière) et de Saint-James-de-Beuvron. Son fils, en 1240, allait compléter ces acquisitions par celle du château de Brest.

Pierre Mauclerc avait mené cette politique sans beaucoup d'égards envers ses propres vassaux : plusieurs de ceux-ci, comme André, sire de Vitré et de Fougères, en 1230, ou comme Henri d'Avaugour et Guyomar'ch de Léon en 1231, l'abandonnèrent et transférèrent leur hommage au roi ; ils devaient d'ailleurs rentrer par la suite dans la mouvance comtale. Le comte de Bretagne apparaissait comme un puissant baron, capable de tenir tête au roi lui-même ; il revendiquait en Angleterre la possession du comté de Richmond, confisqué au temps de Jean sans Terre et dont Henri III lui fit restitution pendant une dizaine d'années, à partir de 1224. Ce qui lui permettait de jouer un jeu personnel entre les deux souverains, d'autant plus que la Bretagne était considérée avant 1204 comme relevant féodalement du duché de Normandie, dont Henri III se regardait toujours comme le légitime détenteur.

D'autres baronnies, titrées ou non, se rangent parmi les grands fiefs, mais restent bien en arrière des comtés ou duchés de Bourgogne, de Flandre, de Guyenne, de Toulouse, de Champagne — ceux-là seuls figurent sur la liste des pairs de France —, de Bretagne, de la Marche... Tels sont, dans la France septentrionale, les comtés de Saint-Pol, d'Aumale, de Ponthieu, de Guines, d'Eu, de Soissons ou de Montfort-l'Amaury, la baronnie de Coucy et d'autres encore. Seul le comté de Boulogne-sur-Mer, qui avait été donné par Louis VIII à son demi-frère Philippe Hurepel, fait grande figure : il le doit à ce qu'il a été uni du vivant de Philippe-Auguste à deux autres comtés plus petits, ceux de Dammartin-en-Goële et de Clermont-en-Beauvaisis.

A ses grands barons, le roi demandait de lui faire hommage. Au temps de saint Louis, il s'agit toujours de l'hommage lige, que le vassal prête à genoux, les mains dans celles de son seigneur, en lui promettant de le servir avant tout autre seigneur. Normalement, ceci comporte l'obligation de mettre à sa disposition, à sa requête, les châteaux qui sont tenus de lui en fief. Mais le grand baron peut fort bien posséder des forteresses qui ne sont pas nommément reconnues comme des fiefs du roi, ou qu'il tient d'autres que de ce dernier.

A l'hommage sont liées un certain nombre d'obligations. La première, c'est le service d'ost. Chaque grand baron, quand il est convoqué par le roi, doit venir en personne (sauf à se faire remplacer en cas d'empêchement) pour le servir à cheval et en armes. Il doit amener avec lui un contingent de ses propres vassaux, et les tenir à la disposition du souverain pendant quarante jours. Mais, à la différence des seigneurs du domaine royal ou des simples chevaliers, qui assurent avec tous leurs moyens soit la garde d'un château royal, soit leur participation à une campagne ou à une simple « chevauchée » destinée à repousser une attaque ou à reprendre le butin enlevé au cours d'un raid, les grands barons n'amènent avec eux qu'une partie des hommes qui tiennent fief d'eux et qu'ils peuvent lever pour leur propre service. Les listes qui ont été dressées au temps de Philippe-Auguste montrent que le comte de Flandre doit fournir quarante chevaliers et le comte de Bretagne trente-huit. En 1272, pour « l'ost de Foix », le premier amène cinquante-trois chevaliers, dont treize portent bannière ; le second, soixante-six chevaliers, dont seize bannerets — le banneret étant lui-même suivi de sa propre « retenue ». Le duc de Bourgogne à la même date, amène cinquante chevaliers, dont sept portent bannière. Or le seul comte de Bretagne, au temps de saint Louis, peut exiger le service de cent soixante-six chevaliers, trois fois autant que ceux qu'il conduit à l'ost royal. On a vu qu'en une occasion au moins les barons s'étaient entendus pour n'y amener que des contingents symboliques, alors que le comte de Champagne s'était fait suivre de toute l'armée champenoise.

D'autres contingents sont encore plus faibles : le comte de Saint-Pol ne doit le service que de huit chevaliers ; celui de Ponthieu, de seize ; le sire de Montmorency, de vingt. Aussi l'usage s'introduit-il pour le roi de faire connaître à chacun de ses barons le nombre de chevaliers dont il s'attend à le voir accompagné. Et, si le service est en principe gratuit, saint Louis rétribue le vassal pour l'excédent des troupes qu'il lui amène. En 1231, pour une campagne de Bretagne, le comte de Bigorre et le vicomte de Toulouse reçoivent chacun deux cents livres à titre de don, le sire de Sully-sur-Loire cent, Guillaume des Barres quarante. En dédommageant ainsi ses vaissaux, le roi peut compter sur des effectifs plus nombreux. Et c'est l'ensemble des contingents féodaux, plus que l'armée levée sur le seul domaine royal, qui représente la force armée du royaume.

Aux barons, le roi demande aussi le service de conseil, c'est-à-dire qu'il compte sur eux pour « garnir sa cour » et prendre leur part de l'élaboration des sentences, à l'exécution desquelles ils peuvent se voir associés. Ce « conseil », ils l'apportent également aux assemblées plénières au cours desquelles le souverain fait adopter les ordonnances destinées à être appliquées dans l'ensemble de son royaume, aussi bien qu'aux réunions destinées à préparer des décisions dont, en définitive, le roi sera le seul responsable.

Parmi les prérogatives royales figure le contrôle des mutations de détenteurs de fiefs. En 1249, par exemple, le sire de Loches et de Châtillon-sur-Indre, Dreu de Mello, mourut à la croisade. Le neveu du défunt, un autre Dreu de Mello, demanda à hériter de son oncle ; le roi refusa, et la seigneurie fut réunie au domaine royal. Le jeune Dreu, cependant, reçut en dédommagement une pension annuelle de six cents livres parisis. Le seigneur de fief se considérait en effet comme habilité à refuser de confier les fiefs à un vassal qui n'aurait pas son aval, et ceci l'autorisait à contrôler également le mariage des veuves et des héritières. Lorsqu'en 1231 Simon de Dammartin, chassé de sa terre depuis de longues années, demande à entrer en possession du comté de Ponthieu qui lui venait de sa femme, la régente exigea de lui la promesse de ne pas marier ses filles à un adversaire du roi, et les nobles du Ponthieu, comme les communes, promirent par serment de prendre parti contre leur seigneur si celui-ci manquait à son engagement. Les conventions de ce type sont nombreuses, et renforcent un usage généralement admis. Au reste, l'usage de prélever une part du revenu des grandes seigneuries lorsqu'elles changent de détenteur est lui aussi reconnu par la coutume de France ; il permet à la royauté d'encaisser de substantielles rentrées.

Mais ce n'est pas seulement des intérêts financiers qui sont en jeu. Derrière le réseau féodal se dessine un autre réseau qui n'est ni moins solide, ni moins contraignant. C'est celui des lignages, qui tisse des solidarités à l'occasion des alliances matrimoniales et dans le cadre des parentés, Jean de Joinville, baron champenois, est très proche parent des Nesle, qui appartiennent au baronnage royal, comme, par l'intermédiaire de la famille des comtes de Bourgogne, il cousine avec l'empereur Frédéric II. Les quatre frères de Dreux, Pierre Mauclerc, le comte de Dreux Robert II, le comte de Mâcon Jean de Braine et l'archevêque de Reims Henri, constituent un solide noyau auquel se rattachent Enguerran de Coucy, dont la sœur a épousé le comte Robert, le duc de Bourgogne, les comtes de Bar et de Roucy qui ont pour femmes les trois filles du même Robert. Les Châtillon-sur-Marne tiennent les comtés de Blois et de Saint-Pol, et c'est leur nièce qui apporte le comté de Nevers à Archambault de Dampierre, sire de Bourbon, proche parent lui-même du Guillaume de Dampierre qui va faire souche de comtes de Flandre. Les Brienne, les Courtenay, les Montfort, ont des parents possessionnés en France, en Angleterre, ainsi que dans l'Orient latin.

Ces liens de famille sont générateurs de solidarités, mais aussi de conflits qui naissent de dots impayées, d'héritages contestés ; l'historien d'aujourd'hui a peine à en discerner tous les fils. Le roi devait en tenir compte dans sa politique, s'inquiétant du rapprochement de deux lignages jusque-là divisés tout autant que des fissures qui se faisaient jour dans un bloc familial apparemment cohérent. Et, à chaque instant, se révèlent des empêchements canoniques qui rendent impossible tel mariage en projet ou qui obligent à dissoudre telle union déjà réalisée, sauf à obtenir les indispensables dispenses pontificales. L'écheveau des parentés est une réalité

difficilement saisissable qui, au sein du groupe relativement
peu nombreux des barons, tient une place considérable.

LE BARONNAGE ECCLÉSIASTIQUE

La carte de la France du temps de saint Louis juxtapose au
domaine royal et aux grands fiefs tenus par des princes laïques un grand nombre de seigneuries ecclésiastiques. La liste
des pairs de France, établie au début du siècle, comprend six
pairs ecclésiastiques, l'archevêque de Reims, les évêques de
Beauvais, Châlons, Langres, Laon et Noyon, à côté de six
pairs laïques. Cette liste, sans doute, cherche à équilibrer un
peu artificiellement les uns par les autres ; elle privilégie les
prélats de Champagne et du Vermandois, en ignorant ceux
du reste du royaume qui, il est vrai, sont entrés dans le ressort
du pouvoir royal après la conquête des terres des Plantagenêts par Philippe-Auguste. Mais déjà certains autres évêques
étaient en relations étroites avec la couronne et leur puissance ne le cédait pas à celle des six « pairs ».

Sans doute la France capétienne avait-elle ignoré l'effort
systématique des empereurs germaniques en vue de constituer une « Église impériale », effort qui avait abouti, antérieurement à la Querelle des Investitures, à confier aux évêques l'exercice des fonctions comtales dans leurs villes, et à
des archevêques les fonctions de duc ou de marquis. Néanmoins, en France, archevêques, évêques et abbés ont reçu ou
acquis des droits seigneuriaux souvent fort étendus, notamment dans les cités épiscopales et dans les villes abbatiales.
Au départ, les prélats avaient obtenu, grâce à des concessions
de privilèges d'immunité, d'échapper aux exactions des officiers royaux. La théorie de la « liberté des églises », chère aux
réformateurs grégoriens, soucieux d'éviter toute compromis-
sion à l'occasion de l'entrée en possession des dignités ecclésiastiques par leurs nouveaux titulaires, avait renforcé cette
tendance. Le mouvement de paix, depuis le XIe siècle, avait
amené les évêques à exiger des seigneurs de château de leur

diocèse des serments en vertu desquels chaque prélat pouvait
leur réclamer assistance lorsqu'il s'agissait de courir sus à
ceux qui enfreignaient la « paix » : ces serments se muaient
facilement en actes d'hommage. Des concessions de terres et
de revenus aux seigneurs laïques faisaient le reste : les évêques étaient devenus des seigneurs féodaux.

Il serait difficile de dresser un tableau détaillé de ces seigneuries. épiscopales. Non seulement les situations varient
avec les régions, mais les éléments de ces seigneuries sont
désespérément dispersés. L'évêque d'Autun, par exemple,
dont le diocèse s'étend de Moulins-sur-Allier à Châtillon-
sur-Seine, est maître de sa cité épiscopale, mais c'est le duc
de Bourgogne qui en garde le contrôle militaire en tant que
détenteur du pouvoir comtal. Par contre, l'évêque possède
deux châteaux dans l'actuelle Saône-et-Loire, deux dans la
Côte-d'Or actuelle, dont l'un au moins, Touillon, est fort éloigné du siège de l'évêché. Il a des villages et des terres qui
vont de la vallée de l'Yonne à celle de la Saône, mais sous
forme d'enclaves séparées les unes des autres. Nombreux
sont les seigneurs qui tiennent de lui des fiefs, et plusieurs
avouent tenir de lui leur château principal. Son domaine ne
se confond pas avec celui de ses chanoines, eux aussi riches
propriétaires fonciers et seigneurs haut-justiciers sur leurs
terres, mais qui sont parfaitement indépendants du prélat.
Ces temporels s'enrichissent, du fait de donations qui sont
normalement dictées par de pieux motifs, ou d'achats que la
disposition de revenus pécuniaires appréciables permet de
réaliser : l'éparpillement des biens qui proviennent des donations résulte de la nature même de ces libéralités dont les chanoines sont les principaux bénéficiaires, à l'instar des monastères qui, eux aussi, peuvent faire profiter les donateurs du
bienfait de leurs prières.

Les évêques et l'archevêque figurant sur la liste des pairs
ont, en général, un privilège de plus : c'est d'être détenteurs,
au moins dans leur cité épiscopale et parfois dans tout le ressort de l'ancien comté dont elle était le chef-lieu, des pouvoirs comtaux : celui de Langres avait racheté le titre comtal
au duc de Bourgogne en 1179 seulement. Mais cette situation

n'était pas étrangère à la France méridionale. Les évêques de Maguelonne prétendaient être possesseurs du comté de Melgueil, à titre de vassaux du Saint-Siège à qui un comte de Melgueil avait reconnu la suzeraineté sur son comté en 1085. Les évêques du Puy se considéraient comme détenteurs du comté de Velay ; ceux de Mende, du comté de Gévaudan. Leurs voisins, en terre d'Empire, évêques de Viviers ou archevêques de Lyon, détenaient eux aussi des pouvoirs comtaux dans l'étendue des comtés de Vivarais ou de Lyonnais. A la faveur de la guerre contre les Albigeois, les évêques d'Agde, de Cahors, de Lodève ou d'Albi semblent avoir acquis eux aussi les droits comtaux, au moins dans leur cité. A Clermont ou à Soissons, l'évêque a des droits très étendus et s'est assuré du contrôle de la cité, bien qu'un laïc continue à se titrer comte de Clermont ou de Soissons.

D'autres évêques ne paraissent pas moins puissants, tout en partageant avec un comte la suprématie dans leur diocèse et dans leur ville épiscopale. Tels sont ceux de Tournai, de Chartres, de Toulouse, d'Auxerre. Les prélats normands, eux aussi, sont des seigneurs riches et jouissant de droits féodaux étendus, à commencer par l'archevêque de Rouen. Tous, et d'autres encore, ont pleine justice dans un quartier au moins de la ville où ils résident. A Châlons-sur-Marne, l'évêque laisse une part de la juridiction sur la ville à un vidame. Mais, lorsque celui-ci prétend construire une maison, le prélat intervient et lui interdit d'en achever la construction, bien que le vidame fasse remarquer qu'il n'entend pas édifier une maison fortifiée, mais une « maison pour les fêtes » ; lorsque le constructeur, ayant arrêté la construction, fait jeter une voûte au-dessus de ce qui a déjà été bâti, le prélat réclame la destruction du tout, car les vidames, selon lui, n'ont pas le droit d'avoir de maison à Châlons.

Dans la campagne, ils ont leurs châteaux qu'entourent des châtellenies où ils diposent de la plénitude des droits seigneuriaux. Ils ont leurs vassaux, et il est de coutume que quatre d'entre eux, les « barons de la crosse », portant les brancards de la chaise épiscopale le jour de la première entrée de l'évêque dans sa cité. Le comte de Mortain prête hommage à l'évêque de Coutances ; les comtes de Champagne, les ducs de Bourgogne, à celui de Langres ; l'archevêque de Reims s'entoure d'un cortège de vassaux dont plusieurs ont rang comtal. Le Perche-Gouet est sous la mouvance de l'évêque de Chartres ; la Puisaye, sous celle de l'évêque d'Auxerre. Et combien de barons, qui ont eu un jour recours à la cassette épiscopale parce qu'ils étaient à court d'argent, se reconnaissent désormais vassaux du prélat après avoir fait de l'un de leurs alleux un fief de l'église épiscopale.

Il ne faudrait pas en conclure que tous ces seigneurs, parce qu'ils s'avouent leurs vassaux, soient à la merci des évêques. Dans la hiérarchie des hommages liges, qui définit un ordre de priorité quand il s'agit de l'exécution des services de fief, les barons et le roi précèdent les évêques. Il est admis que le roi ne saurait prêter hommage à qui que ce soit, les églises y compris.

Si les évêques sont des seigneurs féodaux, nombre d'abbés jouissent d'un statut analogue. Les grandes abbayes bénédictines s'étaient couramment vu doter d'immunités qui interdisaient aux agents du roi ou du prince dont les terres entouraient leur maison d'intervenir dans le ressort de celle-ci, que ce fût pour rendre la justice ou pour lever des troupes ou des tributs. On avait passé des conventions, en vertu desquelles les abbés jouissaient des droits de justice dans leur monastère, dans les prieurés qui en relevaient, dans les doyennés ou obédiences d'où les moines tiraient leur subsistance et sur les hommes qui les peuplaient, tout en reconnaissant certains droits au seigneur qui recevait le titre d'avoué, ou de gardien, de l'établissement. Eux aussi ont leurs vassaux, qui viennent leur prêter hommage, qui doivent répondre à leur convocation pour leur fournir leur service armé : les bourgeois des localités nées autour de l'abbaye doivent, outre leurs redevances, un service militaire.

Car les prélats peuvent lever une petite armée et s'en servir pour faire guerre. L'évêque de Coutances dispose, en 1224, de treize chevaliers ; celui de Lisieux, d'une trentaine ; l'archevêque de Reims en a bien davantage. Celui d'Albi n'hésitait pas, vers 1259, à se faire suivre, pour une che-

vauchée, de mercenaires. L'abbé de Tournus, au temps de
Louis VIII et de la régence de Blanche de Castille, nous a
laissé une petite chronique où sont mentionnées les guerres
livrées par lui aux féodaux du voisinage ; trente ans plus tard,
l'abbé de Moissac faisait guerre à l'évêque de Cahors, avec
l'aide de ses frères, et ceci entraînait l'incendie de villages et
la mort de plusieurs prêtres. Si les clercs se voient interdire de
verser le sang (saint Louis eut à trancher le cas de l'un d'eux
qui avait tué, en légitime défense, des sergents du roi), il
apparaît que les prélats ne répugnent pas à manier les armes
du siècle.

C'est précisément ce qui les met en conflit avec les barons.
Ceux-ci acceptent, sans protester, que leurs frères ou leurs
parents qui ont mitre, crosse ou bâton abbatial, lèvent comme
eux des troupes et fassent guerre ; ils supportent beaucoup
plus malaisément qu'ils usent en même temps des armes spirituelles, brandissant l'excommunication contre leurs adversaires et jetant l'interdit sur leurs terres.

On assiste à l'emploi de sanctions de ce genre à l'encontre
du roi lui-même. Parce que la reine Blanche de Castille faisait poursuivre l'archevêque de Rouen pour avoir fait couper
du bois dans la forêt de Louviers en vue de la reconstruction
de sa maison archiépiscopale et qu'il refusait de comparaître
devant la cour royale, sous prétexte qu'il ne tenait rien en fief
du roi et n'était donc pas justiciable de celle-ci, la reine avait
fait saisir le temporel de l'archevêché. L'archevêque répondit
en lançant l'interdit sur les domaines du roi situés dans son
diocèse, ce qui suspendait le culte divin dans toutes les
églises et chapelles de ces domaines. Il fallut l'intervention
du légat Romain pour que l'interdit fût levé, et encore avait-il
obtenu que la reine mît fin à la saisie du temporel. En 1232,
nouveau conflit, provoqué cette fois par l'élection d'une
abbesse dans un monastère du diocèse. Le roi fait saisir le
temporel de l'archevêque ; celui-ci ordonne de retirer toutes
les images de la Vierge exposées dans les églises du diocèse,
lance l'interdit et excommunie les baillis royaux, coupables
d'avoir mis la main sur les biens de l'Église : le pape dut
intervenir pour apaiser la querelle qui ne prit fin qu'en 1234.

Les prélats revendiquaient également pour leur cour le monopole de toutes les affaires concernant soit les biens des églises, soit les personnes des clercs. Ceci suscita une levée de boucliers. En septembre 1235, les barons, réunis à Saint-Denis, et soutenus par le roi, décidèrent d'interdire à leurs vassaux de comparaître en matière civile devant les cours ecclésiastiques, et de recourir à la saisie des biens des juges d'Église si ceux-ci prétendaient user en ce cas de l'excommunication. Ils réclamaient en outre que les évêques et leurs vassaux fussent contraints à plaider « en cour laie » pour les causes touchant aux fiefs. Le duc de Bourgogne, les comtes de Bretagne, de la Marche, de Sancerre, de Ponthieu, de Chartres, de Montfort, de Vendôme, de Saint-Pol, de Roucy, de Guines, de Mâcon et d'autres scellèrent de leur sceau une requête en ce sens qu'ils adressèrent au pape. Grégoire IX s'en émut fort, et réclama, d'ailleurs en vain, l'annulation des mesures prises à Saint-Denis.

En novembre 1246, les barons reprirent leur action, en constituant une ligue dont les membres se promettaient réciproquement assistance et qui désignait pour ses représentants le duc de Bourgogne, les comtes de Bretagne, d'Angoulême et de Saint-Pol ; ils entendaient réduire les cours d'Église aux seules causes concernant l'usure, l'hérésie et le mariage. Innocent IV déclara cette ligue contraire à la liberté de l'Église, mais certains barons se prévalaient encore en 1253 des décisions de 1246. Le roi n'avait pas pris part à cette coalition : il paraît néanmoins lui avoir donné son appui.

Mais la royauté pouvait se prévaloir à l'égard des grands seigneurs ecclésiastiques de prérogatives comparables à celles dont elle jouissait envers les grands fiefs de l'ordre laïque. Le roi, certes, ne demandait qu'exceptionnellement aux évêques et aux abbés de lui prêter hommage : la lutte contre les investitures laïques menée aux XIe et XIIe siècles avait porté ses fruits. Mais le souverain exigeait d'eux, et spécialement des évêques, un serment de fidélité, au moment où ils prenaient possession de leur siège. L'obligation était générale, lorsqu'il s'agissait des évêchés considérés comme royaux ; elle avait été étendue par Louis VIII aux évêques d'Anjou, du Mans et de Poitiers ; en 1234, le pape Grégoire IX protestait parce que les officiers royaux étaient en train d'imposer aux évêques du Languedoc la prestation de ce même serment.

Aux barons mitrés, le roi demandait un service militaire comparable à celui des autres barons. Louis VIII était parvenu, en 1224, à imposer cette obligation aux évêques normands, tandis que ceux du Maine, de l'Anjou et du Poitou réussissaient à s'en faire dispenser. Ainsi, l'évêque de Coutances devait-il amener cinq chevaliers, et l'évêque de Lisieux, vingt. D'autre part, les terres d'Église devaient traditionnellement fournir des bêtes de somme, des chevaux de trait avec leurs chars, des sergents à pied et à cheval. La présence des prélats à l'armée paraît considérée comme normale. Et, là où l'obligation du service n'était pas imposée par la coutume, il pouvait arriver que les agents du roi la sollicitent : en 1255, pour assiéger le château de Quéribus, le sénéchal de Carcassonne, tout en reconnaissant que les évêques de la province de Narbonne n'étaient pas tenus à envoyer leurs contingents, obtenait qu'ils les fournissent à titre exceptionnel.

Une charge pesait plus spécialement sur les églises : c'était le droit de gîte. Lourde charge, que d'avoir à supporter les réquisitions nécessaires au logement du roi et de sa suite : paille, foin, vivres, couvertures, sans parler de quelques prestations complémentaires (ici ou là, les sergents ont droit à s'emparer des poules qu'ils peuvent abattre au jet d'un bâton...). Mais le roi, sans cesse en déplacement, n'aurait pu aller d'une de ses résidences à l'autre sans demander l'hospitalité aux évêques, aux abbés, aux prieurs. Saint Louis devait d'ailleurs délivrer de nombreuses chartes qui attestent combien il avait conscience du poids de cet usage. Ici, il reconnaît, comme à Tours, que l'archevêque ne lui doit le gîte qu'une seule fois, sa vie durant, et que le coût de cette obligation ne peut dépasser cent livres. A l'abbaye de Saint-Thierry, au diocèse de Reims, l'obligation du gîte peut incomber une fois par an seulement. Ailleurs, le roi accorde des exemptions totales du droit de gîte, en guise d'aumône, aux établissements qu'il tient en particulière vénération. Les clercs qui tiennent ses comptes ont même pris soin de tenir, à partir de 1253, la

liste des lieux où le roi a pris gîte ; on s'aperçoit que les réquisitions en nature sont remplacées par une somme forfaitaire,
versée par l'évêque, l'abbé ou le prieur du lieu. Néanmoins, si
le pieux roi a modéré la charge, elle n'en reste pas moins l'un
des principaux services qu'il attend des églises de son
domaine.

Le droit de gîte est intimement lié au droit de garde, prérogative qui était en principe la conséquence de ce que les
églises se plaçaient sous la protection, soit du roi, soit d'un
grand seigneur, qui les déchargeait du souci de leur défense
comme de l'obligation de verser le sang des criminels. Ceci
désignait normalement le seigneur en question pour être
l'arbitre des conflits opposant l'Église à ses voisins. Certaines
abbayes, dont les territoires n'étaient pas enclavés dans le
domaine royal, ont réussi à obtenir la garde royale. Ainsi
Cluny, la grande abbaye à laquelle Louis VII était allé porter
secours en 1166 : l'abbé, en 1239, a obtenu qu'un sergent du
roi soit détaché de l'hôtel royal pour aller garder sa terre.
Ainsi Tournus, ainsi Vézelay, et d'autres encore. Et cette
garde royale est de règle pour les terres des évêchés. Tout au
plus les Plantagenêts, en Guyenne, les comtes de Champagne
ou de Toulouse (au moins jusqu'à la soumission de Raymond VII) ont-ils encore le droit d'assurer la garde des évêchés situés dans leurs baronnies.

C'est en vertu du droit de garde qu'un établissement religieux, lorsqu'il désirait établir une « ville neuve » sur l'une de
ses terres, était obligé de passer une convention avec un seigneur voisin, auquel était habituellement reconnu le droit de
percevoir la moitié des revenus de la nouvelle localité et d'y
établir un agent pour participer à l'administration de celle-ci.
Ces traités de « pariage » ont été nombreux au XIIIe siècle. Ils
avaient permis, dès le siècle précédent, aux rois de France
d'établir leurs représentants dans des lieux situés bien loin de
leurs domaines : ainsi à Saint-Gengoux ou à Saint-Pierre-le-
Moûtier.

La garde royale s'exerce tout particulièrement sur les communes que les évêques du XIIe siècle ont été souvent
contraints d'accorder aux habitants de leurs villes épisco-

pales. Ceci limite considérablement, dans la réalité, l'exercice de la juridiction que les prélats réclament sur les bourgeois de ces villes.

Un bon exemple en est fourni par l'affaire de la commune de Beauvais. En 1231, un des conflits si fréquents dans les villes médiévales opposait les principaux bourgeois au menu peuple. Le roi avait imposé aux habitants, pour maire, un bourgeois de Senlis, étranger aux querelles locales. Le 31 janvier, une émeute éclata : le menu peuple malmena le maire et s'en prit aux changeurs, les banquiers du temps, dont plusieurs furent massacrés. Le roi survint : les habitants lui demandèrent merci ; c'est lui qui fit enquêter sur ce qui s'était passé, arrêter les émeutiers, bannir les coupables dont les maisons furent abattues. L'évêque réclama en vain qu'on lui restituât ces coupables pour qu'il en fît justice lui-même, puisqu'ils étaient ses hommes. Louis refusa, arguant de ce que le prélat avait trop tardé à sévir, mais réclama le remboursement de ses frais de séjour, au titre du droit de gîte. L'évêque demanda un délai ; les officiers royaux saisirent ses biens et occupèrent sa maison ; le concile provincial s'émut et l'archevêque de Reims jeta l'interdit sur le diocèse, puis sur toute la province ecclésiastique. Les chanoines des chapitres s'élevèrent contre cette mesure et, une fois de plus, seul le pape put apaiser le conflit...

Les communes, qu'elles fussent dans le ressort d'une seigneurie épiscopale ou dans le domaine royal, voire dans celui de certains grands barons (ainsi les chartes de communes concédées à Dijon et à Beaune par les ducs de Bourgogne sont-elles placées sous la garantie royale), sont un des éléments dont le pouvoir du roi peut s'aider, soit en matière financière, soit en matière militaire. Le roi peut en effet les solliciter pour obtenir d'elles des subsides, ou bien leur demander la fourniture d'un contingent de sergents. Il peut aussi les requérir de lui assurer le concours de leurs murailles et de ceux qui les gardent. Et il leur demande à l'occasion des serments, en passant par-dessus la tête de l'évêque leur seigneur : des conflits intervinrent à Brive et à Clermont à ce propos.

La royauté française, d'ailleurs, n'a pas seulement des droits sur les terres d'Église. Elle contrôle également le recrutement de l'épiscopat et, dans une certaine mesure, celui des abbés des monastères. Les papes réformateurs, ceux du XIᵉ et du XIIᵉ siècle, avaient lutté pour obtenir la liberté des élections épiscopales, l'évêque étant normalement élu par les chanoines composant le chapitre cathédral, comme l'abbé l'était par les moines de son monastère. Les rois de France reconnaissaient cette liberté, mais à condition que les électeurs leur aient d'abord demandé l'autorisation de procéder à l'élection, et cela d'autant plus que c'est au roi qu'il appartient de mettre en sa main le temporel de l'abbaye ou de l'évêché pour le remettre ensuite au nouvel élu, lorsque celui-ci a prêté serment de fidélité (on appelait les biens en question les « régales »).

Ainsi, au moment de partir en croisade, saint Louis avait-il remis à sa mère le pouvoir de conférer les bénéfices ecclésiastiques, d'autoriser les monastères et les chapitres à élire leurs prélats, de recevoir le serment de ceux-ci et de leur donner mainlevée des « régales ». Nous possédons une lettre de l'archevêque de Bourges à la reine : il l'informait que le chapitre de Clermont venait d'élire le Dominicain Guy de la Tour, neveu de l'évêque défunt, qu'il avait procédé à l'enquête qu'il lui appartenait de mener en tant que métropolitain sur la régularité de l'élection et qu'il confirmait celle-ci. Blanche répondit qu'elle refusait de délivrer les régales à l'évêque, parce que le chapitre avait négligé de l'informer de la mort du précédent évêque et de lui demander la licence d'élire. Guy de la Tour dut la prier d'excuser les chanoines, en s'offrant à payer l'amende qu'elle lui infligerait (1250). Peu après, c'était l'archevêque de Rouen qui lui demandait de délivrer les « régales » à l'abbé de Jumièges.

Rares étaient les églises qui échappaient au retour périodique des « régales » entre les mains du roi. C'était le cas de l'évêché du Puy, qui fit l'objet d'une longue controverse à ce propos : en rentrant de croisade, saint Louis et l'évêque Bernard de Ventadour décidèrent de s'en remettre à l'arbitrage de l'archevêque de Bourges, qui donna raison au prélat.

Mais on voit que, par le biais de la concession des régales, liée à la réception d'un serment de fidélité que le roi pouvait refuser de recevoir, la royauté était en mesure de peser sur le choix des prélats. En 1232, les religieuses de Montivilliers s'étaient divisées, et chaque parti avait choisi une abbesse. L'archevêque de Rouen cassa l'élection ; le roi, néanmoins, avait prononcé la mainlevée des régales en faveur de l'une des deux élues. Ceci devait d'ailleurs susciter un conflit entre l'archevêque et le roi.

En fait, durant la première moitié du XIIIe siècle, les élections paraissent s'être faites de façon relativement libre. C'est habituellement parmi les moines ou les moniales d'un monastère qu'est choisi l'abbé ou l'abbesse ; les chanoines des chapitres cathédraux choisissent soit l'un des leurs, et souvent un dignitaire de l'église, soit un chanoine d'une collégiale ou d'une cathédrale de la région, pour être leur évêque. Il arrive qu'on le prenne dans une grande famille : à Reims se succèdent un Henri de Dreux et un Thomas de Beaumetz, dont la mère est Agnès de Coucy. Mais le plus souvent, c'est dans l'aristocratie locale que les chanoines opèrent leur choix, d'autant que ce sont les rejetons des familles seigneuriales du diocèse qui peuplent les stalles capitulaires. Et l'on voit les La Tour se succéder à Clermont, les Rochefort-sur-Brevon à Langres.

Néanmoins, surtout dans les évêchés du domaine royal, il est certain que le choix tombe bien souvent sur des hommes qui appartiennent aux familles qui fournissent au roi ses conseillers et les officiers de son hôtel. Les Nemours avaient donné, sous Philippe-Auguste, trois frères qui avaient été en même temps évêques de Paris, de Noyon et de Meaux : ils donnent encore sous Louis IX un évêque à Châlons. Les Cornut, dont la famille possède la petite seigneurie de Villeneuve-la-Cornue, en Gâtinais, donnent à leur tour quatre frères, tous évêques entre 1233 et 1254 : Gautier, puis Gilles, à Sens ; Aubry à Chartres ; Robert à Nevers ; et deux de leurs neveux occuperont successivement, eux aussi, le siège de Sens. Ils sont alliés aux Clément, autres gens du Gâtinais,

détenteurs héréditaires de la maréchaussée de France : Eudes
Clément est archevêque de Rouen.

Mais est-ce seulement le désir d'être en faveur auprès du
roi qui pousse les chanoines à prendre pour évêques des
hommes touchant de près à l'entourage royal, appartenant à
des familles de serviteurs des Capétiens ? Ce qui se passe surtout, c'est que le roi a parmi ses prérogatives celle de désigner
les détenteurs de nombreux bénéfices ecclésiastiques, et en
particulier de prébendes de chanoines dans les collégiales du
domaine royal : Saint-Martin de Tours, Saint-Fursy de
Péronne, Saint-Frambaud de Senlis, et combien d'autres ! Ces
prébendes, il les confère volontiers à ceux pour lesquels
s'emploient les membres de son entourage, voire à tels des
clercs qui sont à son service, et il n'est pas surprenant que
nous retrouvions les uns et les autres sur les sièges épiscopaux.

Le cas de Pierre-Charlot, fils bâtard de Philippe-Auguste,
montre comment la protection royale peut acheminer un
clerc vers la dignité épiscopale. Philippe avait obtenu
d'Honorius III un indult autorisant son fils, malgré sa naissance illégitime, à détenir des bénéfices ecclésiastiques.
Encore jeune, Pierre-Charlot devient trésorier de Saint-Martin de Tours en se faisant dispenser de l'obligation d'y rési-
der, ceci pour lui permettre de poursuivre des études de
théologie (1232). En 1235, il est titulaire, outre cette première
dignité, des offices de trésorier de Saint-Frambaud et de
sacriste de Saint-Fursy : le pape lui a conféré le sous-diaconat. En 1240, les chanoines de Noyon l'élisent pour leur évêque. Grégoire IX s'indigne : l'indult accordé à Pierre ne lui
permettait pas d'être élevé à l'épiscopat. Saint Louis prend
parti pour son oncle, et fait savoir au pape qu'il n'acceptera
aucun autre candidat au siège de Noyon. Grégoire IX doit
s'incliner, et Innocent IV sauve la face en ordonnant une
enquête : Pierre-Charlot reste évêque de Noyon jusqu'à sa
mort en 1249.

Cependant l'Église de France n'est pas encore une Église
« monarchique ». Le roi appelle volontiers des prélats dans
ses conseils ; le conseil de régence qui entoure Blanche de

Castille de 1248 à 1252 est formé surtout d'évêques et d'abbés. Mais il n'en est pas de même en temps ordinaire : quand on distribue des manteaux (les « pailes ») aux clercs de l'hôtel du roi, en 1239, seuls l'archevêque de Sens Gautier Cornut, l'évêque de Senlis et le doyen de Saint-Martin de Tours bénéficient de cette distribution.

Des clercs, par contre, y figurent en nombre plus important ; mais, même s'ils détiennent des bénéfices ecclésiastiques, c'est dans l'entourage royal qu'ils exercent leur activité, et ce n'est pas par leur entremise que l'Église peut influencer les décisions du gouvernement royal. L'indépendance de celui-ci est évidente : Louis IX a été plus d'une fois en conflit avec ses évêques, et ses rapports avec Innocent IV ont souvent été tendus. Les droits qu'il est en mesure de faire valoir sur l'Église de France, il n'a pas négligé de les exercer, et cela non sans vigueur.

Les seigneuries ecclésiastiques se distinguent donc des baronnies laïques par des traits particuliers. Le retour régulier des terres épiscopales et abbatiales entre les mains du souverain, par le jeu des régales, contribue à rattacher plus étroitement ces terres-là à celles où le roi est pleinement chez lui. Leur statut propre — elles sont inaliénables, de par les dispositions du droit canon — et la garde royale les mettent à l'abri des empiétements des barons. On dira volontiers, dans les siècles suivants, que ces terres-là sont « en royauté » et on les considérera comme spécialement visées par le serment du sacre. Il n'en est sans doute pas encore ainsi au temps de saint Louis. Mais déjà, par l'existence de ces seigneuries ecclésiastiques, le pouvoir royal dispose de moyens d'intervention qui vont au-delà de ceux dont il peut disposer sur celles des barons.

CHAPITRE III

Les querelles

Lorsque saint Louis était monté sur le trône, plusieurs problèmes restaient en suspens. Les uns tenaient à ce que la mort prématurée de Louis VIII avait empêché celui-ci d'accomplir les deux grands projets dont, d'ailleurs, rien ne dit qu'il serait certainement venu à bout : l'expulsion des Plantagenêts de leurs dernières possessions dans le royaume de France et l'occupation de la totalité des territoires dévolus à Simon de Montfort à la suite de la croisade contre les Cathares. De ce fait, deux querelles restaient ouvertes : l'une opposait le Capétien — et, dans l'immédiat, la reine Blanche agissant au nom de son fils mineur — aux Plantagenêts et à leurs partisans, encore nombreux dans leurs anciens fiefs ; l'autre, le même Capétien au comte Raymond VII de Toulouse, ainsi qu'aux comtes et vicomtes du Languedoc, aux seigneurs « faidits », dépossédés et rêvant de récupérer leurs héritages perdus. Ces deux grandes questions pouvaient éventuellement s'aggraver, soit par la collusion des deux grands adversaires du roi, soit par l'intervention d'un tiers qui pouvait devenir menaçant, encore que les affaires italiennes l'eussent retenu de faire sentir son poids dans celles de France : l'empereur Frédéric II.

Mais, à ces différends qui intéressaient directement la couronne, un troisième allait s'ajouter : la reprise de la querelle de succession de Champagne, qui avait déjà allumé un conflit au temps de Philippe-Auguste, et que l'attitude du comte Thibaud à l'égard des barons hostiles à la régence de Blanche de Castille allait faire flamber de nouveau. Dans celle-ci, en principe étrangère aux affaires de la couronne, le roi et sa mère furent aussi amenés à intervenir. Et tout le climat des années qui précèdent la croisade est dominé par la solution de ces trois querelles, sur lesquelles brochent celle qui oppose la reine Blanche à son cousin de Bretagne, et celle qui, à la suite de la constitution de l'apanage d'Alphonse de Poitou, jette à son tour le comte de la Marche dans l'alliance anglaise, au moment où Pierre Mauclerc a abandonné celle-ci.

Ce sont ces conflits qui donnent aux premières années du règne une couleur différente de celle des années qui suivent la croisade. Louis IX, pendant cette période, est un roi guerrier, qui doit sans cesse monter à cheval pour défendre ses droits ou pour remettre ses vassaux indociles dans l'obéissance. Ce qui n'empêche pas qu'en ces années-là s'ébauchent déjà certaines des négociations qui aboutirent par la suite à la solution des principales difficultés.

LES AFFAIRES DE CHAMPAGNE (1227-1236)

Le rôle complexe qu'a joué le comte Thibaud IV de Champagne tant durant la régence de Blanche de Castille qu'au début du règne personnel de Louis IX a donné au roi l'occasion de montrer comment il concevait sa politique à l'égard d'un grand baron. Thibaud a été pour la couronne un précieux auxiliaire ; il a tiré grand profit de l'aide qu'il avait apportée à la régente ; il n'en a pas moins été contraint à respecter les règles que le pouvoir royal entendait imposer à ses vassaux.

La dynastie thibaudienne, primitivement établie dans le comté de Blois et dans les terres voisines, s'était installée depuis la fin du Xe siècle dans les comtés de Troyes et de Meaux, dont elle avait fait le point de départ du vaste comté de Champagne et de Brie. Prenant en tenaille les territoires appartenant au roi, elle avait été un objet d'inquiétude pour les premiers Capétiens. Mais, du jour où avaient échoué les efforts d'Étienne de Blois pour assurer à sa maison la couronne d'Angleterre, les Thibaudiens avaient lié leur fortune à celle de la royauté française. Louis VII avait donné sa fille en mariage au comte Henri le Libéral, lequel avait laissé à son cadet Thibaud le comté de Blois, ce qui marquait le début de la dissociation des territoires champenois et des territoires ligériens de la famille thibaudienne. Le fils issu de ce mariage, Henri II, était parti en croisade avec Philippe-Auguste et Richard Cœur-de-Lion, dont il était également le proche parent. Et c'est au cours de l'expédition qu'il épousa Isabelle, héritière du trône de Jérusalem, trône qu'il occupa à titre de prince-consort (« seigneur du royaume ») de 1192 à 1197. Il était mort, tombant à la renverse d'une fenêtre, en laissant un testament qui instituait pour héritier du comté de Champagne et de Brie son frère Thibaud, au cas où lui-même ne laisserait pas d'enfants. Isabelle avait donné deux filles à son mari, mais Philippe-Auguste n'en investit pas moins Thibaud du comté en 1198. C'est ce Thibaud qui prit la croix au tournoi d'Écry, le 24 mai 1201. Mais il mourut peu après, laissant sa femme Blanche de Navarre enceinte d'un enfant qui devait être Thibaud IV, celui que l'on a surnommé le Posthume ou le Chansonnier. La comtesse Blanche se préoccupa d'une éventuelle revendication venant des filles de son beau-frère Henri. Philippe-Auguste lui promit en 1209 que celles-ci ne seraient pas admises à présenter leur cause avant que Thibaud n'eut atteint ses vingt et un ans. Et c'est dès 1214 que le jeune comte se faisait recevoir à l'hommage par ceux dont il tenait des fiefs : le roi lui-même, le duc de Bourgogne, l'archevêque de Reims, les évêques de Langres et de Châlons.

Or un des principaux seigneurs champenois, Erard de Brienne, sire de Ramerupt, avait formé le projet d'épouser la plus jeune des filles d'Henri, Philippine de Jérusalem. Averti, Philippe-Auguste fit savoir qu'il ne regarderait pas ce mariage comme licite, en raison de la parenté unissant les deux futurs époux. Le mariage n'en eut pas moins lieu, et Erard trouva des alliés lorsqu'il se présenta en légitime détenteur du comté de Champagne. La cour des pairs le débouta de ses prétentions en 1216. Quant au pape Honorius III, il envisageait l'affaire d'un autre côté : Isabelle de Jérusalem était bien veuve de Conrad de Montferrat quand elle avait épousé Henri ; mais elle avait été précédemment mariée à un baron de Terre sainte, Onfroy de Toron, dont on l'avait séparée par force et sans justification canonique pour la marier à Conrad. Ceci faisait planer un doute sur la légitimité des deux filles, ce qui n'avait d'ailleurs pas empêché l'aînée, Alix, d'épouser l'héritier du royaume de Chypre.

Débouté par les juges, Erard avait eu recours aux armes, en 1217. En fin de compte, il avait accepté un compromis, et reconnu Thibaud comme comte de Champagne en lui promettant même de le seconder contre la reine Alix de Chypre, si celle-ci s'avisait de faire valoir ses droits à l'héritage paternel (1227).

Il n'en restait pas moins que l'éventualité d'une intervention de la reine Alix était possible, et que Thibaud n'avait aucun intérêt à s'aliéner son suzerain. Il avait fait mine de se prononcer contre la régente ; mais, presque immédiatement, il avait fait sa soumission en soutenant de façon inconditionnelle la reine et son fils contre les barons indociles. Il est probable que sa mère, Blanche de Navarre, lui avait alors dicté sa conduite.

Thibaud IV a soulevé contre lui une hostilité d'une exceptionnelle ampleur, et les historiens ont admis que c'était la conséquence de son changement d'attitude. Les barons rebelles, ses alliés de la veille, ne lui auraient pas pardonné sa « trahison ». C'est un peu ce que laisse entendre Joinville. Mais il ne faut pas oublier que les grands barons dont il s'agit avaient poussé Blanche de Castille à faire exclure le comte de Champagne des cérémonies du couronnement royal. Nous savons qu'on lui reprochait sa conduite à l'égard de Louis VIII, ses ménagements envers les Avignonnais lors du siège de leur ville, son départ précipité de la croisade (il est vrai que Thibaud s'était vu confier par le comte Otton de Méranie la garde de la Franche-Comté et qu'il pouvait être légitimement impatient de revenir dans ses terres pour veiller aux affaires comtoises, alors fort préoccupantes).

Mais le caractère très général de l'hostilité des barons à son endroit mérite qu'on se demande si d'autres raisons, tenant à la politique menée par lui-même et par sa mère, n'avaient pas contribué à lui attirer bien des ennemis, non seulement parmi ses pairs, mais parmi ses propres vassaux.

Les Thibaudiens, en effet, avaient constitué la principauté champenoise à partir d'un point de départ relativement modeste. Ils avaient tiré parti de la structure propre aux territoires de l'ancienne Bourgogne et des confins lorrains, où prévalait l'alleu, terre échappant à la dépendance féodale. Des princes bien pourvus d'argent et de moyens militaires étaient en mesure d'obliger les détenteurs des alleux à leur remettre ceux-ci pour les reprendre ensuite d'eux à titre de fiefs. Ce jeu-là, les Thibaudiens l'avaient joué sur une très grande échelle. Ils étaient les maîtres des grandes foires que l'on tenait à Provins, à Troyes, à Bar-sur-Aube, à Lagny ; ils en tiraient de très grosses ressources financières et achetaient à beaux deniers comptant les alleux et les vassalités. Ils construisaient des forteresses dans ces terres de nouvelle acquisition, et insinuaient ainsi leur mouvance de plus en plus profondément dans les principautés voisines. Entre le début du XIIIᵉ siècle et l'avènement de Louis IX, le comté de Bar-sur-Seine et le puissant château de Chaumont étaient devenus champenois, et les évêques de la région s'accommodèrent de ces agrandissements auxquels ils étaient associés. Par contre, les barons voisins et les familles seigneuriales dont l'une ou l'autre branche se trouvait dépossédée ne manifestaient aucune satisfaction.

D'autre part, la substitution de la lignée issue de Thibaud III à celle d'Henri n'avait pas rencontré une adhésion unanime. Un chevalier du Maine, le trouvère Hugues de la Ferté, expose crûment que, né posthume, Thibaud IV ne pouvait être « par droit » l'héritier de la Champagne et de la Brie. Le jugement de la cour des pairs, les préférences de Philippe-Auguste, les nombreux achats de vassalités que le comte de Champagne avait effectués pour se procurer des alliés contre Erard de Brienne n'avaient pas suffi à convaincre de sa légitimité nombre de ses vassaux, et plus encore de grands barons. Dès 1227, d'ailleurs, Thibaud commençait à se prémunir contre d'éventuelles revendications de la reine de Chypre.

Mais le premier conflit paraît avoir été provoqué par une contestation relative à la frontière du comté de Bar-sur-Seine entre le comte de Champagne et son voisin Guigues de Forez, comte de Nevers, Auxerre et Tonnerre. Thibaud avait recherché contre ce dernier l'alliance du duc Hugues IV de Bourgogne et le traité conclu entre eux, en 1227, stipulait que le jeune duc, encore mineur, n'épouserait ni une fille, ni une sœur, ni une nièce du comte de Dreux, de celui de Bretagne, de celui de la Marche, de celui de Boulogne, de celui de Saint-Pol, de Robert de Courtenay ou d'Enguerran de Coucy. Ce qui laisse entrevoir que, dès ce moment, plusieurs des grands lignages étaient considérés comme des adversaires en puissance du comte de Champagne. Celui-ci ne tarda pas à se faire de nouveaux ennemis. Hugues IV lui-même, sur le conseil de son parent l'archevêque de Lyon, Robert d'Auvergne, avait épousé la fille du comte de Dreux, Yolande. Thibaud, pour se venger, fit enlever l'archevêque ; le comte de Bar-le-Duc, Henri, délivra celui-ci. Et pendant ce temps, Pierre Mauclerc formait le projet d'épouser la reine de Chypre, ce qui inquiéta le pape qui prohiba ce mariage en arguant des liens de parenté existant entre eux (21 juillet 1229).

La guerre flamba aux confins du Tonnerrois et de la Champagne. Les religieux de Chablis firent état « du péril des guerres » pour obtenir la protection royale ; mais Blanche de Castille spécifia que cette protection ne pourrait préjudicier aux droits du comte Thibaud. Le légat Romain Frangipani s'interposa. Il ramena la paix entre Guigues de Forez et le Champenois : chacun d'eux avait le droit de conserver les forteresses qu'il avait bâties face au territoire de l'autre, et on nommait des arbitres pour décider du sort des fiefs contestés. Guigues entraînait avec lui le comte de Chalon, Jean, et tous deux entraient dans l'alliance de Thibaud. Il en coûta à ce dernier mille livres, une somme de cinq cents livres par année tant que durerait la guerre et une rente perpétuelle de cent quarante livres pour obtenir l'aide du comte de Chalon ; le sire de Seignelay se contenta d'une rente de quarante livres ; Érard de Brienne, de deux cents livres de rente et d'autres fiefs. Pendant ce temps, le duc de Bourgogne s'assurait de la même manière de la fidélité d'un certain nombre de seigneurs. On se préparait donc à un nouveau conflit. Le duc de Lorraine se rangea lui aussi du côté de Thibaud, en raison des différends qu'il avait avec le comte de Bar-le-Duc.

C'est entre ceux-ci que les hostilités s'ouvrirent au début de 1230. Elles se généralisèrent bientôt : au milieu du printemps, le duc de Bourgogne entrait en Champagne. Là-dessus, le roi convoqua son ost et les hostilités s'interrompirent pour reprendre au début de l'été. Cette fois, Thibaud faisait face à une double offensive. Le duc de Bourgogne, avec ses vassaux et ses alliés, l'attaquait par le sud en marchant sur Chaource et l'Isle-Aumont. Les autres coalisés, avec Philippe Hurepel, les Coucy, les Dreux, le comte de Saint-Pol, envahissaient la Champagne par le nord et menaçaient Troyes où Simon de Joinville, le père du chroniqueur, n'eut que le temps de se jeter.

Thibaud était en grand danger. C'est alors que le roi se porta en Champagne à la tête de son armée. Il se trouva d'abord en face de Philippe Hurepel qui proposa en vain de vider le débat entre les coalisés d'une part, les Champenois et les Lorrains de l'autre, par un combat auquel le roi aurait assisté en spectateur. Ce dernier le contraignait à évacuer la Champagne, puis se porta au-devant des Bourguignons qui reculèrent jusqu'en Tonnerrois. On négociait déjà : le comte de Chalon rentrait dans l'hommage du duc de Bourgogne ; Philippe Hurepel obtenait de Thibaud une somme de 8 000 livres à titre de dédommagement pour les dégâts que le comte de Flandre, allié du Champenois, avait faits dans les comtés de Boulogne, Guines et Saint-Pol. Un accord général intervint en septembre 1230 par les soins du roi : on s'en remettait à Thibaud et à Philippe Hurepel pour terminer les différends entre Mathieu de Lorraine et Henri de Bar,

Blanche de Castille devant jouer le rôle d'un surarbitre s'ils
n'y parvenaient pas. Thibaud se voyait condamné à payer
mille marcs d'argent à l'archevêque de Lyon à titre d'amende,
et s'engageait à prendre la croix et à partir en croisade avec
cent chevaliers.

En fait, le règlement de tous les conflits traîna encore quelque temps ; en 1232 Thibaud mettait à la raison un de ses vassaux, Renier de Nogent, qu'il assiégeait dans son château et
qu'il déposséda de ses fiefs, confisqués à son profit ou à celui
de l'évêque de Langres.

Il aurait été conforme aux habitudes du temps de sanction-
ner l'accord réalisé en 1230 par un mariage. Sans doute est-ce
pour cette raison que certains barons s'avisèrent, à la mort de
la première femme de Thibaud, Agnès de Beaujeu (11 juillet
1231), de lui faire épouser une fille de Pierre Mauclerc,
Yolande de Dreux, ce qui aurait apaisé le conflit qui l'opposait à la maison de Dreux. Blanche de Castille et Louis IX ne
pouvaient accepter cette perspective, le comte de Bretagne
étant alors l'adversaire déclaré de la couronne. Grégoire IX
intervint : Thibaud et Yolande avaient tous deux Louis VI
pour trisaïeul, et cette parenté leur interdisait de s'unir. Aussi
Thibaud finit-il par épouser la fille d'un des plus fidèles
barons du roi, Archambault de Dampierre, sire de Bourbon.

Mais, de ce fait, les Dreux restaient hostiles à Thibaud.
Lorsque la reine Alix de Chypre, veuve depuis 1218
d'Hugues Ier de Lusignan, arriva en France, en 1233, elle
pouvait compter sur Philippe Hurepel, sur Robert de Dreux
et sur l'archevêque de Lyon pour soutenir ses droits. Néanmoins, il était désormais douteux que pût se reformer la
grande coalition de 1230, qui avait pris prétexte de la défense
des droits de la reine de Chypre. Grégoire IX renouvela les
décisions antérieures, prohibant la reconnaissance de celle-ci
comme héritière de la Champagne tant que la Curie ne se
serait pas prononcée sur la légitimité de sa naissance ; il interdit au comte de Bar-le-Duc de rendre hommage à Alix pour
le fief qu'il tenait du comté de Champagne, ce qui paraît
indiquer qu'Henri de Bar continuait à tenir pour la reine.
Louis IX convoqua plusieurs fois cette dernière à son parle-

ment. Finalement, les trois principaux défenseurs d'Alix étant morts au début de 1234, celle-ci finit par s'accorder avec son cousin Thibaud. Elle renonçait à la Champagne en faveur de celui-ci et de ses descendants, tout en réservant ses droits au cas où la lignée issue de Thibaud s'éteindrait. En contrepartie, le comte devait lui verser quarante mille livres tournois et lui assurer une rente de deux mille livres par an.

Quelle que fût la richesse de Thibaud, qui était devenu sur ces entrefaites roi de Navarre par la mort de son oncle le roi Sanche, l'énormité de cette somme le contraignit à aliéner une partie de ses terres. C'est encore au roi qu'il s'adressa, conformément d'ailleurs aux règles du droit féodal. C'est ainsi que saint Louis acquit la mouvance des comtés de Blois, de Chartres, de Sancerre et de la vicomté de Châteaudun, jusque-là arrière-fiefs de la couronne et désormais immédiatisés.

Encore saint Louis devait-il s'employer à réconcilier définitivement Thibaud IV avec certains de ses anciens adversaires. En avril 1234, Hugues IV de Bourgogne était sur le point de mouvoir guerre contre le comte de Champagne ; il soutint en sous-main les seigneurs comtois soulevés contre ce dernier, malgré un traité d'alliance passé entre Thibaud et lui en janvier 1235. Le roi fut obligé de mander Hugues à sa cour et le condamna à une amende, pour ne pas avoir apporté au nouveau roi de Navarre le secours promis (avril 1235).

Malgré tous les services rendus, Thibaud reprenait son projet d'alliance matrimoniale avec la maison de Dreux. Bien qu'il eût promis au roi de ne marier sa fille, Blanche de Navarre, qu'avec le consentement du souverain, il maria celle-ci à Jean le Roux, fils aîné de Pierre Mauclerc. Le duc de Bourgogne (mari de Yolande de Dreux), le comte de Mâcon (un Dreux), le sire de Coucy et Henri de Bar-le-Duc se retrouvaient comme garants des conventions de mariage. Louis IX réagit aussitôt, en exigeant la remise des trois forteresses du comté de Champagne que Thibaud avait promis de lui livrer s'il manquait à son engagement. Le fautif s'y refusa et se ligua plus étroitement avec Pierre Mauclerc, ainsi qu'avec Hugues de Lusignan, se préparant à la guerre.

L'armée royale avait été convoquée à Saint-Germain-en-

Laye pour le 8 juin 1236. Le pape s'alarma, rappelant au roi
que Thibaud, qui avait pris la croix, devait être regardé
comme protégé par les privilèges reconnus aux croisés. Le roi
de Navarre, lui, avait pris peur et offert sa soumission.
Blanche de Castille intervint et fit obtenir son pardon ; Thibaud n'en dut pas moins livrer au roi ses châteaux de Montereau et de Bray-sur-Seine. Encore lui fallut-il souffrir une
nouvelle humiliation : le frère du roi, Robert d'Artois, lui jeta
un fromage au visage pour stigmatiser sa lâcheté...

Il ne restait plus à Thibaud qu'à accomplir son vœu et à
partir en Terre sainte. Il devait au soutien que lui avait
apporté la royauté d'avoir surmonté la grave crise qui avait
éprouvé ses comtés, tant du fait de ses démêlés avec ses voisins qu'en raison de l'affaire de la reine de Chypre ; il avait
finalement effacé ses différends avec le lignage de Dreux, au
prix d'un manquement à la parole donnée que Louis IX avait
durement ressenti : la mansuétude royale lui avait permis de
se tirer de ce mauvais pas. Mais le roi n'en avait pas moins
maintenu fermement les droits de la couronne, imposant sa
volonté pour mettre fin à une guerre privée particulièrement
grave. Et l'union des comtés champenois à ceux de la vallée
de la Loire, qui avait longtemps rendu la maison thibaudienne redoutable pour la royauté, était définitivement rompue, sans que le roi eût en rien spolié un vassal qui allait,
désormais, lui rester fidèle.

Le règlement de la question toulousaine

Si, en Champagne, une querelle de succession avait obligé
la régente, puis le roi, à essayer de limiter les conséquences
des luttes entre les grands lignages, c'est d'une autre manière
qui se posait, en Languedoc, le problème auquel le gouvernement royal se trouvait confronté. Car ici, comme dans le cas
du conflit avec les Plantagenêts, le roi se trouvait partie principale dans le débat.

On se rappelle le point de départ des difficultés que

connaissait la région languedocienne. Le comte de Toulouse et plusieurs autres grands barons avaient été privés de leurs domaines par la décision du concile du Latran qui les avait reconnus comme fauteurs des hérétiques albigeois, et leurs possessions transférées à Simon de Montfort et à d'autres barons venus du Nord ; ce transfert avait été remis en question par un soulèvement dont Raymond VII de Toulouse — lequel n'avait pas été personnellement mis en cause en 1215, et qui poursuivait d'ailleurs la réhabilitation de la mémoire de son père auquel il s'efforçait d'assurer une sépulture ecclésiastique — avait pris la tête. Les seigneurs dépossédés s'étant joints à lui, Amaury de Montfort avait fini par céder ses droits au roi de France. La campagne menée par Louis VIII avait abouti à mettre entre les mains de ce dernier Avignon (ville sur laquelle le roi n'avait d'ailleurs aucun droit et où l'empereur Frédéric II laissa cependant Louis VIII et le légat pontifical agir à leur guise), Nîmes, Carcassonne, Béziers et Pamiers. Le comte de Comminges avait fait acte de vassalité, ainsi que celui de Roussillon pour les vicomtés de Fenouillèdes et de Peyrepertuse. Et Louis VIII avait promulgué les statuts de Pamiers, qui prévoyaient notamment la confiscation définitive des biens de tous ceux qui, excommuniés, ne se seraient pas réconciliés avec l'Église dans le délai d'une année. Mais la réalité du pouvoir royal ne pouvait qu'être remise en question sitôt l'armée du roi repartie vers le nord. On n'avait pu empêcher Raymond VII de se maintenir dans Toulouse ; le comte de Foix, dont Louis VIII avait refusé la soumission, continuait à tenir la campagne ; le vicomte de Béziers et Narbonne, Raymond Trencavel, se refusait à accepter sa dépossession.

C'était aux troupes du roi, laissées en Languedoc sous le commandement d'Amaury de Montfort et d'Humbert de Beaujeu qu'il appartenait de maintenir les gains de la campagne de 1226. Ce qu'elles firent, au prix d'une guerre de coups de main et de sièges qui s'éternisait. Dans l'hiver 1226-1227, le comte Raymond reprenait Auterive ; à l'été de 1227, Humbert de Beaujeu assiégeait le château de Bessèdes dont le défenseur, Olivier de Termes, capitulait ; l'hiver sui-

vant, Raymond VII reprenait celui de Saint-Paul-sur-Agout.
Entre-temps s'était tenu à Narbonne un concile qui renouvelait l'excommunication du comte de Foix et du vicomte de
Béziers, ce qui justifiait le principe de la confiscation de leurs
biens. Mais, en 1228, Raymond VII réoccupait Castelnau-
dary. Par contre, les frères de Termes, dont le château dominait la haute vallée de l'Orbieu, au sud de Carcassonne, faisaient leur soumission et étaient admis à l'hommage le
21 novembre 1228. Et Humbert de Beaujeu entamait une
campagne de dévastations dans les comtés de Toulouse et de
Foix pour venir à bout de la résistance de leurs détenteurs.

Cependant, les représentants de la papauté s'efforçaient de
trouver un terrain d'entente entre les belligérants. Une trêve
était conclue en novembre 1228, et l'abbé de Grandselve, qui
représentait le légat Romain Frangipani, négociait activement. Des conciles tenus à Sens à la Noël 1228 et à Senlis le
2 février suivant faisaient avancer la solution des questions
pendantes. Thibaud IV de Champagne agissait en médiateur ;
Raymond VII avait chargé le comte de Comminges et l'archevêque de Narbonne de défendre sa cause. Et c'est ainsi que
l'on parvenait, le 11 avril 1229, à un accord qui fut conclu à
Meaux et sanctionné à Paris.

Thibaud IV avait persuadé le comte de Toulouse, son
parent (Raymond avait épousé Sanche d'Aragon qui était
cousine de la mère de Thibaud, Blanche de Navarre), de s'en
remettre, sans poser de conditions, au roi et au légat pontifical, en séparant sa cause de celle du comte de Foix. Cette attitude facilita l'octroi du pardon que le pape et le roi accordèrent à Raymond, jusque-là regardé comme ayant favorisé les
hérétiques. En ce qui concerne les biens de la maison de Toulouse, on parvenait à un partage. A Raymond, tout ce qui se
trouvait dans les diocèses de Toulouse, de Cahors et d'Agen
ainsi que dans la partie de celui d'Albi située au sud du Tarn,
exception faite de la seigneurie de Mirepoix, dont Guy de
Lévis restait détenteur, et des terres cédées à l'évêque de
Cahors. Au roi, l'Albigeois septentrional, avec la ville même
d'Albi. Au pape, les territoires que la maison de Saint-Gilles
avait possédés à l'est du Rhône, dans le royaume d'Arles.

Raymond VII n'avait alors qu'une fille : il était convenu qu'elle épouserait l'un des frères du roi et, qu'en attendant, elle serait remise aux mains des gens de ce dernier (Raymond ne devait quitter le château du Louvre que lorsque cette remise aurait été opérée). Sept châteaux, dont le Château Narbonnais qui était la citadelle de Toulouse, étaient remis au roi à titre de garantie. Quant à la dot de Jeanne, elle comprenait Toulouse et le Toulousain ; le reste des possessions du comte lui reviendrait uniquement si Raymond n'avait pas d'autre enfant.

A cela s'ajoutaient des indemnités aux églises lésées par la guerre — quatorze mille marcs d'argent à payer en quatre ans. Et Raymond s'engageait à financer la fondation d'une université à Toulouse, en entretenant deux chaires de théologie, deux de droit canon, deux de grammaire et six d'arts libéraux pendant dix ans, à raison de quatre mille marcs par an. Enfin, il s'engageait à extirper l'hérésie de sa terre et à aller en Terre sainte pour y servir pendant cinq ans contre les infidèles.

Si ces conditions étaient lourdes, elles levaient toute hypothèque sur la réoccupation par Raymond des biens paternels. Aussitôt après avoir fait amende honorable, le comte de Toulouse était admis à l'hommage (13 avril) et Amaury de Montfort renonçait à nouveau à tous les droits qu'il avait hérités de son père ; son cousin Philippe de Montfort, qui devait s'illustrer dans l'Orient latin, recevait du roi à titre de compensation Castres et une partie de l'Albigeois. Raymond se faisait armer chevalier par Louis IX : à cette occasion, celui-ci lui rendait ses droits sur le Rouergue.

Raymond VII rentrait à Toulouse le 4 juillet 1229, après que le légat eut solennellement procédé à la réconciliation de la ville avec l'Église romaine ; l'évêque Foulques, lui aussi, reprenait possession de son siège. Quant au comte de Foix, menacé par une armée de croisés auxquels s'étaient joints les gens du comte de Toulouse, il faisait également sa soumission. Le traité de Melun, passé en septembre 1229, était beaucoup moins onéreux que celui de Paris. Le roi se contentait de se faire remettre deux châteaux en garde, et donnait au comte une rente de mille livres.

Par contre, Trencavel ne parvenait à récupérer que sa vicomté de Béziers ; celle de Carcassonne restait aux mains du roi et formait le noyau d'une sénéchaussée royale. Après un essai malheureux pour rentrer dans sa seigneurie, Trencavel devait finir, en 1247, par renoncer à tous ses droits sur Béziers en échange d'une rente annuelle.

A côté de la sénéchaussée de Carcassonne, une autre sénéchaussée royale s'était formée, et le sénéchal résidait à Beaucaire, place cédée en 1226 à Louis VIII par la commune d'Avignon. Elle était constituée essentiellement par les deux vicomtés de Nîmes et d'Agde, qu'un autre Trencavel, Bernard Aton, avait cédées à Simon de Montfort. En gros, ces deux sénéchaussées représentaient le duché de Narbonne, dont Raymond VI avait été dépouillé en 1215 et que son fils avait abandonné en 1229.

Cette nouvelle distribution des terres méridionales, à laquelle s'ajoutait temporairement l'occupation du Comtat Venaissin, cédé en principe à l'Église de Rome, par un représentant du roi, Adam de Milly, donnait pour la première fois au roi de France la possession directe d'une portion du rivage de la Méditerranée. On y trouvait un port, Saint-Gilles, sur un bras du Rhône, port qui avait été très actif au XIIe siècle, mais qui commençait à décliner, essentiellement au profit de Montpellier, qui appartenait au roi d'Aragon. Louis IX conçut le projet de fonder un nouveau port qui dépendrait uniquement de la couronne, entamant vers 1240 des négociations avec l'abbaye de Psalmodi, qui possédait des terres sur le cordon littoral fermant la lagune d'Aigues-Mortes, pour obtenir d'elle la possession de ces terres. L'aménagement d'Aigues-Mortes exigeait la construction d'un môle formé de gros blocs de rochers, la Peyrade, l'aménagement d'une route rejoignant la terre ferme, celle d'un aqueduc pour l'eau potable, enfin la construction d'un puissant donjon, la tour Constance. En 1246, le roi donnait ses franchises à la ville nouvelle, sommairement fortifiée ; il négociait avec Nîmes pour que les bourgeois d'Aigues-Mortes, et la puissante colonie génoise qui allait s'y installer, s'insèrent dans le circuit commercial. En 1248, la ville nouvelle avait pris réalité ; le royaume capétien avait son port sur la Méditerranée.

Le règlement de la question languedocienne était sans doute dû à l'intervention personnelle de Blanche de Castille. Liée, comme Thibaud de Champagne, aux dynasties royales espagnoles avec lesquelles les barons languedociens entretenaient des rapports familiaux étroits, elle paraît avoir témoigné une certaine faveur à Raymond VII (lequel, il convient de le rappeler, avait été mis en dehors de la condamnation prononcée contre son père au concile du Latran, qui avait prévu qu'une partie des terres de la maison de Toulouse reviendrait au jeune prince). Celui-ci reprenait sa place parmi les grands vassaux de la couronne ; le territoire qui lui était laissé, même si plusieurs des barons de sa mouvance rendaient désormais directement hommage au roi, était loin d'être négligeable ; et, si Raymond avait d'autres enfants (il était encore jeune), la dynastie toulousaine pouvait se perpétuer tout en laissant le comté de Toulouse proprement dit à une branche de la maison capétienne. L'intérêt nouveau que celle-ci témoignait pour les pays méditerranéens pouvait trouver dans le comte de Toulouse un précieux auxiliaire.

La bienveillance de la régente se révèle au cours des années suivantes. Raymond VII avait été incapable d'éviter certains incidents (le sénéchal royal de Carcassonne fut assassiné). Il tardait à payer les indemnités promises et à subventionner la nouvelle université de Toulouse. L'évêque de Toulouse l'accusait de mettre de la mauvaise volonté à observer la paix. Le pape n'en autorisa pas moins le comte à différer son départ pour la Terre sainte et à lever un impôt sur ses terres pour payer les indemnités fixées par le traité. Quant au gouvernement royal, il s'entremettait pour lui obtenir la rétrocession de ceux de ses domaines, situés en Provence, qui auraient dû être remis à la Papauté : c'est en rappelant Adam de Milly et en retirant ses troupes des forteresses du Comtat que la régente contraignit Grégoire IX — incapable de les occuper — à accepter la restitution au moins partielle de ces places à Raymond VII.

Celui-ci, à vrai dire, ne témoignait pas qu'il fût disposé à se contenter du Toulousain agrandi que lui avait laissé le traité de Paris. Avant 1209, les Saint-Gilles portaient le triple titre de comtes de Toulouse, ducs de Narbonne et marquis de Provence. S'il n'était pas question pour le moment de revendiquer le duché, passé sous la domination directe du roi, Raymond recommença à intervenir en Provence. Dès 1230, il avait répondu à l'appel des Marseillais en lutte contre le comte Raymond Béranger et l'évêque de la cité ; il avait obligé ceux-ci à lever le siège de la ville ; il avait reçu des citoyens une partie de celle-ci, celle qui constituait la vicomté. Les gens de Tarascon s'étaient eux aussi ralliés à lui. Il fallut que Raymond Béranger entrât en relation avec le roi de France, en lui donnant en mariage sa fille aînée, pour arrêter ses entreprises. Raymond n'en restait pas moins à Marseille et c'est en vain que le pape l'invitait en 1237 à rendre la ville au comte de Provence.

D'ailleurs l'intervention française en Provence, dans ce royaume d'Arles où Frédéric II espérait faire revivre ses droits souverains, succédant aux empiétements de Louis VIII et de la régente sur la rive gauche du Rhône et dans le diocèse de Viviers (qui, bien que sur la rive droite, était regardé comme terre d'Empire), amenait désormais l'empereur à se rapprocher du comte de Toulouse. Dès 1234, à Montefiascone, Frédéric avait rétabli Raymond, son parent, dans sa dignité de marquis de Provence, et il lui avait reconnu la possession du Comtat Venaissin ; en 1235, à Haguenau, Raymond avait reçu de l'empereur l'Isle-sur-Sorgue, Carpentras et d'autres terres. En 1239, Frédéric prononçait la confiscation du comté de Forcalquier sur le comte de Provence, et il en investissait Raymond VII. Celui-ci s'établissait à Trinquetaille, dévastait la Camargue, inquiétait Arles, sans se préoccuper de l'excommunication fulminée contre lui ; il refoulait même les troupes que les officiers du roi de France amenaient au secours du comte de Provence. Ce n'est qu'en 1241, à la suite de l'intervention du roi d'Aragon, que Raymond acceptait de s'entendre avec Raymond Béranger sans pour autant renoncer à la Provence, puisque cet accord prévoyait qu'il épouserait la plus jeune fille du comte, héritière présomptive de la Provence. Le mariage fut conclu le 11 août 1241 ; mais Grégoire IX, que la collusion de Raymond avec Frédéric II n'avait pas disposé en faveur du premier, refusa d'accorder la dispense de parenté indispensable.

S'il n'hésitait ni à braver l'autorité pontificale, en jouant la carte impériale, ni à entretenir sur la Provence des convoitises qui ne pouvaient qu'indisposer le roi de France, gendre du comte Raymond Béranger, Raymond VII ne négligeait rien de ce qui pouvait donner plus de consistance à son propre comté et lui permettre de reprendre pied dans les terres perdues : il faillit même, en 1238, réaliser l'acquisition de la partie de Montpellier que détenait l'évêque de Maguelonne.

L'exécution des engagements pris en 1229, concernant l'élimination de l'hérésie, n'allait pas sans difficultés. Raymond VII, certes, n'hésitait pas à poursuivre les Cathares avoués : l'un de ceux-ci, l'évêque albigeois Vigoureux de Bayonne, fut brûlé en 1233 à Toulouse même. Mais l'introduction des inquisiteurs suscita bientôt un conflit. L'inquisition avait été confiée à des Dominicains ; le légat pontifical en Languedoc, qui était l'évêque Gautier de Tournai, et les évêques méridionaux se plaignirent au roi que Raymond entravait l'action de ceux-ci. Il fallut envoyer deux enquêteurs, l'évêque de Toulouse et le chevalier Gilles de Flagy, qui invitèrent le comte à donner satisfaction à certaines plaintes (1234). Mais les consuls de Toulouse, comme ceux de Narbonne, supportaient impatiemment ce qu'ils regardaient comme des empiétements sur leur juridiction. Les inquisiteurs, de leur côté, affirmaient que le comte n'exécutait pas les ordonnances de bannissement prononcées contre des hérétiques avérés, et qu'il s'entourait de suspects. Le pape avait recommandé que l'on n'usât pas à la légère de l'arme de l'excommunication à l'encontre du comte de Toulouse. Les évêques et le Dominicain Guillaume Arnauld, qui dirigeait alors l'inquisition, n'en excommunièrent pas moins le comte et les consuls. Les consulats de Toulouse et de Narbonne, avec la connivence de Raymond VII, expulsèrent alors les Dominicains et avec eux l'évêque de Toulouse. Cette fois,

Grégoire IX écrivit une lettre indignée à saint Louis (28 avril
1236), en l'invitant à prendre les mesures nécessaires pour
contraindre le comte à exécuter ses promesses de 1229. Le roi
répondit en demandant que l'on accordât du temps à Raymond, et Grégoire, qui n'avait pas oublié que ce dernier était
venu le secourir en 1234 contre les Romains révoltés, finit par
y consentir. Il demandait seulement que Raymond exécutât
sans tarder son vœu de croisade. En ce qui concerne les
inquisiteurs, la nomination d'un Franciscain à côté d'un
Dominicain annonçait-elle une volonté de donner moins de
rigueur à leur action ?

Quelques mois plus tard, le pape dénonçait à nouveau
l'endurcissement de Raymond, et le roi intervenait encore
pour obtenir la levée des censures ecclésiastiques qui
pesaient sur lui et l'allégement de sa pénitence, ramenée à
une seule année de séjour en Terre sainte. Le comte de Toulouse reprit bien alors le paiement de ses subventions à l'université toulousaine, mais, au lieu de se joindre aux barons qui
partaient pour l'Orient, il envoyait des troupes à Frédéric II
qui luttait contre les villes lombardes, puis se jetait lui-même
dans le parti impérial pour faire campagne en Provence...

Une nouvelle insurrection couvait-elle dans le Midi ? Ou
bien est-ce de sa propre initiative que le vicomte de Béziers,
Trencavel, entreprit de récupérer ce qui avait été enlevé à son
père en 1209 ? Toujours est-il qu'en 1240 le vicomte, qu'avait
rejoint Olivier de Termes, tenta un coup de main sur Carcassonne. Le sénéchal du roi, l'évêque de Toulouse, l'archevêque
de Narbonne, les nobles de la région s'enfermèrent dans la
ville qui résista aux rebelles. Les assiégés avaient fait appel à
Raymond VII, qui ne bougea pas. Les bourgeois ouvrirent, le
7 septembre, les portes de la ville au fils de leur ancien seigneur ; les assiégés se réfugièrent dans la cité, qui tint bon.
Ceci permit à Louis IX, qui avait convoqué une assemblée à
Bourges, d'envoyer à leur secours son chambrier Jean de
Beaumont et le vicomte de Châteaudun. Trencavel leva le
siège et se retira à Montréal ; il y fut assiégé à son tour, et ce
sont les comtes de Toulouse et de Foix qui s'entremirent pour
permettre à lui et à ses partisans de sortir. Jean de Beaumont

passa alors à la réoccupation des châteaux enlevés par le vicomte de Béziers. Olivier de Termes se soumit à nouveau en mai 1241. Raymond VII et le vicomte Aimery de Narbonne étaient cependant allés renouveler leur serment de fidélité au roi — et c'est alors que Raymond esquissa un rapprochement avec le comte de Provence et le roi d'Aragon. Seuls quelques seigneurs « faidits » tenaient encore dans leurs forteresses. Tel Pierre de Mirepoix, qui s'était jeté dans Montségur, un des châteaux qui avait appartenu à la seigneurie de Mirepoix, maintenant tenue par les Lévis. Les habitants de Carcassonne avaient eu à souffrir de la destruction du bourg, que saint Louis fit rebâtir quelques années plus tard, tandis qu'il faisait procéder aux importants travaux destinés à renforcer les défenses de la cité.

Ce n'est pas de la part des « faidits » et des partisans qui tenaient la campagne que venait la principale menace pour l'autorité royale, mais bien des menées du comte de Toulouse, qui entrait dans la ligue constituée par Hugues de Lusignan et le roi d'Angleterre, sans doute avec la connivence de Frédéric II. Les comtes de Foix, de Comminges, d'Armagnac, de Rodez, les vicomtes de Narbonne et de Béziers y entraient eux aussi, et un projet de mariage entre Raymond VII et une fille d'Hugues de Lusignan était esquissé.

Il semble que la guerre éclata par accident avant le moment prévu. Les gens de Montségur, peut-être avec la complicité du sénéchal comtal, s'en prirent aux inquisiteurs, Guillaume Arnauld et Étienne, lesquels furent assassinés en même temps que l'archidiacre de Toulouse dans la maison du comte à Avignonet, le 29 mai 1242. Il est certain que ce meurtre pouvait compromettre les barons coalisés en les faisant apparaître, à nouveau, comme fauteurs des hérétiques.

Le 17 août, le comte de Toulouse se présentait devant Narbonne, dont le vicomte Aimery lui ouvrit les portes. L'archevêque dut prendre la fuite, et Raymond reprit solennellement le titre de duc de Narbonne. Il avait d'autre part occupé Albi, qui était une seigneurie épiscopale. Un nouveau conflit avec l'Église s'amorçait.

Mais, entre-temps, saint Louis avait mis le comte de la

Marche à la raison et infligé la défaite de Saintes au roi
d'Angleterre. Deux armées royales marchaient sur le Languedoc. Raymond se hâta d'envoyer l'évêque de Toulouse au roi,
tandis que le comte de Foix s'autorisait du précédent de 1229,
où Raymond avait traité séparément avec la régente, pour
faire immédiatement sa soumission. Il y gagnait de devenir le
vassal immédiat de la couronne, le roi le déliant de sa vassalité envers le comte de Toulouse. Et, le 5 octobre, le comte de
Foix défiait son ancien seigneur.

Raymond avait encore occupé le château de Penne, en
Agenais ; mais il avait à nouveau sollicité Blanche de Castille,
qui intervint auprès de son fils. Ce dernier accepta de pardonner au comte de Toulouse, et un nouveau traité fut passé
à Lorris, en janvier 1243. Raymond renonçait à ses prétentions sur Narbonne et sur Albi, promettait d'abattre un certain nombre de forteresses, prêtait serment de poursuivre les
hérétiques. Le vicomte Aimery rendait à l'archevêque ce qu'il
lui avait enlevé. Et, comme les inquisiteurs avaient fait
excommunier le comte de Toulouse, il fallut que celui-ci se
rendît auprès du pape pour se faire relever de cette excommunication.

L'échec de la révolte de 1242 scellait le sort du comté. Le
mariage de Jeanne de Toulouse avec Alphonse de Poitiers
avait été célébré entre 1238 et 1241. Raymond s'était séparé
de sa femme Sanche d'Aragon ; leur mésintelligence était
déjà patente en 1230, et le pape avait alors essayé de les
réconcilier. En 1241, il avait obtenu l'annulation de cette
union. Depuis, il avait recherché successivement la main de
Sanche de Provence et celle de Marguerite de la Marche : ni
le pape, ni le roi, n'avaient accepté ces projets. Raymond
devait mourir sans avoir contracté la nouvelle union qui
aurait pu lui donner d'autres enfants.

Faut-il en conclure que le roi de France avait manœuvré de
telle sorte que l'héritage du comte de Toulouse revînt tout
entier à la femme de son frère ? Les historiens actuels qui font
de saint Louis l'adversaire résolu d'une Occitanie supposée
ne sont pas éloignés de l'admettre. Tout comme ils lui prêtent
une hostilité consciente à l'égard de la culture provençale, qui

reste à démontrer, et une participation active à la répression de l'hérésie. Sur ce dernier point, le roi avait maintenu rigoureusement les instructions données à ses officiers, qui devaient seconder les représentants de l'Église dans la poursuite et la punition des hérétiques. Mais le siège que le bailli Hugues d'Arcis fut amené à mettre devant Montségur en 1243-1244 visait autant le repaire d'un seigneur rebelle, qui s'y maintenait après le traité de Lorris, que le refuge des Cathares qui s'y étaient concentrés ; c'est au moment de la capitulation que la libre sortie accordée aux rebelles fut refusée à ceux qui s'avoueraient hérétiques. Ceux-là — et ils étaient nombreux —, après que les inquisiteurs eussent fait leur procès, furent condamnés au bûcher, comme le furent d'autres Cathares à Moissac, avant cette date, ou à Agen, un peu plus tard. Il s'agit donc là d'un épisode d'une « pacification » qui traîna sur quelque dix années encore, certains « faidits » continuant à tenir dans des repaires isolés, non sans courir la campagne. Le roi ne connut sans doute ces affaires, d'ailleurs, que par des rapports postérieurs.

Le comte de Toulouse avait réussi à échapper aux conséquences de sa révolte — une fois de plus, en profitant des bonnes dispositions de Blanche de Castille, mais aussi de la mansuétude de saint Louis. Il avait aussi su trouver auprès du pape une audience favorable : en châtiant les meurtriers d'Avignonet, en cessant de ménager les hérétiques vrais ou supposés, en rompant ses relations avec l'empereur, il avait fait oublier ses fautes passées.

D'ailleurs le Midi languedocien avait été loin d'être unanime derrière le comte de Toulouse et ses alliés de Foix, Narbonne et Béziers. Les chevaliers du Carcassès avaient pris le parti du sénéchal de Carcassonne. Nombre de lignages, à commencer par celui d'Anduze, bien établi au pied des Cévennes et très proche parent de la famille des comtes de Toulouse, avaient opté pour la fidélité au roi. Les « faidits » qui voulaient récupérer leurs terres trouvaient en face d'eux les gens en place. Et ce n'est pas le comte de Provence qui était disposé à favoriser les agissements de son rival toulousain.

Quant aux Cathares, quelle était désormais leur influence ?
La répression des années 1209-1229 s'était abattue sur eux ;
les poursuites des inquisiteurs avaient contribué à pousser à
l'exil bon nombre de suspects ou de convaincus. Ils avaient
surtout trouvé des adhérents entre Albi, Toulouse et Moissac ; le Languedoc oriental n'avait guère été accessible aux
doctrines albigeoises. Et les « faidits » n'étaient pas tous tou-
chés par la propagande des « Parfaits » ; nombre d'entre eux,
réconciliés, se comportèrent en fils soumis de l'Église de
Rome et l'on en retrouve qui semblent avoir été, en Orient,
des croisés convaincus.

Présenter saint Louis comme un adversaire résolu d'une
individualité « occitane » relève certainement de l'anachro-
nisme. Il n'avait pas davantage été attaché à écraser la dynastie toulousaine. Sous l'influence, sans doute, de sa mère, il
paraît au contraire avoir fait preuve de beaucoup de magna-
nimité à l'égard de Raymond VII, personnage complexe, atta-
chant et irritant à la fois. C'est ainsi que Raymond parvint à
échapper aux conséquences de sa révolte de 1242, après avoir
tiré en 1229 de l'accommodement conclu avec Blanche de
Castille le moyen de poursuivre les destinées de sa famille, si
compromises depuis 1209. Et cela bien qu'il eût prêté la main
à l'entreprise la plus dangereuse que le royaume ait eu à
affronter pendant la première partie du règne.

Les revendications des Plantegenêts

La gravité des oppositions rencontrées par Blanche de
Castille au lendemain de la mort de son mari tenait à ce
qu'elles avaient remis en cause la légitimité des réunions du
domaine royal réalisées au temps de Philippe-Auguste et de
Louis VIII. Certains des grands barons avaient apporté leur
soutien aux revendications du roi d'Angleterre, et parmi eux
Pierre Mauclerc, le plus puissant des membres du lignage de
Dreux. Or ce soutien impliquait une contestation du jugement rendu par la cour des pairs et sur lequel les rois de

France avaient fondé leur droit à confisquer les fiefs de Jean sans Terre. La cause du Plantagenêt risquait ainsi de devenir celle des grands vassaux luttant contre l'arbitraire royal et l'interprétation rigoureuse du droit féodal sur lequel la monarchie française s'appuyait. Il est heureux pour la royauté capétienne que la régente soit parvenue à délier les fils de la coalition hétéroclite qu'elle avait trouvée en face d'elle, avant que celle-ci eût mieux défini son programme.

Durant tout son règne, Louis IX eut pour partenaire, du côté anglais, le roi Henri III. Prince pieux, de bonne volonté, comme son cousin français, Henri ne devait pas bénéficier des mêmes atouts que le roi de France. Il avait succédé à son père en pleine crise, le 19 octobre 1216, à l'âge de neuf ans, au moment où le futur Louis VIII s'efforçait de lui enlever son trône. Sa mère, Isabelle d'Angoulême, avait regagné le continent et s'était aussitôt remariée au comte de la Marche — le fils de celui auquel elle était fiancée lorsque Jean sans Terre l'avait enlevée. C'est sous la tutelle d'un de ses grands barons, Guillaume le Maréchal, comte de Pembroke, qu'il avait commencé son règne. Quand il atteignit l'âge d'homme, il accordait toute sa confiance au grand justicier d'Angleterre, Hubert de Burgh. Hubert était attentif à la fragilité du pouvoir de son maître et peu porté aux aventures d'outre-mer ; aussi fut-il en butte à un parti qui prit pour chef le frère du roi, Richard, bientôt comte de Cornouailles. Le beau-frère d'Henri, Simon de Montfort, comte de Leicester, ses demi-frères, les Lusignan, et les Savoie, parents de sa femme, se succédèrent dans sa faveur, suscitant les envies et les inimitiés des uns ou des autres, et le règne devait s'achever dans un climat de guerre civile. D'autre part, les concessions arrachées à Jean sans Terre par ses barons et codifiées dans la Grande Charte de 1214 l'obligeaient à se soumettre au contrôle de ses hommes, dès qu'il avait besoin de recourir à leur bourse. Il convient de ne pas perdre de vue tout cet arrière-plan lorsqu'on constate les hésitations et les dérobades du roi d'Angleterre.

Henri, cependant, était bien convaincu de son droit à retrouver un héritage dont il se considérait comme injustement dépouillé. Il pouvait être conforté dans cette conviction par les encouragements des papes, Honorius III, à qui Jean sans Terre l'avait confié en mourant, et le successeur de celui-ci, Grégoire IX. A vrai dire, le roi de France avait marqué le peu de cas qu'il faisait des objurgations pontificales : quand Honorius III l'invitait à restituer à son protégé les fiefs confisqués sur son père, Louis VIII avait exprimé son intention d'accomplir complètement cette confiscation, en occupant ce qui restait au Plantagenêt, ceci avec l'accord du second mari d'Isabelle d'Angoulême. La conquête du Poitou avait eu pour conséquence le transfert, par un certain nombre de féodaux, de leur hommage du Plantagenêt au Capétien ; Honorius les avait menacés d'excommunication. Grégoire IX, lorsque saint Louis était monté sur le trône, avait répété les avertissements de son prédécesseur : sa lettre à Henri III, du 25 mai 1227, redisait que l'Église romaine ne pouvait tolérer l'amenuisement que le royaume d'Angleterre, vassal du Saint-Siège, avait subi du fait du roi de France. Parallèlement, il invitait le nouveau roi capétien à restituer de bonne grâce au roi anglais ce qui avait été injustement enlevé à ce dernier. En 1228, il dispensait la régente et le roi d'observer l'engagement qu'ils avaient pris envers le comte de la Marche, en vertu duquel le royaume de France ne pouvait faire paix ou guerre avec le royaume d'Angleterre qu'avec l'assentiment du Lusignan. Mais tout le résultat de cet effort diplomatique se réduisit au renouvellement des trêves qui avaient été conclues en 1226 entre les deux souverains.

Les mouvements qui agitaient alors le baronnage français paraissaient cependant offrir une occasion favorable. A la Noël 1228, l'archevêque de Bordeaux avisait Henri III que les barons du Poitou, de Gascogne et de Guyenne l'appelaient, et il l'invitait à passer en France. Hubert de Burgh l'en dissuada, mais Henri laissa son frère Richard passer la mer pour apporter son aide au comte de Bretagne. A la fin de l'été 1229, Henri préparait son départ et réunissait une flotte à Portsmouth. Cette fois, c'est Pierre Mauclerc qui, arrivant en Angleterre, faisait surseoir au départ de l'expédition. Dans l'hiver, le comte de Bretagne se reconnaissait formellement l'homme du Plantagenêt, qui de son côté lui rendait le comté de Richmond, fief détenu traditionnellement en Angleterre par les comtes de Bretagne. Et, le 30 avril 1230, le roi Henri s'embarquait enfin, pour débarquer le 3 mai à Saint-Malo.

La campagne ne fut pas glorieuse. Henri avait décidé de réunir à Nantes ses propres troupes et les Bretons du comte Pierre. Louis IX, assemblant son ost en Anjou, porta la guerre dans la région d'Ancenis, empêchant l'armée du roi d'Angleterre d'aller secourir les partisans du Plantagenêt qui avaient pris les armes en Normandie, et notamment dans la région d'Avranches où Foulques Pesnel s'était placé à la tête du mouvement. Le château de la Haye-Pesnel fut assiégé, pris et rasé ; le fief de Foulques fut confisqué (saint Louis en investit d'ailleurs le propre frère du rebelle, Guillaume Pesnel). Henri se borna à une promenade militaire en Poitou, où il s'empara de Mirebeau ; après quoi il revint à Nantes et s'y embarqua en octobre 1230. Entre-temps, Louis avait pu régler les affaires de Champagne...

Henri préparait une nouvelle campagne pour 1231, et il avait laissé ses troupes en Bretagne. Mais son allié, Pierre Mauclerc, avait été contraint de déposer les armes et de conclure une trêve de trois ans, le 14 juillet 1231, avec le roi de France et le comte de la Marche. Le roi d'Angleterre était inclu dans la trêve, que son frère Richard et Hubert de Burgh avaient jurée en son nom. Mauclerc restait lié à Henri par son hommage et par les libéralités qu'il avait reçues de lui ; mais il n'était pas question de reprendre les hostilités avant 1234.

Elles reprirent effectivement en juin 1234. Le comte de Bretagne, incapable de résister à l'offensive royale, fut contraint à demander une suspension d'armes, en s'engageant à remettre le comté de Bretagne aux mains du roi de France si Henri III ne venait pas à son secours avant la quinzaine de la Toussaint. Pierre passa en Angleterre où il ne put que constater la carence de son allié. Aussi, en novembre 1234, se décidait-il à faire acte de soumission à Louis IX, s'engageant à servir désormais le roi et la régente contre tous, y compris le roi d'Angleterre, et renonçant à la possession de ses châteaux du Perche (Bellême, La Perrière) et de Saint-

James de Beuvron. Henri III usa de représailles, confisquant
le comté de Richmond. Pierre Mauclerc se retourna contre lui
en lançant les corsaires bretons contre les navires anglais.

La première tentative d'Henri III pour recouvrer ses
domaines perdus, pour laquelle il comptait sur l'alliance bretonne, avait donc échoué. Le Plantagenêt entreprit alors de
chercher de nouveaux alliés et de nouvelles bases d'opérations. Il demanda la main de la fille du comte de Ponthieu,
Simon de Dammartin, mais le roi de France fit rompre les
pourparlers en rappelant à Simon qu'il avait promis de ne
pas donner ses filles en mariage à des ennemis de la couronne. Là-dessus, Louis IX se mariait lui-même avec Marguerite de Provence. Le coup était sévère pour la politique
anglaise qui, depuis le temps d'Henri II et de Richard Cœur-
de-Lion, recherchait des appuis dans le royaume d'Arles
(Richard avait été fait vicaire d'Arles par l'empereur
Henri VI) pour prendre à revers le royaume capétien. Il l'était
aussi pour l'Empire et la riposte du Plantagenêt fut de marier
sa sœur Isabelle à Frédéric II, puis de se marier lui-même, en
janvier 1236, à la propre sœur de la reine de France, Aliénor
de Provence. Jeanne de Flandre devenait veuve, par la mort
du comte Ferrand : elle esquissa un projet de mariage avec
Simon de Montfort, comte de Leicester. Blanche de Castille
et saint Louis agirent aussitôt pour la détourner d'une union
avec un personnage aussi lié à la cour d'Angleterre : elle
épousa Thomas de Savoie, qui était oncle de la nouvelle reine
d'Angleterre, mais aussi de la reine de France (1237). Cette
lutte sur le plan matrimonial s'achevait ainsi en partie nulle.

Toutefois le rapprochement esquissé entre l'empereur et le
roi d'Angleterre, ce rapprochement qu'il avait cherché à prévenir en 1232, pouvait être de nature à inquiéter le roi de
France. Certes, Frédéric II était tout à la constitution d'un
royaume d'Italie unifié, mais il ne perdait pas de vue le
royaume d'Arles et, au lendemain du mariage du roi Louis, le
bruit d'hostilités prochaines courait. Une entrevue projetée à
Vaucouleurs entre les deux souverains, et dont Frédéric
aurait voulu faire un véritable congrès de têtes couronnées,
aurait échoué de ce fait, si l'on en croit Mathieu Paris qui

affirme que le roi de France avait réuni, en vue de se rendre à cette entrevue, une véritable armée. Là-dessus, Frédéric entrait en guerre avec la ligue lombarde ; il appelait à lui les contingents du royaume d'Arles — et parmi eux Raymond Béranger de Provence et Raymond VII de Toulouse ; Louis IX ne refusa pas au comte de Guines l'autorisation d'aller servir l'empereur.

Mais un troubadour originaire du Rouergue, et qui s'était mis au service d'Alberigo da Romano, seigneur de Trévise, lequel menait la résistance milanaise, Hugues de Saint-Cirq, écrivait dans un *sirventes* qui date peut-être de 1240 :

> « Le faucon, fils de l'aigle, qui est le roi des Français,
> Qu'il sache que Frédéric a promis aux Anglais,
> Qu'il leur rendra Bretagne, Anjou et Thoarçais,
> Et Poitou et Saintonge, Limoges et Angoulême,
> Touraine et Normandie, et Guyenne et le Perche,
> Et vengera Toulousain, Béziers et Carcassès. »

La collusion que dénonce le poète lui sert d'argument pour démontrer qu'Alberigo et les Milanais sont la seule barrière qui empêche Frédéric de réaliser son projet, et que par conséquent le roi de France doit leur porter secours et s'engager dans la croisade prêchée par le pape pour chasser l'empereur de son royaume de Sicile. Or Louis IX s'efforçait de conserver sa neutralité dans le conflit entre le pape et l'empereur : il ne donnait pas suite à l'offre que le premier lui avait faite de donner le royaume d'Allemagne à son frère Robert ; il se bornait à des représentations diplomatiques, d'ailleurs énergiques, lorsque Frédéric maintenait en captivité les prélats français capturés par sa flotte pendant qu'ils allaient au concile convoqué par Grégoire IX.

Néanmoins Hugues de Saint-Cirq peut avoir vu clair. Malgré sa neutralité, Louis n'entendait pas laisser Frédéric dicter sa loi aux cardinaux ni à la cour de Rome (il paraît l'avoir dit, sans nommer l'empereur, dans une lettre aux premiers). Et Frédéric, qui avait noué des relations assez étroites avec Raymond VII, en entretenait certainement avec son beau-frère

Henri (Isabelle d'Angleterre, sa femme, mourut en décembre 1241). En tout cas, au mois de juin 1242, se trouvant à Saintes, Henri devait adresser à Frédéric un traité en bonne et due forme « pour faire paix ou guerre, trêve ou alliance contre tous, excepté les conventions que nous (Henri) avons avec l'Église de Rome ». Et après la défaite de son armée et la volte-face du comte de Toulouse, il devait écrire à nouveau à l'empereur, pour avertir celui-ci de cette trahison, une lettre qui sonne comme l'écroulement d'un projet élaboré en commun.

Il n'est pas jusqu'au comté de Bourgogne où Henri III n'avait cherché des alliés ; si nous l'en croyons, plusieurs seigneurs de ce pays avaient manifesté l'intention de rallier son parti ; mais le duc de Bourgogne, agissant en fidèle vassal du roi de France, les avait empêchés de donner suite à cette intention.

Si l'on accepte l'idée d'une entente entre Frédéric, Raymond et Henri en vue d'arracher aux Capétiens aussi bien les provinces enlevées aux Plantagenêts que celles que Raymond VII avait dû abandonner, il faut admettre que la réalisation n'en était pas immédiate : Grégoire IX avait fait accepter aux rois de France et d'Angleterre, en 1238, le renouvellement pour cinq ans de la trêve conclue en 1234 entre eux et à laquelle participait le comte de la Marche, Hugues X de Lusignan, dit Hugues le Brun.

C'est de ce dernier que vint la rupture. Hugues X de Lusignan avait été le grand bénéficiaire de la campagne de 1224. Louis VIII lui avait promis, lorsqu'ils s'étaient partagé à l'avance les conquêtes à faire sur Henri III, rien moins que les villes de Saintes, de Bordeaux et l'île d'Oléron ; et le roi s'engageait à faire restituer à sa femme Isabelle d'Angoulême le douaire que Jean sans Peur lui avait constitué. Les conquêtes prévues — sauf celle de Saintes — n'ayant pas été réalisées, Blanche de Castille avait échangé avec Isabelle le domaine en question contre une somme de cinq mille livres, et accordé à son époux une autre somme de cinq mille six cents livres à payer en dix ans, le paiement de ces sommes étant garanti par la remise entre leurs mains de Langeais, de

Montreuil-en-Gâtine, de Saint-Jean-d'Angély et de l'Aunis (1227). La régente promettait en outre à Hugues et à Isabelle son appui contre le roi d'Angleterre. En 1230, Louis IX renouvelait le traité : l'engagement de Langeais et des autres terres citées se transformait en une cession définitive, et la sœur du roi, Isabelle, était promise au fils aîné du comte de la Marche, tandis que le mariage d'un des frères du roi, Alphonse, avec une fille d'Hugues le Brun avait été stipulé dans le traité de 1227.

Cependant, en 1238, c'est avec une fille de Pierre Mauclerc, Yolande, que le jeune Hugues de la Marche fut marié, tandis qu'Alphonse épousait Jeanne de Toulouse, sans que nous sachions ce qui avait motivé l'abandon des conventions précédentes. Hugues X n'en restait pas moins le puissant baron sur lequel reposait la défense des marches poitevines : comte de la Marche et détenteur de plusieurs des châtellenies de la maison de Lusignan, comte d'Angoulême par son mariage, maître de l'Aunis par concession du roi, ayant pour vassaux les principaux seigneurs du Poitou, ses parents ou ses alliés, il était de ceux dont la fidélité importait à la sûreté du royaume.

Néanmoins, lorsque le Poitou fut constitué en apanage pour le frère du roi, on s'avisa que Saint-Jean-d'Angély et l'Aunis avaient été considérés comme devant former la dot d'Isabelle de France, et, puisque le jeune Hugues avait épousé Yolande de Bretagne, on en demanda la restitution. Ceci irrita profondément Hugues, mais surtout sa femme, la reine Isabelle, qui était encore plus indignée de voir son mari réduit au rang d'arrière-vassal de la couronne, puisqu'il devait transférer son hommage du roi au frère de celui-ci, et d'avoir été traitée par le roi et par la reine sans les égards qu'elle estimait lui être dûs.

Blanche de Castille fut avisée, par un bourgeois de La Rochelle, dont la lettre a été retrouvée par Léopold Delisle, que le comte de la Marche et les barons poitevins avaient tenu une conférence, à Parthenay ; qu'une autre réunion avait eu lieu à Pons, à laquelle participaient les barons de Gascogne, de l'Agenais et les maires des villes de Guyenne. De fait, une ligue se formait, à laquelle allaient se joindre le comte de Toulouse et les autres barons du Languedoc. Henri III, pressenti, se regardait comme lié par la trêve de 1238 — que les barons anglais, peu désireux de financer une campagne, ne manquèrent pas de lui rappeler. Mais ses vassaux, le sénéchal de Guyenne, les villes de Bordeaux, de Bayonne, La Réole et Saint-Émilion entrèrent dans la ligue. Et, en décembre 1241, à l'occasion de la cour tenue à Poitiers par le nouveau comte Alphonse, Hugues de Lusignan et sa femme lancèrent un défi à celui-ci ; Hugues incendia la maison qu'il tenait à Poitiers afin d'y accomplir ses devoirs de vassal, pour symboliser cette rupture. Louis IX essaya d'obtenir du comte de la Marche qu'il vînt à résipiscence ; n'ayant pu y parvenir, il s'en remit au jugement des pairs de France qui prononcèrent la confiscation des fiefs du rebelle.

C'est alors qu'Henri III se décida à passer la mer, ayant enfin obtenu de ses barons et de ses communes les subsides indispensables pour lever des hommes d'armes en Poitou et en Saintonge. Il mit à la voile le 15 mai 1242, toucha terre à la pointe Saint-Mathieu le temps d'assister à la messe du dimanche dans l'abbaye du lieu, et débarqua à Royan le 20 mai.

L'armée royale, que saint Louis commandait en personne, était déjà entrée dans les terres du comte de la Marche, à qui elle enlevait Montreuil-en-Gâtine. Elle s'en prit ensuite au plus puissant de ses alliés poitevins, son cousin Geoffroy de Lusignan, s'emparant de Fontenay-le-Comte, Moncontour et Vouvant. Puis elle se porta sur la place de Frontenay, au sud de Niort, que le comte de la Marche avait mis particulièrement en défense ; elle fut rapidement emportée.

Aux yeux d'Henri III, qui se considérait toujours comme le légitime détenteur du Poitou, le roi de France avait commis une agression contre ses vassaux poitevins ; il tenait là le prétexte qui lui permit de dénoncer la trêve. Il entra en Saintonge, franchit la Charente et atteignit Tonnay-Charente ; il avait négocié avec Geoffroy de Rancon, sire de Taillebourg, pour obtenir le ralliement de celui-ci. Mais Geoffroy, qui avait d'ailleurs à se venger d'un affront reçu du comte de la

Marche (il laissait pousser ses cheveux dans l'attente de sa vengeance), ouvrit les portes de sa ville à l'armée française. Louis força le passage de la Charente, menaçant la retraite de l'armée anglaise : Henri recourut à un expédient, envoyant son frère Richard demander une courte trêve. Et, pendant ce temps, il ramenait ses troupes à Saintes. L'armée française put donc achever de passer le fleuve ; elle se porta sur Saintes, repoussa une sortie de l'adversaire si vigoureusement qu'Henri III s'estima heureux d'avoir pu évacuer la ville en y abandonnant ses bagages (23 juillet 1242). Il rentra à Blaye, où Raymond VII vint le rejoindre.

Henri devait se plaindre, dans une lettre à Frédéric II, de la trahison des barons poitevins qu'il avait, si nous en croyons Mathieu Paris, libéralement dotés de pensions payées par le trésor anglais, au cours des années précédentes, et encore plus de celle d'Hugues de Lusignan, le mari de sa propre mère. De fait, le comte de la Marche, sur lequel retombait tout le poids de la guerre et qui n'avait guère été secouru, s'empressa de recourir à la médiation de Pierre Mauclerc. Il fallut que lui-même, Isabelle et leurs deux plus jeunes fils vinssent implorer la grâce du roi (Geoffroy de Rancon, s'estimant vengé, se fit tondre publiquement les cheveux...). L'humiliation était complétée par des conditions sévères : le roi gardait les places conquises sur le comte ; Hugues faisait hommage à Alphonse de Poitiers pour Lusignan et pour la Marche, au roi pour Angoulême ; il renonçait à ce qu'il avait reçu au titre du douaire de sa femme ; il renonçait aussi à la vassalité de Geoffroy de Rancon, Geoffroy de Lusignan, Renaud de Pons et Raoul d'Issoudun, qui prêtaient désormais directement hommage au roi ou au comte de Poitiers. C'était la fin du grand comté de la Marche, qui allait être amputé du comté d'Angoulême quelques années plus tard. Enfin Hugues partait, avec Pierre Mauclerc, pour mettre à la raison les comtes de Foix et de Toulouse.

Ainsi, dès le début d'août 1242, la révolte poitevine était jugulée. Saint Louis devait tirer de ses victoires de Taillebourg et de Saintes une réputation de guerrier valeureux et de chef militaire heureux. Henri III se voyait exposé à une invasion de la Guyenne, et, de fait, l'armée française avançait en direction de Blaye. C'est une épidémie qui mit fin à la campagne : Louis lui-même était tombé malade, et nombre de barons succombèrent. Beaucoup de chevaliers français gardaient une vive reconnaissance au frère du roi d'Angleterre qui, au cours de sa croisade, avait fait délivrer ceux d'entre eux qui étaient prisonniers des Infidèles ; ils poussèrent à la paix. Une trêve fut conclue, qui n'était d'ailleurs qu'une suspension d'armes de courte durée. Mais elle permit au roi de France de reprendre le chemin de Paris, avec son armée en fort mauvais arroi, après avoir ordonné la remise en état des fortifications de Saintes et des autres places cédées par le comte de la Marche.

Henri III demeurait en Gascogne ; ses navires et les bateaux bordelais et bayonnais entamaient en juillet 1242 le blocus de La Rochelle, qui se prolongea sans résultat jusqu'à la fin de l'hiver, suscitant des représailles de la part des marins bretons et normands. Mais ses espoirs s'évanouissaient. L'échec de la révolte du comte de Toulouse le privait de ses alliés languedociens ; Frédéric II ne faisait pas mine d'intervenir, d'autant plus qu'il menait campagne dans l'Italie centrale. Jusqu'à son frère Richard, qu'il avait fait comte de Poitou et investi du gouvernement de la Gascogne, qui se rembarquait dès octobre 1242 pour l'Angleterre. Henri III écrivait le 8 janvier 1243 à l'empereur pour lui annoncer la fin de ses espérances. Il ne lui restait plus qu'à traiter avec Louis IX, qui ne fit pas de difficulté pour lui accorder une trêve valable pour cinq ans, le 12 mars 1243. Henri ne quitta la Gascogne qu'en octobre, après avoir dépensé sans fruit des sommes considérables.

La seconde campagne du roi d'Angleterre en vue de recouvrer ses provinces perdues se soldait donc par un échec retentissant. Il avait dû aux maladresses de la royauté française de bénéficier d'une alliance aussi précieuse que l'avait été celle de Pierre Mauclerc ; il avait échafaudé toute une coalition qui s'était écroulée en quelques mois. La modicité des moyens qu'il avait mis en œuvre, son intervention trop tardive — ou, peut-être, la hâte excessive de ses alliés —, la vigueur, enfin, de la réaction de saint Louis avaient décidé du sort de la guerre et, à terme, de celui des revendications anglaises.

Car la campagne de 1242-1243 avait eu une autre conséquence. Louis IX, qui avait déjà resserré en 1234 les liens de la Bretagne avec la royauté française et fait sentir en 1236 à Thibaud de Champagne, désormais roi de Navarre et de plus en plus attiré par son nouveau royaume, le poids de son autorité, avait cette fois abaissé la superbe d'un grand baron : cet Hugues de la Marche qui, entre 1227 et 1241, avait traité d'égal à égal avec son suzerain et rêvé d'unir sa famille avec la famille royale, et qui persistait à se comporter comme l'époux d'une reine. Le comte de Toulouse aussi avait dû se plier à l'obéissance.

Néanmoins, envers aucun d'eux, le roi de France n'avait poursuivi de vengeance. Dans le cas d'Hugues de la Marche, il aurait pu se prévaloir du jugement de la cour des pairs qui privait le Lusignan de ses fiefs : il lui avait enlevé une partie de ses terres et surtout celles que le baron poitevin tenait des concessions de Louis VIII, mais sans lui retirer ni la seigneurie de ses ancêtres, ni le comté de la Marche sur lequel cependant les droits des Lusignan étaient moins bien établis. Si l'on en croit Mathieu Paris, il fit même bénéficier Hugues le Brun de sa clémence : un chevalier français, champion redoutable, avait accusé Hugues d'un crime et lui avait jeté son gant pour le provoquer en duel judiciaire ; les enfants et les amis du comte de la Marche redoutaient qu'il y perdît la vie. Et Louis, qui avait d'abord prescrit que le comte fût gardé à vue, finit par agir auprès de l'accusateur pour que celui-ci se contentât d'une satisfaction qui évitait le recours à la bataille. Et l'historien anglais ajoute : « Ainsi, de soumis à la domination française, il devint plus soumis encore. » Le roi de France avait aussi fait savoir à ceux de ses sujets qui tenaient des terres en Angleterre (c'était le cas de nombreux Normands) qu'ils avaient à opter pour l'obéissance à l'un ou à l'autre des deux souverains, nul, selon le précepte évangélique, ne pouvant servir deux maîtres. Sans susciter de rancœurs excessives, le roi Louis avait donc resserré son emprise sur son baronnage.

L'époque des contestations baronniales était désormais

passée, et la cohésion des vassaux du roi autour de ce dernier se trouvait sérieusement renforcée. Sur les champs de bataille de Taillebourg et de Saintes, ce n'est pas seulement des revendications du Plantagenêt, mais aussi des velléités de révolte de ses propres barons que saint Louis avait triomphé.

CHAPITRE IV

Le roi et les siens

Les quelque vingt-trois années qui séparent l'avènement de Louis IX de son départ en croisade n'ont pas seulement été marquées par la remise au pas d'un baronnage tenté par l'indocilité, l'affirmation de l'autorité royale face à certains prélats, la parade aux efforts du roi d'Angleterre pour remettre la main sur ses domaines perdus et à ceux du comte de Toulouse pour restaurer la vaste domination de ses ancêtres entre Alpes et Garonne. Ce furent aussi les années pendant lesquelles Louis passait de l'adolescence à l'âge d'homme : huit ans après son avènement, il atteignait sa vingtième année. Et avec lui arrivait tour à tour au terme de l'enfance et de l'adolescence tout le groupe familial dont il était l'aîné. On avait parlé au cours des négociations avec les grands barons de mariages qui mettaient en cause les enfants de Louis VIII ; venait le moment de conclure définitivement ces alliances. C'est ainsi qu'Isabelle de France, la seule sœur de saint Louis, avait été promise à l'un des fils d'Hugues de la Marche. Projet en l'air, qui ne se réalisa pas. Mais, en juin 1243, Frédéric II envoyait demander sa main pour son fils Conrad, et il fallait prendre une décision, qui fut d'ailleurs négative. Par contre, ses frères survivants se mariaient les uns après les autres, le roi ayant été le premier.

Les cadets devaient recevoir leur dotation, telle que l'avait établie leur père : c'est à leur frère aîné qu'il appartenait de

réaliser les volontés de ce dernier, et la constitution des apanages allait être un acte plein de conséquences. Comme
l'avait été le mariage du roi, dont les implications politiques
étaient nombreuses.

Enfin, entre le moment où saint Louis cesse d'être sous la
tutelle de sa mère et celui où il prend le bâton du pèlerin, près
de quinze ans se sont écoulés. Même si la reine-mère a gardé
une place éminente auprès de son fils, celui-ci n'en est pas
moins devenu un homme de plus de trente ans, qui a pris
l'habitude des responsabilités et dont la personnalité se
dégage. Il peut paraître utile d'en fixer les traits avant que
l'épreuve de la croisade ne les ait modifiés.

LE MARIAGE ROYAL

Le roi Louis étant né en 1214, la date de son mariage allait
précéder de peu le moment où, proclamé majeur, il devait
prendre officiellement le gouvernement de son royaume.
Mais il était encore mineur à ce moment, et il va de soi que le
choix de son épouse devait être davantage le fait de la reine
Blanche et du conseil royal que du jeune roi lui-même.

D'ailleurs, le mariage d'un roi de France pouvait difficilement ne pas apparaître comme une affaire d'État. Il ne s'agissait pas seulement de choisir une compagne pour le souverain, mais d'utiliser l'alliance de la maison capétienne avec
un autre lignage dans la perspective des intérêts à long terme,
ou à plus courte échéance, de la royauté. Philippe-Auguste,
marié par son père à une princesse de la maison de Hainaut,
au moment où l'alliance flamande et hennuyère lui paraissait
utile, avait ensuite épousé successivement Ingeborg, sœur du
roi de Danemark, puis Agnès, fille du duc de Meran et de
Tyrol. La première était apparentée de fort près aux Welf, la
seconde appartenait au lignage des Zähringen, deux des plus
puissants clans familiaux de l'Empire : or Philippe recherchait aussi bien une aide directe qu'un contrepoids à
l'alliance que son adversaire anglais avait nouée avec le

détenteur de la dignité impériale, Henri VI, le Staufen. En mariant son fils à Blanche de Castille, il avait cherché à consolider le rapprochement esquissé avec le nouveau roi d'Angleterre. Ces trois unions se placent évidemment dans le contexte de l'affrontement entre Capétiens et Plantagenêts.

Qu'allait-il en être pour saint Louis ? Le réseau serré des parentés, entraînant des empêchements canoniques au mariage, limitait sans doute le choix : le roi cousinait avec les principaux barons de son royaume, eux-mêmes liés les uns aux autres. Certes, des dispenses pouvaient être demandées au pape, mais il ne semble pas que la situation intérieure des royaumes obligeait désormais le roi à rechercher l'appui d'un lignage seigneurial plutôt que d'un autre. Quoi qu'il en soit, c'est en dehors du royaume que Blanche de Castille chercha la femme de son fils, et c'est une fille de Raymond Béranger, comte de Provence, qu'elle lui donna pour épouse.

Les filles de Raymond Béranger auraient été réputées pour leur beauté. Le chroniqueur Mathieu Paris s'extasie sur celle d'Aliénor, qui arriva en Angleterre à l'âge de douze ans pour devenir reine. Sans doute les comtes de Provence ne manquaient-ils pas de troubadours pour chanter les charmes des demoiselles de la famille comtale. Mais il est douteux que ces considérations aient beaucoup pesé dans le choix de la régente et de son conseil, ni même dans celui du jeune roi, s'il fut appelé à exprimer son avis.

Mis à part la revendication anglaise qui s'éternisait, la question la plus grave qui devait alors retenir l'attention était celle de la réintégration de Raymond VII de Toulouse dans l'ensemble français. Raymond, qui avait dû renoncer au duché de Narbonne, s'évertuait à refaire une réalité de son marquisat de Provence ; le roi de France intervenait pour lui faire restituer le Comtat Venaissin, l'empereur lui en donnait l'investiture. Mais Raymond, qui avait trouvé dans son héritage de vieux litiges opposant les marquis aux comtes de Provence, avait multiplié les agressions contre son cousin Raymond Béranger. Ce dernier, en dépit de la faveur que le comte de Toulouse rencontrait auprès du roi de France, avait eu recours à celui-ci pour faire limiter les ambitions du premier. Dans le jeu compliqué qui, dans cette partie méridionale du royaume d'Arles, opposait comte de Toulouse et comte de Provence, dont la rivalité servait les intérêts de l'empereur Frédéric, l'intervention française apparaissait comme un moyen de sauvegarder les droits du comte Raymond Béranger, et il est certain que celui-ci dut voir avec faveur l'idée d'une alliance matrimoniale avec le roi capétien.

Raymond Béranger appartenait d'ailleurs à une branche cadette de la maison royale d'Aragon, qui avait hérité de la partie méridionale de la Provence du fait du mariage de Douce de Provence avec son trisaïeul, Raymond Béranger III de Barcelone. Son père Alphonse, frère du roi Pierre Ier d'Aragon qui avait été tué à Muret par Simon de Montfort, avait épousé Garsende de Sabran, dont les contemporains remarquaient la taille gigantesque, et qui lui avait apporté le comté de Forcalquier. Dans son enfance, il avait été séquestré en Aragon dans le château de Monçon ; il s'était échappé en 1216, avait épousé la fille du comte de Savoie, et commencé à rétablir l'autorité comtale en Provence, s'emparant notamment de Nice en 1229 ; il avait secondé Louis VIII lors de l'expédition de 1226 et il en avait profité pour s'agrandir aux dépens de la commune d'Avignon. Mais son litige avec les Marseillais avait fourni à Raymond VII l'occasion de reprendre pied en Provence.

Les pourparlers en vue du mariage furent entamés à la fin de 1233. Sans doute la reine Blanche, issue elle-même d'une famille espagnole, était-elle particulièrement favorable à ce que le mariage de son fils permît à la dynastie capétienne de prendre une place plus importante dans cette région méditerranéenne où les conséquences de la croisade des Albigeois avaient amené le domaine royal à pousser une excroissance, et où son troisième fils Alphonse devait recueillir une part de l'héritage du comte de Toulouse. En tout cas, on demanda au pape l'indispensable dispense de parenté. Grégoire IX ne fit pas de difficulté, eu égard à l'utilité que présentait cette union pour le rétablissement de la foi catholique en Languedoc, et les bulles furent expédiées le 2 janvier 1234. Le contrat prévoyait, Raymond Béranger ayant quatre filles dont

Marguerite était l'aînée, que celle-ci serait dotée en argent. Il lui promettait dix mille marcs d'argent, dont deux mille payables immédiatement — et, pour se procurer ceux-ci, il les emprunta à l'archevêque d'Aix. Le château de Tarascon était remis au roi en gage jusqu'à l'achèvement du paiement de la dot, qui ne devait d'ailleurs jamais être intégralement versée. C'est alors que l'archevêque de Sens, Gautier Cornut, et le chevalier Jean de Nesle vinrent chercher la future épouse. Celle-ci passait à Tournus le 19 mai et arrivait à Sens peu avant l'Ascension. Elle était accompagnée de son oncle maternel, l'évêque de Valence, Guillaume de Savoie.

Le 27 mai, le mariage était célébré, et la reine couronnée le lendemain par l'archevêque en la cathédrale de Sens. Le compte des dépenses du couronnement a été conservé. On sait qu'il avait fallu charger plusieurs bateaux pour acheminer ce qui avait été nécessaire de Paris jusqu'à Sens. On avait construit des échafauds de bois devant la cathédrale et édifié pour le roi une loge de feuillage, où il était assis sur un drap de soie. On utilisa pour les vêtements une quantité importante de drap et de soierie, ainsi que des fourrures ; pour le repas, on acheta des nappes et des serviettes ainsi qu'une coupe d'or pour le bouteiller. La jeune reine, qui revêtit une robe de brunette rose, portait une couronne d'or pour la confection de laquelle l'orfèvre s'était fait payer cinquante-huit livres. Six trompettes et plusieurs ménestrels jouèrent et chantèrent au cours de ces fêtes, qui coûtèrent 2 526 livres au trésor royal. Le lundi 29, le cortège reprenait le chemin de Paris, où de nouvelles fêtes marquèrent, le 8 juin, l'entrée du couple royal.

C'est le confesseur de la reine Marguerite qui a recueilli quelques confidences sur les débuts de la vie commune de ce garçon de dix-neuf ans et de cette toute jeune fille qui n'avait qu'une douzaine d'années. Louis tint à ce que la consommation du mariage fût précédée d'une veillée de prières de trois nuits. Et, tout de suite, il se montra fort amoureux de sa jeune épouse, au point, dit Joinville, que la reine mère en prit ombrage. Elle s'ingénia à limiter les moments d'intimité du jeune couple ; les nouveaux mariés, avec la complicité du personnel de l'hôtel royal, s'efforçaient de les multiplier. On connait la petite scène que narre Joinville : Louis et Marguerite affectionnaient le château de Pontoise, parce que leurs chambres s'y trouvaient situées l'une au-dessus de l'autre et réunies par un escalier ménagé à l'intérieur de la muraille, qui leur permettait de se rejoindre dans ce providentiel escalier sans que Blanche le sût. Si elle venait dans la journée, les huissiers, qui avaient le mot, frappaient de leur verge soit la porte de l'appartement du roi, soit celle de l'appartement de la reine, et les deux jeunes gens se séparaient en hâte, rejoignant chacun leur chambre...

Cette petite comédie, malheureusement, trahissait la mésentente qui s'était vite installée entre la reine mère et sa belle-fille. Jalousie d'une mère pour l'étrangère qui avait pris le cœur de son fils ? Crainte que la Provençale ne prît trop d'empire sur son mari, si celui-ci l'entretenait des affaires du royaume ? Méfiance envers une jeune femme fort séduisante, mais dont elle n'appréciait pas pleinement le caractère ? On ne saurait le dire, mais Joinville ne put cacher à Marguerite son étonnement de la voir en larmes, lorsqu'elle apprît la mort de la vieille reine. « C'était, lui dit-il, la femme que vous haïssiez le plus. » Le conflit entre les deux femmes était donc de notoriété publique.

Blanche était-elle parvenue à ses fins, en détournant Louis d'accorder sa confiance à sa femme dans le maniement des affaires du royaume ? Il est certain qu'elle-même conserva toute son influence sur le roi, qui continua à l'associer aux actes du gouvernement, au point que les historiens du temps n'ont pas noté le moment où Louis atteignit sa majorité. La reine mère continuait de recevoir des lettres du pape comme des officiers royaux, tandis que la jeune reine paraît avoir été tenue à l'écart de la conduite des affaires.

Cependant les deux époux ne s'étaient pas éloignés l'un de l'autre. Ils durent attendre longtemps la naissance de leur premier enfant, Blanche, qui naquit le 12 juillet 1240. D'autres enfants suivirent, à des intervalles assez rapprochés : Isabelle, le 18 mars 1242 ; Louis, le 25 février 1244 ; Philippe, le 1er mai 1245 ; Jean, en 1248 ; Jean-Tristan, en avril 1250 ;

Pierre, en 1251 ; une autre Blanche, au début de 1253 ; Marguerite, vers le début de 1255 ; Robert, en 1256, et enfin Agnès. Trois de ces enfants devaient mourir prématurément : Blanche ne vécut que trois ans ; Jean mourut très jeune ; Louis, l'héritier du trône, avait treize ans lorsqu'il mourut. Huit enfants devaient donc survivre à leur père.

Marguerite ne manquait pas de caractère ; on sait comment, prête à donner le jour à Jean-Tristan à Damiette, au moment où l'armée royale avait été détruite et son mari prisonnier, elle sut conserver la ville que les Italiens, maîtres de la flotte, voulaient évacuer. Elle avait demandé au chevalier qui veillait à son chevet de lui donner la mort si les Sarrasins entraient dans la cité.

Mais elle paraît avoir eu un véritable appétit de pouvoir. Il ressort de la bulle qu'Urbain IV adressa à son fils Philippe, quand celui-ci, devenu l'héritier de la couronne, était âgé d'une quinzaine d'années, que la reine avait obtenu de celui-ci la promesse, appuyée par un serment, de rester sous sa tutelle jusqu'à l'âge de trente ans, si elle survivait à son père ; il avait aussi promis de ne prendre d'autres conseillers que ceux qui seraient approuvés par elle ; de lui révéler tous les projets qui seraient dirigés contre elle ; de ne distribuer de largesses que dans la mesure où elle y consentirait ; enfin, de ne faire aucune alliance avec son oncle Charles d'Anjou (1263). Le pape annulait ce serment en attirant l'attention de Philippe sur l'imprudence de tels engagements, mais ceux-ci attestent que Marguerite aurait voulu s'assurer sur son fils une autorité équivalente à celle qu'avait eue Blanche de Castille. Il n'empêche que, dans ses enseignements à son fils qui datent de quelques années plus tard, saint Louis avise Philippe d'avoir à aimer et honorer sa mère, d'écouter ses enseignements et d'être enclin à accepter ses conseils. Il serait donc excessif d'attribuer au roi une défiance de principe à l'égard de sa femme.

En fait, celle-ci restait sur le trône de France la fille du comte de Provence, et ses visées étaient tout entières orientées vers ses ambitions provençales. Il est probable que Blanche de Castille, puis saint Louis, se sont défiés de cette orientation qu'elle aurait voulu inspirer à la politique gouvernementale.

En effet, dès la veille de son mariage, Raymond Béranger avait espéré tirer parti de l'accession de sa fille au trône capétien : il avait accepté, le 13 février 1234, de soumettre au roi et à la reine mère son différend avec Raymond VII sur la garde de Marseille — Raymond acceptant d'ailleurs cet arbitrage le mois suivant. Pour le comte de Provence, la protection française apparaissait comme un moyen de tenir en échec le comte de Toulouse. Mais on sait que ce mariage, qui s'apparentait à un renversement du système d'alliances alors en place dans le royaume d'Arles, provoquait l'irritation de l'empereur et inquiétait le roi d'Angleterre.

Aussi, dès le mois de juin 1235, Raymond Béranger esquissait un rapprochement avec ce dernier : en janvier 1236, Henri III épousait la seconde de ses filles, Aliénor — moyennant une dot qui ne fut pas plus payée que celle de Marguerite ; c'est pourquoi quatre châteaux provençaux se trouvaient, en 1256 encore, aux mains du Plantagenêt auquel ils avaient été remis en nantissement de cette dette. A nouveau, l'évêque de Valence accompagnait sa nièce.

Cette fois, Guillaume de Savoie allait demeurer longtemps auprès du nouveau couple royal. Henri III, en effet, fit la fortune des oncles de sa femme, appelant auprès de lui deux autres des huit frères de la comtesse de Provence. Tandis que Guillaume se voyait proposé en vain comme candidat du roi à l'évêché de Winchester, Boniface de Savoie devenait archevêque de Canterbury et primat d'Angleterre ; Pierre de Savoie recevait le comté de Richmond, enlevé à Pierre Mauclerc, et construisait à Londres le manoir qui a rendu célèbre jusque dans l'hôtellerie contemporaine le nom de Savoy. Un quatrième, Thomas, qui avait entamé une carrière ecclésiastique, renonçait à la prévôté du chapitre de Valence et rentrait dans le monde pour épouser la veuve du comte Ferrand, Jeanne de Flandre. Sa double parenté avec le roi d'Angleterre et le roi de France rendait ce mariage acceptable par ce dernier (qui encaissa trente mille livres au titre du droit de rachat) et permettait au premier de répondre à la requête de l'oncle de sa

femme en remettant en liberté les marchands flamands arrê-
tés en Angleterre, ce qui assurait le rétablissement des liens
économiques anglo-flamands, essentiels pour la vie du comté
de Flandre, déjà importateur de laines anglaises indispensables à son industrie drapière.

Ce n'était pas tout : Marguerite avait une troisième sœur,
Sanche, qui avait été mariée par procuration à Raymond VII
de Toulouse en 1241. Le frère de Henri III, Richard de Cornouailles, parvint à faire rompre ce mariage et épousa lui-
même Sanche en janvier 1244. Les deux filles cadettes du
comte de Provence se trouvaient ainsi épouses du roi
d'Angleterre et de son frère (et Sanche devait à son tour porter couronne quand son mari fut élu roi des Romains, après
la mort de Conrad IV de Hohenstaufen).

Restait la plus jeune des filles du comte de Provence, Béatrix. Raymond Béranger, qui avait marié les trois aînées au
loin, estimait qu'il les avait assez richement dotées pour que
leur dot constituât leur part d'héritage. Aussi, dans son testament, désignait-il Béatrix pour héritière du comté de Provence, tout en réservant l'usufruit de celui-ci à sa mère, Béatrix de Savoie. Il prévoyait, au cas où Béatrix mourrait sans
enfants, que l'héritage passerait à sa sœur Sanche. Si celle-ci,
à son tour, ne laissait pas de descendant, au lieu de prévoir
l'attribution du comté à l'une de leurs deux sœurs aînées, les
reines de France et d'Angleterre, le comte désignait pour héritier son cousin, le roi Jacques d'Aragon. Marguerite, comme
Aliénor, était donc formellement exclue de l'hoirie paternelle.

Quand Raymond Béranger mourut, en août 1245, sa plus
jeune fille devint un parti très recherché. Raymond VII de
Toulouse, malgré son âge déjà avancé, et Conrad IV demandaient sa main. Le pape Innocent IV n'avait confiance dans
aucun des deux prétendants ; il s'entendit avec Louis IX,
peut-être sous l'influence d'un des oncles de la jeune Béatrix,
l'archevêque de Lyon, Philippe de Savoie, qui paraît avoir été
présent aux conférences que le roi et le pape eurent ensemble
à Cluny en novembre 1245. Toujours est-il que l'archevêque
Philippe et le frère de saint Louis, Charles d'Anjou, prirent le
chemin de la Provence avec une petite armée. Il semble que

les gens du roi d'Aragon étaient déjà entrés dans le comté, sans qu'on sache si Jacques Ier entendait favoriser les visées de son protégé, Raymond VII, ou s'il voulait s'assurer de la personne de sa nièce pour la marier à un autre candidat de son choix. Charles d'Anjou repoussa les Aragonais, et c'est lui qui épousa Béatrix le 31 janvier 1246.

Ce mariage allait probablement à l'encontre des projets d'Henri III, qui jetait justement ses regards sur le royaume d'Arles : il venait d'obtenir, pour mille marcs d'argent et une pension annuelle, que le comte Amédée de Savoie lui fît hommage pour les châteaux commandant les deux grands cols des Alpes occidentales : le Grand-Saint-Bernard (Bard et Saint-Maurice-en-Valais) et le Mont-Cenis (Suse et Avigliana). L'action de son beau-frère de France et de son oncle l'archevêque le prenait au dépourvu. Ni Richard, ni lui n'avaient reçu les sommes promises pour la dot de leurs femmes : ils intervinrent auprès du pape. Lorsque Henri avait renouvelé les trêves avec la France, il avait pris soin de réserver ses droits sur le comté de Provence et sur les châteaux que le comte lui avait engagés en nantissement d'un prêt ; il demanda au pape de refuser à Charles le droit de prendre possession de la Provence avant que la question fût réglée. Mais il était trop tard ; Innocent IV ne donna pas suite à cette requête.

Marguerite ne pouvait pas être plus satisfaite que ses deux sœurs. Toutefois, dans un premier temps, ses rancœurs restèrent discrètes ; c'est avec Henri III que la comtesse douairière, Béatrix de Savoie, estimait nécessaire de s'accorder, avant de conclure un accommodement avec Charles d'Anjou dont les officiers avaient lésé ses droits, en 1248 : il ne fut pas question, alors, de ceux auxquels pouvait prétendre la reine de France.

Peut-être l'inimitié entre Marguerite et Charles ne prit-elle vraiment naissance qu'avec le nouveau conflit qui éclata, après le retour de la croisade, entre la comtesse douairière et son gendre, conflit qui s'acheva par la cession des droits de la première au second ; la perspective des conséquences de la stérilité de l'union d'Alphonse de Poitiers et de Jeanne de

Toulouse, héritière des droits des comtes de Toulouse dans le marquisat de Provence, dont tout laissait à penser que Charles d'Anjou chercherait à être le bénéficiaire, a probablement contribué à les opposer l'un à l'autre. Dès 1258, en effet, lors du traité avec l'Aragon, le conflit entre la reine de France et le comte de Provence allait devenir patent. Et, après la mort du roi et celle d'Alphonse de Poitiers, cette inimitié allait susciter de graves difficultés dans le royaume d'Arles.

Mais, pour le moment, rien n'en paraissait. Le mariage de Louis IX avec Marguerite de Provence avait entraîné des conséquences importantes, qui dépassaient sans doute de loin les perspectives envisagées en 1233-1234. C'était d'abord la constitution d'un réseau familial. Par son père, la jeune reine appartenait à la maison d'Aragon. Or le roi Jacques Ier avait eu des rapports difficiles avec Louis VIII et même avec saint Louis au début du règne de celui-ci : bien des questions restaient pendantes entre les deux couronnes. Maintenant les deux rois étaient cousins l'un de l'autre ; cette parenté facilitait un rapprochement. Du côté anglais, le mariage du roi Henri et de son frère avec deux sœurs de la reine de France avait peut-être été conçu comme une parade au mariage français et le moyen de garder pied dans ce royaume d'Arles où les Plantagenêts avaient depuis longtemps des intérêts qu'ils n'entendaient pas laisser prescrire. Mais désormais, tant du côté capétien que du côté plantagenêt, deux frères avaient épousé deux sœurs, et les liens de famille allaient prendre le pas sur les rivalités. Lorsqu'en 1254, au retour de Louis et de Marguerite, Henri III et Richard de Cornouailles, avec leurs femmes, vinrent à Paris pour y rencontrer leurs frères, sœurs, beaux-frères et belles-sœurs, cette réunion de famille préludait aux négociations qui devaient mettre fin au conflit des deux dynasties. Et Marguerite contribua de façon active à ce rapprochement.

Dans ce réseau familial, la maison de Savoie tenait une grande place. Les portiers des Alpes avaient dû jouer un jeu difficile lorsque, sujets du Saint Empire et vassaux de Frédéric II au titre du royaume d'Arles, il leur fallait à la fois seconder les visées de celui-ci et accepter de se faire les garants de la sécurité du pape réfugié à Lyon, dans la ville où leur frère était archevêque ; oncles de la reine de France et de la reine d'Angleterre, tenir la balance égale entre les deux rivaux. Mais ce jeu devait se révéler extrêmement profitable : le milieu du XIIIᵉ siècle voit la fortune de leur maison faire de grands progrès. Dès lors, les comtes de Savoie apparaissent aux côtés du baronnage français, sans cesser d'être les fidèles vassaux des empereurs.

On se rend compte de la force et de l'importance de ce réseau familial à l'occasion de la mésaventure qui survint au comte Thomas de Savoie, lequel était revenu dans les Alpes après la mort de Jeanne de Flandre. Il avait entrepris de se tailler une principauté en pays piémontais, au débouché des cols, et était parvenu à se rendre maître de Turin. Ses entreprises l'avaient amené à entrer en lutte avec la puissante commune d'Asti, et les Astesans réussirent à le faire prisonnier, dans Turin même, le 23 novembre 1255. Aussitôt, on voit la reine Marguerite, l'archevêque Philippe, la comtesse de Provence, la reine d'Angleterre, faire procéder à l'arrestation de tous les marchands d'Asti qui séjournaient en France, dans l'archidiocèse de Lyon, en Provence et dans les territoires relevant de la couronne d'Angleterre. Les Astesans tenant partout des tables de prêt, l'opération perturbait la vie économique ; mais elle était profitable pour ceux qui saisissaient les biens des prêteurs. Elle avait suscité quelques réticences, notamment de la part de Charles d'Anjou qui défendit les Astesans contre sa belle-mère. La commune d'Asti, devant cette formidable coalition, ne put que négocier avec son prisonnier qui obtint sa liberté en échange de l'abandon de Turin et en requérant ses parents de libérer les prisonniers (1257). La solidarité du lignage ne faisait aucun doute.

En second lieu, le mariage provençal renforçait la nouvelle orientation qui s'était manifestée avec les deux interventions de Louis VIII dans le Midi, celle de 1219 comme celle de 1226. Le domaine royal s'était enrichi de deux sénéchaussées méridionales. Louis IX y faisait commencer les travaux d'un nouveau port, Aigues-Mortes. Le second mariage capétien, celui de Charles d'Anjou, renforçait cette orientation méditerranéenne de façon encore plus nette. Là où saint Louis n'était intervenu jusque-là que pour protéger son beau-père contre les agissements du comte de Toulouse, de ses alliés provençaux et de l'empereur, la royauté capétienne se trouvait désormais profondément engagée dans les affaires du royaume d'Arles. Le nouveau comte de Provence, attiré par la solution des problèmes italiens, devait entraîner le roi de France, bien plus loin, certes, que celui-ci n'aurait pu l'imaginer au moment de son propre mariage. Mais c'est l'ouverture de la perspective méditerranéenne qui, dès avant la croisade, se trouve renforcée par le mariage du roi.

LES FRÈRES DU ROI ET LA CONSTITUTION DES APANAGES

A la mort de son père, Louis IX était l'aîné de cinq frères et sœur, auxquels s'en ajouta bientôt un sixième, Charles, qui naquit sans doute au début de 1227. En tant qu'aîné il avait la charge de leur entretien, charge qu'exerçait bien entendu en son nom la reine régente. Mais c'est sur le trésor royal que l'on prélevait ce qui était nécessaire aux enfants royaux. Les comptes de 1234 et de 1238 en témoignent : les écuyers de Monseigneur Alphonse reçoivent neuf robes au titre de la distribution des vêtements de Pâques, ses garçons en reçoivent six. La garde du faucon du même Alphonse et celle des deux faucons de Monseigneur Robert figurent aussi parmi les dépenses du roi. Et c'est ce dernier qui prend à son compte l'habillement de ses frères pour le couronnement de la reine Marguerite. Cette dépendance devait cesser le jour où chacun d'eux recevrait la part que leur père leur avait destinée par son testament.

Leur père Louis VIII, en effet, avait disposé dès juin 1225 de trois portions prélevées sur le domaine royal en leur faveur. Robert devait recevoir l'Artois ; Jean, l'Anjou et le Maine ; Alphonse, le Poitou. Comme Jean mourut en 1232, ainsi que son plus jeune frère, Philippe-Dagobert, qui avait été destiné à une carrière ecclésiastique, la part du premier devint disponible pour le dernier-né, Charles, qui allait ainsi devenir Charles d'Anjou.

Ces constitutions d'apanages n'étaient pas des innovations. Si deux des branches cadettes de la maison capétienne, les Courtenay et les Valois, n'avaient eu pour dotation territoriale que celle qui leur avait été apportée par mariage, et sans même remonter à la concession du duché de Bourgogne au frère cadet d'Henri Ier, Louis VII avait cédé le comté de Dreux à un sien frère, et Louis VIII ceux de Mortain et d'Aumale à son demi-frère Philippe Hurepel. Plus remarquable était le choix des terres destinées aux enfants de Louis VIII. L'Artois lui venait de sa mère, et n'était pas partie intégrante du domaine royal que lui avait transmis Philippe-Auguste. L'Anjou, le Maine, le Poitou venaient de la confiscation opérée sur les Plantagenêts, et leur possession restait contestée par ceux-ci (Richard de Cornouailles a porté un temps le titre de comte de Poitou). On a dit que ces constitutions d'apanages étaient un procédé destiné à habituer les habitants des territoires nouvellement conquis à se plier au droit commun des terres soumises directement à la couronne ; il serait plus probable que le régime qui était prévu pour eux, celui d'un grand fief ayant son propre prince, pouvait faire oublier plus facilement la dynastie angevine et poitevine à qui Jean et Alphonse devaient se substituer ; il est possible aussi que le roi ait considéré que ces terres, dont il avait personnellement pris possession, pouvaient sans hésitation être distraites du domaine auquel elles n'appartenaient pas d'ancienneté.

Dès avant que les jeunes princes eussent atteint l'âge d'entrer en possession de leur domaine, la reine Blanche avait arrangé pour eux des mariages. On ne peut en être certain pour Robert d'Artois ; mais il serait surprenant que la reine eût prévu le mariage de ses troisième et quatrième fils avant celui du second. Robert allait épouser la fille du duc de Brabant, principauté toute proche de son comté d'Artois ; Jean fut fiancé en 1227 à une fille de Pierre Mauclerc, et la reine confia d'avance au futur beau-père de son fils l'administration d'une part de l'Anjou, avec la ville d'Angers elle-même, que Pierre devrait remettre aux nouveaux mariés lorsque leur union serait célébrée, c'est-à-dire quand Jean aurait quatorze ans (il en avait huit). Pour Alphonse, à la même date, il était fiancé à la fille du comte de la Marche, dont les possessions s'imbriquaient dans son comté de Poitou, et la remise de diverses places à Hugues de Lusignan fut par la suite considérée comme liée à ce projet de mariage. On a l'impression que la reine mère envisageait avec faveur l'installation de ses puînés dans des territoires formant en quelque sorte frontière, et qu'elle pensait que cette installation, complétée par un mariage avec la fille d'un puissant voisin, serait un facteur de sécurité pour le royaume. Les choses devaient tourner autrement, mais le mariage d'Alphonse, maître du Poitou et de l'Auvergne, avec l'héritière des comtes de Toulouse paraît bien avoir eu les conséquences que la régente aurait pu souhaiter.

Le 7 juin 1237, à Compiègne, Robert d'Artois était armé chevalier. Louis IX avait voulu donner un grand éclat à cette cérémonie ; il adouba, en présence, dit-on, de deux mille chevaliers, un grand nombre d'autres jeunes nobles en même temps que son frère, et chacun reçut un présent du roi. Il était d'usage, semble-t-il, que le nouveau chevalier se vît donner un cheval à cette occasion : les comptes du trésor royal en gardent la trace. Robert lui-même recevait une pension de vingt livres par jour sur la bourse du roi, qui lui donnait des robes, pour 228 livres, et les ornements destinés à équiper une chapelle, pour une valeur de 704 livres. Le comté d'Arras était grevé de l'affectation du domaine de la reine mère : Louis IX dédommagea celle-ci par le don d'autres terres, pour pouvoir remettre Hesdin, Lens et Bapaume à son frère, à qui il donnait en outre la châtellenie de Poissy. Robert lui en faisait aussitôt hommage. Et, au cours des mêmes fêtes, on célébrait son mariage avec Mathilde de Brabant.

De ce fait, Robert devenait le cousin de l'empereur Frédéric II, le beau-frère du futur duc de Brabant, Henri III, ainsi que du landgrave de Thuringe et du duc de Bavière. Ce qui faisait de lui un personnage bien introduit en terre d'Empire. Il n'est pas étonnant que le pape Grégoire IX, quand il cher-

cha en 1239 un prince à opposer à Frédéric II qu'il privait de
la couronne d'Allemagne, ait envoyé ses messagers à Paris
pour offrir cette couronne à Robert. Mais saint Louis cherchait à réconcilier le pape et l'empereur ; Blanche de Castille
dissuada Robert d'accepter cette offre, qui n'eut pas de suite.

Par suite de la mort de Jean, c'est Alphonse qui allait être
le suivant à entrer en possession de son domaine. Pour lui, il
avait été fiancé dès 1229 à Jeanne de Toulouse, mais le
mariage n'avait pas encore été consommé. Saint Louis tint à
entourer l'événement des mêmes festivités que celles dont la
remise de l'Artois à Robert avait été accompagnée. Nous
avons, cette fois, un témoin oculaire. Le comte Thibaud de
Champagne avait été invité, et son sénéchal, Jean de Joinville, était à ses côtés. Ainsi est-ce à Saumur, le 24 juin 1241,
que son futur historiographe vit le roi pour la première fois.
Il devait se rappeler toute sa vie que le roi avait revêtu une
cotte de satin bleu, un surcot, et un manteau de satin vermeil
doublé d'hermine. Il nous a décrit l'arrangement du banquet,
pour lequel on avait aménagé les halles de Saumur, vaste
quadrilatère ouvrant sur une cour centrale par quatre séries
d'arcades. La table du roi se trouvait dans l'une des galeries,
à côté de celle de la reine mère et de celle des archevêques et
évêques. Robert d'Artois et le comte de Soissons servaient le
roi, derrière lequel se tenaient en armes Humbert de Beaujeu,
Enguerran de Coucy, Archambault de Bourbon et une haie
de chevaliers et de sergents. Pierre Mauclerc et Hugues de
Lusignan étaient assis à la table royale, ainsi que les deux
chevaliers armés le matin même, Alphonse et Jean de Dreux.
La table de Thibaud de Champagne, qui était servi par Joinville, était en avant de celle du roi ; d'autres étaient disposées
dans les trois autres galeries, et Joinville estimait que trois
mille chevaliers avaient participé au festin.

Louis IX avait veillé à constituer à son frère une maison ; il
avait habillé à ses frais, de la livrée du comte de Poitiers, ses
serviteurs et ses valets, fait relier les livres destinés à sa chapelle, payé aux orfèvres la confection de sa vaisselle plate.
Comme Robert, Alphonse recevait une pension sur la bourse
du roi, en attendant que l'héritage de sa femme lui eût

apporté une somme équivalente. Et Alphonse, investi du comté de Poitou et de l'Auvergne, se faisait publiquement l'homme-lige de son frère.

Après quoi, Louis emmena Alphonse à Poitiers pour que le nouveau comte y reçût l'hommage de ses vassaux. On sait qu'Hugues de la Marche fit effectivement hommage, et que c'est seulement par la suite que son épouse prit ombrage, et de la rétrocession de l'Aunis à laquelle Hugues avait dû consentir, et du caractère insuffisant des égards que lui avaient témoignés Louis et Marguerite : elle démeubla, en marque de son irritation, le château de Lusignan où le roi et ses frères avaient été logés. Et c'est au cours de l'assemblée des vassaux du comte de Poitou, tenue à Poitiers à la Noël 1241, qu'Hugues dénonça publiquement son hommage.

La campagne du roi en Poitou et en Saintonge assurait au nouveau comte, outre un accroissement de son domaine enrichi des châtellenies cédées par le comte de la Marche, l'hommage de ce dernier et des autres seigneurs poitevins. En ce qui concerne la terre d'Auvergne, que Louis IX lui avait également cédée, elle donna lieu à quelques contestations, bien que la régente eût passé en 1230 un accord avec le comte d'Auvergne qui départageait leurs possessions. Archambault de Bourbon prétendait conserver certaines terres pour lesquelles on ne s'accorda qu'en 1248. Quant à la ville même de Clermont, l'évêque en revendiquait la seigneurie ; Alphonse entendait la joindre à ses domaines, et la cour du roi devait le débouter en 1255.

Suzerain, d'autre part, du comté de la Marche, du Dauphiné d'Auvergne, des vicomtés de Thouars, de Châtellerault, de Thiers, de Carlat, des seigneuries de Lusignan, de Talmont, de Parthenay, du Livradois et de Combrailles, Alphonse était déjà un puissant seigneur lorsque survint la mort de son beau-père Raymond VII, qui intervint alors qu'Alphonse faisait voile vers l'Orient, le 27 novembre 1249. Grâce à l'habileté de la régente et de ses représentants, Guy et Hervé de Chevreuse, qui s'entendirent avec Simon de Montfort, alors représentant d'Henri III en Guyenne, pour déjouer les velléités pro-anglaises des seigneurs de l'Agenais, la prise de possession de ce vaste héritage se fit sans encombre.

Alphonse était ainsi devenu le plus grand des féodaux du royaume. Mais il ne semble pas qu'il ait jamais donné d'inquiétude à son frère. Au cours des premières années, sa comptabilité révèle combien les intérêts de l'un et de l'autre restaient enchevêtrés, et quelle était l'emprise que conservait l'administration royale. Par la suite, le comte de Poitiers continua à appliquer dans ses domaines les méthodes dont usaient les agents du roi, non sans y ajouter sa touche personnelle, plus tâtillonne que celle du souverain. Ses sénéchaux et ses baillis, parmi lesquels se détache la figure d'Eustache de Beaumarchais, surveillés par les enquêteurs à qui nous devons les remarquables *Enquêtes administratives d'Alphonse de Poitiers*, ont introduit en Poitou, en Auvergne, en Languedoc les règles suivies dans les bailliages royaux.

Sans doute le caractère d'Alphonse, d'une santé délicate, autoritaire et même défiant, a-t-il contribué à renforcer la centralisation administrative dans ses domaines. Mais cette centralisation jouait au profit de l'autorité royale. C'est à Paris que le comte de Poitiers faisait tenir ses parlements, qu'il avait son conseil, qu'il concentrait ses ressources, qu'il résidait le plus souvent.

De la sorte, quand lui-même et la comtesse Jeanne moururent, la réunion des trois comtés au domaine royal devait s'effectuer sans heurts. Mais il serait faux de croire que la constitution de l'apanage et l'incorporation à celui-ci du comté de Toulouse aient été conçus dans la perspective de cette réunion. La stérilité du couple toulousain est un accident historique ; de même, l'échec des projets matrimoniaux du comte Raymond VII, qui l'empêchèrent de transmettre à d'autres enfants le Quercy, l'Agenais, le Rouergue et le marquisat de Provence, même si le roi contribua à cet échec en faisant échouer ceux de ces projets qui paraissaient menaçants pour la sécurité du royaume, ne pouvait être prévu. Et l'adaptation des territoires appartenant à Alphonse aux méthodes d'administration en usage dans le domaine royal n'avait pas pour but de faciliter leur annexion.

Il suffit d'évoquer le cas de l'Artois. Moins étendu, certes, puisqu'au comté lui-même ne s'ajoutait que la mouvance de ceux de Boulogne, de Guines et de Saint-Pol, l'apanage de Robert passa après lui à son fils Robert II, à sa petite-fille Mahaut et, par la fille de celle-ci, à la maison ducale de Bourgogne.

Le plus jeune des frères de saint Louis, Charles, avait été substitué à son frère Jean dans l'expectative des comtés d'Anjou et du Maine. Mais, avant qu'il en eût été investi, survint l'affaire de la succession au comté de Provence. On sait comment, lors de l'entrevue de Cluny, il fut décidé d'envoyer Charles avec l'archevêque de Lyon pour déjouer les entreprises du roi d'Aragon qui cherchait à mettre la main sur la jeune Béatrix de Provence, pupille d'Innocent IV. Les cinq cents chevaliers qu'ils amenaient avec eux assurèrent le succès de cette démarche, et Charles épousa Béatrix. Après s'être entendu avec la comtesse mère, et laissant le gouvernement du comté à Romée de Villeneuve et Albeta de Tarascon, qui avaient été les auxiliaires du comte Raymond Béranger, et ses troupes à Humbert de Beaujeu et à Philippe de Nemours, il avait regagné la France avec sa femme.

C'est le 27 mai 1246, à Melun, que saint Louis faisait chevalier son troisième frère et qu'il lui constituait son apanage, en lui inféodant le comté d'Anjou et celui du Maine, non sans avoir détaché de ceux-ci la châtellenie de Loudun pour l'incorporer à la Touraine. Charles recevait la mouvance du comté de Vendôme, de la vicomté de Laval et de Mayenne, et faisait hommage au roi pour cet ensemble. Saint Louis lui assurait de surcroît, en attendant qu'il eût pu s'assurer un revenu comparable, une rente annuelle de cinq mille livres parisis (1247).

C'est que le nouveau comte d'Anjou, s'il avait pris possession sans aucune difficulté de ses terres angevines et mancelles qui lui apportaient de solides rentrées (on évaluait plus tard les recettes provenant de ces comtés à dix mille onces d'or par an), avait éprouvé quelques déconvenues dans son comté de Provence. Lui aussi entendait administrer le territoire que lui avait apporté sa femme selon les bonnes règles

de la royauté capétienne et, de Paris, il avait expédié des
enquêteurs et des commissaires pour dresser l'état de ses
droits et de ceux qu'avaient usurpés les seigneurs et les communautés. Ceci suscita une insurrection générale. Les mécontents obtinrent l'appui de la comtesse mère, dans son comté
de Forcalquier. Les communes d'Arles, Avignon et Marseille
firent cause commune avec le puissant seigneur des Baux,
Barral (29 avril 1247), Charles parvint à apaiser la rébellion et
se réconcilia avec sa belle-mère, mais l'opposition reprit le
dessus pendant qu'il était en croisade. Il fallut plusieurs
années pour rallier au pouvoir comtal les seigneurs provençaux, soumettre les villes en imposant un viguier comtal à
Arles et à Avignon (1251), à Tarascon (1256) et enfin à Marseille (1257). C'est alors seulement que Charles entama une
politique d'expansion qui lui permit de prendre pied dans le
comté de Vintimille et en Piémont. Et, tout en conservant les
anciens serviteurs de Raymond Béranger, il avait donné à la
Provence des sénéchaux français, Hugues d'Arcis (1251-1253)
et Eudes des Fontaines (1254-1257).

Charles d'Anjou n'était pas un homme comme Alphonse
de Poitiers. Beau chevalier, « sage » et preux, réservé dans
ses paroles, il nourrissait une ambition effrénée — on dit
qu'il était hanté par la figure de Charlemagne. L'apanage que
lui avait constitué son frère n'était pour lui qu'un moyen
d'alimenter de plus vastes projets, qui allaient l'entraîner
d'abord en Hainaut, puis en Italie. Le mariage qu'il avait
contracté avec l'héritière de la Provence avait été, pour cette
ambition princière, un élément décisif. Par là, d'ailleurs, il
était en mesure d'échapper à l'autorité du roi de France. Et
saint Louis fut à plusieurs reprises obligé de rappeler son
frère à l'obéissance : on sait qu'il l'obligea à relâcher un chevalier angevin qu'il avait fait emprisonner sous prétexte qu'il
avait fait appel au tribunal royal, en lui rappelant qu'il n'y
avait qu'un roi en France...

La constitution des principautés apanagées présentait-elle
en elle-même le danger que les apanagistes pussent se considérer comme aussi souverains chez eux que le roi ? Ce qui
donnait aux cadets une autorité ou une puissance qui les met-

tait hors de pair parmi les grands vassaux, c'est qu'ils pouvaient espérer compter sur l'appui du roi, dont la bourse leur servait une pension, et qui leur avait facilité la conclusion d'alliances matrimoniales profitables. Il n'en restait pas moins que les trois frères de saint Louis continuaient à vivre dans l'ombre du roi de France ; chacun d'eux avait son hôtel à Paris et y résidait souvent.

Grands barons, au même titre que les autres grands vassaux de la couronne, astreints aux mêmes obligations et soumis aux mêmes règles, celles du droit féodal, ils représentaient aux yeux du souverain des hommes liges différents des autres, parce qu'appartenant au lignage capétien et plus liés que d'autres à la couronne : ils sont déjà des princes des fleurs de lys. C'est là un trait que les distingue des cadets de la famille capétienne entés sur le tronc de celle-ci à des époques antérieures. Encore ne faut-il pas trop souligner ces particularités, car d'autres alliances sont intervenues qui ont fait d'autres grands féodaux des gendres des rois de France. Mais, au temps de saint Louis, seuls les trois frères du roi peuvent entrer dans cette perspective qui est nouvelle.

Reste que, s'ils subissaient l'influence de leur frère le roi, il leur était possible à leur tour de chercher à l'influencer eux aussi. Et l'on peut se demander dans quelle mesure, après avoir tenu Charles d'Anjou en lisière autant qu'il lui avait été possible, saint Louis n'a pas fini par infléchir sa politique dans le sens de celle du comte de Provence et, par là, de l'aventure italienne. Mais ce n'est pas avant les dernières années du règne que la question peut se poser.

Saint Louis vers sa trentième année

Au moment où Louis IX, victorieux du roi d'Angleterre, ayant soumis ses barons rebelles et établi ses frères dans leurs apanages, s'apprête à partir en croisade, il peut être utile de s'interroger sur ce roi que nous avons surtout connu par ses actes, et des actes dans lesquels sa mère avait pris une part importante qui laisse parfois mal deviner son rôle personnel. Au jugement des meilleurs historiens, en effet, comme à celui du plus spontané de ses biographes, Joinville, Louis ne revint pas de son expédition tel qu'il était parti : la croisade lui fournit une occasion de revoir sa vie antérieure et de procéder à ce que les auteurs du Moyen-Age appellent une « conversion » — une nouvelle manière de vivre et de régner.

Il nous est plus facile de l'imaginer sous son aspect physique qu'au plan moral. Le Franciscain Salimbene de Adam, qui l'a vu plusieurs fois en 1248, nous l'a dépeint comme un homme de haute taille, élancé, plutôt maigre — le roi paraît dès lors, en effet, de santé délicate : déjà sérieusement malade en 1242, il a souffert en décembre 1244 d'un « flux de ventre », accompagné d'une forte fièvre, qui l'a mis en péril de mort ; il en souffrira de nouveau en 1250 et en 1270. Salimbene parle de son visage « angélique » et gracieux. D'autres auteurs nous laissent la même impression : le roi était mince ; il avait hérité de la finesse des traits de ses ancêtres de Hainaut. Sa chevelure blonde s'était raréfiée de bonne heure, et on s'est demandé si le bonnet de coton qu'il portait aux fêtes de Saumur (et qui lui allait mal, selon Joinville) ne dissimulait pas une calvitie naissante, qui devait s'accentuer par la suite.

Au moral, il est tentant de reprendre le faisceau des témoignages recueillis lors du procès de canonisation et qui ont permis d'aboutir à celle-ci, pour faire le portrait qu'ont retenu les hagiographes. Tel ouvrage récent, au contraire, n'hésite pas à écrire qu'il avait fallu « attendre l'enquête pour la canonisation pour lui trouver quelque odeur de sainteté », affirmation un peu caricaturale pour le moins ! Mais il est certain que l'enfant qui monta sur le trône en 1226, le jeune marié de 1234, différent de celui qui mourut, largement quinquagénaire, à Tunis en 1270. Et néanmoins les témoignages qui subsistent nous font apparaître, dès ces premières années, une physionomie vivante et attachante.

Louis avait certainement un tempérament emporté. Joinville s'est étonné de la violence des reproches dont il accabla un jour son écuyer Ponce. Quand un valet maladroit laisse couler de la cire fondante sur sa jambe blessée, ou quand il s'indigne parce que, des seize personnes attachées à son service personnel, aucune ne s'était trouvée là pour l'attendre à son retour en son hôtel, il est évident que sa patience lui échappe... Mais, aussitôt, il trouve un mot pour atténuer la vivacité de la réprimande. Et c'est cet empire sur lui-même qui paraît l'effet de sa volonté.

La reine Marguerite avoua un jour à Joinville que son mari était très « divers » — elle voulait dire, contrariant. C'était lorsqu'au cours d'une tempête le sénéchal lui avait conseillé de faire un vœu de pèlerinage ; la reine lui répondit qu'elle craignait que Louis ne l'autorisât pas à l'accomplir, et c'est Joinville qui se rendit à sa place à Saint-Nicolas-du-Port. Le roi, d'ailleurs, très pénétré de ses responsabilités comme des traditions de la maison capétienne, et notamment des enseignements de son grand-père Philippe, est autoritaire. Il est cependant attentif aux remarques qui lui sont faites, aux prières qui lui sont adressées, encore qu'il n'y cède pas toujours tout de suite. Mais il se laisse rarement aller au premier mouvement.

On ne saurait mettre en doute la docilité dont il a témoigné envers sa mère, non seulement pendant la régence, mais bien au-delà. La douleur avec laquelle tous deux se sont séparés, le chagrin qu'il éprouva en apprenant sa mort, ne permettent pas de douter que la reine Blanche fût la personne qu'il aimait le plus au monde. La retenue dont il fait preuve à l'égard de sa femme et de ses enfants, auxquels il était cependant très attaché, tranche avec ces manifestations. Mais nous sommes ici assez mal informés : seul Joinville a été présent lors de l'annonce de la mort de la reine mère, comme lorsque Louis apprit celle de son frère Robert à la Mansoura, autre moment où le roi se laisse aller à ses larmes ; les autres biographes n'ont pas prêté attention à ces émotions.

Cette docilité est-elle celle d'une nature faible, se pliant aux volontés d'une mère impérieuse et dominatrice ? Ne suivons pas ici les psychologues à la recherche des « complexes ». Il est fort possible que Louis ait eu en sa mère et dans le jugement de celle-ci une confiance qui semble, après tout, bien placée. Les correspondants de la reine mère ont eu recours à celle-ci pour fléchir le roi ; ce n'est pas le signe de la domination d'une volonté forte sur une autre plus faible. En tout cas, ce prince autoritaire, et même jaloux de son autorité, n'a pas cru nécessaire de poser des limites à celle de sa mère.

Il est bon d'ailleurs de remarquer que la reine Blanche paraît avoir été aussi attentive à ses autres enfants qu'à celui qui porta la couronne de France. Interrogé, après la mort de celui-ci, Charles d'Anjou a témoigné que ses frères Robert et Alphonse, sa sœur Isabelle avaient eu la même rigueur de conscience et de vie, la même horreur du péché que leur aîné.

Le côté religieux de la pensée du roi est celui — et c'est naturel — que nous connaissons le mieux. Louis est un homme de foi qui n'a pas senti le besoin de remettre en question ses certitudes ; ce n'est pas lui qui, comme le roi Amaury de Jérusalem, demande qu'on lui fournisse des raisons philosophiques pour étayer sa croyance. Mais Joinville nous apprend sur quelle démarche intellectuelle il appuie celle-ci :

« Le roi disait que la foi consiste à croire, même si notre certitude ne reposait que sur un dire. Sur ce point, il me demanda comment mon père s'appelait. Je lui dis que son nom avait été Simon. Il me demanda comment je le savais, et je lui répondis que je le croyais fermement et le tenais pour certain parce que ma mère me l'avait dit. « Alors, me dit-il, vous devez croire fermement les articles de la foi sur le témoignage des apôtres, comme vous l'entendez chanter le dimanche au *Credo*. »

Cette foi, il se considérait comme tenu de la défendre, mais sans entrer dans les controverses et les disputes. Évoquant une « disputation » entre Chrétiens et Juifs au cours de laquelle un chevalier, outré d'entendre mettre en doute la conception virginale du Christ, avait donné un vigoureux coup de canne au docteur juif, il déclarait qu'en effet la controverse ne pouvait être le fait que de clercs très instruits. « Quant aux laïcs, quand ils entendent médire de la loi chrétienne, ils ne la doivent défendre autrement que par l'épée, qu'ils doivent enfoncer dans le ventre de leur adversaire autant qu'elle peut entrer. »

Il est inutile de chercher à peser cette opinion à nos balances. Louis abhorrait le blasphème, et il eût été surpris si on l'avait accusé d'intolérance à ce propos.

Pas davantage ne s'est-il posé de question au sujet de la répression de l'hérésie. Les premiers inquisiteurs institués dans le royaume de France, que ce soit Robert le Bougre, un cathare converti, dans le Nord, ou Guillaume Arnaud dans le Midi, ont livré au bûcher un nombre impressionnant d'hérétiques, à La Charité-sur-Loire, à Melun, à Châlons-sur-Marne, à Péronne, à Cambrai, à Douai, au Mont-Aimé en Champagne comme à Moissac, à Agen, ou dans les repaires de « faidits » de Termes ou de Montségur. Le trésor royal a encaissé les produits des confiscations qui accompagnaient ces condamnations ; il ne semble pas que le roi de France se soit personnellement intéressé à la répression de l'hérésie. La coutume, depuis le temps du roi Robert le Pieux, voulait que le gouvernement royal prêtât son bras pour l'exécution des sentences des juges ecclésiastiques. Mais il vaut la peine de remarquer que plus tard, dans ses instructions à son fils, saint Louis lui recommande seulement de bannir les hérétiques hors du royaume ; la répression sanglante ne paraît pas être de son fait.

Il en est de même dans une autre affaire : la destruction par le feu des exemplaires du Talmud. C'est le pape Grégoire IX, dans une bulle du 9 juin 1239 qui dénonçait les docteurs juifs comme coupables de s'être détournés de la loi de Moïse et de l'Écriture sainte, trésor commun des Chrétiens et des Juifs, pour s'attacher à des traditions qui les dénaturaient. Innocent IV devait reprendre cette condamnation en 1248, et prescrire de regarder comme coupables d'hérésie ceux qui suivaient le Talmud au lieu de la loi de Moïse ; il ordonnait de brûler leurs livres. C'est ainsi qu'en juin 1242 saint Louis et Blanche de Castille firent mener au bûcher une vingtaine de charretées d'exemplaires du Talmud. Mais, au préalable, le roi et la reine avaient invité les plus célèbres rabbins à défendre leur point de vue dans une conférence qui se

tint au Palais, le 24 juin 1240, et prescrit l'examen de la question par un groupe d'experts.

On notera que l'obéissance n'est pas aveugle. Certes, les
cours d'Église étaient compétentes en matière d'hérésie.
Mais, avant d'exécuter leur décision, le roi a tenu à s'informer lui-même, tout comme il se refusait à exécuter, sans avoir
pris connaissance de l'affaire et formé son opinion, les sentences portées par les mêmes juges ecclésiastiques en ce qui
concernait le temporel des églises et les privilèges des clercs.
C'est qu'ici le roi de France se révèle attentif à maintenir ce
qui est du domaine propre du souverain : la justice publique.
Et qu'il reste attaché à un code non écrit, mais pour lui intangible, celui qui établit le devoir du roi.

De l'esprit chevaleresque, Louis IX est assez imprégné
pour mettre la loyauté au-dessus des autres vertus humaines.
En 1242, le fils aîné du comte de la Marche tombe entre ses
mains, et on conseille au roi de le faire pendre avec les autres
défenseurs du château de Frontenay. Louis s'y refuse et
répond que ni l'un ni les autres ne méritent la mort, puisqu'ils
ont obéi, le premier à son père, les autres à leur seigneur. Un
des seigneurs poitevins révoltés, Hertaud de Mirebeau,
contraint à se soumettre, manifeste sa douleur d'avoir ainsi à
manquer à son attachement pour le roi d'Angleterre, qu'il
n'abandonne que par force. Louis le félicite de sa fidélité et
lui fait rendre le château que ses troupes avaient pris.

L'idéal humain de saint Louis est dès lors la « pru-
d'homie », qu'on ne saurait définir autrement que comme
une conduite conforme au code de l'honnête homme tel que
pouvait le concevoir le XIIIe siècle. Parmi ses composantes
figurent la courtoisie, l'esprit de justice, la modération, la
franchise et le souci d'observer les convenances. Sur ce dernier point, notons que le roi, si prompt à exhorter les siens et
à prêcher d'exemple, s'est fait confectionner des chaussures
sans semelles pour pouvoir se mortifier en marchant pieds
nus sans causer de scandale à ceux qui le voient... Et, pour
lui, « prud'homie est si grande et si bonne chose que le mot
même, à le prononcer, emplit la bouche ». C'est à ce propos
qu'une fois de plus il évoque les leçons du roi Philippe, en

rappelant un jugement porté par celui-ci sur le duc Hugues III de Bourgogne.

Reste à savoir si, avant de connaître l'épreuve de la croisade, on devine déjà, au caractère exceptionnel de sa piété, que Louis IX sera saint Louis. L'inconvénient de tous les témoignages, c'est qu'ils n'ont été recueillis qu'après la mort du roi, et que l'image que ce dernier a laissée en ses ultimes années peut avoir influencé les témoins. Or près de vingt-cinq ans séparent le moment où le roi prit la croix pour la première fois de celui de la mort devant Tunis.

La dévotion du roi, cependant, dès les premières années du règne, est hors de doute. De l'enseignement et de l'exemple maternels, Louis a gardé l'habitude de la prière personnelle et de la prière liturgique. Un témoin qui l'a connu à cette époque, Salimbene, nous le montre attentif à suivre les offices et à prolonger les oraisons. Le confesseur de la reine parle de ses longues stations dans son oratoire, des lectures de l'Écriture sainte et des Pères, où il trouvait le thème de ses méditations. On nous dit même qu'il mesurait le temps de ses lectures, le soir, par celui que mettait à se consumer une chandelle de trois pieds de haut. Il entend la messe chaque jour et communie aux six grandes fêtes, avec tant de dévotion qu'il va à genoux pour recevoir l'Eucharistie. Joinville le montre prosterné devant le tabernacle qu'il avait obtenu la permission — tout à fait exceptionnelle — de faire installer sur son navire pour y conserver le Saint-Sacrement. Ses chevaliers et ses serviteurs se plaignent de la longueur des attentes que leur impose son attachement à entendre les offices, à écouter les sermons, à prier dans les églises — alors que lui-même, nous dit Salimbene, se montre extraordinairement joyeux lorsqu'à la porte d'un oratoire (sans doute à Vézelay), il lui faut attendre son jeune frère Charles qui s'attarde devant l'autel.

Un trait original, cependant, paraît être l'attrait qu'exerçaient sur le roi les sermons et les leçons. Louis semble avoir attaché beaucoup d'importance à tout ce qui relève de l'instruction ; on peut noter avec ses biographes que, parmi ses livres favoris, figurait une Bible glosée, c'est-à-dire enrichie d'explications portées en marge du texte. Un historien anglais nous rapporte une conversation entre lui et son beau-frère Henri III. Henri, tout particulièrement dévot à l'adoration du Saint-Sacrement, se fait dire par Louis qu'il n'était pas toujours indispensable d'assister aux messes, mais qu'il fallait entendre les sermons le plus fréquemment possible. Ce qui correspond, sinon à la pratique d'un souverain qui bien souvent assistait à une messe de *Requiem* avant d'en entendre une autre, du moins à sa prédilection pour la prédication, et tout spécialement pour celle des Dominicains et des Franciscains.

Sans retenir tous les témoignages — ceux des biographes, mais aussi ceux des chartes —, il nous faut nous attarder sur un des premiers actes de la dévotion du roi : la fondation de Royaumont. C'est Louis VIII qui, dans son testament, avait réservé des sommes importantes pour que l'on édifiât une abbaye de l'ordre de Saint-Victor en vue du salut de son âme. Curieusement, une abbaye de Victorins fut bien fondée en 1226, et on dit qu'elle le fut en exécution du testament du roi : celle d'Ivernaux, près de Brie-Comte-Robert. Mais c'est à un monastère cistercien que saint Louis et Blanche de Castille attribuèrent les sommes laissées par Louis VIII, sans que l'on sache exactement comment l'abbé de Saint-Victor de Paris, Jean l'Allemand, qui était de leurs familiers, accepta cette commutation.

La régente et le roi achetèrent en effet la terre de Culmont, qui était proche du manoir royal d'Asnières-sur-Oise, en 1228, et y appelèrent une colonie de moines venus de Cîteaux, pour lesquels on commença la construction du monastère. Louis tint à participer en personne aux travaux : comme il fallait porter sur des civières les pierres destinées à l'édification d'un mur, il se plaça dans les brancards, un moine étant de l'autre côté ; il obligea ses frères à l'imiter. Près de cent mille livres parisis auraient été dépensées pour la construction et l'aménagement de cette abbaye, qui prit le nom de Royaumont. L'église fut consacrée le 19 octobre, soit de 1235, soit de 1236 ; une rente annuelle de cinq cents livres lui fut donnée à cette occasion.

Royaumont devait jouer un grand rôle dans la vie de saint Louis. C'est là que furent portés les corps de ceux de ses enfants qui moururent avant lui : Blanche, en 1243 ; Jean, en 1248 ; Louis, en 1260. Jean-Tristan, qui mourut à Tunis en 1270, y aurait aussi été enseveli si les instructions de son père avaient été exécutées sur ce point. Le roi avait fait aménager à son propre usage une chambre qui regardait vers l'église ; mais, au lieu de se contenter de suivre les offices par la baie ménagée à cette fin, il tenait à se rendre au chœur et à chanter avec les moines. Il allait aussi parfois s'asseoir dans la salle capitulaire avec eux pour écouter les instructions de l'abbé ; il lui arriva souvent de partager leur repas et, sans doute, d'entendre le lecteur qui pendant ce temps lisait un texte en chaire. Il fallut que l'abbé lui déconseillât de laver les pieds aux moines le samedi, selon l'usage cistercien. Il visitait l'infirmerie, s'intéressant spécialement aux lépreux. En un mot, il aimait se comporter à Royaumont comme s'il avait été un moine du couvent.

D'autres abbayes cisterciennes ont aussi bénéficié de son attention : Maubuisson, que Blanche de Castille fonda en 1236 et qui fut achevée en 1244 ; le Lys, autre abbaye de Cisterciennes ; Chaâlis, où il partagea également plus d'une fois la vie des religieux. Il les enrichit de donations, tout comme d'autres monastères cisterciens. Il semble qu'à ses yeux la prière des moines blancs avait un poids tout particulier auprès de Dieu, et les contemporains l'ont remarqué : tel Mathieu Paris qui nous dit, par exemple, qu'après le désastre de la croisade de Damiette le roi demanda des prières, mais surtout au chapitre général de Cîteaux. Aussi le souci qu'il avait de participer en personne à la vie liturgique des Cisterciens, là où la plupart des bienfaiteurs des couvents se bornaient à donner aux moines les moyens d'assurer cette vie liturgique en retour de la promesse qu'ils seraient associés aux bénéfices spirituels résultant de cette forme de prière, témoigne-t-il de sa conception du rôle essentiel de la liturgie pour assurer à lui-même, aux siens, au royaume dont il avait la charge, les secours dont ils avaient besoin. Pour exceptionnel que soit l'accomplissement par le roi des plus humbles besognes de la vie des moines, pour inhabituelle que soit sa volonté de s'associer personnellement à leurs exercices, ils rentrent dans une perspective qui est largement répandue chez les chrétiens du XIIIᵉ siècle.

Saint Louis se montre large dans ses aumônes : les comptes de 1237 et de 1239 enregistrent en particulier des cadeaux faits aux serviteurs de la maison royale, notamment quand ils se marient, ou en cas de maladie ; une abondance de menus dons faits à de pauvres gens sur le passage du roi, ou à des gens de religion, ou encore à des convertis venus de l'Islam ou du judaïsme. Beaucoup de donations concernent des lépreux à qui elles rendent possible l'entrée dans une maladrerie : saint Louis semble dès lors particulièrement attentif à ceux qui sont atteints de la terrible maladie, sans peut-être aller encore jusqu'à les soigner lui-même. Et il n'oublie pas les maisons-Dieu qui reçoivent pèlerins et pauvres voyageurs.

Mais le roi Louis ne pouvait pas rester indifférent à une forme de dévotion que le Moyen-Age a particulièrement affectionnée : la vénération des reliques. Son itinéraire est ponctué de visites aux sanctuaires où elles sont conservées. En 1232, au moment où on présentait aux fidèles, pour le vendredi saint, une des reliques de la Passion — un des clous du Christ en croix —, la relique se perdit. Saint Louis se serait exclamé qu'il aurait préféré perdre la meilleure cité de son royaume qu'un si précieux trésor. Il promit une récompense à qui le retrouverait, se rendit lui-même à Saint-Denis, et témoigna de la joie la plus vive quand le saint Clou réapparut.

Aussi, lorsqu'il apprit que l'empereur de Constantinople Baudouin II, sans cesse à court d'argent, avait été obligé de remettre en gage aux Vénitiens les reliques de la Passion conservées dans le trésor impérial, et tout particulièrement la couronne d'épines, se décida-t-il à rembourser aux créanciers de Baudouin les sommes avancées pour se rendre possesseur de la prestigieuse relique. Après avoir négocié tant à Constantinople qu'à Venise, deux Dominicains la rapportèrent en France. Le roi vint à son devant jusqu'à Villeneuve-l'Archevêque, d'où elle fut apportée processionnellement à Sens ;

Louis et son frère Robert, pieds nus, portèrent eux-mêmes la
châsse (11 août 1239). Transportée par bateau jusqu'à Vincennes, la couronne fut exposée, au faubourg Saint-Antoine,
à la vénération des Parisiens, puis transférée au Palais, où on
la déposa dans la chapelle Saint-Nicolas et où d'autres reliques de même origine la rejoignirent en 1241.

C'est à cet événement que l'on doit la réalisation de ce
joyau d'architecture qu'est la Sainte-Chapelle, édifiée de
1242 à 1247, dotée de privilèges par le pape en 1244 et dédi-
cacée le 25 avril 1248. L'architecte avait réalisé une chapelle
palatine à deux étages, le rez-de-chaussée étant destiné aux
dévotions du personnel du palais ; mais l'étage supérieur,
traité comme une châsse, était entièrement voué à la vénération des reliques qui faisaient jusque-là la gloire du palais des
basileis byzantins. C'est la richesse du royaume de France qui
avait permis à son roi de s'en assurer la possession ; nul
doute qu'à ses yeux il avait réussi à donner à ce royaume le
plus précieux *palladium* qui pût s'imaginer. Et il put se montrer généreux en distribuant des épines de la couronne à plusieurs établissements religieux et à divers princes. Rien
d'extraordinaire dans cette dévotion, une fois de plus, si ce
n'est le caractère exceptionnel des reliques en question et le
prestige du prince qui les avait rachetées...

Roi très chrétien, et prud'homme entre les prud'hommes,
Louis n'a pas pour autant renoncé aux fastes et aux plaisirs
du siècle. Comme bien d'autres princes, il a une ménagerie :
des lions, un porc-épic, dont les comptables nous font
connaître les frais de nourriture. S'adonne-t-il à la chasse ?
Certains auteurs disent qu'il y renonça lors de son mariage ;
d'autres reportent cette décision au moment de la croisade.
Certes, on voit par les comptes de 1239 qu'il possède à Saint-
Germain-en-Laye toute une « volerie », avec des oiseaux de
proie ; on capture pour lui des éperviers en forêt de Lyons ou
de Breteuil, et les Génois lui envoient des faucons. Il a des
veneurs et des valets de chiens, avec une meute de quarante-
huit bêtes ; des chasseurs à l'arc, avec leurs valets et vingt-
deux chiens ; deux valets s'occupent de neuf lévriers. Pour
lui, les perdriers prennent des perdrix et les furetiers des

lapins. Mais, si les chasses royales sont bien équipées, cela n'assure pas que le roi y participait nécessairement en personne : le rôle de tous ces serviteurs est précisément d'approvisionner l'hôtel en venaison, et on rétribue un valet qui en apporte à Vincennes. Louis, sans doute, a chassé lui-même dans sa jeunesse ; il y a peut-être pris moins de plaisir que les autres Capétiens, les Valois et les Bourbons ; mais la chasse était une fonction sociale. Et dans la suite, quand on disait au roi que ses barons trouvaient le temps long à l'office ou au sermon, il répondait que le même temps leur paraîtrait court au jeu ou à la chasse.

Quant aux étoffes de prix qu'il abandonna également par la suite, il ne les méprise pas encore. Pour les fêtes, il se vêt de drap ou de soie : d'écarlate vermeille ou violette, de brunette noire, de perse, de satin ; ses robes sont fourrées d'hermine, de zibeline, de gros et de menu vair. Sa vaisselle est riche : il commande aux orfèvres, entre autres, deux nefs d'argent pour mettre les épices.

Que représente sa maison ? Sans doute cinquante à soixante serviteurs : cinq écuyers à l'écurie, deux maréchaux, trois valets d'étable ; à la cuisine des queux, dont deux au moins, Isambard de Paris et Roger de Soisy, l'accompagnèrent en croisade ; des pages, un saucier et un souffleur ; un panetier qui fournit le pain et deux autres préposés au linge de table, pour la paneterie ; la chambre royale est même dotée d'un charreton : la vie du roi est itinérante, aussi les sommeliers — ceux qui veillent aux bêtes de somme — sont assez nombreux pour qu'un échanson particulier leur soit attaché : on compte encore des huissiers, des clercs, le chauffe-cire de la chancellerie, les coursiers qui portent les messages...

En 1239, on dépensait pour les « six mestiers » de l'hôtel des sommes qui donnent une idée de l'importance respective des services : 1 092 livres pour la cuisine, 948 pour la paneterie, 369 pour la chambre, 321 pour l'échansonnerie, seulement 62 pour la fruiterie (qui fournit la cire, pour l'éclairage). C'est évidemment l'écurie qui coûte le plus cher, essentiellement à cause des achats de chevaux : 2 247 livres. C'est que le roi, outre sa propre cavalerie, doit monter ses serviteurs, ses chevaliers, ceux qui chassent pour lui, et qu'il fait de nombreux dons de chevaux à toutes sortes de gens.

Quant à l'entourage du roi, il est constitué par ceux qui bénéficient à chaque « livrée », c'est-à-dire lors du renouvellement des robes des serviteurs de la maison royale, de distributions de « pailes » (les manteaux). En 1239, une vingtaine de clercs en font partie, presque tous qualifiés de « maîtres » et qui ne sont pas de simples comptables, mais bien des conseillers. Parmi eux figurent l'archevêque de Sens, l'évêque de Senlis, le doyen de Tours, le chapelain et l'aumônier du roi. A côté d'eux, une trentaine de chevaliers, eux aussi associés au gouvernement du royaume. A cette date, les vieux prud'hommes de l'entourage de Philippe-Auguste, ceux qui ont aidé la reine Blanche à assurer à son fils la possession du royaume, et à qui Joinville rend hommage, ont disparu. La plupart sont des hommes proches du roi par leur âge, souvent appartenant à des familles depuis longtemps attachées à la maison royale : Philippe de Nemours, fils d'un chambellan de Philippe-Auguste et neveu du maréchal de celui-ci, Henri Clément, est alors panetier de France ; il succédera l'année suivante à son cousin Gautier de Villebéon comme chambellan du roi ; son fils Gautier est page du roi et deviendra maréchal ; son frère est clerc du roi et chanoine de Noyon... On rencontre dans ce groupe Robert de Courtenay et Étienne de Sancerre, qui furent tous deux bouteillers de France, le connétable Amaury de Montfort et Jean de Nesle, comte de Soissons : ceux-là représentent la plus haute noblesse, sans être de très grands barons, et font partie du conseil habituel du souverain, avec des chevaliers de moindre rang. D'autres assurent peut-être la garde du roi, mais celle-ci n'exige pas un nombreux effectif : les arbalétriers et les sergents du roi (qu'il charge parfois de missions lointaines) ne sont guère plus de trente. En 1239, le roi a auprès de lui son cousin Alphonse d'Espagne, fils du roi de Portugal, qu'il mariera bientôt à la comtesse de Boulogne.

Mais, dans l'ensemble, l'entourage royal comme l'hôtel donnent l'impression d'un groupe relativement peu nombreux et vivant dans une certaine intimité avec le souverain. La vie de cour semble familière, et les anecdotes qu'on nous rapporte en témoignent. Quand Louis tomba malade, à Pontoise, il tint à rassembler autour de lui tous ses familiers pour les remercier de l'avoir servi et leur adresser une petite exhortation. Louis est trop conscient de la dignité de la couronne pour accepter qu'on ne lui témoigne pas le respect qui lui est dû ; mais il sait à l'occasion fermer les yeux ou ne pas entendre — et les hagiographes l'ont noté. Cependant, l'étiquette reste des plus simples.

Sérieuse, dirions-nous, sans être austère ; telle se présente à nous la cour du roi Louis. Lorsqu'il voulut enseigner à son fils Philippe et à sa fille Isabelle certaines règles de conduite, il a invité le premier à se garder des dépenses frivoles ; la seconde, à « n'avoir pas trop grand surcroît de robes et de joyaux », mais en respectant ce qu'exige son état. De même, il disait à ses chevaliers de ne pas négliger leur apparence, pour que leurs femmes les en aiment mieux. Pour lui-même, après 1249, le temps sera venu des austérités du pèlerin et du pénitent ; mais il reste conscient de ce que la dignité royale ne saurait se passer d'un certain apparat. Avant cette date, il semble déjà l'homme de la mesure et de la modération, et cela en un temps où la littérature chevaleresque exalte la démesure et les libéralités comme faisant partie de l'image du héros de roman. Mais précisément il semble que le roi de France n'ait pas pris pour modèles les héros des romans...

DEUXIÈME PARTIE

La septième croisade, charnière du règne ?

L'importance de la croisade qui, de 1248 à 1254, tint saint Louis éloigné de son royaume, ne peut être sous-estimée. Ce fut pour le roi à la fois une grande aventure et une expérience capitale. Grande aventure minutieusement préparée, étayée de multiples informations, menée avec prudence, elle s'ouvrait par un succès éclatant : la prise de Damiette. Quelques mois plus tard, prise au piège dans le delta du Nil, l'expédition s'achevait en désastre. Ce devait être pour Louis IX l'occasion d'un retour sur lui-même et d'un examen de conscience dont les fruits allaient se révéler durant les vingt dernières années du règne.

Pour le royaume de France, très éprouvé sans doute par les pertes en hommes survenues au cours de l'expédition, mais aussi financièrement saigné par l'importance des sommes dépensées, il avait eu à subir l'épreuve d'une seconde régence ; les répercussions de la défaite avaient entraîné un mouvement insurrectionnel venant, non plus des barons, mais des milieux populaires. La disparition de Blanche de Castille favorisait une entreprise à laquelle s'associèrent la plupart des grands seigneurs français, qui se firent capturer par les partisans de Guillaume de Hollande, laissant ainsi dangereusement exposées les frontières du royaume. Néanmoins, dès avant le retour du roi, tous ces périls étaient sur-

montés, ce qui atteste la solidité déjà acquise par l'État capétien, privé pendant plus de six ans de son souverain.

Mais ce dernier, revenant de sa croisade, ne s'estimait pas
délié de ses obligations de croisé. Il avait, au lendemain de la
perte de Damiette, et sans que ce fût son but primitif, pris en
charge la défense du royaume de Jérusalem, se comportant
en responsable de celui-ci. Tout au cours de l'expédition il
avait pris contact avec les princes orientaux, les Églises
d'Orient, au moment où l'Orient vivait les lendemains de la
première conquête mongole. Les intérêts des Latins établis en
Orient, ceux de l'Église latine aussi, lui étaient devenus plus
familiers ; et on s'habitua à le considérer comme particulièrement attentif aux uns et aux autres. Cette croisade, qui se soldait apparemment par un échec, avait laissé inentamé le prestige du roi, qui éclipsait désormais jusqu'en Asie centrale
celui de l'empereur.

De 1248 à 1254, le roi de France avait vécu dans un cadre
bien différent de celui de son royaume. A ce dernier, revenu
dans ses terres, il allait témoigner une sollicitude nouvelle,
plus marquée par la volonté d'y faire régner la justice et
l'équité, sollicitude dont les institutions monarchiques
devaient durablement conserver l'empreinte. Aux marches de
la Chrétienté, dont il connaissait désormais les difficultés et
les dangers, il allait continuer à manifester sa protection et
son aide. Et la huitième croisade est déjà dans les perspectives de la septième.

Temps fort dans la vie du roi, celle-ci a fait sortir le souverain et son entourage de leur cadre familier et d'une certaine
routine du gouvernement. Qu'elle ait été simplement interrompue, ou non, dans l'esprit de saint Louis, elle a orienté
son action pour tout le reste du règne.

CHAPITRE I

Vers la croisade

Depuis la fin du XIᵉ siècle et jusqu'à une date avancée, qui dépasse même le Moyen-Age, et surtout aux XIIᵉ et XIIIᵉ siècles, la croisade a été un des éléments permanents de la pensée religieuse des hommes à qui il appartenait de la réaliser, c'est-à-dire aussi bien des papes et des clercs que des rois, des barons, des chevaliers et d'une part importante des autres catégories sociales. Elle apparaissait à la fois comme un impératif, un devoir à remplir envers Dieu, à la manière du devoir du vassal envers son seigneur, et comme un moyen de perfectionnement spirituel, en raison du lien étroit qui l'unissait à la rémission des péchés. Elle offrait l'occasion d'une réconciliation avec le Seigneur au prix d'un effort héroïque de pénitence, et saint Bernard avait trouvé un thème de prédication fort efficace lorsqu'il avait évoqué ce *tempus acceptabile,* ce moment à saisir, à propos de l'effusion des grâces qui accompagnait l'appel à la croisade.

De toutes les guerres accomplies au service de l'Église et enrichies de l'indulgence de croisade, c'étaient celles qui avaient pour objet la libération et la défense des Lieux saints qui apparaissaient comme les croisades par excellence. « Héritage du Christ », la Terre sainte devait être libérée de la domination des Infidèles, sous peine de laisser la Chrétienté dans l'opprobre et quasi en état de péché mortel, puisqu'aux yeux de beaucoup c'était aux péchés des chrétiens qu'il fallait imputer la reconquête par les Sarrasins de la Judée, de la Galilée et des autres terres consacrées par la présence du Christ au cours de sa vie terrestre. Aussi paraissait-il difficile qu'un prince se désintéressât de cette exigence : depuis que Saladin, en 1187, avait repris Jérusalem aux Latins, combien de souverains d'Occident avaient pris la route de l'Orient !

Tôt ou tard, Louis IX devait être confronté avec l'appel à la croisade. Dans son cas, cependant, c'est sa propre conscience qui lui dicta sa décision de partir pour la guerre sainte, en dehors des grands départs occasionnés par des moments de détresse particulièrement sensibles traversés par les établissements latins d'Orient. Ceci contribue à donner à sa croisade une touche originale.

LES PERSPECTIVES DE LA CROISADE JUSQU'EN 1244

C'est sans doute dès son enfance que le roi Louis IX avait été familiarisé avec l'idée de la croisade. Celle-ci, en effet, avait sa place dans la tradition capétienne. Certes, Philippe Ier n'avait pas répondu à l'appel d'Urbain II — à la différence de son frère Hugues le Maisné qui avait pris la route de la Terre sainte dès 1096. Mais Louis VII avait pris la croix et il avait entraîné l'armée du royaume à travers les périlleuses routes de l'Asie Mineure et jusqu'à Jérusalem où ses barons et lui avaient pu s'acquitter de leur vœu de pèlerinage, avant d'aller sous Damas en compagnie du roi de Jérusalem et de Conrad III de Hohenstaufen, sans réussir à s'emparer de cette ville. Philippe-Auguste, à son tour, avait répondu à l'appel du pape au lendemain de la conquête de Jérusalem par Saladin. Il avait bravement combattu devant Acre et joué un rôle capital dans la reprise de cette place, mais il avait ensuite quitté la croisade assez brusquement, en laissant une grande partie de ses troupes continuer l'expédition dans l'ombre de Richard Cœur-de-Lion. Le grand-père de saint Louis avait-il gardé quelque remords de conscience de ce départ précipité ? Toujours est-il que son testament pré-

voyait l'envoi à la Terre sainte de secours, qui devaient être
financés par sa succession.

Louis VIII n'avait pas participé à la croisade d'Orient.
Mais, à trois reprises, il avait pris la croix pour se rendre
chez les Albigeois. Son expédition de 1226 dans le comté de
Toulouse s'était placée sous le signe de la croix ; un légat
pontifical accompagnait l'armée, et le roi avait sans nul doute
attaché autant d'importance au bénéfice de l'indulgence
accordée par le pape aux participants qu'aux profits territoriaux que son intervention devait assurer au domaine royal.

La croisade, en effet, avait pris, depuis la fin du XIIe siècle
au moins, le caractère d'une institution bien définie. Dans
son origine, elle s'assimilait au pèlerinage dont le Saint-
Sépulcre était le but. Comme celui-ci, elle apparaissait
comme la pénitence par excellence, celle qui permettait à un
pécheur, coupable de crimes énormes, de satisfaire aux exigences de la justice divine : c'était au confesseur qui avait
donné l'absolution qu'il appartenait d'enjoindre au pénitent
de se rendre au tombeau du Christ, sans que cela exclût d'ailleurs les réparations qu'il devait à ceux qu'il avait lésés. Mais
la Papauté avait cherché à donner une spécificité plus grande
au vœu de croisade proprement dit, celui qui astreignait un
fidèle à partir en expédition contre les Infidèles conformément aux intentions du Saint-Siège et en des occasions bien
déterminées. Dès la seconde moitié du XIIe siècle, le pape
Alexandre III avait cherché à imposer l'idée que, pour bénéficier de l'indulgence dans sa plénitude, il ne suffisait pas
d'aller visiter les Lieux saints, mais qu'il fallait se mettre au
service de l'Église pour défendre ceux-ci, pendant un temps
bien défini.

En même temps, les papes s'étaient habitués à enrichir de
l'indulgence de croisade la participation aux opérations militaires destinées à défendre l'Église sur d'autres fronts que
celui de Syrie et de Palestine. C'est dès le XIe siècle que
l'indulgence accordée aux pèlerins du Saint-Sépulcre avait
été concédée à ceux qui défendaient la Chrétienté en Espagne
contre les Sarrasins, et la première croisade elle-même avait
été lancée pour défendre l'empire byzantin contre les Turcs,

la même indulgence devant rétribuer ceux qui partaient — et dont beaucoup devaient mourir en route avant d'avoir accompli leur pèlerinage. Innocent III avait usé de l'arme de la croisade pour recruter des combattants afin de défendre le royaume de Sicile, héritage du jeune Frédéric II, vassal et pupille du Saint-Siège, contre des usurpations ; il l'avait également employée contre les protecteurs des hérétiques du Languedoc, persécuteurs de l'Église catholique. Grégoire IX venait de s'en servir à son tour lorsqu'il avait lancé une armée, sous Jean de Brienne, contre le royaume de Sicile, à la suite de la première excommunication de Frédéric II. Cet usage de la prédication de la croisade à l'encontre de chrétiens suscitait quelques réserves, notamment de la part des troubadours au service de Frédéric II, de Raymond de Toulouse ou de leurs partisans ; il n'en était pas moins très généralement admis, et la réponse des noblesses occidentales — celles de France, d'Angleterre, de Lombardie, en particulier — aux appels de la Papauté en apporte la preuve. Néanmoins la croisade d'Orient conservait un attrait beaucoup plus vif, tant auprès des barons que des simples chevaliers.

Pour en assurer le recrutement, les papes n'hésitaient pas à imposer la prise de croix, à titre de pénitence, à ceux à qui ils accordaient l'absolution. C'est ainsi que le traité de 1229 comportait, de la part de Raymond VII, la promesse de partir avant deux ans outre-mer pour servir, cinq années durant, contre les Sarrasins ; et nombreux sont les « faidits » qui ont été réconciliés avec l'Église moyennant la promesse de partir en Terre sainte : les hommes de Narbonne qui avaient malmené les inquisiteurs furent absous, en 1237, en contrepartie d'une promesse similaire.

Les rébellions contre le pouvoir royal ont donné lieu, elles aussi, à des vœux de croisade. Lorsque Pierre Mauclerc fait sa soumission, en 1234, il promet de se rendre outre-mer dès qu'il aura laissé son comté de Bretagne à son fils, et d'y rester cinq ans. Thibaud IV, en 1236, promet de passer sept ans, soit outre-mer, soit dans son royaume de Navarre (et cette option rapproche beaucoup le vœu de croisade d'un châtiment comportant exil hors du royaume de France). Le bannissement lui-même est souvent l'occasion pour le banni de s'en aller en Terre sainte, soit pour accomplir un acte de pénitence, soit pour y chercher aventure en bénéficiant des privilèges reconnus aux croisés. Car la prise de croix était assortie d'une protection particulière destinée à mettre le croisé et ses biens à l'abri de toute spoliation pendant son absence. C'est ainsi que l'Église intervint en faveur de Thibaud IV dont Blanche de Castille et saint Louis faisaient mine de saisir les terres, en 1236, parce que le comte de Champagne avait fait vœu de croisade l'année précédente. Ce qui n'allait pas sans susciter la mauvaise humeur des barons et du roi lui-même, car, à leurs yeux, il y avait là un moyen qui permettait aux coupables d'échapper à leur justice et d'opposer à cette dernière la juridiction ecclésiastique. D'ailleurs, l'Église n'était pas très exigeante quant au délai dont disposait le croisé pour s'acquitter de son vœu. De commutation en remise, Raymond VII attendit près de vingt ans avant de se mettre en route — et encore allait-il mourir au moment de s'embarquer. D'autre part, il était couramment admis que l'on pouvait se racheter d'un vœu de croisade contracté imprudemment ou dont la réalisation s'avérait impossible, en substituant à une participation personnelle l'envoi d'un remplaçant ou bien le versement d'une somme destinée à contribuer au financement de l'expédition. Aussi n'est-il pas surprenant de retrouver dans les comptes de saint Louis pour les années 1234 et 1239, à côté de multiples dons à des croisés, un don à un homme de Poissy pour lui permettre de « se décroiser ».

Attentif à ce qui ne pouvait apparaître que comme un impératif pour un prince chrétien dans la première moitié du XIIIe siècle — la libération de la Terre sainte —, Louis IX avait pu être amené à s'intéresser plus activement aux affaires de l'Orient latin du fait de la présence occasionnelle à sa cour de plusieurs de ceux qui avaient charge des États latins d'Orient. C'est tout d'abord Jean de Brienne, ce seigneur champenois que Philippe-Auguste avait recommandé aux barons du royaume de Jérusalem quand ceux-ci étaient en quête d'un époux pour leur jeune reine, Marie de Montferrat. Jean avait dirigé, de 1217 à 1221, la cinquième croisade ; il avait conduit les croisés à l'attaque de l'Égypte, au cours de laquelle on s'était emparé de Damiette ; et il avait su mener les négociations qui avaient permis de sauver de la captivité l'armée chrétienne embourbée et encerclée dans le delta du Nil (saint Louis devait-il se souvenir de ses récits lorsqu'il choisit l'Égypte pour terrain de ses opérations ?). Mais, en 1226, il avait marié sa fille à Frédéric II et celui-ci l'avait obligé à déposer aussitôt sa couronne, du fait qu'il n'avait été roi de Jérusalem qu'en tant qu'époux de l'héritière du royaume et, après le décès de celle-ci, en attendant que la nouvelle héritière fût mariée. Aussi Jean de Brienne condui-sit-il les troupes du pape Grégoire IX contre le royaume sici-lien de son gendre, au moment où ce dernier était parti pour l'Orient (1229-1230). Mais, avant et après cet épisode, Jean avait séjourné à la cour royale ; il avait assisté Louis et Blanche de Castille dans leurs guerres ; et, lorsqu'il repartit en Orient, cette fois pour s'asseoir sur le trône de l'Empire latin de Constantinople (1231-1237), il confia à la régente et au roi ses enfants d'un second mariage, les « enfants d'Acre », qui devaient faire carrière dans l'hôtel royal et dont l'aîné devint, par son mariage, comte d'Eu.

Jean de Brienne avait été fait empereur du fait de la mino-rité de l'héritier du trône, Baudouin II de Courtenay. Et, lors-que celui-ci atteignit sa dix-neuvième année, en 1236, il l'envoya en Occident pour solliciter l'envoi de secours à l'Empire latin, qui venait d'affronter l'assaut de l'empereur grec de Nicée et du tsar des Bulgares coalisés. Mais Bau-douin II avait un autre objectif ; il entendait entrer en posses-sion d'un héritage qui lui revenait du fait de la mort de son frère Philippe de Courtenay, marquis de Namur, lequel n'avait pas laissé d'héritiers directs : la seigneurie de Courte-nay et le marquisat de Namur, à quoi s'ajoutaient les droits de sa mère, Yolande de Namur, en Flandre et en Hainaut. Il lui fallait pour cela l'appui du roi de France et celui de la comtesse de Flandre. Cette dernière, choisie comme arbitre entre sa propre sœur Marguerite, qui était entrée en posses-sion de Namur, et le jeune Baudouin, donna raison à ce der-nier, et Baudouin devint ainsi marquis de Namur. Quant au roi et à la régente, qui jugea, nous dit-on, Baudouin « enfantif en ses paroles » et peu capable de gouverner un empire qui aurait exigé pour chef un « moult sage homme et vigoureux », ils ne firent aucune difficulté à lui remettre son fief de Courtenay. Et, dès que l'affaire de Namur fut réglée, saint Louis accepta de prêter 50 000 livres à Baudouin qui lui remettait en nantissement Namur et ses dépendances. Les bannières royales devaient ainsi flotter sur cette ville jusqu'à ce que le fils de Marguerite de Flandre, Guy de Dampierre, la rachetât à Baudouin (1263), puis remboursât au roi la somme avancée par ce dernier.

Les 50 000 livres déboursées par le trésor royal permettaient à Baudouin II de poursuivre la levée d'une armée qui fut rassemblée en 1239. Mais le roi de France lui avait avancé d'autres sommes (3 000 livres en 1238), sans préjudice d'un don de 4 800 livres, et des présents qu'il fit à Baudouin lorsque celui-ci se fit armer chevalier par lui, le 15 mai 1239, à Melun. Ainsi, concurremment avec le pape qui avait invité les barons et les chevaliers à se croiser pour aller au secours de Constantinople, est-ce le roi de France qui prit en charge une part importante des frais de l'expédition. Louis IX envoyait des messages à Baudouin pour s'enquérir du nombre des croisés ; il donnait à ceux-ci les moyens de s'équiper. Et lorsque, pris de scrupules à l'idée de s'approprier les sommes saisies sur les usuriers juifs et dont on ne pouvait retrouver l'origine, il s'adressa au pape, c'est à l'empereur de Constantinople qu'il les versa, sur le conseil de Grégoire IX. Les quelques centaines de chevaliers, renforcés par des arbalétriers, que Thomas de Marle et Humbert de Beaujeu amenèrent en décembre 1239 à Constantinople, après avoir traversé la Hongrie et la Bulgarie, représentaient une part notable de la chevalerie française, et le roi de France avait fortement contribué à leur entreprise qui permit de donner un peu d'air à Constantinople par la reconquête d'une partie de la Thrace.

Louis IX ne devait d'ailleurs pas perdre de vue l'empereur de Constantinople, qui resta en relations épistolaires avec Blanche de Castille et avec lui, pour se faire morigéner à l'occasion, et qui revint en France en 1246 et 1247 (c'est alors qu'il abandonna définitivement à saint Louis les reliques de la Passion que les régents de l'empire avaient engagées à Venise après la mort de Jean de Brienne et que le roi avait dégagées, on sait dans quelles conditions). Mais l'effort consenti en 1238-1239 en faveur de l'Empire latin ne devait pas se renouveler.

C'est que, dès avant 1239, les yeux de la Chrétienté s'étaient à nouveau tournés vers la Syrie franque. En 1229, l'empereur Frédéric II avait conclu une trêve de dix ans avec le sultan ; les hostilités devaient donc reprendre en 1239, et le pape Grégoire IX s'était préoccupé d'organiser une croisade pour cette date. Entre-temps, Baudouin de Courtenay et son vassal Jean de Béthune étaient venus solliciter l'aide du pape pour Constantinople ; Grégoire IX avait invité les croisés à se porter au secours de l'Empire latin, dont la situation lui paraissait plus critique que celle de la Syrie franque : une première armée s'était mise en route sous la conduite de Jean de Béthune, en 1238, et Frédéric II avait multiplié les obstacles à son passage par la Sicile ; une seconde armée, on l'a vu, partait de France en 1239. Mais la majorité des croisés s'étaient refusés à changer leur propos et c'est pour la Terre sainte qu'ils se mirent en route.

Les tergiversations du pape, les manœuvres de Frédéric II qui aurait souhaité retarder l'expédition de telle sorte que son fils Conrad, qu'il avait eu de la fille de Jean de Brienne, fût en mesure de conduire celle-ci et de faire valoir ainsi son titre d'héritier du royaume de Jérusalem, n'avaient pas empêché que l'armée fût nombreuse. C'est tout l'encadrement féodal du royaume de France qui avait pris la croix et qui s'ébranlait à partir de Lyon, en juillet 1239. On y voyait Thibaud IV de Champagne, Hugues IV de Bourgogne, Pierre Mauclerc, les comtes de Nevers et Forez, de Bar-le-Duc, de Mâcon, de Sancerre, de Grandpré, le connétable Amaury de Montfort, le bouteiller Robert de Courtenay et bien d'autres, surtout ceux des pays situés au nord de la Loire. Le roi avait favorisé leur départ, non seulement en autorisant ces barons sur lesquels reposait la défense du royaume à quitter celui-ci pour un temps qui pouvait être long, mais en facilitant le financement de l'expédition. Il ayait accepté que Pierre Mauclerc lui remît en gage son château de Chanptoceaux en échange d'un prêt d'argent ; il acheta à Jean de Braine, frère de Pierre, son comté de Mâcon, moyennant dix milles livres tournois et une rente annuelle de mille livres. Et c'est surtout le connétable Amaury de Montfort qui bénéficia des libéralités du roi : il reçut 32 000 livres provinois et le roi lui « conféra ses armes », au dire du chroniqueur Aubry de Trois-Fontaines : Amaury aurait donc été autorisé à porter les fleurs de lys. C'était assimiler l'expédition à la levée d'une armée royale et, en quelque sorte, le roi de France pouvait se considérer comme présent dans l'armée en la personne de son connétable portant la bannière fleurdelysée.

C'est néanmoins Thibaud de Champagne que les barons, réunis à Acre, « firent chevetainne de l'ost ». Les croisés s'étaient embarqués qui à Marseille, qui en Sicile — encore que l'excommunication de Frédéric II par le pape eût rendu difficile la traversée de ses états. Les barons de Terre sainte avaient suggéré que la croisade débarquât dans l'île de Chypre, où ils pourraient élaborer une stratégie tenant compte de la situation où se trouvait l'Orient ; cette suggestion n'ayant pas été retenue, c'est donc à Acre que tous avaient débarqué au début de septembre 1239.

La campagne ne répondit pas aux espoirs qu'on avait mis en elle. Tandis que les Musulmans chassaient de Jérusalem la petite garnison qu'y entretenait le bailli de Frédéric II en Terre sainte, on discuta d'un plan d'opérations, sans tenir compte du conflit qui opposait alors le sultan d'Égypte — lequel était en bons termes avec Frédéric — et celui de Damas — avec qui les barons francs de Syrie entretenaient de bonnes relations. Il fut décidé de commencer par relever les murailles d'Ascalon, à la frontière égyptienne, avant d'aller attaquer Damas. Mais, au cours de la marche vers Ascalon, Pierre Maucler mena, fort brillamment, une opération de *rezzou* en s'emparant d'une caravane qui portait des vivres à Damas. Un parti d'autres chevaliers, jaloux de cet exploit, se forma pour aller attaquer une force égyptienne stationnée près de Gaza, malgré les objurgations de Thibaud de

Champagne. Le 13 novembre, ce parti se fit surprendre tandis qu'on déjeunait, dans un vallon entouré de dunes. Hugues IV de Bourgogne et le comte de Jaffa, Gautier de Brienne, optèrent pour la retraite ; Amaury de Montfort déploya ses arbalétriers avant de lancer les chevaliers qui lui restaient dans une charge qui tomba dans le vide, les Égyptiens ayant eu recours à la fuite simulée, familière aux cavaliers orientaux. Le retour offensif des Musulmans trouva les croisés en plein désordre ; les comtes de Bar, de Clermont, peut-être celui de Mâcon et Robert de Courtenay, restèrent sur le terrain ; le comte de Montfort et bien d'autres furent capturés. Le comte de Champagne arriva à la rescousse, mais trop tard, et dut se replier sur les places chrétiennes, sans oser ni reprendre l'entreprise commencée, ni réagir à la réoccupation de Jérusalem.

Là-dessus le sultan de Damas, qu'inquiétait une révolution de palais survenue au Caire, se mit en rapport avec Thibaud, en offrant de rétrocéder la Galilée aux Francs en échange d'une alliance contre l'Égypte. Le chef de la croisade accepta, mais les Hospitaliers, et les parents des barons capturés qui redoutaient des représailles égyptiennes, se déclarèrent contre cette alliance. Finalement, Thibaud se rapprocha du sultan d'Égypte, qui avait surenchéri sur les offres du Damasquin, en promettant non seulement la Galilée, mais la libération des prisonniers. Cette fois, nombre de croisés crièrent au manquement à la parole donnée, et l'autorité de Thibaud, tout roi de Navarre qu'il fût, n'était pas telle qu'il pût en imposer à ses compagnons.

On ne sait comment tout cela se fût terminé sans l'arrivée d'un nouveau venu, le frère du roi d'Angleterre, Richard de Cornouailles. Celui-ci, qui pouvait se prévaloir de ce qu'il était le beau-frère de Frédéric II, théoriquement roi de Jérusalem et dont une partie des barons et des ordres religieux établis dans le royaume reconnaissaient l'autorité, reprit les négociations avec l'Égypte. Cependant Thibaud IV et Pierre Mauclerc se rembarquaient pour la France ; le duc de Bourgogne et le comte de Nevers et de Forez, Guigues, pour rester fidèles à l'alliance conclue avec Damas, faisaient fortifier

Ascalon. Dans cet imbroglio, Richard opta pour la poursuite des négociations avec l'Égypte ; le duc de Bourgogne lui-même lui donna son accord, tout en poursuivant les travaux d'Ascalon pour appuyer la négociation par une démonstration de force.

C'est ainsi que l'on parvint, en mars 1241, à un accord. Le sultan d'Égypte promettait d'obliger son allié de Kerak à évacuer Jérusalem et à rendre la Ville sainte aux Chrétiens. Il confirmait à ceux-ci la possession d'Ascalon et la cession de la Galilée précédemment consentie par son rival de Damas. Un échange de prisonniers intervenait le 13 avril 1241 ; ceux qui avaient été capturés en novembre 1239 se retrouvaient au camp des croisés, et parmi eux le poète Philippe de Nanteuil, qui avait composé au Caire une chanson évoquant les tristesses de la captivité et exhalant les rancœurs des captifs à l'encontre des barons qui les avaient entraînés dans un traquenard.

La « croisade des barons » était terminée. Elle n'avait pas été glorieuse ; elle n'avait pas non plus été sans profit, puisqu'elle enregistrait à son actif la réoccupation d'une grande partie de l'ancien royaume de Jérusalem, qui n'était plus amputé que de la Samarie (avec Naplouse) et de la Judée méridionale (de la mer Morte à Hébron). La Ville sainte elle-même était revenue aux Chrétiens. Hugues IV de Bourgogne et le comte de Nevers avaient rebâti la grande forteresse d'Ascalon, et l'évêque de Marseille, Benoît d'Alignan, avait en grande partie financé la reconstruction de Safet, le château des Templiers qui contrôlait la haute-Galilée.

De tout cela, comme de la libération des prisonniers capturés au combat de Gaza, comme de la sépulture chrétienne qui avait été assurée aux morts de la même bataille, le crédit fut porté au compte de Richard de Cornouailles, alors qu'en stricte justice Thibaud de Champagne, qui avait commencé à jouer une partie diplomatique délicate, aurait dû en avoir sa part. Richard, d'ailleurs, avait aux yeux des Musulmans la caution de Frédéric II : celui-ci n'hésita pas à donner au traité de mars 1241 la qualification de « notre royal traité ». Le comte de Cornouailles avait même tenté une réconciliation entre l'empereur-roi et ses sujets indociles du royaume latin ; il emportait une proposition de soumission émanant des chefs du parti baronnial les plus hostiles à Frédéric II, proposition qui devait d'ailleurs ne pas avoir de suite. C'est le Plantagenêt qui apparaissait ainsi comme le héros de cette campagne.

La croisade n'avait pas été sans conséquence pour le royaume de France lui-même. Deux des croisés étaient demeurés en Orient. Un cousin du connétable Amaury (lequel mourut pendant son voyage de retour), Philippe de Montfort, avait épousé l'héritière d'un des fiefs récupérés en 1241, la dame du Toron. Il joignait ainsi aux fiefs qu'il conservait dans le royaume de France, et notamment à celui de Castres, une grande seigneurie de Terre sainte, qui allait bientôt s'agrandir de la ville de Tyr. Le frère du comte de Soissons, Raoul de Nesle, avait épousé Alix de Champagne, la « reine de Chypre » dont les prétentions avaient tant agité le monde féodal : il allait faire figure de prétendant au trône de Jérusalem.

Quant au roi de France, il avait facilité la tâche des croisés en leur avançant ou en leur donnant des sommes importantes. Ce n'était pas sans profit pour lui-même, puisque la mort de Jean de Braine, survenue outre-mer, lui permettait de réunir définitivement au domaine royal le comté de Mâcon. Toutefois il n'avait pas pris personnellement part à l'expédition ; il n'avait encouru de responsabilité ni dans les échecs, ni dans les succès que l'on pouvait imputer à celle-ci. D'autres avaient acquis à cette occasion prestige et renom ; d'autres avaient servi le Christ par les armes, par la souffrance, par la captivité ou par la mort. Nul ne peut dire si l'esprit du roi de France en reçut une impression durable ; il est permis de se poser la question quand on évoque les paroles que rapporte Joinville à propos de son oncle, le sire de Brancion, qui priait Dieu « de le retirer des luttes entre chrétiens pour lui permettre de mourir à son service ». Mais, au combat de Saintes, Louis trouva en face de lui le même Richard de Cornouailles, qui sut utiliser le prestige acquis au cours de la croisade, et la reconnaissance que lui gardaient ses anciens compagnons de Terre sainte qui servaient dans l'armée du roi, pour tirer les troupes anglaises d'un mauvais pas. Certes, le roi et la reine de France avaient, en 1240, fait fête au comte de Cornouailles pendant qu'il traversait la France pour aller s'embarquer ; ils avaient pourvu à sa dépense jusqu'à ce qu'il parvînt à Lyon. Mais qu'était-ce à côté de la gloire que ce même Richard, qui allait devenir le beau-frère du roi de France, s'était acquise en Terre sainte, et des grâces qu'il y avait reçues ? Le chevalier, en saint Louis, pouvait-il rester insensible au prestige du croisé ?

Comment saint Louis a-t-il réagi face au déroulement et à l'épilogue de la « croisade des barons » ? S'est-il senti piqué d'émulation devant la renommée que s'était acquise un prince appartenant à la dynastie rivale ? Nous serions en tout cas tenté de penser que les événements de 1239-1241 restaient présents à son esprit, et qu'ils n'ont pas manqué d'influer sur la décision qu'il allait prendre trois ans après la fin de cette croisade et deux ans après sa rencontre avec le comte de Cornouailles sur les champs de bataille saintongeais.

Le vœu du roi

Les conditions dans lesquelles saint Louis décida de partir en croisade sont assez particulières pour que les historiens en aient discuté avec passion. Ce n'est, semble-t-il, ni l'état de la Terre sainte — que la « croisade des barons » laissait en meilleur point qu'elle ne l'avait été depuis 1187 —, ni l'attrait d'une indulgence qui aurait effacé les conséquences d'une faute grave commise par lui, qui semble avoir été en jeu : comme son arrière-grand-père, Louis prit la croix pour des motifs personnels, en dehors des appels périodiques lancés par la Papauté. Mais Louis VII avait à expier le massacre des habitants de Vitry-le-Brûlé dont il se sentait responsable ; la conscience de Louis IX ne paraît pas avoir été chargée de remords de ce genre.

Les circonstances nous sont connues. Louis IX était revenu
sérieusement malade de sa campagne de Saintonge, en 1242.
Il semble être resté fragile. En décembre 1244, il retomba
malade et, cette fois, très gravement. Le 14 décembre, il se
préoccupait de mettre sa conscience en règle à propos d'un
conflit avec le chapitre de Notre-Dame de Paris. Peu après, il
entrait dans un état d'inconscience qui fit craindre pour ses
jours. Des prières publiques furent ordonnées, des processions eurent lieu à Paris. On dit que Blanche de Castille fit
venir à Pontoise les reliques de la Passion pour qu'il pût les
toucher. Enfin le malade revint à lui, et c'est alors qu'il
demanda à l'évêque de Paris, Guillaume d'Auvergne, de lui
donner la croix du voyage d'outre-mer, sans que rien auparavant n'ait laissé entrevoir cette intention. Parmi les rumeurs
qui coururent, un écho recueilli par Mathieu Paris affirme
que c'était Blanche de Castille qui avait prononcé le vœu
devant le roi inconscient, pour obtenir sa guérison, Louis
ayant ensuite repris ce vœu à son compte. Mais nous préfé-
rons laisser la parole à un trouvère, dont la relation s'apparente à celle que donnerait de nos jours un journaliste :

Tout le monde doit mener joie
Et être dans l'allégresse
Le roi de France est croisé
Pour aller en cette voie
Là où ne s'emploie pas
Qui se tient écarté de tout péché.

Ne savez pas l'aventure
Pourquoi le roi s'est croisé ?
Il est loyal et entier
Et c'est prud'homme à droiture.
Tant comme son royaume dure,
Il est aimé et prisé.
Sainte vie, nette, pure
Sans péché et sans ordure
Mène le roi. Ce sachez
Qu'il n'a de mauvaiseté cure.

Il eut une maladie
Qui longuement lui dura ;
Par cette raison se croisa.
Car bien fut l'heure et demie
Qu'on croyait qu'il fut sans vie ;
D'aucuns dirent qu'il trépassa.
Dame Blanche, l'élégante,
Qui est sa mère et s'amie,
Moult durement s'écria :
« Fils, quelle dure départie ! »
Tous cuidèrent vraiment
Que le roi fut trépassé ;
Un drap sur lui fut jeté
Et pleuraient durement
Autour de lui tous ses gens.
Onques tel deuil ne fut mené.
Le comte d'Artois vraiment
Dit au roi tout doucement :
« Beau doux frère, à moi parlez
Si Jésus vous le permet »
Alors le roi soupira,
Dit : « Beau frère, doux ami,
L'évêque de Paris
Bientôt me croisera,
Car longuement a été
Outremer mon esprit,
Et ce mien corps s'en ira,
Si Dieu veut, et conquerra
La terre sur les Sarrasins.
Bien aura qui m'y aidera. »

Tous furent joyeux et en liesse,
Quand ils ouïrent le roi
Et se tirent ainsi tout coi,
Hors sa mère, au corps élancé :
Doucement l'a embrassé
[et lui dit :]

« Je vous donnerai, de deniers
Quarante charges de sommiers.
Bonnement je vous l'octroie
Pour donner aux soudoyers. »

Il n'est pas certain que la reine Blanche ait témoigné un pareil enthousiasme : Joinville nous rapporte qu'elle fut atterrée en apprenant que son fils avait pris la croix. Mais le trouvère anonyme met l'accent sur deux points qui paraissent avoir frappé l'opinion : le fait que rien, dans la conduite du roi, ne permettait de l'assimiler à l'un de ceux qui faisaient vœu de croisade pour obtenir la rémission des peines encourues par eux à la suite de graves péchés (et c'est l'occasion pour lui d'un bel éloge du roi) ; l'idée que Louis avait bénéficié, pendant le moment où son corps paraissait sans vie, d'une vision, et que cette vision l'avait emmené outre-mer.

On peut chercher d'autres mobiles à cette décision ; il n'est pas invraisemblable que le roi de France, auquel sa mère avait inculqué la primauté de ses devoirs envers son royaume, ait nourri au fond de sa pensée l'idée des autres devoirs qu'il avait à l'égard de la Terre sainte et la notion que d'autres avaient témoigné de plus de générosité que lui, en abandonnant leurs familles et leurs terres pour s'en aller combattre en pénitents au-delà de la mer. Ce qu'il avait fait en faveur des croisades de 1239 pouvait lui apparaître comme insuffisant au regard de ce qu'avaient réellement affronté les croisés.

Mais le trouvère ne traduit pas la réalité lorsqu'il parle d'un enthousiasme universel. Mathieu Paris nous rapporte comment l'entourage du roi essaya plus tard de le faire revenir sur sa décision :

« Vers le même temps, le seigneur roi de France... se vit véhémentement repris et presque acculé par les seigneurs du royaume parce qu'il se refusait à se racheter de son vœu ou à le commuer, comme ils l'invitaient à le faire. Parmi eux se trouvaient la reine Blanche et l'évêque de Paris. »

A l'évêque, Mathieu attribue l'admonestation suivante : « Quand tu as pris la croix, en émettant sans y réfléchir un vœu si difficile à accomplir, tu étais malade de corps et d'esprit... Le seigneur pape nous accordera sans peine une dispense, en tenant compte de l'état de ton royaume et de la faiblesse de ta santé. » Et de lui représenter la chrétienté déchirée par la querelle du pape et de l'empereur, et la France menacée par les dispositions hostiles du roi d'Angleterre, comme par la soumission encore toute fraîche du Languedoc et du Poitou. Quant à Blanche de Castille, elle aurait fait valoir « les devoirs du souverain et les obligations que lui impose le salut du royaume », sans oublier sa propre tendresse qui la faisait souffrir à l'idée d'une séparation — elle-même dans un âge avancé, Louis d'une santé fragile...

Pour triompher de toutes ces oppositions, Louis aurait été amené, nous dit le chroniqueur anglais, à retirer solennellement la croix qu'il portait sur son vêtement depuis décembre 1244, pour la remettre à l'évêque ; il la lui redemanda ensuite, de façon à ce qu'il fût impossible de dire qu'il avait prononcé son vœu à un moment où il n'avait pas pleine conscience de ses actes.

Quoi qu'il en soit, le vœu du roi était irrévocable ; il en avait fait part aux autres souverains comme aux chrétiens de Terre sainte. Et nous possédons la réponse de Frédéric II, lequel disait comment il avait accueilli la nouvelle du rétablissement de saint Louis, succédant à l'annonce de sa maladie, « ce qui avait transformé notre tristesse en joie et notre douleur en douceur » ; il félicitait le roi d'une décision certainement inspirée par la sagesse de la prudence divine, puisqu'elle intervenait « au moment où la méchanceté des infidèles, hélas, s'aggrave pour affliger notre foi ». Et l'empereur comparait le roi à un nouveau « champion du Seigneur ».

Derrière ces politesses de cour se révèle l'étrangeté d'une coïncidence. Comme un siècle plus tôt, lorsque Louis VII avait pris la croix, son initiative précédait celle du pape qui allait à son tour prêcher une croisade en apprenant la chute d'Edesse ; le roi Louis ne pouvait avoir encore été informé de la subite aggravation de la situation de la Terre sainte, et l'on comprend que certains de ses contemporains aient pensé à

une inspiration divine accréditant ainsi la version selon
laquelle le souverain aurait bénéficié d'une vision.

Lorsque les croisés partis en 1239 et en 1240 étaient revenus, le royaume de Jérusalem paraissait en bonne voie de
retrouver son étendue ancienne ; depuis Ascalon jusqu'à la
Cilicie, qui formait un royaume arménien, toute la côte était
aux mains des Francs, à l'exception de Lattaquié ; la visite de
Nazareth, de Jérusalem, de Bethléem était facilitée par le fait
que ces trois villes étaient aux mains des Chrétiens, encore
qu'entre Jérusalem et Jaffa ceux-ci n'aient tenu qu'un étroit
corridor. Des trêves avaient été passées avec les princes
musulmans, assurant la sécurité de ces terres pour plusieurs
années. Quant à l'Empire latin de Constantinople, consolidé
par l'intervention des croisés amenés par Baudouin II, il
jouissait lui aussi d'un moment de paix, à la faveur de la rivalité de l'Empire grec de Nicée et de celui qui s'était fondé à
Salonique ; Baudouin II avait noué de précieuses relations
avec le sultan de Turquie, au point qu'il avait demandé au roi
de permettre le mariage d'une cousine du duc de Bourgogne
avec le sultan pour renforcer cette alliance. Que ce fût en
Syrie, Palestine ou en « Romanie », un équilibre s'était réalisé dans lequel les colonies franques trouvaient leur place.

Cette situation allait être compromise par l'intervention
d'un nouveau facteur, l'apparition des Mongols dans le
Proche-Orient. Mais c'est l'anarchie régnant dans le royaume
de Jérusalem qui fut la cause immédiate d'un nouveau désastre. Frédéric II, détenteur du titre royal, avait voulu assurer
son autorité en récupérant les parties aliénées du domaine
royal et en assurant aux chevaliers Teutoniques une dotation
comparable à celle des Templiers ou des Hospitaliers. Il avait
de la sorte suscité le mécontentement d'un groupe important
de barons, et en particulier de la famille d'Ibelin, qu'il voulait
déposséder à la fois de son fief de Beyrouth et de la régence
du royaume de Chypre. Il s'ensuivit une insurrection qui
aboutit à la division des possessions latines en deux groupes.
Le bailli impérial résidait à Tyr et était obéi à Ascalon et à
Jérusalem, le prince d'Antioche — qui était en même temps
comte de Tripoli —, tout comme l'ordre de l'Hôpital, recon-

naissant au moins nominalement son autorité. Par contre, les principaux barons du royaume de Jérusalem contrôlaient Acre, qui s'était érigé en commune, et s'appuyaient sur le royaume de Chypre, d'où l'on avait chassé les partisans de Frédéric ; mais, nominalement, ils s'avouaient les vassaux de ce dernier et persistaient à solliciter de lui l'envoi d'un nouveau bailli. Sur ce, en 1243, ils s'étaient avisés que le fils que Frédéric avait eu de la reine Yolande, Conrad, avait atteint l'âge de régner ; un habile juriste, Philippe de Novare, suggéra que Frédéric était déchu *ipso facto* de la couronne et qu'en attendant la venue de Conrad, auquel on ne manquerait pas de prêter hommage, on désignerait un « seigneur du royaume ».

Le candidat était tout trouvé : il s'agissait de la reine de Chypre, Alix de Champagne, qui venait de se remarier avec l'ancien écuyer tranchant de saint Louis, Raoul de Nesle. Philippe de Montfort, autre nouveau venu, se rallia à cette solution. Et l'on s'empara de Tyr ; mais, au lieu de remettre cette ville royale à Raoul et à Alix, Philippe de Montfort y mit garnison pour mieux, disait-il, garantir les droits intangibles du roi Conrad... En fait, c'est une fédération de barons, auxquels s'adjoignaient les chefs des ordres militaires et quelques prélats, qui s'était substituée au gouvernement traditionnel du royaume. Or le moment exigeait l'adoption d'une politique suivie et prudente.

Car la Terre sainte était couverte par la trêve conclue en 1241 entre Richard de Cornouailles, d'accord avec les maîtres de l'Hôpital et de l'ordre Teutonique, et le sultan d'Égypte. Une révolution de palais avait porté sur le trône du Caire le sultan al-Salîh Aiyûb, et cet avènement n'avait pas été accepté par les sultans de Damas, de Homs et d'Alep. Ces derniers trouvèrent dans les barons d'Acre et les Templiers une oreille attentive à leurs propositions d'alliance. Aiyûb offrait de confirmer la trêve de 1241 en l'assortissant de nouvelles concessions territoriales. C'est avec ses adversaires que les Francs traitèrent, à des conditions plus avantageuses encore, sans égard à ce que le traité de 1241 restait encore en vigueur. C'est du moins ce que fit valoir Frédéric II quand il apprit le désastre qui allait s'ensuivre.

Le sultan Aiyûb fit alors venir de Haute-Mésopotamie les bandes turques chassées du Kharezm par les Mongols, les « Corasmins » des auteurs latins. Ces redoutables combattants, trop heureux de quitter les régions où ils s'étaient réfugiés et où une nouvelle avance des Mongols se dessinait, se mirent en route pour rejoindre l'Égypte. Au passage, ils emportèrent plusieurs places fortes et dévastèrent la Galilée ; arrivés devant Jérusalem, ils trouvèrent la ville évacuée, les habitants ayant préféré se réfugier dans les places de la côte ; mais une ruse de guerre les fit revenir sur leurs pas, et ils furent massacrés, tandis que les Lieux saints étaient pillés (23 août 1244).

La véritable catastrophe survint le 17 octobre : à La Forbie, près de Gaza, l'armée égyptienne renforcée des Turcs Kharezmiens mit en pièces l'armée franque et ses alliés, les Musulmans de Syrie. Les pertes furent énormes : sur 348 Templiers, 312 furent perdus ; sur 351 Hospitaliers, 325 ; sur 400 Teutoniques, 397. Le patriarche de Jérusalem évaluait à seize mille le nombre des Francs, chevaliers, sergents, et de leurs auxiliaires armés à l'orientale, les turcoples, qui avaient été tués ou capturés. Il ne restait que quelques centaines de combattants pour défendre la Syrie franque. Heureusement pour celle-ci, le sultan Aiyûb était plus pressé d'occuper Damas et d'imposer son autorité à la Syrie musulmane que de réduire les dernières places franques (Tibériade, le Mont-Thabor et Ascalon ne furent conquis qu'en 1247). Mais les chrétiens d'Orient restaient à la merci d'une offensive musulmane.

Saint Louis n'était sans doute informé que du pillage de Jérusalem au moment où il tomba malade. On a dit qu'il aurait eu une vision miraculeuse qui lui aurait révélé l'ampleur du désastre, au moment de sa prise de croix : le témoignage est sujet à caution. La lettre par laquelle les prélats de Terre sainte écrivirent à ceux de France et d'Angleterre pour leur annoncer la défaite de La Forbie date du 25 novembre 1244 : ce n'est pas avant le mois de décembre que la nouvelle avait pu parvenir en Italie, et c'est seulement le 23 janvier 1245 qu'Innocent IV écrivait au roi de Navarre pour l'inviter à repartir au secours des Chrétiens d'Orient.

De ce fait, la croisade de saint Louis allait prendre place dans une expédition de plus grande envergure. Le 3 janvier 1245, Innocent IV lançait son encyclique pour réunir un concile au cours duquel on devait envisager les moyens de mettre l'Occident à l'abri de l'invasion mongole et de remédier aux dangers que courait la Terre sainte. C'est au mois d'août, à la fin du concile, que le pape désigna un légat en lui confiant la charge de prêcher la croisade en France : il choisit un homme que le roi connaissait bien, l'ancien chancelier de l'Église de Paris qu'on appelait maître Eudes de Châteauroux et dont Innocent IV avait fait un cardinal-évêque de Tusculum. C'est avec son arrivée à Paris que commençait réellement la préparation de la croisade en tant que telle. C'est lui qui prit la parole au cours de la grande assemblée que saint Louis avait convoquée dans sa capitale à partir du 9 octobre, au cours de laquelle il fit approuver son vœu par ses barons, tandis que plusieurs prélats (les archevêques de Reims et de Bourges, les évêques de Beauvais, d'Orléans) et de nombreux seigneurs prenaient la croix. Le mouvement n'avait pas encore été général, si l'on en croit l'anecdote selon laquelle le roi imagina de faire coudre des croix sur les manteaux qu'il distribua à ses chevaliers à la Noël 1245, pour les inviter à prononcer leur vœu. Mais c'est au cours de l'assemblée d'octobre que furent prises les deux décisions caractéristiques : interdiction de toute guerre privée pendant trois ans à partir du 24 juin 1246, et moratoire des intérêts des dettes pour la même période.

On a pensé que le geste du roi avait été pour une part celui d'un homme impatient de se dégager enfin d'une tutelle un peu pesante, celle de sa mère : un historien a été jusqu'à écrire que Louis rêvait d'être « enfin seul avec sa femme ». Il semble que, pour le roi, la croisade était surtout un impératif auquel, un jour ou l'autre, un chevalier devait obéir. En 1239, il avait pu se contenter de se faire représenter par son connétable ; nous nous sommes demandé dans quelle mesure il avait pù lui apparaître par la suite que le vœu de croisade comportant une participation personnelle s'imposait à lui par-delà ses devoirs envers son royaume. La maladie, assortie ou non de la vision à laquelle nous avons fait allusion, a été le facteur qui a emporté une décision dont déjà, sans doute, il avait pesé les conséquences.

Cette croisade, qui était née dans son esprit avant que l'Occident fût informé du danger mortel que couraient ses établissements de Terre sainte, il allait en accepter toutes les obligations. Et, d'abord, le genre de vie qui devait être le sien jusqu'à l'accomplissement de son vœu. Le croisé était un pénitent : il devait s'abstenir de porter des vêtements luxueux et des armes d'apparat. Joinville affirme que c'est du jour où il prit la croix que le roi renonça aux riches vêtements et aux fourrures de grand prix : ceci correspond aux prescriptions que nous retrouvons dans les bulles pontificales fulminées à l'occasion des croisades. Et, du moment où il s'était engagé à partir pour la Terre sainte, saint Louis entamait la réforme qu'il allait s'imposer à lui-même.

CHAPITRE II

La préparation
de la croisade

C'est en décembre 1244 que Louis IX avait pris la croix. Ce n'est qu'en août 1248 qu'il mit à la voile, trois ans après que la désignation d'Eudes de Châteauroux comme légat eut donné à l'initiative royale la sanction pontificale. Trois années pendant lesquelles le roi de France consacra tous ses efforts à préparer son expédition, sans que la gravité croissante des dangers qui menaçaient la Terre sainte l'eût poussé à accélérer son départ. Ce n'est pas que le roi de France s'aveuglât sur ces périls : il envoya en Orient des hommes et de l'argent pour aider les Francs à résister aux attaques du sultan d'Égypte. Mais, à ses yeux, les préparatifs de sa propre expédition exigeaient d'être menés avec tout le soin désirable et avec une minutie qui s'explique par la difficulté de faire vivre, avec les moyens dont on disposait au XIIIe siècle, une armée nombreuse loin de ses bases, comme par le souci de ne pas laisser à l'abandon le royaume dont Dieu lui avait confié la charge.

Ces préparatifs étaient de deux ordres. Les premiers relevaient de la diplomatie : il convenait d'assurer à la croisade les plus larges concours et d'en préparer l'acheminement par des accords passés avec les princes dont on traverserait ou dont on côtoierait les territoires. Ici, saint Louis s'épargnait des difficultés par sa décision de partir de ses propres terres pour gagner directement Chypre, où il était attendu sans qu'il fût besoin de négocier son accueil — alors qu'en 1238-1239 il avait fallu préparer la voie par des pourparlers avec les rois de Sicile et de Hongrie et avec le tsar de Bulgarie. Il fallait aussi mettre le royaume à l'abri de toute aventure : la protection accordée par l'Église aux biens des croisés n'était pas toujours suffisante pour empêcher la manifestation de certaines convoitises ; et si Blanche de Castille se montrait réticente à l'égard du projet de son fils, c'est surtout parce qu'elle regardait sa présence comme indispensable à la défense de la France.

D'un autre côté, préparer l'envoi outre-mer de quelques dizaines de milliers d'hommes et de chevaux, de leur armement, de leur ravitaillement, sans oublier de prévoir un séjour qui excéderait probablement une année, exigeait la mise en œuvre d'énormes moyens, qu'il s'agît du recrutement des combattants, de la mise en place de toute une logistique, ou du financement de l'expédition. Et, pour un chrétien, le recours aux armes spirituelles ne pouvait être négligé : lui aussi entrait dans les perspectives de la préparation de la croisade.

Quand on tient compte de tout ce que représentait celle-ci, et du caractère très méthodique que saint Louis donna à son entreprise, on s'étonne qu'il puisse avoir pensé que deux années suffiraient. En fait, l'armée ne s'ébranla qu'au début de l'été 1248. Mais les ordonnances d'octobre 1245 avaient fixé au 24 juin 1246 le moment où commencerait l'application de mesures prévues pour une durée de trois ans, et c'est pour le « passage » de 1247 que le roi avait au départ retenu ses navires. On peut donc penser qu'à l'origine il envisageait de partir durant la belle saison de 1247, ayant commencé ses préparatifs au début de 1245, et qu'il entrevoyait son retour pour la fin de 1249. En fait, la préparation de la croisade à elle seule allait demander trois années, et elle ne devait être à pied d'œuvre en terre d'Égypte que dans les derniers jours du printemps de 1249.

L'ÉTAT DE L'OCCIDENT ET LA PRÉPARATION DIPLOMATIQUE

Le départ d'une croisade exigeait un certain *consensus* de la part des puissances européennes : en premier lieu, pour que les croisés bénéficiassent de tous les concours souhaitables ; en second lieu, pour que leurs biens fussent à l'abri d'attaques éventuelles de la part de leurs voisins. Une autre raison intervenait, d'ordre moral celle-là. Aux yeux des canonistes et des théologiens, une croisade ne pouvait espérer de succès que dans la mesure où la Chrétienté jouirait d'un climat de paix. En faisant taire leurs discordes, les Chrétiens pouvaient penser qu'ils se soumettaient à la volonté de Dieu et que, par là, ils bénéficieraient de sa miséricorde. Par ses origines, d'ailleurs, la croisade s'intégrait dans le grand mouvement de paix qui tendait à réaliser dans l'ensemble du monde chrétien l'ordre établi par la Providence.

La recherche de concours en dehors du royaume s'avérait difficile. Le moment n'était guère favorable. Richard de Cornouailles revenait d'une croisade qui lui avait coûté fort cher ; il lui avait fallu, pour la financer, procéder à de très larges coupes dans ses forêts. Son frère Henri III avait sacrifié des sommes considérables dans son expédition poitevine ; il n'était guère disposé à suivre son adversaire de Taillebourg et de Saintes dans sa campagne. Toutefois, le baronnage anglais avait toujours été très réceptif aux appels à la croisade. Cette fois encore, un certain nombre de seigneurs d'Angleterre allaient prendre la croix, et parmi eux le comte de Salisbury, Guillaume Longue-Épée. Henri III, désireux de ne pas laisser ses sujets se ranger sous la bannière du roi de France, désigna son demi-frère, Guy de Lusignan, pour se mettre à leur tête.

En Espagne, le roi de Castille, qui avait pris Cordoue et soumis le royaume de Murcie, était sur le point d'entreprendre le siège de Séville. Celui d'Aragon était occupé à la conquête du royaume de Valence. La *reconquista* absorbait donc toutes leurs forces, tandis que le Portugal était agité par des troubles qui allaient aboutir à la déposition du roi Sanche II, et qu'en Navarre Thibaud IV, qui avait reçu du pape un appel à repartir pour l'Orient, se gardait d'y donner suite.

C'est en Scandinavie que se trouvait le seul souverain qui parût disposé à se joindre à la croisade. Le roi de Norvège Haakon V avait pris la croix dès 1237. Peut-être l'avait-il fait pour s'assurer l'appui de la Papauté au moment où il prenait possession de son royaume dans des conditions difficiles. Eu égard à l'intention qu'il avait manifestée de partir pour l'Orient, saint Louis lui écrivit pour lui proposer toutes les facilités de relâche et d'approvisionnement dont sa flotte pourrait avoir besoin sur les côtes de France. Et il choisit pour messager un moine anglais, du monastère de Saint-Albans, qui n'était autre que le chroniqueur Mathieu Paris. Mais le roi de Norvège, sur lequel Louis espérait pouvoir compter pour lui fournir une partie des bateaux nécessaires au transport de ses propres troupes, déclina les propositions françaises. Les mœurs des Français, disait-il, différaient trop de celles des Norvégiens pour que des querelles n'éclatent pas entre les deux armées. Finalement, Haakon obtint de commuer son vœu, en substituant la lutte contre les païens qui menaçaient les pays scandinaves (en l'espèce, la croisade que le roi de Suède mena en 1248 contre les Esthoniens) à celle contre les Musulmans. D'ailleurs il semble que le principal souci du roi de Norvège ait été d'utiliser pour ses propres nécessités les deniers qui avaient été levés sur les églises de son royaume pour financer sa croisade...

Les lettres que saint Louis avait écrites à tous les princes de la Chrétienté pour les informer de son projet de croisade et les inciter à s'y joindre ne trouvèrent pas davantage d'écho en Europe orientale. En d'autres occasions, les ducs de Bohême ou les rois de Hongrie avaient pris la route de la Terre sainte. Mais, en 1241, l'invasion des Mongols avait déferlé sur la Pologne, la Silésie, la Moravie et la Hongrie ; l'armée des princes polonais, silésiens et moraves avait été écrasée à Legnica ; celle du roi de Hongrie, sur le Saho. Les Mongols avaient séjourné plusieurs mois en Hongrie, mettant le pays en coupe réglée, massacrant ou enlevant les habitants, inquiétant jusqu'à l'Autriche et à la Dalmatie. L'épreuve était trop récente pour que ces pays puissent faire autre chose que panser leurs plaies. D'ailleurs Innocent IV avait inscrit le *remedium contra Tartaros* à côté de la croisade d'Orient au programme du concile de 1245.

L'Allemagne et l'Italie, réservoirs habituels de croisés, se trouvaient aux prises avec une autre querelle, celle qui opposait la Papauté à l'empereur Frédéric II. Elle avait commencé lorsque ce dernier, ayant réuni la couronne impériale à celle du royaume de Sicile, avait entrepris de rétablir l'autorité de l'Empire en Lombardie et dans l'Italie centrale, au mépris des liens formés par la Papauté avec les villes italiennes. Le conflit s'était envenimé lorsque Frédéric avait fait roi de Sardaigne son fils naturel Enzo, bien que l'île fût inscrite en tant que possession du Saint-Siège dans la fameuse donation de Constantin. Finalement, Grégoire IX avait excommunié l'empereur en 1239, et monté contre lui une coalition dans laquelle il avait vainement essayé d'entraîner Louis IX. En contrepartie, l'armée impériale avait envahi le Patrimoine de Saint-Pierre et, en 1241, la flotte pisane avait capturé non loin de Civitavecchia les navires qui amenaient des prélats français et anglais au concile convoqué par le pape, en vue de prononcer la déposition de l'empereur. La mort du même Grégoire IX et le bref pontificat de Célestin IV avaient précédé un long interrègne, qu'avait terminé l'élection d'un noble génois qui passait pour favorable à une solution de conciliation : Innocent IV.

Louis IX avait été fort attentif à rester en dehors du conflit. Depuis le temps de Bouvines, les Capétiens avaient été en rapports courtois avec les Hohenstaufen. Tout au plus, les interventions du roi de France dans le royaume d'Arles, partie intégrante de l'Empire, avaient-elles donné de l'humeur à Frédéric II, au point qu'on avait pu craindre un conflit ouvert. Mais Louis ne s'était pas opposé à ce que certains de ses vassaux, tels le comte de Guines ou Raymond VII, se missent au service de l'empereur contre les villes rebelles. Il avait décliné l'invitation de Grégoire IX lorsque celui-ci avait offert de faire de Robert d'Artois un roi des Romains. C'est seulement la capture des évêques et des abbés français qui l'avait amené à faire des représentations énergiques, mais courtoises, à l'empereur. Il est d'ailleurs probable que la prétention du pape à déposer un souverain dont les titres héréditaires étaient incontestables et dont la culpabilité n'avait pas été prouvée en justice lui paraissait inadmissible.

Louis n'avait pas été étranger au rapprochement qui s'était opéré en mars 1244 entre l'empereur et le pape : Raymond VII de Toulouse, vassal de l'empereur et absous par le pontife de ses fautes passées, en avait été l'un des artisans, et ce avec l'accord du roi de France. Mais la rupture de la paix s'annonçait presque aussitôt, l'empereur se refusant à restituer au pape les éléments du Patrimoine qu'il occupait, et le pape s'efforçant en vain d'obtenir de Frédéric qu'il renonçât à rétablir son autorité sur les villes lombardes. Une conférence avait été prévue entre les deux parties : Innocent IV, peu confiant dans son interlocuteur, s'embarqua pour Gênes, d'où il avait l'intention de gagner le nord des Alpes (juillet 1244).

C'est à ce moment que se posa au roi de France un redoutable dilemme. Pendant qu'il assistait à Cîteaux au chapitre général de l'ordre cistercien, Louis reçut des envoyés du pape, qui lui rappelait que son prédécesseur Alexandre III, quand il avait été en lutte avec Frédéric Barberousse, avait trouvé asile à Sens : Innocent IV demandait au roi de renouveler le geste de son bisaïeul et exprimait l'intention d'aller s'installer à Reims. Mathieu Paris a décrit la scène au cours de laquelle les abbés présents s'agenouillèrent devant le roi pour lui demander d'accepter la requête du pape ; Louis, s'agenouillant à son tour, répondit qu'il devait prendre conseil de ses barons. Ceux-ci déconseillèrent au roi d'accéder à cette requête, et Louis le fit savoir au pape. Néanmoins celui-ci pensait pouvoir escompter la protection du roi (une lettre qui aurait été écrite par ce dernier aux cardinaux avant son élection le disait à demi-mot) et il prit le parti de s'installer à Lyon, grâce à l'aide du comte de Savoie et de son frère,

Philippe, dont il allait faire l'archevêque de la ville. Lyon était terre d'Empire, seigneurie archiépiscopale ; mais le roi de France aurait-il pu se dispenser d'intervenir si l'empereur marchait sur la ville ? Il y eut d'ailleurs, nous dit-on, un moment d'inquiétude dans l'entourage pontifical : le bruit de la mort du roi de France parvint à Lyon au moment où Innocent IV venait de s'y établir, en décembre 1244, et le pape aurait eu la crainte d'avoir perdu la protection sur laquelle il comptait.

Mais le vœu de croisade que le roi prononçait à ce moment même compliquait la situation. Frédéric avait reçu à l'automne de 1244 — avant les malheurs qui avaient affligé la Terre sainte — la visite du patriarche d'Antioche, lequel était chargé d'un message du prince Bohémond V d'Antioche. Celui-ci venait de recevoir un ultimatum émanant du commandant de l'armée mongole stationnée dans le Caucase, le *noyan* Baidjou, lequel venait d'écraser l'armée du sultan de Turquie et d'obtenir la soumission du roi d'Arménie, de l'empereur grec de Nicée, des sultans et des émirs musulmans de Haute-Mésopotamie. Le prince d'Antioche était sommé de faire acte de vassalité, de démanteler ses forteresses et de payer tribut : il sollicitait l'aide des souverains occidentaux, sachant que sans elle il ne lui serait pas possible de résister aux Mongols.

Frédéric II avait tout de suite vu le parti qu'il pourrait tirer de cet appel. Il écrivit à tous les princes d'Occident pour leur communiquer sa teneur et pour les presser de réaliser l'unité de la Chrétienté, en vue de parer au danger qui se manifestait en Orient après avoir durement éprouvé l'Europe centrale. C'est le patriarche lui-même et le maître de l'ordre Teutonique qu'il avait envoyés au pape pour lui porter des propositions d'accord. Et Innocent IV reprit le double thème de la défense contre les Tartares et de l'assistance à la Terre sainte lorsqu'il lança, au début de janvier 1245, les convocations pour un concile général. Celui-ci allait se tenir à Lyon en juin et juillet 1245.

En fait, chez le pape comme chez l'empereur, le souci très réel, et particulièrement chez le premier, des intérêts des Chrétiens d'Orient se doublait d'une opération de propagande. Frédéric était bien décidé à ne rien sacrifier de son grand rêve : la construction d'un royaume d'Italie unifié sous son sceptre et transmis héréditairement dans sa lignée. Innocent IV ne pouvait envisager d'abandonner la ligue des villes lombardes, alliée traditionnelle de la Papauté, ni de sacrifier le Patrimoine de Saint-Pierre, caution de la « liberté de l'Église ». Le concile de Lyon devait montrer combien les deux positions étaient inconciliables.

Le pape n'avait pas attendu la réunion du concile pour s'adresser directement aux Mongols en leur proposant un pacte de non-agression. En ce qui concerne la croisade, c'est le concile qui décida qu'on lèverait dans toute la chrétienté le vingtième des revenus ecclésiastiques en vue de son financement, et qui remit en vigueur le décret du IV\e concile du Latran (1215) concernant les mesures à prendre en faveur de l'expédition — on mit, cette fois, tout particulièrement l'accent sur l'interdiction faite aux croisés de gaspiller leur argent en dépenses de luxe ou de prestige, et sur la prohibition des tournois.

Mais les débats tournèrent surtout autour de la querelle de la Papauté et de l'Empire. Frédéric fut accusé de crimes contre la foi et la morale chrétienne, de collusion avec les Sarrasins, d'abus de toute sorte et de violations des serments prêtés. Son ambassadeur, Thaddéc de Suessa, fit en vain valoir que son maître désirait se consacrer à la défense de la Chrétienté contre les Mongols, les Sarrasins et les Grecs ; il promit en son nom de réparer tous les préjudices commis à l'encontre de l'Église de Rome. Rien n'y fit : le 17 juillet, le pape condamnait Frédéric, le déposait de son trône et de toutes ses dignités, et déliait ses sujets de leur serment de fidélité.

Pour Louis IX, comme pour son cousin Ferdinand de Castille, lui aussi attaché à la lutte contre les Infidèles et très désireux de faciliter un rapprochement entre les deux chefs du monde chrétien, la sentence portée contre l'empereur allait à l'encontre du but qu'ils poursuivaient. Le roi de France n'en chercha pas moins à promouvoir ce rapprochement. Il se rendit à Cluny, en novembre 1245, avec sa mère, sa sœur Isabelle, Robert d'Artois et de nombreux chevaliers et barons, pour y rencontrer le pape. Il eut avec lui des conférences secrètes qui, si nous en croyons Mathieu Paris, manquèrent leur but en ce que le pape refusa de revenir sur sa décision. C'est alors, cependant, que le roi obtint pour son plus jeune frère la main de Béatrix de Provence, grâce aux dispenses que le pontife leur accorda. L'atmosphère fut donc moins orageuse que le chroniqueur ne le laisse entendre ; mais la réconciliation espérée restait lointaine.

Plus grave encore pour l'avenir de la croisade : le pape n'hésitait pas à enrichir de l'indulgence destinée aux croisés la participation à la lutte que, successivement, Henri Raspe, landgrave de Thuringe, puis Guillaume, comte de Hollande, élus rois en Allemagne, menaient contre les partisans de Frédéric ; il l'accordait aussi aux seigneurs et aux villes de la Campagne romaine pour obtenir leur concours contre l'armée de l'empereur qui opérait dans le duché de Spolète. Cependant, Innocent IV croyait discerner la main de Frédéric dans la ligue que les grands barons français formaient en 1246 pour dénoncer les abus de la juridiction ecclésiastique, ligue à laquelle le roi de France paraît avoir accordé un appui discret. Louis avait encore essayé au printemps de 1247 de trouver un terrain d'entente entre les deux adversaires : Frédéric, cette fois, laissa entendre qu'il était prêt à partir immédiatement pour la Terre sainte et à y finir ses jours, en laissant ses États à son fils Conrad. Innocent IV resta sur ses positions et, nous dit-on, le roi de France manifesta quelque indignation de le trouver si intransigeant.

Mais, comme Frédéric entreprenait, après avoir renforcé sa position dans le royaume d'Arles, de marcher sur Lyon, Louis fit savoir qu'il ne laisserait pas l'armée impériale menacer le pape. Il est donc inexact de le présenter, ainsi que le fait volontiers le chroniqueur anglais, comme acquis aux thèses impériales. La chute de Parme (juin 1247) qui rappela l'empereur en Lombardie, fit s'évanouir le danger d'un conflit entre France et Empire. Mais, lorsque Louis IX se mit en route pour l'Orient, tous ses efforts pour réconcilier les deux adversaires avaient échoué.

Le plus grave, pour la réalisation de la croisade, tenait à ce que le pape lui-même favorisait la dispersion des efforts de ceux qui auraient pu y participer. Au moment où le roi de France allait combattre les Sarrasins, des croisés rhénans et hollandais se mettaient au service de Guillaume de Hollande, et le légat Eudes de Châteauroux, qui avait mission de prêcher la croisade pour la défense de la Terre sainte en France, dans les îles britanniques, en Scandinavie et dans l'Europe orientale, s'était vu enjoindre de la prêcher en Allemagne contre Frédéric II. Et Mathieu Paris, fort hostile à Innocent IV, n'hésite pas à faire porter à celui-ci une part de la responsabilité de l'échec de la croisade du roi de France.

Néanmoins saint Louis était parvenu à conserver de bonnes relations avec les deux adversaires. Frédéric ne pouvait que lui savoir gré d'avoir œuvré avec tant de persévérance pour favoriser un rapprochement dont il avait grand besoin. Innocent pouvait compter sur lui pour être à l'abri d'un coup de main tenté sur Lyon par les partisans de l'empereur. Aussi l'un et l'autre lui accordaient-ils des facilités pour son grand projet, et tous deux rivalisaient de louanges pour son zèle à défendre la Chrétienté. Le pape lui avait donné Eudes de Châteauroux pour le seconder dans la tâche de recrutement des combattants et de collecte des finances, dont les églises devaient faire le plus gros des frais. Frédéric accordait toutes les licences d'exportation désirables pour que l'on pût se procurer à Bari, à Barletta, à Brindisi ou à Otrante les cargaisons de blé indispensables, à partir du 1er mars 1248, et il ordonnait à ses officiers de faciliter aux gens du roi de France l'achat de chevaux, d'armes ou de navires à des prix normaux, tout en concédant des sauf-conduits à ceux qui voudraient s'embarquer dans les ports de son royaume.

Cependant les historiens musulmans nous apprennent que le même Frédéric, peut-être pour éviter de compromettre les bonnes relations qu'il avait su nouer avec le sultan d'Égypte, envoyait des messagers à ce dernier pour le tenir au courant des intentions du roi de France...

Le conflit entre le pape et l'empereur avait donc rendu considérablement plus difficile l'œuvre diplomatique du roi de France et, pratiquement, privé celui-ci des concours qu'il aurait pu attendre d'autres souverains. On peut toutefois créditer cette œuvre diplomatique d'avoir réussi à maintenir une neutralité dont, en fin de compte, la croisade avait besoin pour pouvoir se réaliser.

L'autre face de cette préparation diplomatique est constituée par les négociations qui tendaient à mettre le royaume à l'abri d'une aventure pendant l'absence du roi. Malgré l'échec de ses opérations de 1242, Henri III d'Angleterre pouvait être tenté de mettre à profit le départ du Capétien pour essayer à nouveau de récupérer l'héritage des Plantagenêts ; puisqu'il considérait que celui-ci lui avait été indûment enlevé, il aurait pu ne pas se laisser arrêter par les peines spirituelles dont la Papauté menaçait ceux qui s'en prenaient aux biens des croisés. Or les trêves conclues en mars 1243, après la bataille de Saintes et la campagne d'hiver de Henri III, devaient durer cinq ans : elles expiraient en 1248. Louis IX ne put obtenir leur prolongation : si l'on en croit Mathieu Paris, le roi d'Angleterre tenait à laisser suspendue la menace de reprendre la guerre de façon à avoir un prétexte pour demander des aides à ses sujets. Mais il semble aussi que le Plantagenêt ait songé à tirer parti de ce que le roi de France tenait à se mettre en règle avec sa conscience pour l'inquiéter sur la légitimité de sa possession des fiefs saisis sur Jean sans Terre et dont Louis VIII, lors du traité de Londres de 1216, avait promis la restitution. En octobre 1247, Richard de Cornouailles serait venu trouver le roi de France pour lui demander, au nom de son frère, la restitution de l'Anjou, du Poitou et de la Normandie, et cette demande aurait également été présentée au roi de la part de Conrad, fils de Frédéric II. Mathieu Paris, dont les informations sont plus d'une fois sujettes à caution, affirme que Louis IX prit conseil des évêques et des barons de Normandie, et se borna à répondre que c'était là une question trop importante pour qu'on pût la résoudre dans la hâte. Mais en définitive, quand le roi se mit en route, pour l'Orient, rien n'était résolu et c'est seulement pour une courte période que Simon de Montfort, qui représentait Henri III en Gascogne, accepta de prolonger les trêves. Toutefois, la présence d'un contingent anglais à la croisade pouvait rassurer le roi capétien sur les intentions de son beau-frère d'Angleterre.

Du côté de l'Aragon, dont le roi avait donné un appui au moins moral aux révoltés de 1242, d'autres revendications étaient possibles. Nous savons, par une lettre du roi de France à son sénéchal de Carcassonne, que Raymond VII de Toulouse se rendit en 1247 auprès de Jacques Ier avec l'accord de saint Louis, sans doute pour s'assurer des bonnes intentions de l'Aragonais, et peut-être pour jeter les bases d'une négociation qui serait poursuivie plus tard.

Au moment où saint Louis relevait de maladie, on lui apprit la mort de la comtesse Jeanne de Flandre ; la sœur de celle-ci, Marguerite, se rendit aussitôt à Paris, et le conseil du roi ainsi que la reine Blanche l'admirent à payer le droit de rachat et à se mettre en possession de la partie française de l'héritage. Mais la nouvelle comtesse de Flandre et de Hainaut se trouvait dans une situation délicate : elle avait eu d'un premier mariage, qui avait été cassé en 1222, deux fils que lui avait donnés Bouchard d'Avesnes. D'un second mariage, avec Guillaume de Dampierre, elle en avait eu trois autres. L'aîné des enfants du premier lit, Jean d'Avesnes, ayant épousé la sœur du comte de Hollande, ses demi-frères lui intentèrent un procès devant la cour de Rome pour que les deux fils de Bouchard, lequel avait reçu les ordres mineurs et même le sous-diaconat avant son mariage, fussent déclarés illégitimes et inaptes à succéder à leur mère. Il s'ensuivit un conflit armé ; et c'est le roi de France et le légat Eudes de Châteauroux qui furent chargés d'un arbitrage qu'ils rendirent en juillet 1246, attribuant le Hainaut à Jean d'Avesnes et la Flandre à Guillaume de Dampierre, lequel fit hommage au roi dès la fin de 1246. De ce côté aussi, saint Louis pouvait espérer avoir assuré la paix jusqu'à la fin de son expédition.

Cette activité diplomatique avait amené le roi de France à intervenir plus que de coutume dans les affaires de l'Empire et de la Papauté, et à entrer en relation avec la plupart des souverains européens. Elle avait obtenu des résultats réels en ce qui concernait la paix du royaume et la préparation de la croisade. Mais elle s'était située dans un contexte particulièrement défavorable, du fait de l'aggravation du conflit entre Frédéric II et Innocent IV. Louis n'avait pas réussi à faire de la croisade l'affaire de la Chrétienté toute entière. A la réserve d'une petite armée venue d'Angleterre, c'est le royaume de France qui allait fournir presque tout l'effort militaire et la plus grande partie de l'effort financier de la croisade. Malgré le roi, la septième croisade devait n'être que la croisade de saint Louis.

PRÉOCCUPATIONS MORALES ET EFFICACITÉ TEMPORELLE

Parallèlement aux efforts déployés par le roi de France pour assurer, sur le plan extérieur, la réalisation de la croisade dans les meilleures conditions, se déroulait toute une activité destinée à assurer la mise sur pied d'une armée, son transport, son ravitaillement et le financement d'une campagne dont on ne pouvait prévoir la durée. Mais cet aspect de la préparation n'était pas le seul : la croisade, en effet, ne se situait pas seulement au plan matériel. Elle devait être une expédition de pénitents : pour bénéficier des indulgences attachées à la participation à cette expédition, les croisés devaient satisfaire aux exigences de la confession : l'aveu de leurs fautes à un prêtre et la réparation des dommages causés à autrui, la croisade tenant lieu de la pénitence imposée par le confesseur au pénitent. En outre, eu égard aux périls du voyage et aux dangers des combats, ceux qui allaient partir tenaient à s'assurer de secours spirituels, c'est-à-dire essentiellement des prières d'une ou plusieurs communautés religieuses.

Pour le roi de France, comme pour les croisés de moindre rang, il importait donc, d'une part, de demander des prières ; d'autre part, de restituer les biens mal acquis ou de réparer les dommages supportés de son fait par les autres. En septem-

bre 1245, le chapitre général de Cîteaux se réunissait. Le
légat, Eudes de Châteauroux, sollicitait et obtenait des abbés
cisterciens la récitation à l'intention du pape et du roi qui
venait de prendre la croix, du psaume *Deus, venerunt gentes*
suivi d'un *Kyrie*, d'un *Pater* et d'autres oraisons, toutes les
fois où dans leurs abbayes on célébrerait la messe conventuelle ; les abbayes situées dans le royaume de France
devaient y ajouter l'invocation *Domine, salvum fac regem.* A
leur tour, les Dominicains, réunis en chapitre général à Paris,
promettaient au roi les prières de tous leurs couvents, et faisaient célébrer plusieurs messes à l'intention de son voyage.
Et l'on pourrait multiplier les exemples.

S'étant ainsi assuré du soutien des hommes de prière et de
leur intercession auprès de Dieu, le roi entreprit de réparer
les injustices dont il bénéficiait, qu'elles eussent été commises
par ses prédécesseurs ou par lui-même, ou par ses officiers.
Dans cette intention, il mit sur pied une vaste enquête qui
devait se dérouler dans tout le royaume. La technique de
l'enquête était déjà bien établie (ainsi voit-on en 1234 le trésor royal rétribuer deux enquêteurs envoyés à Langres, ou
bien payer vingt-quatre livres à maître Eudes de Saint-Denis
et à sire Jacquelin d'Ardenne qui allaient en Auvergne pour
mener une enquête) ; mais, cette fois, les équipes de deux
enquêteurs n'étaient plus constituées par un clerc et un chevalier, selon l'usage, mais par des Dominicains ou des Franciscains : c'est à peine si on relève parmi eux la présence de
deux clercs séculiers. Confier les enquêtes à des religieux
mendiants était une procédure inhabituelle, qui soulignait le
caractère exceptionnel de cette vaste information.

Les résultats ne nous sont connus que de manière fragmen-
taire. L'enquête devait révéler bien des actes arbitraires commis à l'occasion des guerres précédentes : Philippe-Auguste,
par exemple, avait enlevé aux moines de La Trappe la forêt
qui leur fournissait leur bois d'œuvre et de chauffage, et sup-
primé la livraison annuelle de cinq mille harengs qu'assurait
au temps des Plantagenêts le prévôt de Pont-Audemer ; il leur
avait aussi confisqué une grange parce qu'elle avait été donnée en gage à un bailli du roi d'Angleterre. Les moines des

Châtelliers se plaignaient des agissements du sénéchal de Poitou, dont les hommes avaient saccagé leurs exploitations viticoles voisines de la Rochelle en 1242. Ceux de Notre-Dame du Pin dénonçaient la saisie d'un de leurs celliers par le bailli de La Rochelle, celui-ci prétendant les punir d'avoir racheté ce cellier du pillage en payant une rançon à des corsaires venus du duché de Guyenne.

En Languedoc, les plaintes étaient particulièrement nombreuses : les nobles, et surtout les veuves et les orphelins, évoquaient les confiscations abusives et les actes arbitraires commis par les officiers du roi. Ailleurs, ce sont les malversations et les injustices des mêmes officiers, prévôts, sergents ou forestiers, que dénonçaient souvent de petites gens. On a vu que le roi d'Angleterre avait profité de cette occasion pour demander la réparation des torts que lui avaient infligés les rois de France en s'emparant de son héritage. Ainsi l'ensemble des plaintes prenait-il un caractère impressionnant : c'est tout l'envers des progrès de la puissance royale et de l'administration monarchique qui se trouvait mis à nu.

On connaît dans certains cas — quand il s'agit d'églises qui tenaient en ordre leurs archives — la suite qui fut donnée à ces réclamations, sous forme de restitutions ou de dédommagements. Mais une autre conséquence a été mise en évidence par William C. Jordan : c'est le mouvement administratif qui suivit l'enquête. Rien qu'en ce qui concerne les bailliages, dont le nombre n'excédait pas alors dix-sept ou dix-huit, vingt changements de titulaires intervinrent en 1247-1249, chiffre sans commune mesure avec la moyenne des mutations des années précédentes. Tout se passe comme si le roi avait enlevé leurs charges aux officiers compromis, concussionnaires, ou simplement coupables d'abus de pouvoir, et les avait remplacés par d'autres ; les uns avaient été déplacés, les autres révoqués en laissant leur place à des hommes qui jusque-là occupaient des postes inférieurs. Quant aux prévôts et autres agents du roi (dont beaucoup, il est vrai, n'étaient que des fermiers des revenus royaux), ils firent l'objet de multiples sanctions. Les enquêteurs avaient aussi dans leur compétence la connaissance des prêts usuraires ; beaucoup de ceux-ci furent mis en lumière, et ce fut l'occasion de faire rendre gorge aux prêteurs juifs. Les gages saisis sur ceux-ci devaient être restitués aux emprunteurs ; une décision pontificale autorisait le roi à affecter le prix de ceux qui n'avaient pu être rendus au financement de la croisade.

C'est ici que se dessine une autre perspective. La grande enquête de 1247 tendait à mettre en paix la conscience du roi ; elle débouchait sur une remise en ordre de l'administration. Les changements de titulaires avaient pour conséquence la substitution à des administrateurs trop enracinés dans leurs circonscriptions d'hommes venus de l'extérieur, plus jeunes et plus zélés. A côté des restitutions dont bénéficiaient les personnes liées par des décisions injustes ou arbitraires, des amendes et d'autres profits casuels venaient enrichir les caisses royales. Derrière le souci du pénitent attentif à réparer les torts faits se devinent les préoccupations du chef d'État aux prises avec la nécessité de financer une énorme entreprise et, par voie de conséquence, soucieux de l'efficacité des rouages de son administration.

Il fallait réunir l'armée la plus nombreuse possible. Or la levée d'une croisade ne pouvait pas s'opérer purement et simplement en adoptant les modalités de la convocation de l'ost royal ; les fieffés n'étaient tenus à suivre le roi que pendant un temps limité et pour la défense du royaume. La durée de la croisade ne pouvait être fixée d'avance et le vœu était personnel : ce sont des volontaires seuls qui devaient constituer l'armée emmenée par le roi et par le légat.

En réalité, cette armée ressemblait beaucoup à l'ost royal. Dans celui-ci, les vassaux ne servant en vertu du contrat de fief que pour un temps limité, le roi et les grands barons qui amenaient leurs propres contingents étaient obligés de prendre à leur charge une part plus ou moins importante de l'entretien de ces hommes, auxquels s'ajoutaient des hommes d'armes, chevaliers ou écuyers, des arbalétriers, des sergents qui servaient moyennant une paye. On voit figurer parmi ceux qui ont pris la croix presque tous les grands barons du royaume : Raymond VII de Toulouse, qui se décide enfin à partir, et avec lui d'autres ex-rebelles languedociens, Olivier de Termes ou Raymond Trencavel ; Pierre Mauclerc, qu'on continue à appeler « le bon comte de Bretagne » bien que son fils lui ait succédé dans son comté ; Hugues de la Marche et son fils, le comte d'Angoulême ; le nouveau comte de Flandre Guillaume de Dampierre ; le comte de Saint-Pol, Hugues de Châtillon ; le duc de Bourgogne Hugues IV. Deux des frères du roi, Robert et Charles, partent en même temps que lui ; le troisième, Alphonse, rejoint un peu plus tard. Les comtes de Boulogne, de Montfort, de Vendôme, de Soissons, le sire de Bourbon et Humbert de Beaujeu, qui a succédé dans la connétablie à Amaury de Montfort, se sont croisés eux aussi. Le comte de Champagne est absent, mais son sénéchal Jean de Joinville et trente-cinq chevaliers bannerets du comté de Champagne sont présents dans l'armée. Les prélats sont nombreux, eux aussi, à la tête de leurs contingents ; tel, entre autres, l'évêque de Soissons.

Certains participants viennent d'en dehors des limites du royaume. Ainsi le comte de Sarrebruck, cousin de Joinville ; un baron écossais, Richard Giffard ; quelques Norvégiens qui sont partis sans attendre leur roi. Mais leur nombre est faible au regard de celui des Français : ce sont ceux qui, habituellement, amènent leurs hommes à l'ost royal que l'on retrouve dans l'armée de la croisade, à la tête de contingents constitués de vassaux qui, tout naturellement, suivent leur seigneur et comptent sur lui pour leur entretien. Joinville, par exemple, qui a mis ses biens en gage pour financer son expédition, nous dit qu'il a emmené à ses frais dix chevaliers, dont trois bannerets : il n'a pu satisfaire à leur paiement que pendant un certain temps, et il a compté, à un moment donné, dans la « retenue » de Pierre de Courtenay, en attendant que le roi lui-même le retienne à son service. Les croisés qui ont cherché à entretenir leur contingent sur leur propre bourse n'ont pas toujours pu y parvenir, et il a fallu que le roi, ou quelque grand baron, vienne à leur aide.

L'effectif total de l'armée a fait l'objet de diverses évaluations. On s'accorde sur un chiffre voisin de 2 500 à 2 800 chevaliers, les écuyers et valets d'armes comptant à peu près pour le double. Les fantassins peuvent avoir été au nombre d'une dizaine de milliers, les arbalétriers ne dépassant pas celui de 5 000. Soit un total qui pourrait approcher vingt-cinq mille hommes et sept ou huit mille chevaux. Il fallait compter 160 livres tournois pour la solde annuelle d'un chevalier, 80 pour celle d'un arbalétrier. Mais Alphonse de Poitiers, qui recruta son contingent lorsque le roi avait déjà engagé les combattants disponibles fut contraint d'offrir une paye plus élevée.

Si le roi était déchargé de l'obligation de payer les contingents qu'amenaient les grands barons, il n'en fut pas moins obligé d'aider de sa bourse ceux d'entre eux qui se trouvaient gênés : on sait que la reine Blanche prêta 20 000 livres tournois à Raymond VII, dont 5 000 comptant. Guillaume de Dampierre en reçut autant.

La mort devait prévenir certains des croisés, et en particulier Raymond de Toulouse, qui mourut au moment de s'embarquer. Son contingent se dispersa, mais le comte de Toulouse avait inscrit dans son testament l'obligation pour ses héritiers d'envoyer à leurs frais cinquante chevaliers en Terre sainte. Ce chiffre était certainement inférieur à celui des hommes qui devaient initialement suivre le comte. Mais il donne une idée de ce qu'étaient les contingents baronniaux.

L'armée devait prendre la voie de mer : depuis la pénible traversée de l'Asie Mineure par Frédéric Barberousse au temps de la troisième croisade, aucune des croisades n'avait plus adopté, pour gagner la Syrie, la longue route de terre, que l'effondrement de l'Empire byzantin rendait impraticable. Mais ceci signifiait qu'il fallait rassembler une flotte de transport assez importante pour transporter les hommes et les chevaux. Il n'était guère besoin de navires d'escorte, la flotte du sultan d'Égypte se bornant à appuyer les opérations de son armée de terre et à surveiller les abords des côtes ; toutefois les galères génoises, pisanes ou vénitiennes ne manqueraient pas d'assurer la sécurité des convois et, par la suite, des troupes débarquées. Mais le tonnage nécessaire dépassait celui des navires disponibles ; le décret conciliaire avait étendu le bénéfice des indulgences à ceux qui fourniraient leurs bateaux et à ceux qui en feraient construire pour les mettre à la disposition des croisés. Joinville et son cousin de Sarrebruck louèrent un navire à frais communs pour transporter leurs vingt chevaliers ; le comte de Saint-Pol fit construire une nef à Inverness en Écosse ; Raymond VII en avait commandé une autre à un chantier anglais...

Quant à saint Louis, il avait traité dès 1246 avec Gênes et avec Marseille, retenant seize navires aux Génois et vingt aux Marseillais pour le milieu de 1247. Deux Génois, Ugo Lercaro et Jacopo de Levanto, traitèrent avec lui et reçurent le titre d'amiraux de la flotte du roi ; ils furent les premiers à porter en France ce titre qui avait été inauguré dans le royaume de Sicile. En fait, ces deux marchands avaient constitué entre eux une société, pour acheter ou faire construire des « tarides » et des « chelandres » destinées à la flotte royale ; le roi leur mandait d'acheter l'équipement nécessaire à celle-ci et aussi des objets d'armement (ainsi, en octobre 1247, leur ordonnait-il d'acheter pour cinq ou six cents livres de carreaux d'arbalètes et de les charger à Gênes sur les navires qu'il avait affrétés). Ils se faisaient rembourser sur le trésor royal, par l'intermédiaire de banquiers de Plaisance qui leur viraient ensuite les sommes à Gênes. Les navires devaient être pourvus des provisions nécessaires pour toute la durée de la traversée, qui avait été prévue très largement.

Cependant d'autres dépenses devaient être engagées pour cette flotte de transport. En 1248, saint Louis débitait environ onze mille livres pour les navires, pour l'acheminement des vivres et du vin, pour l'achat de cordages, de voiles, d'antennes, d'étoupe, de gouvernails, ainsi que pour le salaire des marins. Et les comptes d'Alphonse de Poitiers font état pour la même année de la venue à la cour de celui-ci de trois maîtres mariniers, du chargement et de l'envoi de navires à Aigues-Mortes, etc. Le roi et son frère ne s'en étaient donc pas entièrement remis à des armateurs, comme l'avaient fait Philippe-Auguste pour Gênes, en 1189, et Villehardouin pour Venise, en 1202, du soin de fournir et d'approvisionner les navires.

Le fait nouveau, c'est que saint Louis avait décidé de réu-

nir son armée et les navires où elle devait s'embarquer dans
un port du royaume, alors que les croisades précédentes
étaient parties soit de Marseille, soit de Gênes, de Venise, de
Messine ou des Pouilles. Certains textes font état de ce qu'en
1239 des éléments de la croisade des barons s'étaient déjà
embarqués à Aigues-Mortes ; et il est assuré que les travaux
de construction de la ville et du port avaient commencé bien
avant que le roi ne décidât de partir en croisade ; le creuse-
ment du Grau-du-Roi, qui mettait la lagune en communi-
cation directe avec la mer, les plans de la ville, avec sa
vaste enceinte et son dessin géométrique, sont antérieurs
à cette date. Mais, en prévision du départ de la croisade,
les travaux furent poussés très activement : c'est alors
qu'on édifia une grosse tour, la tour Constance, pour
servir de résidence au roi, alors que l'enceinte restait
pour une bonne part construite en matériaux provi-
soires.

Le choix d'Aigues-Mortes avait des défauts : la construction de la ville avait été hâtive, le port n'offrait pas les mêmes
facilités que Marseille, Gênes ou Montpellier. Mais tout pouvait y être consacré à l'équipement, au chargement et aux
réparations des navires utilisés pour la croisade, dont
Aigues-Mortes constituait vraiment l'arsenal. Cependant le
coût de la réalisation de cet arsenal venait s'ajouter aux
autres dépenses de l'expédition, avant que celle-ci eût pris la
mer.

Pour le ravitaillement de l'armée, les agents du roi procédè-
rent à d'énormes achats. On a vu que Frédéric II leur avait
ouvert les marchés de l'Italie du Sud et de la Sicile ; ils utilisè-
rent certainement aussi d'autres sources d'approvisionnement. Tout le monde connaît la fameuse description qu'a laissée Joinville des collines qui se révélèrent être les immenses tas
de grains constitués près de Limassol par les blés acheminés
par les soins des agents du roi, et dont la surface, en raison
des pluies, s'était couverte d'une végétation qui faisait croire
à des tertres naturels semés en blé. Les tonneaux de vin et de
salaisons formaient eux aussi des entassements spectacu-
laires. Au témoignage de Joinville, l'achat de ces approvision-

nements et leur transport dans l'île de Chypre avaient commencé dès 1246.

Pour financer ces achats, la solde des troupes, la location
des navires, les travaux d'Aigues-Mortes, Louis ne paraît pas
avoir eu recours à la levée d'une « aide » sur ses sujets, comparable à celles qu'en leur temps Louis VII et Philippe-
Auguste avaient demandées aux leurs. Il est vrai que la
« dîme saladine » instituée par le roi Philippe avait laissé de
mauvais souvenirs ; et que la prise de croix de la plupart des
grands barons aurait beaucoup réduit le nombre des contribuables.

Le roi ne pouvait envisager d'affronter ces dépenses en
recourant à ses propres ressources. Alors que la croisade
allait entraîner des dépenses de l'ordre d'un million et demi
de livres — excédant d'ailleurs de loin ce qu'avaient pu être
les prévisions initiales —, la royauté disposait bon an mal an
de quelques 250 000 livres, en grande partie affectées à des
dépenses incompressibles. Certes, le roi s'efforça de réduire
son train de vie et de prélever sur ses recettes ordinaires
autant d'argent qu'il put ; le poids des amendes frappant les
délinquants, le montant de l'affermage des droits royaux
paraissent avoir été alourdis pour répondre à ces besoins
exceptionnels. On recourut à des expédients : confiscations
sur les juifs ; cession aux églises, moyennant finance, du droit
d'élire les prélats ; on réduisit les dépenses occasionnées par
les fondations religieuses (la construction de Royaumont et
de la Sainte-Chapelle avait coûté fort cher). Mais tout ceci ne
pouvait suffire, et l'essentiel des ressources extraordinaires
allait être demandé à deux catégories de contribuables : les
bourgeois des villes et les ecclésiastiques.

Le recours aux villes était, de la part du roi comme des
barons, un moyen habituel de se procurer de l'argent dans
des circonstances exceptionnelles ; la richesse mobilière des
bourgeois leur permettait de se cotiser pour répondre aux sollicitations pressantes dont la ville était collectivement l'objet,
que ce fût sous forme d'une demande de contribution ou sous
forme d'emprunt, celui-ci étant bien souvent à fonds perdus.
Saint Louis fit, selon l'usage, pressentir chacune des villes du

domaine, grandes ou petites, et il obtint de chacune une somme plus ou moins importante : Paris donna 10 000 livres parisis, Amiens et Noyon 1 500, tandis que la petite bourgade sénonaise de Rigny-le-Ferron en était quitte pour trois livres. Peut-être le nord de la France fut-il seul à être mis à contribution. Mais, au total, les dons et emprunts forcés provenant des villes firent entrer dans les caisses du roi près d'un quart de million de livres en 1248.

Quant aux ecclésiastiques, le décret du concile de Lyon, qui reprenait des dispositions antérieures, les assujettissait au versement d'une taxe proportionnelle au revenu de leurs bénéfices : les cardinaux devaient payer le dixième de leur revenu ; les évêques, les chapitres, les communautés religieuses, les curés et les autres bénéficiers, le vingtième. Cette taxe était établie pour trois ans et frappait l'Église universelle. Mais la royauté française, estimant qu'il s'agissait d'une « aide », obtint de l'Église de France que la taxe fût portée du vingtième au dixième. Ceci n'allait pas sans susciter des résistances et des contestations : aussi désigna-t-on des commissaires spéciaux qui, tel Guillaume Desréé dans le bailliage de Mâcon ou Simon de Villers à Tournai, s'efforçaient d'amener les ecclésiastiques à accepter de payer la somme demandée.

Certaines communautés ou congrégations se réclamaient d'une exemption générale de toute contribution : ce fut le cas de l'ordre cistercien. Louis IX, nous le savons, mettait à très haut prix les secours spirituels qu'il pouvait attendre des moines de l'ordre de Cîteaux, et il leur accorda l'exemption demandée. Les évêques du Languedoc, à la suite de l'archevêque de Narbonne, se réfugièrent derrière l'absence de toute coutume en la matière et entamèrent de longs débats. L'abbaye de Cluny elle-même fit des difficultés, d'autant plus que le duc de Bourgogne réclamait de celle-ci la part des décimes correspondant aux domaines clunisiens situés dans son ressort. Car les grands barons qui avaient pris la croix recevaient du pape le droit de se faire verser directement les prélèvements opérés sur les revenus ecclésiastiques dans l'étendue de leurs baronnies, en vue de financer leur propre croisade. Le roi ne percevait donc pas la totalité des décimes levées dans le royaume de France. Quant au produit du vingtième levé dans le reste de la Chrétienté, il semble que bien peu de chose parvint dans ses caisses.

On évalue néanmoins à quelque 190 000 livres le montant annuel des décimes payées au roi par le clergé français ; cette imposition ayant été levée pendant trois années, puis reconduite pour deux ans à la demande de Blanche de Castille, le clergé aurait contribué pour un peu moins d'un million de livres, c'est-à-dire les deux tiers des dépenses totales, à l'effort commun.

Ainsi s'explique l'intervention de Joinville au cours du conseil que le roi tint à Acre en 1250 : « On dit (je ne sais si c'est vrai) que le roi n'a pas dépensé son argent, mais seulement la contribution du clergé. » De fait, le montant des dépenses effectuées au cours des deux premières années de la croisade pouvait être assez voisin de ce qui avait été demandé aux ecclésiastiques. Le propos peut cependant être nuancé pour tenir compte des difficultés soulevées par les estimations, des possibilités de la taxation, des délais de perception.

Il reste que la préparation de la croisade a exigé du roi de France et de ses agents une réelle vigueur dans l'exécution. Pour réunir les sommes indispensables à la réalisation de son vœu, Louis IX n'avait pas hésité à pressurer le clergé et à solliciter les bourgeois de ses villes avec une force convaincante voisine de la coercition. Pour lever les hommes, il avait parfois fallu user de moyens de persuasion dépassant la simple suggestion. D'anciens rebelles n'avaient été absous que sous condition de partir en Terre sainte ; d'autres (Joinville y fait allusion à propos de la huitième croisade) pouvaient craindre de perdre les bonnes grâces du roi en s'abstenant de l'accompagner. L'épisode des croix cousues sur les robes de livrée, s'il n'est pas apocryphe, témoignerait lui aussi de la pression exercée sur ceux qui tardaient à se porter volontaires pour l'expédition.

La grande enquête de 1247 elle-même fut-elle exempte de toute arrière-pensée ? Il est certain que le roi a voulu apaiser ses scrupules de conscience ; il apparaît que la conséquence

de cette enquête fut de donner plus d'efficacité aux rouages
de l'administration. Des amendes avaient châtié les prévari-
cateurs : elles avaient contribué à alimenter le trésor de
guerre. Saint Louis n'a pas été de ces princes qui se faisaient
accorder des décimes à la faveur d'un vœu de croisade qu'ils
ne se pressaient pas d'accomplir : sa sincérité est évidente et
la suite des événements l'a prouvé. Néanmoins, au moment
de mettre sur pied une expédition d'une ampleur sans précédent, qui fut préparée avec un soin et un souci des détails
qu'aucune croisade antérieure n'avait connus, il lui a fallu se
préoccuper de l'efficacité des mesures qu'il avait eu à prendre, et il y a vigoureusement tenu la main.

CHAPITRE III

La croisade victorieuse
et défaite

Si soigneusement préparée, la grande expédition mise sur pied par saint Louis allait connaître un succès éclatant pour s'achever en désastre. Les qualités même qui avaient présidé à sa préparation : prudence, soin du détail, devaient se retourner contre elle. Un long séjour dans l'île de Chypre, sans doute nécessaire pour permettre le regroupement de tous les participants, se révéla meurtrier pour beaucoup d'entre eux. La prise de Damiette, obtenue dans l'élan du premier débarquement, aurait peut-être pu être suivie d'une poursuite rapidement menée ; le roi préféra organiser soigneusement la base de départ de ses nouvelles opérations. Celles-ci, menées en terrain difficile, se prolongèrent et l'armée, éprouvée par l'échec de la Mansoura, se trouva affaiblie par les privations, la maladie et les attaques ennemies. La retraite sur Damiette, qui aurait pu être ordonnée sans attendre, traîna et s'acheva par un massacre.

Doit-on conclure que la conduite des opérations n'avait pas été à la hauteur de l'attention apportée à la préparation de l'expédition ? Les contemporains ont eux-mêmes recherché les responsabilités de l'échec final. En dehors des péchés des croisés, explication habituelle des moralistes, ils ont mis en cause le légat Eudes de Châteauroux et surtout Robert d'Artois, leur imputant les conseils mal avisés qu'ils auraient fait prévaloir dans l'entourage du roi. Robert d'Artois, dont la personnalité paraît avoir présenté quelques aspects abrupts, et qui nourrissait probablement des visées personnelles sur les conquêtes à réaliser, porte certainement la responsabilité de l'attaque menée sans moyens suffisants contre la Mansoura et, par-là, de la transformation en un échec sanglant d'une journée qui aurait pu être décisive pour le succès de la campagne. Est-ce à dire qu'il avait inspiré au roi toutes les décisions qui devaient se révéler malheureuses ? Il était trop facile d'imputer à ce mort toutes les fautes stratégiques et tactiques commises au cours des opérations.

Le rôle de l'imprévisible en histoire est trop évident pour que l'historien puisse jouer le rôle d'un juge. La panique à laquelle les croisés durent d'occuper Damiette plus tôt qu'ils ne pouvaient l'espérer, ou bien les autres événements qui marquèrent le déroulement de la campagne d'Égypte ou l'épidémie qui affligea finalement l'armée, représentent autant de circonstances qui décidèrent du destin de cette campagne, bien préparée, menée avec méthode, et finalement malheureuse.

Les débuts de l'expédition : de Paris à Camenoriaqui

C'est le 12 juin 1248 que saint Louis accomplissait la démarche décisive qui marquait le début de la croisade. Il se rendit à Saint-Denis avec ses frères (la reine Marguerite ne s'y rendit que deux jours plus tard). Dans l'église abbatiale, Eudes de Châteauroux lui remit le bâton et l'écharpe, insignes du pèlerin, et le roi leva l'oriflamme en signe de la mise en marche de l'armée royale. De Saint-Denis, il se rendit à Notre-Dame de Paris pour y entendre la messe ; puis, nu-pieds et en costume de pèlerin, il se rendit processionnellement à l'abbaye de Saint-Antoine, où il accomplit ses dévotions avant de monter à cheval et de gagner le château de Corbeil, sa première étape.

A Corbeil, il fit ses adieux à Blanche de Castille, et la scène que décrivent les chroniqueurs est pleine d'émotion. La reine mère ne se résignait pas à se séparer de son fils, et c'est lui qui dut l'inviter à ne pas poursuivre son chemin. Elle se pâma et elle lui aurait dit : « Hélas, beau fils, je ne vous verrai plus en cette vie mortelle. » Louis lui avait confié la garde des trois aînés de ses sept enfants, Louis, Philippe et Isabelle. Il l'avait faite régente du royaume en lui confiant les pouvoirs royaux ; il lui accorda le droit de prélever sur son domaine le capital de trois cents livres de rente qu'elle pourrait distribuer en fondations pieuses ; et il traita encore quelques affaires.

Il gagna ensuite Sens, où se tenait le chapitre provincial des Frères Mineurs de France. C'est là qu'il rencontra le Franscicain Salimbene, qui le dépeint « non dans la pompe royale, mais en habit de pèlerin, avec la bourse et le bourdon du pèlerin au cou », se rendant nu-pieds à l'église conventuelle en compagnie de ses frères Robert et Charles pour solliciter les prières des religieux. Il mangea au réfectoire avec les frères, et Salimbene a gardé le souvenir du menu de ce jour-là : des cerises, des fèves nouvelles cuites au lait, des poissons, des écrevisses et des pâtés d'anguille, du riz accommodé au lait d'amandes et à la poudre de cannelle, des anguilles rôties, des gâteaux à la crème et des fruits, le tout accompagné de pain blanc et d'un vin de choix...

Nous savons par le même auteur que le roi cheminait lentement, « s'écartant souvent du grand chemin pour visiter les ermitages des Frères Mineurs et d'autres religieux établis ici ou là, à droite et à gauche, afin de se recommander à leurs prières ». Il passa par Noyers-sur-Serein, par Vézelay, où Salimbene le vit prier dans l'église de la Madeleine, et gagna Lyon.

Ici, il eut une longue entrevue avec Innocent IV, auquel il demanda une absolution plénière, mais dont il attendait aussi la promesse d'une intervention énergique au cas où le roi d'Angleterre attaquerait le royaume. Il intercéda pour Raymond VII, qui demandait de pouvoir faire enterrer en terre bénite son père, mort excommunié. Et, une fois de plus, il chercha à ménager un accord entre le pape et l'empereur, comme il l'avait fait au cours des entrevues précédentes, mais sans plus de succès.

Le cortège royal descendit ensuite le Rhône. Chemin faisant, on rencontra le château de la Roche-de-Glun, bâti dans une île du fleuve, au sud de Tournon. Le seigneur du lieu, Roger de Clérieu, un vassal du dauphin de Viennois, prétendait exiger un droit de péage sur les pèlerins qui passaient par là ; le roi s'y refusa et, Roger ayant pris des otages, mit le siège devant le château qu'il prit et dont il abattit les murailles, à la grande satisfaction du comte de Valentinois, adversaire du dauphin. L'armée royale passa ensuite près d'Avignon. Mathieu Paris rapporte que des incidents éclatèrent, les habitants de la ville ayant attaqué des pèlerins, et que le roi refusa de mettre le siège devant la cité comme le lui conseillaient plusieurs barons ; l'épisode n'est pas assuré. En tout cas, le roi et son entourage atteignirent sans encombre Aigues-Mortes où Raymond VII vint s'entretenir avec son suzerain.

Le 25 août, l'armée s'embarqua en même temps que le roi, la reine Marguerite, le légat, Robert d'Artois, Charles d'Anjou et sa femme. S'il faut en croire Mathieu Paris, le nombre des bateaux se révéla insuffisant pour accueillir tous les arbalétriers et autres gens de guerre qui étaient accourus, notamment de Gênes et de Pise, dans l'espoir d'être engagés par le roi : dix mille d'entre eux seraient restés à terre. Il n'est pas exclu que le roi de France ait en effet été obligé de refuser d'embarquer des aventuriers ou des croisés dont l'incorporation dans son armée n'avait pas été prévue ; mais le chroniqueur anglais peut avoir considérablement grossi cet incident. D'autres contingents, d'ailleurs, partaient isolément : Joinville et ses compagnons, qui s'étaient embarqués à Auxonne pour descendre la Saône et le Rhône, débarquèrent à Arles et gagnèrent Marseille où ils avaient retenu leur passage sur un bateau qui se rendit directement à Chypre. Il semble que le lieu du rendez-vous général avait été fixé dans cette île.

La traversée s'effectua sans trop de difficultés ; un seul navire se perdit, ayant talonné un banc de sable ; les autres avaient été dispersés par un coup de vent. Joinville, pour sa part, se trouva rejeté jusqu'auprès de la côte d'Afrique.

La descente à Chypre répondait au plan de campagne que les barons et les prélats de Terre sainte avaient suggéré, en 1239, à Thibaud de Champagne. Depuis sa conquête par Richard Cœur-de-Lion, qui l'avait enlevée à un « despote » byzantin et qui l'avait ensuite cédée à Guy de Lusignan, l'ancien roi de Jérusalem, l'île formait un État latin auquel l'empereur Henri VI avait accordé le statut de royaume. Les Lusignan de Chypre avaient reconnu la suzeraineté impériale, ce qui avait donné l'occasion à Frédéric II, au cours de sa croisade, d'y donner le pouvoir à cinq de ses partisans ; une guerre civile s'en était suivie et les régents désignés par l'empereur avaient été chassés. Mais le roi Henri Ier avait entre-temps atteint sa majorité ; la question des droits de Frédéric II était beaucoup moins délicate à Chypre qu'en Terre sainte, d'autant plus qu'Innocent IV avait délié en 1247 le roi de Chypre de sa vassalité envers l'empereur. Louis IX ne risquait donc pas d'y rencontrer les problèmes qu'eût posés un débarquement à Acre ou à Tyr ; et les Lusignan comme leurs vassaux appartenaient en grande majorité à des familles seigneuriales du royaume de France, ce qui assurait au Capétien une autorité certaine dans le petit royaume insulaire.

Au point de vue stratégique, l'île offrait de gros avantages. Elle fournissait une base d'opérations commode, à proximité des côtes de Turquie, de Syrie-Palestine et d'Égypte ; on y était à l'abri des incursions musulmanes, les Latins étant maîtres de la mer. L'île ne manquait pas de ressources, sans compter les facilités qu'elle avait offertes pour y entreposer le ravitaillement envoyé par le roi. Elle permettait de choisir un point de débarquement en fonction de la situation politique et des impératifs militaires.

C'est au port de Limassol que le navire du roi atterrit, dans la nuit du 17 au 18 septembre 1248 ; les autres navires rallièrent ce port à leur tour, certains ayant d'abord touché terre à Baphe, l'ancienne Paphos. Les montagnes de vivres dont parle Joinville s'entassaient à proximité de la ville. Nous savons par un acte rédigé au cours du stationnement de l'armée que celle-ci cantonnait à *Kamevoriak prope Nimocium*, c'est-à-dire près du village aujourd'hui disparu de

Camenoriaqui, dans la plaine de Limassol. Mais le roi, les prélats et les barons adoptèrent volontiers pour résidence le palais royal et les hôtels seigneuriaux de la capitale, Nicosie, située à une douzaine de lieues de là, au centre de l'île.

L'armée royale allait y séjourner pendant de longs mois ; elle ne reprit la mer qu'en mai 1249. Sans doute saint Louis n'avait-il pas prévu un si long séjour. Mais il n'avait amené avec lui qu'une partie de ses troupes ; d'autres le rejoignaient, les uns après les autres, tant que le « passage » restait possible. On évitait en effet de voyager par mer, en Méditerranée, de novembre à février. Il eût fallu reprendre immédiatement la mer et commencer les opérations dès le mois d'octobre 1248, avec la perspective d'être coupé de la base chypriote par le mauvais temps à partir du mois suivant. A défaut d'agir ainsi, force était de remettre le début de la campagne aux premiers mois de 1249.

Malheureusement le séjour de Chypre devait être meurtrier. Les Occidentaux en incriminaient le climat, qui cependant était moins pénible en hiver qu'en été. Le sire de Bourbon et le comte de Vendôme, ainsi que quelque deux cent cinquante chevaliers et de nombreux sergents, moururent au cours de l'hivernage. Parmi les victimes de cette épidémie figurait le fils d'Amaury de Montfort, Jean, qui était arrivé à Limassol le 23 octobre, avec le vicomte de Châteaudun : tous deux avaient voulu se rendre en Terre sainte avec d'autres croisés. Saint Louis, pour empêcher la dispersion de l'armée, fit publier l'interdiction de quitter l'île et arma les galères pour faire respecter cette interdiction. Jean de Montfort mourut peu après, en odeur de sainteté ; son tombeau fut vénéré par les Latins de Chypre, qui donnèrent à une église de Nicosie le nom de Saint-Jean de Montfort.

Cependant d'autres croisés arrivaient et venaient combler les vides creusés par la maladie. Si l'impératrice de Constantinople ne vint à Nicosie que pour solliciter du roi l'envoi de secours à l'Empire latin, on vit arriver divers contingents ; mais c'est seulement en mai 1249 que le duc de Bourgogne et ses chevaliers, qui avaient passé l'hiver dans la principauté franque de Morée, rejoignirent l'armée en compagnie du prince de Morée lui-même, Guillaume de Villehardouin, qui amenait vingt-quatre navires et quatre cents chevaliers. Les barons du royaume de Jérusalem, le roi de Chypre et ses vassaux, prirent eux aussi la croix et devaient participer à la campagne menée par le roi de France.

Le principal inconvénient d'un séjour prolongé — on l'avait vu lors des croisades précédentes — était d'imposer aux croisés les moins riches, simples bacheliers, chevaliers bannerets, voire petits barons, des dépenses excédant leurs disponibilités. Pour s'équiper et pour participer au voyage, la plupart avaient dû mettre tout ou partie de leurs terres en gage, et se trouvaient vite au bout de leurs ressources. Saint Louis dut pourvoir au dénuement de plusieurs de ses grands vassaux, en consentant des avances d'argent aux seigneurs de Coucy, de Chacenay, de Dampierre. Joinville, qui n'était que peu fortuné (son revenu annuel était inférieur à mille livres), n'avait plus que 240 livres quand il débarqua dans l'île, et il devait entretenir dix chevaliers. « A cause de quoi quelques-uns de mes chevaliers me mandèrent que, si je ne me pourvoyois de deniers, ils me laisseroient. Et Dieu, qui onques ne me faillit, me pourvut en telle manière que le roi, qui était à Nicosie, m'envoya querre et me retint, et alors j'eus plus de deniers qu'il ne m'en falloit. » C'est donc en prenant à sa solde les chevaliers désargentés que le roi parvint à maintenir la cohésion de son armée.

Louis avait prévu de se remettre en route dès que l'état de la mer le permettrait, c'est-à-dire en février, après quatre mois de séjour à Chypre. Il ne subordonnait donc pas le commencement des opérations militaires à l'arrivée des contingents qui n'avaient pas encore rejoint. Mais il lui fallait attendre l'arrivée des navires qui devaient transporter ses hommes, et qui avaient hiverné dans les ports de Syrie, plus sûrs que ceux de Chypre. Or un conflit éclata entre les Génois et les Pisans, qui avaient les uns et les autres à Acre des colonies dotées de privilèges. Une simple bagarre dégénéra en une véritable guerre, et l'on mit en action des perrières et des mangonneaux, machines de guerre qui lançaient des quartiers de pierre contre les maisons des rues de Gênes et de Pise, non sans endommager d'autres édifices. Cette guerre dura vingt-quatre jours pendant lesquels le roi attendait vainement ses navires, dont les équipages s'occupaient joyeusement à régler leurs comptes sur le sol de la Terre sainte. Il fallut que Louis IX et Henri Ier de Chypre envoient des ambassadeurs aux deux parties, que les barons d'Acre, le Temple et l'Hôpital proposent leur médiation, pour que Génois et Pisans fassent enfin la paix, le 19 mars 1249. Le départ fut ainsi reporté de la fin de février à celle d'avril ; des retards inévitables le reportèrent encore d'un mois.

Le temps ainsi passé n'avait pas été entièrement perdu. En prenant contact avec la cour de Chypre, saint Louis et ses barons avaient reçu des informations intéressantes sur l'état de l'Orient. On avait appris avec inquiétude, en 1244, que les Mongols avaient adressé un ultimatum au prince d'Antioche, et c'est ce qui avait décidé le pape Innocent IV à envoyer des ambassadeurs aux « Tartares ». Deux d'entre eux étaient de retour : l'un d'eux, Ascelin de Crémone, un Dominicain qu'accompagnaient plusieurs de ses confrères, avait porté les lettres du pape au *noyan* Baïdjou, qu'il avait rencontré un peu à l'ouest de la mer Caspienne. Il n'avait réussi à obtenir du chef mongol qu'un nouvel ultimatum enjoignant au pape et aux rois francs de se soumettre. Mais, en traversant la Géorgie, l'Arménie et la Turquie, et notamment en s'entretenant avec les mercenaires francs au service du sultan du Turquie, les envoyés avaient recueilli des échos qui montraient que les Mongols n'étaient pas sans inquiétude du fait de l'arrivée de l'armée du roi de France.

Un autre ambassadeur, le Dominicain français André de Longjumeau, se trouvait à Nicosie en décembre 1248 ; il était allé jusqu'à Tabriz pour y rencontrer les Mongols ; mais il avait aussi pris contact avec les chrétiens orientaux et découvert que ceux-ci avaient des coreligionnaires parmi les envahisseurs. Ces informations étaient confirmées par une lettre que le connétable d'Arménie Sempad, beau-frère du roi de Chypre et du comte de Jaffa, avait écrite à ces derniers de Samarkand, en septembre 1248. On apprenait ainsi l'importance des éléments chrétiens vivant dans l'Empire mongol, et

Eudes de Châteauroux jugea ces nouvelles suffisamment intéressantes pour insérer le texte de la lettre en question dans le rapport qu'il adressait à Innocent IV.

Aussi lorsque, peu après, survinrent deux chrétiens originaires de la région de Mossoul, dont l'un avait rencontré André de Longjumeau l'année précédente, ne fut-on pas surpris. Ils étaient chargés d'un message du représentant du grand-khan des Mongols en Mésopotamie, adressé à saint Louis, et ce message, au moins à travers les commentaires des envoyés, laissait entrevoir la perspective d'une coopération entre Francs et Mongols dirigée contre les Musulmans. A vrai dire, le texte même de la lettre était plus prudent, et reflétait peut-être surtout le désir des Mongols d'éviter une confrontation armée avec le roi de France. Mais l'entourage de celui-ci s'enthousiasma, et saint Louis fit confectionner une belle tente-chapelle, décorée de scènes de la vie du Christ, qu'André de Longjumeau devait apporter au grand-khan. Mais, de toute façon, de longs mois devaient s'écouler avant que l'on pût obtenir une réponse ; saint Louis écarta certainement la perspective d'une collaboration avec les Mongols au cours de sa prochaine campagne.

D'autres perspectives s'ouvraient : Eudes de Châteauroux, suivant en cela les directives d'Innocent IV, œuvrait pour l'union des Églises et s'efforçait de trouver à Chypre même un *modus vivendi* entre Grecs et Latins. Saint Louis s'employait à rapprocher les uns des autres les princes et les barons chrétiens d'Orient séparés par de vieilles querelles, et envoyait six cents arbalétriers au prince d'Antioche pour l'aider à repousser une invasion de Turcomans.

Mais la grande question était celle de la stratégie à adopter. Louis IX était venu en Orient après avoir pris contact avec le pape et avec l'empereur. Or ce dernier, depuis 1229, avait fondé toute sa politique orientale sur son entente avec le sultan du Caire : sans doute avait-il suggéré au roi de porter son effort ailleurs que contre l'Égypte. Les informateurs de saint Louis avaient attiré son attention sur les pays situés au nord de la Syrie, où l'invasion mongole avait affaibli les dominations musulmanes et, un peu plus tard, Guillaume de

Rubrouck devait avancer l'idée d'une conquête de la Turquie
où les Musulmans ne représentaient qu'une minorité au sein
d'une population chrétienne. Il ne semble pas, cependant,
que personne autour du roi ait alors pensé que la croisade
pourrait se détourner de son but premier : la libération de la
Terre sainte, qui était aux mains, précisément, du sultan
d'Égypte.

Ce dernier, à la suite de la victoire de La Forbie, avait
occupé Damas et Jérusalem, puis Tibériade et Ascalon. Mais
son cousin, le sultan d'Alep, continuait à s'opposer à son
hégémonie, et les deux souverains étaient en guerre lorsque le
roi de France débarqua à Chypre. Le sultan Aiyûb assiégeait
Homs durant l'hiver 1248-1249.

Saint Louis avait-il la possibilité de jouer entre les deux
adversaires un jeu comparable à celui qu'avaient mené
Frédéric II en 1229 et les croisés de 1239-1241, et qui leur
avait permis de récolter de substantiels avantages, en proposant son alliance à l'un des deux adversaires ? On nous dit
que le roi de France s'indigna quand il apprit que le maître
du Temple était entré en relation avec le sultan du Caire qui
recherchait la conclusion de trêves avec les Latins. Louis,
cependant, n'en était pas à son premier contact avec les
princes musulmans : il avait reçu en France et fort correcte-
ment traité, en 1237, des envoyés sarrasins, et en particulier
ceux du Vieux de la Montagne, le chef des redoutables Assassins (les sectaires ismaïliens qui pratiquaient systématiquement l'élimination de leurs adversaires par l'assassinat).
Mais, cette fois, le roi craignait sans doute que l'on pût supposer qu'il redoutait un affrontement avec le sultan.

De toute façon, le khalife de Bagdad et le Vieux de la Montagne s'étaient entremis entre le sultan Aiyûb et son cousin
d'Alep et ils étaient parvenus à les réconcilier avant que le roi
de France eût pu envisager de tirer parti de leur antagonisme.
Au reste, le sultan du Caire était nécessairement son adversaire, puisque, depuis 1242, il détenait tout ce qui avait été
enlevé à l'ancien royaume de Jérusalem, alors qu'au temps de
la « croisade des barons » le nord de ces territoires relevait
du sultanat de Damas et le centre de celui de Kerak.

Une attaque contre l'Égypte était d'ailleurs un des éléments traditionnels de la stratégie des croisades. Dès 1099, il s'était trouvé des hommes, au sein de la première croisade, pour suggérer d'attaquer ce pays avant de se porter sur Jérusalem. Les clés de cette ville étaient au Caire depuis que Saladin s'en était emparé, même si les partages intervenus entre ses héritiers l'avaient parfois attribuée aux sultans de Damas ou de Transjordanie. Richard Cœur-de-Lion et Philippe-Auguste avaient pensé porter la guerre en Égypte ; Villehardouin affirme qu'aux yeux des croisés de 1202-1204 seule une attaque sur l'Égypte pouvait amener les Musulmans à lâcher prise en Terre sainte. Et c'est ce qu'avait tenté la cinquième croisade, qui avait effectivement pris pied dans le Delta : le sultan d'Égypte avait alors multiplié les démarches pour obtenir l'évacuation de Damiette en échange de la restitution de Jérusalem.

Du reste, tactiquement, une campagne en Judée risquait d'être difficile et stérile. La troisième croisade, celle qu'avait organisée Henri VI en 1197, celle du roi de Hongrie en 1217, en avaient fait l'expérience. Terre brûlée par le soleil où les chevaliers souffraient sous leurs lourdes armures, dotée de rares points d'eau suffisant à abreuver les hommes et les chevaux d'une armée nombreuse, elle se prêtait mal à une guerre telle que les Occidentaux pouvaient la concevoir, d'autant plus que la durée du séjour de ceux-ci était forcément limitée. On passait son temps à rebâtir des forteresses qui avaient été systématiquement démantelées, à mener des razzias dont le principal profit était d'assurer pendant quelques semaines le ravitaillement de l'armée. De telles campagnes étaient à la fois coûteuses et décevantes.

Au contraire, l'Égypte était riche et fertile : les connaissances bibliques des clercs médiévaux concordaient sur ce point avec les témoignages des voyageurs. Elle prenait jour sur la mer par deux grands ports, Damiette et Alexandrie, que les marchands `italiens fréquentaient assidûment. L'absence de forteresses dans le Delta favorisait une marche sur le Caire : toutefois, à l'occasion de la cinquième croisade, le sultan avait fait bâtir celle de la Mansoura, qui était le seul

obstacle fortifié à une telle offensive. Et qui tenait le Caire
tenait toute l'Égypte.

La question qui se posait était de savoir dans quel but on
occuperait celle-ci. Serait-ce pour obtenir une monnaie
d'échange, en contrepartie de laquelle les croisés pourraient
se faire restituer Jérusalem et l'ancien royaume latin tout
entier ? Telle avait été la politique soutenue entre 1218 et
1221 par Jean de Brienne ; et le sultan avait effectivement
accepté ce marché. Mais alors le légat Pélage s'y était opposé,
arguant de ce que la conquête de l'Égypte était un objectif en
soi aussi valable que la réoccupation de la Terre sainte qui en
serait le corollaire. Nous ne connaissons pas la pensée du roi
de France sur ce point, mais tout laisse entendre qu'il estimait, comme Pélage et, avant lui, comme le roi Amaury de
Jérusalem, que l'Égypte, une fois conquise, resterait en sa
possession. Peut-être même envisageait-il d'en faire un
royaume vassal de celui de France ; en ce cas, sans doute en
destinait-il la couronne à son frère Robert d'Artois. En tout
cas, pendant toute la campagne, ni le roi de France ni le sultan du Caire ne paraissaient avoir envisagé le marché qui
avait failli aboutir vingt ans auparavant.

La campagne envisagée ne pouvait être qu'une campagne
d'Égypte. Saint Louis adressa un défi en règle au sultan
Aiyûb, l'invitant à se soumettre et à se faire chrétien, sans
quoi le roi de France s'emparerait de sa terre. D'un autre
côté, il avait fini par rassembler un nombre considérable de
navires de transport et d'embarcations plus petites, spécialement conçues pour pouvoir s'approcher très près du rivage.
Le délai initialement prévu était dépassé, ce qui présentait
l'inconvénient de faire coïncider le déroulement de la campagne avec l'époque de la crue du Nil ; mais on sait que
c'était là la conséquence d'événements imprévisibles. Toujours est-il que le jour de l'Ascension, 13 mai 1249, la flotte
portant l'armée, ses machines, ses approvisionnements et,
dit-on, jusqu'à des instruments aratoires destinés aux futurs
colons, mettait à la voile pour l'Égypte.

LA CAMPAGNE D'ÉGYPTE

Lors de la cinquième croisade, l'effort des croisés s'était porté sur Damiette. Port très fréquenté par les marchands, au débouché du principal bras du Nil, celui qui menait le plus directement du Caire à la mer, Damiette apparaissait comme la clé de l'Égypte. Mais c'était aussi une place aisément défendable, grâce à sa situation entre le fleuve et le lac Menzaleh ; le Nil permettait d'y acheminer des vivres et des renforts, et les croisés de Jean de Brienne l'avaient assiégée depuis le 27 mai 1218 jusqu'au 5 novembre 1219 : il leur avait fallu s'ouvrir le passage sur le fleuve, car le débarquement ne pouvait s'effectuer commodément que sur la plage située à l'ouest de la ville, de l'autre côté du Nil ; couper la place de ses liaisons avec l'intérieur, avant de passer aux opérations de siège proprement dites. Il était évident que le sultan Aiyûb, dûment averti des intentions du roi de France, avait eu tout le temps nécessaire pour munir la ville de vivres et de munitions ; il y avait placé une garnison constituée des Arabes Banû Kinâna, qu'on regardait comme une troupe d'élite. Néanmoins le précédent de 1221 amenait saint Louis à fixer son attention sur Damiette et à y voir le point de débarquement qui s'imposait.

On aurait pu, certes, en choisir un autre. L'autre bouche du Nil, celle de Rosette, sur la branche saïte du fleuve, était un peu plus éloignée du Caire que celle de Damiette ; mais le terrain à parcourir n'offrait pas les mêmes obstacles. Rosette, toutefois, ne présentait pas en tant que base d'opérations les mêmes avantages que Damiette. Alexandrie, à l'ouest du delta, aurait offert de plus grandes facilités pour marcher sur le Caire sans rencontrer ni la forteresse de la Mansoura, ni les larges canaux qui coupaient les routes menant des deux autres villes à la capitale du sultan. La nature désertique du territoire à parcourir plaidait contre le choix de ce lieu de débarquement. Mais il est probable que le souvenir des opérations de la cinquième croisade imposait aux esprits des croisés Damiette comme point de départ de leur expédition.

La flotte du roi avait encore subi un nouveau retard du fait de la tempête. Ayant quitté Limassol le 13 mai, les navires s'y regroupaient quelques jours plus tard, et le départ définitif n'intervint que le 30. Le 4 juin, la flotte royale paraissait au large de Damiette et, des quatres galères égyptiennes qui vinrent la reconnaître, trois furent coulées à fond par les navires d'escorte. Le matin du 5 juin, les barques chargées de combattants s'approchaient du rivage ; elles mirent à terre la plus grande partie des chevaliers, que protégeait le tir des arbalétriers, restés à bord des galères. Saint Louis, que le légat et les autres membres de son entourage voulaient retenir jusqu'à ce que la première vague d'assaut eût pris possession de la plage, sauta lui-même à la mer tout armé, comme ses hommes, pour franchir, la lance à la main, les derniers mètres le séparant de la terre.

Le sultan, qui avait réuni son armée plus en amont, pour pouvoir se porter avec elle sur le point où l'ennemi débarquerait, avait posté à Damiette un détachement commandé par son meilleur général, l'émir Fakhr al-Dîn. Ce détachement s'était déployé le long du rivage et chargea aussitôt les premiers éléments débarqués. Mais les chevaliers français, plantant le sabot de leur lance dans le sable, opposaient un mur de piques aux cavaliers musulmans, que criblaient les carreaux des arbalètes. Le premier assaut repoussé, ils chargèrent à leur tour, et il fallut retenir le roi pour l'empêcher de charger avec eux.

Devant l'échec de leur tentative d'anéantir la tête de pont avant qu'elle eût pu s'accrocher au sol, les défenseurs se replièrent sur Damiette, en franchissant un pont de bateaux. Les croisés les pressaient si vivement qu'ils ne leur laissèrent pas le temps de détruire le pont ; les Égyptiens, au lieu d'entrer dans la ville, prirent la fuite en désordre vers le sud pour rallier l'armée du sultan. La panique gagna les défenseurs de Damiette : les guerriers Banû Kinâna évacuèrent la ville, et la population se précipita à leur suite. En s'enfuyant, certains mirent le feu au bazar pour empêcher les croisés de s'emparer des richesses, et surtout des épices, qu'il renfermait : Joinville a comparé le dommage qui en résulta à celui qu'aurait occasionné l'embrasement du Petit Pont, à Paris, avec les boutiques qui le bordaient. Mais l'incendie ne se propagea pas au-delà.

Au matin du 6 juin, saint Louis était maître de la ville. Il n'avait que peu de pertes ; toutefois le comte de la Marche, Hugues de Lusignan, était resté parmi les morts. En contrepartie, nombre de captifs chrétiens, libérés, s'étaient joints aux croisés. Les pertes musulmanes avaient été plus lourdes ; le sultan, indigné de la lâcheté des défenseurs de Damiette, avait fait pendre les émirs des Banû Kinâna.

Le roi, cependant, n'avait pas poursuivi les troupes en retraite. Il attendait des renforts, et en particulier les éléments rassemblés par Alphonse de Poitiers, dont le retard suscitait des inquiétudes, au point que, sur le conseil de Joinville, on organisa des processions pour invoquer la protection divine sur sa flotte. En fait, le comte de Poitiers avait éprouvé beaucoup de difficulté à rassembler son contingent ; il ne quitta la France que le 25 août ; encore gagna-t-il directement Acre, d'où il reprit la mer pour Damiette où il n'arriva que le 24 octobre. Le comte de Salisbury était arrivé plus tôt, dès le mois d'août ; mais, une querelle l'ayant opposé à Robert d'Artois, il avait quitté Damiette pour Acre, d'où il ne revint, lui aussi, qu'à l'automne.

L'attente de renforts n'était pas la seule raison de la prolongation du séjour à Damiette. L'armée de la croisade aurait normalement dû rester quelque temps sous Damiette avant de s'emparer de la ville : elle se trouvait certainement à pied d'œuvre pour entreprendre la seconde partie de la campagne avant la date prévue. Or on était au début de juin ; l'inondation du Nil débutait à la fin de juillet. Il aurait donc fallu agir rapidement pour arriver au Caire avant que le Delta ne fût rendu impraticable par la crue. Un chevalier du vicomte de Melun, dans une lettre qu'a conservée Mathieu Paris, affirme que le sultan avait défié le roi en l'invitant à une bataille pour le 25 juin. Saint Louis avait décliné l'invite ; peut-être avait-il ainsi laissé échapper la chance de jouer le succès de la campagne ce jour-là, s'il avait été victorieux.

Son premier souci avait été de s'établir solidement dans la ville conquise. En 1221, on avait interminablement discuté pour savoir si elle appartiendrait à l'armée des croisés, c'est-à-dire au légat Pélage, représentant de l'Église de Rome, ou bien au roi de Jérusalem. Cette fois, Frédéric II et son fils Conrad n'ayant pas pris part à la croisade, nul conflit n'était à envisager, et le roi de France pouvait se comporter en maître. Un diplôme de la chancellerie royale constitua une dotation pour l'ancienne grande mosquée, devenue cathédrale sous le vocable de Notre-Dame. L'évêque — ou archevêque — fut un clerc de l'entourage royal, Gilles de Saumur. Il recevait un quartier de la ville et un domaine autour de celle-ci, plus une part des revenus du territoire de Damiette, à charge pour lui de tenir un contingent de chevaliers à la disposition du seigneur de la ville. Dans cette donation, le roi se référait aux usages du royaume de Jérusalem : ce n'est pas parce qu'il envisageait de réunir Damiette à celui-ci, mais c'est parce que ces usages constituaient à ses yeux la coutume de la « terre d'Outre-mer ». Pour ce qui est de Damiette, il entendait certainement conserver la cité jusqu'à la fin de la campagne, et en disposer ensuite à sa guise.

Cette même coutume d'outre-mer prévoyait que, lors de la prise d'une ville, tout le butin qui s'y trouvait devait être réparti à raison de deux tiers pour les pèlerins et un tiers pour le roi. Sur le conseil du patriarche de Jérusalem, saint Louis décida de retenir tous les grains — froment, orge ou riz — pour le ravitaillement de l'armée, et ordonna à un de ses chevaliers, Jean de Valery, de répartir le reste, qui ne montait qu'à six mille livres (sans doute y avait-il eu beaucoup de détournements). Jean s'y refusa, arguant de ce que la coutume voulait que les vivres aussi fussent partagés entre tous. Le roi maintint sa décision, ce qui choqua beaucoup Joinville. Celui-ci déplore également que les officiers du roi eussent mis à très haut prix la location des boutiques, ce qui aurait amené de nombreux marchands à se détourner de Damiette. Il apparaît que le sens de l'efficacité, et le souci de parer aux nécessités du ravitaillement et du financement de l'expédition, l'avaient emporté sur le respect de la coutume.

La discipline de l'armée posait d'autres problèmes. Les croisés, enfermés dans Damiette, voyaient les Sarrasins s'enhardir, tendre des embuscades et tenter des coups de main. Les chevaliers supportaient impatiemment les ordres du roi qui leur interdisaient de répondre à ces provocations. Un jour que l'armée du sultan était venue tâter les défenses des Chrétiens, Joinville demanda l'autorisation de sortir des lignes ; elle lui fut refusée. Mais un chevalier champenois, Gautier d'Autreches, se permit d'enfreindre la défense ; il tomba de cheval et fut assommé par les ennemis. Saint Louis blâma vigoureusement cet acte d'indiscipline et finit par ordonner d'entourer le camp d'un retranchement pour empêcher les Sarrasins de venir couper des têtes dans les tentes. Quant au comte de Salisbury, il s'était permis d'emmener ses hommes piller une caravane musulmane. Robert d'Artois lui enleva son butin pour le punir d'avoir fait une sortie sans autorisation, et saint Louis n'osa pas donner tort à son frère. L'Anglais, piqué, quitta alors Damiette pour quelque temps.

Si le mécontentement sévissait parmi les croisés empêchés de combattre, d'autres relâchements se manifestaient. Armée de pénitents, la croisade aurait dû ignorer les désordres de la chair ; or de « folles femmes » vinrent s'installer jusque très près de la tente du roi. L'austérité qui aurait dû régner n'empêchait pas les barons de dépenser leur argent en de coûteux festins.

Pour tromper l'attente, certains, à commencer par Pierre Mauclerc, avaient proposé de marcher sur Alexandrie et d'occuper la ville, pour priver l'Égypte de « ses deux yeux » ; de surcroît, on pouvait ainsi entamer la marche sur le Caire avant la fin de l'inondation. Mais le conseil du roi se rallia à l'avis de Robert d'Artois qui préconisait d'attaquer directement le Caire « pour écraser la tête du serpent ».

Le comte de Poitiers arriva enfin, cependant que le roi de Chypre avait regagné son île. La discussion reprit, et la décision de marcher sur le Caire fut confirmée. L'armée qui se mit en route le 20 novembre 1249 était plus nombreuse, grâce aux renforts, que celle qui avait quitté Chypre six mois plus tôt. Elle suivait la rive droite du Nil, ce qui lui permettait d'être accompagnée par les navires transportant les machines et le ravitaillement.

On a dit (c'est encore une fois Mathieu Paris qui le rapporte) que le sultan Aiyûb, pour détourner la menace qui se dessinait sur sa capitale aurait alors offert de rendre le royaume de Jérusalem, voire de renoncer à Damiette, si le roi mettait fin à son offensive, et que c'est Robert d'Artois qui aurait fait rejeter cette proposition. En fait, la chose est très peu vraisemblable.

Mais Aiyûb, depuis longtemps très affaibli, mourut. Son fils Turân Shâh se trouvait alors en Mésopotamie, d'où on le fit venir au plus vite. En attendant, la sultane Shajarat al-Durr et l'émir Fakhr al-Dîn s'entendirent pour dissimuler la mort du sultan en feignant d'aller prendre ses ordres pour les transmettre à ses officiers, jusqu'à ce que la succession fût assurée. Les croisés ne tirèrent guère profit de cette crise, car l'armée égyptienne ne cessait de les harceler. De nombreux canaux coupaient la route ; il fallait les combler et le légat dut enrichir ce travail pénible d'indulgences. Le roi lui-même tint à apporter de la terre comme les autres.

C'est seulement après un mois de marche qu'on arriva, le 19 décembre, en face de la forteresse de la Mansoura, dont un bras du fleuve, le Bahr al-Seghir, couvrait l'approche. On aura une idée de la lenteur de la progression en constatant qu'à vol d'oiseau la Mansoura n'était pas à cinquante kilomètres de Damiette. L'armée égyptienne stationnait en face des croisés, de l'autre côté du Bahr al-Seghir ; une flotille égyptienne barrait la route aux navires des Chrétiens, et Fakhr al-Dîn avait disposé des troupes sur la rive septentrionale, à l'est de l'armée du roi de France, pour prendre celle-ci à revers si elle tentait le passage.

Pendant plus d'un mois, les deux armées se livrèrent une véritable guerre de position. Les Chrétiens entendaient construire une chaussée et un pont ; les Égyptiens les accablaient de projectiles incendiaires en vue de détruire les machines construites par les ingénieurs de saint Louis pour mettre les travailleurs à couvert : des tours de bois dont la partie supérieure était occupée par des arbalétriers tandis que le bas constituait une galerie où les ouvriers travaillaient à couvert des flèches musulmanes : on les appelait des « chats-châteaux ».

D'autre part, les Musulmans creusaient de leur côté, au fur et à mesure que la chaussée s'avançait, pour rendre ce travail inutile. Le tir de batterie et de contrebatterie était incessant, et saint Louis, quand il entendait exploser les projectiles chargés de « feu grégeois », s'exclamait à chaque fois : « Beau sire Dieu, gardez-moi ma gent ! » Les pertes étaient sensibles, et le travail paraissait vain ; plusieurs tours avaient été incendiées.

Là-dessus, le 2 février 1250, le connétable Humbert de Beaujeu faisait part au conseil du roi de ce qu'il avait appris d'un Bédouin qui s'était fait chrétien : l'existence d'un gué situé un peu en aval du camp des croisés. On décida de constituer un corps de chevaliers, commandé par Robert d'Artois, le comte de Salisbury et le maître du Temple ; ils avaient ordre, après avoir passé le Bahr al-Seghir, de tenir une tête de pont jusqu'à ce que l'armée eût passé ce bras du fleuve. Le duc de Bourgogne se voyait confier un fort détachement d'arbalétriers avec lequel il devait assurer la garde du camp, des bagages et des approvisionnements.

Bien que le gué fût profond (plusieurs chevaliers s'y noyèrent), les Templiers qui formaient l'avant-garde passèrent et bousculèrent les quelque trois cents cavaliers ennemis qui gardaient ce passage. Robert d'Artois, qui suivait, refusa d'écouter le maître du Temple et se lança à la poursuite des fuyards, et tout le corps le suivit : Guillaume de Salisbury, les Templiers, Raoul de Coucy et leurs chevaliers galopèrent jusqu'au camp égyptien, y pénétrèrent en trombe en massacrant ceux qui l'occupaient. L'émir Fakhr al-Dîn lui-même fut surpris au moment où il sortait du bain et resta sur le terrain.

Le maître du Temple, Guillaume de Sonnac, et le comte de Salisbury cherchèrent en vain à convaincre le comte d'Artois de rester sur ce beau succès et d'attendre l'arrivée du roi et de ses troupes, qui étaient encore sur l'autre rive. Robert, sans les entendre, lança son détachement contre la Mansoura, dont les portes étaient restées ouvertes pour accueillir les fuyards. Il parvint jusqu'au palais du sultan. Mais ses hommes se dispersèrent pour piller. Et surtout les défenseurs de la ville, maîtres des terrasses qui dominaient les rues, accablaient les chevaliers de projectiles ; les Mamelouks qui constituaient la garde du sultan menaient contre eux un impitoyable combat de rues. Guillaume de Sonnac parvint à s'échapper, mais deux cent quatre-vingts de ses chevaliers étaient perdus. Le sire de Coucy et le comte de Salisbury comptaient parmi les morts. Quant à Robert d'Artois, il s'était quelque temps défendu dans une maison, mais il succomba à son tour.

L'armée royale, qui passait avec difficulté le gué du Bahr al-Seghir, trouva devant elle, en arrivant au camp égyptien précédemment enlevé par le comte d'Artois, tout un corps de cavaliers qui s'était reformé. Joinville faisait partie des éléments avancés qui entrèrent au contact de l'ennemi. Il fut malmené, plusieurs de ses compagnons et la moitié de ses chevaliers furent tués ; mais il parvint à se maintenir près d'un petit pont pour garder la route ouverte. Charles d'Anjou, averti, se porta à son secours. L'arrivée du roi mit fin à ce premier engagement. « Jamais, écrit Joinville, je ne vis si beau chevalier, car il paraissait au-dessus de toute sa gent, les dépassant à partir des épaules, un heaume doré en son chef, une épée d'Allemagne à la main. » Il avait d'ailleurs failli être pris et s'était dégagé à grands coups d'épée.

Cependant l'avance était arrêtée. Bien qu'averti par Humbert de Beaujeu de la situation où se trouvaient Robert d'Artois et les siens, le roi ne put percer à travers les rangs ennemis. C'est seulement vers le soir de cette journée (8 février 1250) que la construction d'un pont de bois ayant été achevée, les arbalétriers restés à la garde du camp purent intervenir sur le champ de bataille et dégager les chevaliers. Les Sarrasins battirent en retraite.

L'armée avait passé le Bahr al-Seghir et refoulé l'ennemi. Mais un Hospitalier, Henri de Ronnay, qui avait fait partie du corps commandé par Robert d'Artois, interrogé par le roi, ne put que lui répondre que son frère était désormais au Paradis. Voyant Louis tout ému, il ajouta : « Hé, Sire, ayez bon réconfort, car si grand honneur n'advint jamais à un roi de France... Car, pour combattre vos ennemis, vous avez passé une rivière à la nage, et les avez déconfits et chassés du champ de bataille, et pris leurs engins et leurs tentes où vous coucherez encore cette nuit. » A cette rude consolation, saint Louis répondit « que Dieu fût adoré pour ce qu'il lui donnait », mais « les larmes lui tomboient des yeux bien grosses ».

Henri de Ronnay avait raison : tactiquement, la victoire restait au roi de France. Mais celui-ci, qui pleurait son frère dont la témérité avait causé le désastre de l'avant-garde et mis en péril le corps de bataille lui-même, avait en réalité subi un échec stratégique décisif. Plusieurs centaines de chevaliers avaient été perdus, et parmi eux la plus grande partie des Templiers, habitués aux guerres de l'Orient. L'armée égyptienne s'était reformée ; la Mansoura barrait toujours la route du Caire. Et, dès la nuit suivante, il fallait repousser les attaques d'éléments ennemis qui cherchaient à détruire les machines de guerre.

Le nouveau chef de l'armée adverse, le Mamelouk Baîbars al-Bundukdari, engagea à nouveau le combat, sur les deux rives du Bahr al-Seghir, le 11 février. Le corps de Charles d'Anjou fut mis en péril, et le roi dut charger lui-même pour dégager son frère. Alphonse de Poitiers fut un instant enlevé par les Musulmans, que les valets du camp purent chasser à temps. Le maître du Temple, Joceran de Brancion et bien d'autres restaient parmi les morts.

Était-il possible de poursuivre, dans ces conditions, la marche sur le Caire ? Face à un adversaire aguerri et sans cesse renforcé, l'armée des croisés très éprouvée, avait sans doute déjà perdu sa valeur offensive. Mais, en restant sur place, le roi pouvait espérer dicter à l'ennemi les conditions d'un arrangement favorable. Le sultan Turân-Shâh arrivait en Égypte le 28 février ; mais il ne donnait aucun signe d'être plus disposé que son père à rechercher un accommodement avec les croisés.

Deux nouveaux facteurs allaient transformer cette situation qui laissait face à face deux adversaires de force sensiblement égale : une épidémie et la perte de la maîtrise du Nil. L'épidémie, selon Joinville, était la conséquence de ce que les croisés, réduits à se nourrir des poissons du fleuve, eux-mêmes nourris des corps en décomposition des victimes des combats précédents, contractaient par là une maladie qui se caractérisait par le dessèchement de la peau, le déchaussement des gencives et des hémorragies nasales. En fait, il est probable que la consommation exclusive de grains et de salaisons avait entraîné le développement du scorbut, concurremment avec la dysenterie, ou le typhus, qui s'y ajouta.

D'autre part, les Musulmans avaient tiré parti de l'affaiblissement de la flotte stationnée à Damiette (deux cent quarante navires auraient coulé au cours d'une seule tempête, en octobre 1249) pour baser à Alexandrie un certain nombre de galères qui s'efforçaient de bloquer Damiette. Et surtout ils avaient fait transporter à dos de chameau des galères démontées qui furent lancées sur le Nil, en aval des positions occupées par les croisés. Ainsi leur fut-il possible d'intercepter la voie fluviale par laquelle l'armée recevait ses approvisionnements et ses renforts, et évacuait ses blessés et malades. Près de quatre-vingts bateaux avaient été capturés lorsqu'une embarcation, appartenant au comte de Flandre, parvint à se glisser au travers des navires ennemis et apprit au roi la cause de l'interruption de ses relations avec Damiette où étaient demeurés, avec la reine Marguerite, beaucoup de non-combattants. Le ravitaillement manquant, le prix des denrées monta vertigineusement et la disette s'installa.

Il était désormais inutile et périlleux de s'attarder dans les positions conquises le 8 février. Le roi avait essayé de négocier avec le sultan, en utilisant les relations de Philippe de Montfort avec les émirs de Tûran-Shâh, sans doute en proposant, comme jadis Jean de Brienne, d'évacuer l'Égypte en échange de la restitution de Jérusalem aux Chrétiens. Mais les pourparlers n'avançaient pas. Aussi, au début d'avril, le roi se décida-t-il à évacuer la rive sud du Bahr al-Seghir pour réoccuper l'ancien camp, toujours tenu par le duc de Bourgogne. Le décrochage de l'arrière-garde ne se fit pas sans difficulté. Néanmoins, toute l'armée se trouvait ramenée au nord du fleuve.

Il ne restait plus qu'à essayer de regagner Damiette : c'était une marche de huit jours au plus, les malades ayant été chargés sur les navires qui devaient côtoyer le chemin suivi par les chevaliers pour se prêter un appui mutuel. On se mit en marche dans la nuit du 5 au 6 avril ; mais la poursuite commença presque aussitôt : l'ingénieur du roi aurait négligé de faire couper les cordes qui retenaient le pont de bateaux jeté sur le Bahr al-Seghir.

Selon Charles d'Anjou, il restait, des trente-deux « batailles » de chevaliers qui avaient quitté Damiette, à peine de quoi en constituer six. Le roi, épuisé, se traînait. On le pressa vainement de prendre place sur un navire ; comme son frère lui disait brutalement que par son obstination il retardait la marche, il lui jeta, furieux : « Comte d'Anjou, comte d'Anjou, si vous pensez que je vous encombre, débarrassez-vous de moi ; mais je n'abandonnerai pas mon peuple. »

L'arrière-garde, où il se trouvait, dut finalement s'arrêter dans un village appelé Munyat Abu-Abdallah, situé non loin de Shâramsâh. Geoffroy de Sergines, qui commandait l'escorte du roi, dut dégager celui-ci des coureurs musulmans. Louis, très malade, fut déposé dans une maison et couché, la tête sur les genoux d'une bourgeoise de Paris. Gautier de Châtillon resta dans la rue, d'où il chassait les ennemis lorsque ceux-ci se présentaient soit à une extrémité, soit à l'autre, jusqu'à ce qu'il fût tué lui-même. Philippe de Montfort, cependant, retrouvait l'émir avec qui il avait négocié et sollicitait de lui une trêve, en promettant l'évacuation totale de l'Égypte sans autre condition : celle-ci était pratiquement conclue lorsqu'un sergent de Paris, nommé Marcel, cria aux chevaliers de se rendre, comme s'il s'agissait d'un ordre du roi. Les survivants déposèrent les armes ; l'émir refusa de parler désormais de trêve ; la maison où se trouvait le souverain

fut envahie, celui-ci étant fait prisonnier avec ses frères et
ceux qui l'entouraient.

L'avant-garde et ce qui restait du corps de bataille, cependant, continuaient leur marche vers Damiette. Ils étaient arrivés à Fariskûr, à moins de deux étapes de leur but, lorsqu'ils
furent à leur tour encerclés et écrasés. Quant aux navires
chrétiens, eux aussi avaient succombé : lorsqu'ils cessè-
rent d'être protégés par l'armée qui suivait le rivage, ils
furent attaqués par des barques venues de la rive, criblés
de flèches, tandis que les galères du sultan leur interdisaient la descente vers Damiette. Seuls quelques-uns des
navires d'escorte et d'autres bateaux parvinrent à franchir
ce barrage. L'un d'eux portait le légat et le duc de Bourgogne. L'anéantissement de l'armée était donc à peu près
complet.

Il est inutile d'épiloguer sur les fautes commises par le roi
et son état-major au cours de la campagne. Celle-ci aurait pu
réussir si elle avait été menée plus rapidement, au printemps
de 1249 ; le choix d'un autre terrain que le Delta, c'est-à-dire
l'adoption d'une autre base que Damiette, aurait peut-être
permis de marcher sur le Caire sans rencontrer tous les obstacles que l'armée trouva devant elle. Saint Louis a sans doute
été trop lent à tirer les conséquences stratégiques de la
bataille du 8 février, en surestimant les possibilités qui lui restaient de négocier en position de force. Néanmoins, on doit
remarquer combien prudemment avait été menée cette campagne ; Louis avait été très attentif à mettre de son côté le
maximum d'éléments susceptibles de donner plus de puissance à son armée. Ses ingénieurs avaient fait un travail
remarquable ; ses arbalétriers avaient toujours surclassé les
archers musulmans. La qualité des chevaliers et de leur armement était indéniable : Joinville et ses compagnons ont été
criblés de flèches au cours de la bataille du 8 février, au point
de ne pouvoir revêtir leur armure les jours suivants, tant ils
étaient couverts de petites blessures ; ils n'en continuèrent
pas moins à combattre. Le roi lui-même s'était vaillamment
comporté, s'engageant avec les siens. Il avait refusé de se
faire évacuer sur Damiette, bien qu'il fût malade au point

qu'il avait fallu couper le fond de ses chausses et qu'on le croyait perdu, pour rester avec ses hommes jusqu'au bout.

L'ironie du destin a voulu que ce roi, qui fut le premier à concevoir la nécessité d'une marine et à en jeter les bases, n'a pas réalisé que la priorité vitale de ses relations par eau avec Damiette exigeait le maintien d'une flotte suffisante pour empêcher les Musulmans de reprendre la maîtrise des eaux du Nil.

Fertile en actes de bravoure et même d'héroïsme, soigneusement préparée sur le plan moral comme sur le plan technique, la campagne d'Égypte pêchait cependant, aux yeux de certains contemporains, par sa conception même. Un informateur de Mathieu Paris s'exprimait ainsi : « Nous croyons que Dieu a été offensé parce que les Chrétiens ne devaient pas passer outre-mer pour un autre but que pour la récupération de l'héritage du Christ. » La politique du roi de France a paru davantage tournée vers la conquête de l'Égypte que vers la prise des gages destinés à être négociés contre la récupération de la Terre sainte ; il est d'ailleurs très probable que le roi envisageait cette conquête, avant tout, comme un moyen d'assurer la conversion des Égyptiens à la foi chrétienne. Ceci ressort des propos qui lui ont été prêtés, au cours de sa captivité, comme ayant été échangés avec le sultan, et dont l'authenticité n'est pas toujours certaine : le roi aurait dit au sultan qu'il était triste de « n'avoir point gagné ce que je désirais le plus, ce pourquoi j'avais laissé mon doux royaume de France et ma mère..., pour quoi je m'étais exposé aux périls de la mer et de la guerre », c'est-à-dire le salut de l'âme du prince musulman. Nous savons en tout cas que saint Louis n'a perdu aucune occasion de convertir les Infidèles à la foi chrétienne, qu'il avait prescrit à ses hommes de veiller à éviter tout massacre et d'épargner les femmes et les enfants dans la perspective d'amener à la foi les habitants du pays.

Mais la remarque du chroniqueur anglais atteste que parmi les contemporains, certains avaient été hostiles à ce que la croisade débouchât sur la conquête d'un pays infidèle, fût-ce pour y étendre le royaume du Christ : il s'agissait, à leurs yeux, d'une déviation de l'idée de croisade.

CHAPITRE IV

Le deuxième temps de la croisade

Le désastre de Fariskûr et la capture de Louis IX par les Égyptiens mettaient fin à la croisade : il ne restait plus au roi de France qu'à obtenir des conditions favorables pour retrouver sa liberté et celle de ses compagnons, avant de reprendre la route de son royaume. C'est ce qui fut réalisé assez rapidement. Mais l'inexécution de certaines des stipulations du traité, concernant la libération des prisonniers, amena saint Louis à retarder son retour en France.

Cette décision, dictée par le sentiment qu'il avait de ses devoirs envers les siens, était lourde de conséquences. Pour le roi lui-même, qui allait passer près de quatre années en Orient et prendre en charge les nécessités de la défense du royaume de Jérusalem, au prix de nouvelles dépenses et d'une adaptation aux conditions particulières à l'Orient latin. Pour ses compagnons, laissés libres de choisir entre le retour et un séjour prolongé outre-mer. Pour le royaume de France et tout particulièrement pour la régente Blanche de Castille, à qui le roi laissait toute la charge du gouvernement, qu'alourdissaient de nouvelles exigences financières, une agitation populaire, et des menaces extérieures renouvelées. La mort de la reine mère aggrava encore cette situation, les affaires de Flandre et de Guyenne suscitant des problèmes que le conseil de régence allait affronter sans jouir de l'autorité dont Blanche jouissait.

C'est là ce qui finit par rappeler saint Louis dans son royaume ; mais il ne devait quitter l'Orient latin qu'après avoir achevé la tâche qu'il s'était assignée, et renforcé la défense du royaume latin. Paradoxalement, après l'échec de la grande expédition menée en Égypte avec des moyens considérables, le séjour prolongé du roi en Terre sainte apparaît comme un deuxième temps, où le souverain, avec des moyens plus limités, est parvenu dans l'ensemble aux résultats qu'il s'était proposés, lui permettant ainsi de terminer l'aventure de la croisade avec un bilan plus satisfaisant que celui qui pouvait être établi au terme des deux premières années.

De la captivité à la prolongation de la croisade

Vainqueur des Croisés, le sultan Tûrân-Shâh adressait le bilan de sa victoire dans une lettre au gouverneur de Damas, auquel il envoyait en cadeau le manteau d'écarlate rouge bordé d'hermine du roi de France. « Le premier jour de cette année bénie (mardi 5 avril 1250), Dieu a répandu toute sa bénédiction au profit de l'Islam. Nous avions ouvert nos trésors, distribué nos richesses, donné des armes, engagé les Arabes du désert, les volontaires de la foi et une foule de gens dont Dieu seul sait le nombre, venus de toutes les retraites et des lieux éloignés. La nuit du mercredi, l'ennemi abandonna ses tentes, ses affaires et ses bagages, en s'enfuyant vers Damiette, poursuivi toute la nuit par nos épées, épouvanté et hurlant d'angoisse. Quand se leva le matin, nous avions tué trente mille d'entre eux, plus ceux qui se jetèrent dans les flots. Quant aux prisonniers, impossible de les compter. Le roi de France s'est réfugié à al-Munya, il a demandé la vie sauve, que nous lui avons accordée. Nous l'avons capturé et traité honorablement, et nous avons récupéré Damiette... »

Selon Mathieu Paris, il ne restait guère au roi que quinze mille hommes dans la dernière partie de la campagne. Beaucoup trouvèrent immédiatement la mort : les Sarrasins en avaient tué un grand nombre dans les derniers engagements ; ils massacrèrent les malades qui gisaient dans le camp. Pour ceux qui étaient embarqués — Joinville était du nombre —, ils connurent pour la plupart le même sort. Le sénéchal de Champagne, voyant que ses mariniers ne voulaient plus résister aux navires musulmans qui s'approchaient, se rendit à l'une des galères du sultan, dans l'espoir qu'ainsi il ne serait pas séparé de ses compagnons ; il eut la chance qu'un Arabe de Sicile, qui savait le français, le fît passer sur le navire abordeur en le présentant comme le cousin du roi : car ceux qui montèrent à bord de son bateau commencèrent par piller les bagages et par mettre à mort beaucoup des passagers. Les mariniers, pour leur part, s'empressèrent de se faire musulmans pour échapper au même sort. Et, deux jours après leur capture, l'émir qui commandait les galères fit rassembler les prisonniers et mettre à mort tous ceux d'entre eux qui ne pouvaient se tenir debout. Le nombre considérable des captifs paraît en effet avoir embarrassé les vainqueurs, qui continuèrent à faire périr beaucoup de survivants, en leur offrant le choix entre la mort et l'abjuration.

En ce qui concerne les barons et les chevaliers, comme le roi lui-même, le traitement qui leur fut réservé passa par des alternatives assez déroutantes. Joinville fut soigné et entouré d'égards par le commandant de la galère qui l'avait capturé, et l'on traita humainement ses compagnons. Mais, quand il fut amené à la Mansoura et réuni aux autres captifs, dont il évalue le nombre à dix mille (chiffre qui n'a sans doute pas plus de valeur statistique que ceux de Tûrân-Shâh et de Mathieu Paris), il se vit menacé de mort, avec eux, s'il n'abjurait pas sa foi. Saint Louis, logé dans la maison d'un scribe de la ville nommé Fakhr al-Dîn, reçut des soins qui lui rendirent la santé ; le sultan lui fit confectionner un matelas et « une robe de soie noire, fourrée de vair et de gris, où il y avait grand foison de boutons d'or ». On lui avait laissé son chapelain, Guillaume de Chartres, avec qui il disait régulièrement les Heures. Un prêtre copte l'assistait également. Et le cuisinier Isambard, le seul serviteur qui lui était resté, lui confectionnait sa nourriture.

Cependant la nouvelle du désastre était parvenue à Damiette où elle avait suscité une grande panique. La reine Marguerite allait y donner naissance à un fils, Jean, qu'on surnomma Tristan à cause de la tristesse de ces journées. Elle apprit alors que les Pisans et les Génois s'apprêtaient à quitter la ville avec leurs navires. Elle les fit venir et leur démontra que seule la possession de Damiette assurait aux Chrétiens un gage que l'on pourrait négocier pour obtenir la libération des prisonniers. On lui répondit que l'on craignait de manquer de vivres. Il est vrai que la nouvelle de la défaite du roi avait provoqué l'arrêt du courant d'approvisionnements et de renforts destinés à la croisade : il fallut une décision des autorités de Messine pour que le navire de Marseille le *Saint Victor*, à bord duquel se trouvaient une centaine de croisés, notamment des chevaliers de Bohême et Olivier de Termes, poursuivît son voyage. La reine Marguerite promit alors de prendre à sa charge le ravitaillement de la ville, et retint les Italiens à son service. Quand Olivier de Termes arriva, on lui donna le commandement des arbalétriers, le duc de Bourgogne prenant celui des chevaliers. Damiette pouvait ainsi résister à un coup de main.

Pour le sultan, la capture du roi et de ses grands vassaux paraissait offrir une magnifique opportunité de parachever la conquête des possessions franques de Terre sainte entamée par son père. Joinville nous dit qu'un de ses émissaires demanda aux barons captifs s'ils accepteraient, en échange de leur liberté, de remettre aux Musulmans les châteaux du royaume de Jérusalem. En leur nom, Pierre Mauclerc répondit qu'ils ne pouvaient disposer de ce qui appartenait en droit à l'empereur Frédéric, sur quoi le roi de France n'avait aucune autorité. Quant aux châteaux du Temple et de l'Hôpital, leurs châtelains juraient en entrant en fonction de ne pas les livrer, même si leur reddition permettait d'obtenir la libération de prisonniers.

Ainsi les pourparlers qui, après quelques tentatives d'intimidation — le sultan aurait menacé le roi de le mettre à la torture —, s'engagèrent entre le vaincu et le vainqueur prirent-ils rapidement une autre tournure. Le sultan réclamait un million de besants d'or, soit cinq cent mille livres tournois. Louis riposta « qu'il n'était pas tel qu'il pût être racheté à prix d'argent » et offrit Damiette comme rançon de sa propre liberté, les cinq cent mille livres pour celle de ses compagnons de captivité. Le sultan, ne voulant pas paraître moins magnifique que son prisonnier, accepta le marché, mais en réduisant la somme demandée à quatre cent mille livres. Le roi, d'ailleurs, entendait que la convention s'étendît à tous les prisonniers francs, y compris ceux qui avaient été capturés au cours des croisades précédentes : celle de 1239-1241 et l'affaire de La Forbie. Il avait interdit aux barons de traiter individuellement de leur propre rançon, pour éviter que les pauvres ne demeurassent prisonniers pendant que les riches se rachèteraient. Le traité fut conclu ; on fit monter les barons à bord de quatre galères qui les amenèrent, le 28 avril, au camp du sultan, près de Fariskûr. Ils donnèrent leur garantie aux conventions qui furent ratifiées le 1er mai.

Ces tractations avaient vivement mécontenté les chefs de l'armée égyptienne, lesquels craignaient que, débarrassé des Francs, le sultan ne cherchât à se débarrasser d'eux. L'armée du sultan comprenait en effet deux éléments : des levées de caractère féodal, constituées par les contingents fournis par le pays et notamment par les tribus arabes, et des régiments formés d'esclaves, généralement d'origine turque, que les sultans achetaient, faisaient élever dans l'Islam et affranchissaient en les gardant à leur service : les mamelouks. Ces derniers constituaient une armée permanente, encasernée, dont les membres étaient dévoués au maître qui les avait affranchis, mais non à ses successeurs. Aiyûb avait multiplié le nombre des mamelouks et les avait établis dans une caserne, au bord du Nil, d'où ils tiraient leur nom, celui de Bahrites (de *Bahr* : fleuve). Tûrân-Shâh, arrivant de Mésopotamie avec ses propres hommes, ne se fiait guère aux chefs des Bahrites en qui Aiyûb avait mis sa confiance et qui avaient mené les troupes égyptiennes à la victoire. Aussi, le 2 mai, une conjuration à laquelle avaient participé les émirs mamelouks débouchait sur l'assassinat du jeune sultan.

Les Francs connurent alors de grandes inquiétudes ; les

assassins du sultan les menaçaient de mort ; s'attendant à être massacrés, les chevaliers se confessaient les uns aux autres. Le chef du complot, l'émir Aqtaï, pénétra dans la tente où se trouvait saint Louis. Il prétendait se faire conférer la chevalerie par le roi, comme récompense pour avoir débarrassé celui-ci de son ennemi — Frédéric II n'avait-il pas armé chevalier l'émir Fakhr al-Dîn, celui qui avait été tué à la Mansoura et qui portait les armes de l'empereur sur son bouclier ? Saint Louis répondit que la chevalerie ne pouvait être conférée qu'à un chrétien, et demanda à Aqtaï d'embrasser la foi chrétienne. Les choses auraient pu mal tourner, si les autres émirs n'étaient survenus. Ils affirmèrent au roi qu'ils entendaient s'en tenir aux termes du traité ; on fit venir les barons et, au matin du 3 mai, la convention précédemment arrêtée était confirmée. Il était entendu qu'on rendrait Damiette aux Musulmans ; aussitôt après, le roi et les barons seraient libérés ; quatre cent mille besants seraient payés à ce moment-là ; le solde de la rançon, quand le roi serait arrivé à Acre. Le roi confiait à la garde des Mamelouks ses machines, ses approvisionnements et ses malades, qui demeureraient à Damiette jusqu'à ce qu'il les fît prendre. La seule difficulté venait de ce que les émirs exigeaient que le roi, dans son serment, s'engageât à être honni comme le chrétien qui méprise la croix et la piétine, au cas où il violerait ses engagements ; saint Louis se refusait à ces promesses qui lui paraissaient blasphématoires ; il fallut que le patriarche de Jérusalem, dont on avait menacé de trancher la tête, s'entremît.

Prudemment, la reine Marguerite, la garnison et tous les chrétiens valides s'embarquèrent avant que l'on ouvrît les portes de Damiette. Les Musulmans allaient en effet violer aussitôt leurs serments, massacrant les malades qu'ils avaient promis de respecter. Ces premiers actes n'étaient guère encourageants quant à la libération des captifs : de fait, il y eut des discussions à ce propos dans le camp musulman. Néanmoins, on se décida à amener le roi au rivage, en compagnie de Charles d'Anjou, de Geoffroy de Sergines, de Guillaume de Beaumont, du sire de Nemours, de Joinville et du grand maître des Trinitaires. Une galère génoise les attendait : quand on les vit proches de l'embarcadère, sur un coup de sifflet, quatre-vingts arbalétriers se démasquèrent, arbalètes bandées : la foule musulmane s'enfuit, laissant les prisonniers monter à bord. Alphonse de Poitiers restait en otage jusqu'à ce que le roi eût acquitté le versement des 400 000 besants (200 000 livres) qu'il devait payer avant de quitter le delta du Nil. On était le 6 mai 1250.

Il restait environ 177 200 livres dans la caisse de l'armée ; il fallait donc trouver sur-le-champ un peu plus de vingt mille livres. Le roi demanda aux Templiers, qui avaient en leur possession les dépôts à eux confiés par de nombreux croisés, de lui avancer cette somme. Le commandeur et le maréchal de l'ordre, que Joinville était venu trouver de la part du roi, s'y refusèrent, car ils avaient prêté serment aux déposants de conserver leurs coffres intacts. Joinville se fit mener dans la galère où ceux-ci étaient conservés et comme on lui refusait les clés, il se saisit d'une cognée en faisant part de son intention de briser les « huches ». Le trésorier du Temple fit alors dûment constater qu'il agissait sous la violence et ouvrit aussitôt le premier coffre, celui de Nicolas de Choisy, un des sergents du roi. On ne tarda pas à trouver le complément de la rançon.

A cette petite comédie en succéda une autre. Philippe de Nemours se vanta d'avoir réussi à escamoter une somme de vingt mille besants au moment où on pesait les espèces de la rançon. Saint Louis s'indigna : il exigea que l'on vérifiât le fait et que, si c'était exact, la somme promise fût intégralement versée. Après quoi, Alphonse de Poitiers fut libéré à son tour et rejoignit le roi sur sa galère.

La captivité du souverain n'avait pas duré plus d'un mois. Elle reste cependant un des épisodes majeurs de son existence. Nous avons la bonne fortune de disposer du récit d'un témoin oculaire, puisque Guillaume de Chartres, qui fut l'un de ses biographes, ne le quitta pas pendant toute cette période. Il apparaît que la dignité avec laquelle le roi supporta cette épreuve, la tranquillité avec laquelle il affronta les menaces de mort, la grandeur dont il témoigna lors des marchandages sur la rançon, firent grande impression sur ses vainqueurs. L'émir Husâm al-Dîn, qui avait négocié avec lui, confia à l'historien Ibn Wasil que « le roi de France était un homme sage et intelligent à l'extrême ». L'émir se permit de lui demander : « Comment a-t-il pu venir à l'esprit de votre Majesté, eu égard à toute la vertu et au bon sens que je vois en lui, de monter sur un navire et de chevaucher le dos des vagues, de venir dans un pays peuplé de Musulmans et de guerriers, dans la pensée de le conquérir et de s'en faire seigneur ? Cette entreprise est le plus grand risque à quoi il pouvait s'exposer, lui et ses sujets. » Louis IX ayant souri sans répondre, l'émir s'enhardit à lui dire que la loi musulmane interdisait de recevoir le témoignage de quelqu'un qui se confiait plusieurs fois à la mer, en le regardant comme insensé. Le roi éclata de rire, et répondit que cette idée lui paraissait juste. Le sens de l'humour du souverain avait lui-même conquis ses interlocuteurs.

Quant aux compagnons du roi, c'est le souci qu'il témoigna de leur sort et la volonté de le partager qui le rendirent plus cher à leurs yeux. Les barons qui, dix ans plus tôt, luttaient les uns contre les autres et bafouaient l'autorité royale, avaient été tous ensemble jetés à fond de cale, enchaînés, menacés des pires supplices, s'encourageant les uns les autres à supporter le martyre. De cette épreuve subie en commun, ils allaient rapporter en France un nouveau sentiment de solidarité, et le roi allait sortir grandi de sa captivité.

La flotte, bien moins nombreuse que celle qui avait amené les croisés en Égypte, prit le chemin de la Terre sainte ; mais déjà le comte de Flandre, le comte de Soissons et Pierre Mauclerc avaient fait voile pour la France, que les deux premiers seuls devaient revoir. La traversée ne connut d'autre aventure que la colère qui s'empara de saint Louis quand il apprit que son frère Charles jouait aux « tables » avec Gautier de Nemours. Encore très faible, le roi se leva, et s'en alla jeter à la mer les dés dont se servaient les joueurs (Gautier fut assez avisé pour rafler les enjeux...). C'est que la croisade continuait et que l'interdiction des jeux de hasard qui était faite aux pèlerins gardait, à ses yeux, toute sa rigueur. Vers le 13 mai, le roi, portant toujours l'une des robes que lui avait données le sultan, débarquait à Acre. Il restait encore des milliers de captifs dans les geôles égyptiennes : on en estimait le nombre à douze mille, y compris les Francs pris à Gaza et à La Forbie. Le roi envoya aussitôt des messagers au Caire pour demander leur libération, qui conditionnait le versement des quatre cent mille besants demeurant à payer. Le nouveau sultan, le Mamelouk Aibeg, ne remit aux ambassadeurs que quatre cents captifs, dont la plupart avaient payé individuellement leur rançon.

Cependant le roi avait reçu des lettres de la reine Blanche qui le pressait de revenir en France. Il avait conclu avec les Égyptiens une trêve de dix ans qui mettait la Terre sainte à l'abri des hostilités, et pouvait donc s'estimer libre de repartir, dégagé de ses obligations. Et déjà les navires destinés à transporter l'armée avaient été retenus.

Les conditions dans lesquelles il fut amené à changer d'avis ont été rapportées par Joinville dans une narration très vivante, mais que les historiens ont été amenés à mettre en doute, le sénéchal de Champagne paraissant avoir confondu les deux réunions auxquelles il participa. Le 19 juin, le roi avait convoqué ses barons pour les inviter à réfléchir à la situation et lui donner leur avis. Le 26, il réunissait les barons de France et ceux de Terre sainte. Les premiers donnèrent leur réponse par la bouche de Guy Mauvoisin, un seigneur de la région de Mantes. Celui-ci conseillait au roi de repartir pour la France, où il réunirait de nouvelles troupes et de l'argent, ce qui lui permettrait de revenir « pour vous venger des ennemis de Dieu et de la captivité qu'ils vous ont infligée ». Interrogés individuellement, presque tous se rallièrent à cet avis ; c'est le jeune sénéchal de Champagne qui, le premier, osa avancer l'opinion contraire, arguant de ce que le roi avait encore assez d'argent pour faire venir de Morée et d'Occident de nouveaux combattants, à condition de bien les payer ; qu'il était inutile d'espérer la libération des captifs si l'on ne restait sur place, et que la défense de la Terre sainte exigeait cette solution. Ce dernier argument était appuyé par le comte de Jaffa, au nom des barons du royaume de Jérusalem. Mais rares furent ceux qui se rallièrent à l'avis de Join-

ville : le maréchal Guillaume de Beaumont et Érard de Chacenay. Ils avaient été vivement pris à partie par le reste de
l'assemblée et saint Louis vint consoler Joinville, en le prenant à part, lui disant qu'il lui savait bon gré de ce qu'il avait
dit. Soixante ans plus tard, quand il écrivait son récit, Joinville s'était persuadé que le roi avait déjà pris la décision de
rester en Terre sainte. En fait, saint Louis lui-même a dit dans
sa lettre à ses sujets qu'il avait alors décidé de revenir en
France.

Le débat avait été assez vif pour que l'opinion s'en saisît.
Une chanson a été conservée, qui exprime un point de vue si
proche de celui de Joinville qu'on s'est demandé s'il en avait
été l'auteur :

> Nul ne pourrait de mauvaise raison
> Bonne chanson ni faire ni chanter...
> Et cependant, la terre d'outre-mer
> Je la vois en si grande balance
> Qu'en chantant, veux prier le roi de France
> Qu'il ne croie les couards et les flatteurs
> [qui le dissuadent] de sa honte et de celle de
> [Dieu venger.
> Ah ! gentil roi, quand Dieu vous fît croisé,
> Toute l'Égypte craignait votre renom ;
> Or perdez tout si ainsi voulez laisser
> Jérusalem être en captivité...
> Roi, vous avez trésor d'or et d'argent,
> Plus que nul roi n'eut onques, à mon avis ;
> Si en devez donner plus largement,
> Et demeurer pour garder ce pays
> Car vous avez plus perdu que conquis...
> Roi, si en tel point vous mettiez en retour,
> France dirait, Champagne, et toute gent
> Que vous avez mis votre honneur en défaut
> Et gagné avez moins que néant.
> Des prisonniers qui vivent à tourment
> Dussiez avoir le souci ;
> Bien dussiez-vous quérir leur délivrance

Quand ils sont pour vous et pour Jésus martyrs.
C'est grand péché si vous les y laissez mourir.

Là-dessus, on apprit que le sultan d'Égypte n'avait pas
tenu les conventions relatives à la restitution des captifs. Joinville a dépeint l'émotion de tous les barons : sans doute
rend-il ainsi compte du nouveau conseil réuni par le roi, le
3 juillet, qui, cette fois, entendit le souverain annoncer son
intention de prolonger son séjour. Il laissait la liberté à tous
d'opter pour le retour en France, offrait de prendre à son service ceux qui resteraient, et s'engageait à demeurer en Terre
sainte tant que le pays resterait en danger.

Dans les semaines qui suivirent, les départs se multipliè-
rent. Alphonse de Poitiers et Charles d'Anjou prirent la route
du retour en même temps que le comte de Flandre et le duc
de Bourgogne. Des chevaliers aussi proches du roi que Simon
de Nesle et Érard de Valery reprirent aussi le chemin de la
France. Il n'est d'ailleurs pas exclu que Louis IX ait pensé
que leur présence auprès de Blanche de Castille ne serait pas
inutile, même s'il avait dit à ses barons : « Je ne vois pas que
mon royaume coure grand risque, car Madame la reine a
assez de gens pour le défendre. »

Saint Louis confia à ceux qui repartaient une lettre destinée aux prélats, aux barons, aux chevaliers, aux bourgeois et
aux autres habitants du royaume de France, en exposant avec
beaucoup de simplicité comment la croisade s'était déroulée
depuis le départ de Damiette. Il leur donnait connaissance du
traité passé avec le sultan et expliquait comment les violations intervenues depuis lors l'avaient amené à renoncer à
son intention première qui était de rentrer en France. S'il
demeurait en Orient, c'était pour assurer la délivrance des
captifs et la conservation des châteaux et forteresses du
royaume de Jérusalem. Il renvoyait ses deux frères « pour la
consolation de notre très chère dame et mère et celle de tout
le royaume ». Il demandait que de nombreux volontaires
vinssent le rejoindre en 1251 par les deux « passages »
d'avril-mai et d'août ; il sollicitait enfin les prières des prélats
et des clercs.

Saint Louis en Terre sainte

La lettre d'août 1250 définissait un programme. Si le roi de France renonçait à regagner son royaume, s'en remettant à la sagesse et à l'expérience de la reine mère pour garder celui-ci de toute mésaventure, c'était parce qu'il estimait de son devoir, en premier lieu, de poursuivre la libération des prisonniers que le sultan d'Égypte avait promis de rendre à la liberté ; en second lieu, de mettre le royaume de Jérusalem à l'abri d'une nouvelle offensive musulmane. Il mentionnait aussi la discorde qui s'était révélée entre le sultan d'Alep et « ceux qui gouvernent à Babylone » — Babylone était le nom de la vieille forteresse grecque à partir de laquelle s'était construit le Caire. Ce différend lui apparaissait comme un élément nouveau et favorable : le roi de France avait donc dès lors commencé à se placer dans la perspective familière aux Francs de l'Orient latin, celle de l'utilisation des querelles des princes musulmans pour la consolidation de la Terre sainte.

Le meurtre du sultan Tûrân-Shâh par ses principaux officiers, même si ceux-ci s'étaient assurés de l'appui de la veuve du précédent sultan et avaient placé sur le trône un prince fantôme, associé à l'un d'entre eux, représentait une rupture avec toute la tradition dynastique antérieure. Depuis que Saladin avait unifié l'Égypte, la Syrie, le Yémen et la Haute-Mésopotamie sous le sceptre de sa dynastie, celle des Aiyûbides, un système malaisé de « fraternité » avait associé les différents royaumes constituant cet ensemble. A chaque génération, après des luttes entre les héritiers du grand sultan, l'un d'entre eux avait pris le dessus et, maître du Caire et de l'Égypte, imposé son hégémonie à ses frères. Aiyûb avait réuni entre ses mains les trois principaux éléments de l'ensemble aiyûbide, avec leurs capitales — Le Caire, Damas et Hisn Kaïfa en Mésopotamie —, laissant à ses cousins le sultanat d'Alep et des principautés mineures. La disparition tragique de son fils, auquel se substituaient des soldats de fortune sans autre lien avec la dynastie de Saladin que le mariage de la veuve d'Aiyûb avec leur chef du moment, Aibeg, fit scandale : tous les princes aiyûbides se rallièrent autour du sultan d'Alep, al-Nasir, et les mamelouks de Damas eux-mêmes, qui n'appartenaient pas à la même clientèle que ceux du Caire, reconnurent ce dernier pour leur souverain. Al-Nasir entendait aller plus loin, et faire rentrer l'Égypte dans l'empire aiyûbide.

Une autre modification s'était produite dans l'équilibre du Proche-Orient, avec l'abaissement du sultan turc de Konya, vaincu par les Mongols et abandonné par les souverains qui étaient précédemment ses tributaires. Les Mongols eux-mêmes n'étaient pas en mesure d'intervenir efficacement en dehors de l'aire de stationnement de leur armée du Caucase, aux confins de la Géorgie et de l'Azerbaïdjan. Quant au khalife de Bagdad et au Vieux de la Montagne, chefs spirituels l'un des Sunnites, l'autre des Shi'ites ismaïliens, ils n'exerçaient d'autorité politique que sur des principautés d'une importance territoriale restreinte ; mais le premier s'était assuré une autorité morale qui s'exerçait par l'intermédiaire d'une confrérie à laquelle les princes musulmans adhéraient ; le second continuait à faire peser sur ceux-ci la menace de ses redoutables sicaires.

Du côté des États chrétiens, le royaume de Jérusalem — toujours théoriquement gouverné au nom de Conrad de Hohenstaufen, héritier du trône, par le roi de Chypre, régent reconnu par l'ensemble des barons — était en fait constitué par plusieurs grandes baronnies, celles de Beyrouth, de Sidon, de Tyr et du Toron, de Cayphas, de Césarée, de Jaffa. Acre était placé sous l'autorité du régent, qui s'y faisait représenter par un *bayle*, lequel était en réalité l'élu des barons. Les trois ordres militaires avaient leurs propres territoires et n'étaient liés au régent par aucun lien de subordination. Plus au nord, le comté de Tripoli et la principauté d'Antioche, séparés par l'enclave musulmane de Lattaquié, étaient placés sous l'autorité du jeune prince Bohémond VI, au nom duquel gouvernait la princesse mère. Ils voisinaient avec le royaume arménien de Cilicie, qui réunissait à la plaine cilicienne une partie des montagnes du Taurus.

Tel était l'échiquier politique dans lequel saint Louis allait avoir à agir. Sa situation personnelle était assez particulière. Croisé, il n'avait autorité sur aucun des États latins d'Orient, et il ne tenait pas à intervenir à un titre quelconque dans les affaires de ceux-ci. Frédéric II lui avait demandé de faire rétablir dans les villes et les châteaux du royaume de Jérusalem ses officiers qui en avaient été chassés en 1243. Il se garda bien de donner suite à cette requête.

Mais, en même temps, le roi de France était à la tête d'une force militaire importante — même si elle ne réunissait plus que quelques centaines de chevaliers, elle dépassait les effectifs que pouvaient mettre sur pied les plus puissants des barons de Terre sainte. Les ressources financières dont il disposait étaient également considérables. Son prestige était d'autant plus grand que la plupart des familles seigneuriales étaient de sang français : Joinville était le cousin du comte de Jaffa. Et même des lignages d'autre origine se donnaient des ancêtres français : les Ibelin, peut-être issus de l'Italie normande, se réclamaient des vicomtes de Chartres. Roi couronné du plus puissant des royaumes d'Occident, ne recherchant aucun profit personnel de son séjour en Orient, se plaçant en dehors des querelles qui déchiraient le petit monde franc, il s'imposa comme le véritable chef tant des Francs d'Orient que des gens de son propre royaume. On connaît l'anecdote relative au traité que le maître du Temple avait conclu avec le sultan d'Alep, à propos des revenus de territoires qui payaient tribut à l'un et à l'autre : lorsqu'il apprit qu'on avait négocié sans le consulter, le roi exigea du maître et de ses chevaliers une amende honorable, fit casser le traité et bannir du royaume le négociateur, qui était le maréchal du Temple. Il se comportait donc en chef de l'armée chrétienne, regardant le roi de Chypre, les barons de Terre sainte et les ordres militaires comme subordonnés à celle-ci. C'est donc lui qui prit la direction des opérations comme celle des négociations à conduire avec les Musulmans.

Devant la division de ceux-ci, et le conflit ouvert entre les

Aiyûbides, maîtres de la Syrie, et les Mamelouks, maîtres de l'Égypte, le roi Louis ne pouvait pencher, dans le secret de son cœur, que pour l'héritier de Saladin, détenteur par droit d'héritage de l'empire de ce dernier, et non pour ceux qu'il désignait dans sa lettre d'août 1250 comme « ceux qui gouvernent à Babylone », assassins de leur maître et coupables, déjà, d'avoir enfreint sur plusieurs points, à commencer par le massacre des malades de Damiette, le traité passé avec lui. Et le sultan al-Nasir lui avait fait proposer une alliance, lui offrant la restitution de l'ancien royaume de Jérusalem en échange d'une aide militaire contre les Mamelouks.

Mais saint Louis n'était pas libre de son choix. Douze mille chrétiens, captifs en Égypte, mettaient aux mains d'Aibeg et de ses compagnons un moyen de pression irrésistible. Cependant le roi accepta d'ouvrir des pourparlers, et les Damasquins, pour se le rendre favorable, lui permirent de s'approvisionner chez eux en matériel de guerre (il fit acheter notamment à Damas la corne et la colle indispensables à la fabrication des arbalètes). Les Francs restèrent néanmoins dans l'expectative ; l'armée d'al-Nasir se porta à deux reprises sur Gaza (octobre 1250 ; février 1251), sans y remporter de succès décisifs.

Louis IX, profitant de ces hostilités, envoya au Caire Jean de Valenciennes, un chevalier d'Orient latin, sans doute quelque peu arabisant, qui rappela au sultan les stipulations du traité. Il ne ramena avec lui que deux cents chevaliers et un nombre appréciable d'autres captifs (est-ce alors qu'on rendit à saint Louis un de ses cuisiniers, Roger de Soisy, qui se rappelait avec émotion trente ans plus tard que le roi, le voyant dépouillé de tout, lui fit aussitôt confectionner « deux paires de robes » ?) Le maître de l'Hôpital était du nombre. Et les émirs du Caire demandaient au roi de France de faire cause commune avec eux contre al-Nasir.

Le roi fit alors constater que les Mamelouks persistaient à ne pas exécuter le traité, et qu'il pouvait donc se considérer comme délié de tout engagement. Ceci inquiéta vivement Aibeg, qui reprit les négociations au début de 1252, et obtint une alliance en forme, en s'engageant à rendre tous les pri-

sonniers qui restaient entre ses mains : le roi était autorisé à
envoyer ses représentants en Égypte, et ceux-ci pourraient
même racheter aux particuliers les esclaves chrétiens qu'ils
possédaient. Il n'est pas jusqu'aux restes des morts qui ne
fussent rapatriés en Terre sainte : on put donner une sépulture chrétienne aux têtes des vaincus de La Forbie, exposées
depuis 1239 sur les murs du Caire, et aux ossements de Guillaume Longue-Épée, le comte de Salisbury tué à la Mansoura. Aibeg renonçait aux deux cent mille livres qui restaient à payer sur la rançon, et il acceptait même de renvoyer
au roi de France les enfants pris en 1250, qu'on avait déjà
contraints à embrasser l'Islam. A cela s'ajoutaient des présents, et notamment un éléphant, que saint Louis fit envoyer
en France et dont il devait par la suite faire don au roi
d'Angleterre. Le roi n'avait pas oublié les restitutions territoriales : les Égyptiens devaient conserver les places qui cou-
vraient leurs frontières (Gaza, Ascalon, Hébron) mais s'engageaient à rendre aux Francs tout l'ancien royaume de Jérusalem, dans sa partie située à l'ouest du Jourdain.

C'était là un succès diplomatique inespéré. En contrepartie, le roi devait se porter sur Jaffa où, au milieu de mai 1252,
il ferait sa jonction avec les Égyptiens pour se porter, de
concert avec eux, contre Damas. Seulement al-Nasir prit les
devants et occupa Gaza ; les Mamelouks ne dépassèrent pas
le « torrent d'Égypte » qui marquait la frontière. Et l'armée
franque séjourna plus d'un an à Jaffa (mai 1252-juin 1253)
dans l'attente d'un nouveau rendez-vous.

Mais les Mamelouks avaient en même temps cherché un
autre appui. Ils avaient eu l'idée d'offrir la souveraineté de
l'Égypte au khalife de Bagdad et celui-ci, qui redoutait une
attaque mongole, s'efforçait de réconcilier les princes musulmans. En avril 1253, son but était atteint. Al-Nasir traitait
avec l'Égypte et abandonnait à celle-ci le sud de la Judée et
de la Transjordanie, y compris Gaza, Jérusalem et Naplouse.
De ce fait, l'alliance avec les Francs devenait caduque, et les
Égyptiens abandonnèrent leur allié de la veille à la vengeance
des Aiyûbides.

En remontant vers le nord, l'armée d'al-Nasir fit un raid

dans la banlieue d'Acre ; puis elle se porta sur Sidon, dévastant les alentours et détruisant la ville, dont la garnison se réfugia dans le « château de mer ». L'armée de saint Louis, quittant Jaffa, remonta elle aussi le long de la côte. Arrivé à Sidon, le roi y stationna, pour ensevelir les corps des victimes de l'attaque damasquine, cependant que le gros de l'armée se portait sur la place de Baniyas, aux sources du Jourdain (juin 1253). Le coup de main échoua, et les Francs se replièrent sur Tyr.

C'est seulement en février 1254 que l'on parvint enfin à faire la paix avec le sultan d'Alep et de Damas, sous forme d'une trêve de deux ans, six mois et quarante jours. Les espoirs que l'on avait pu fonder sur une action militaire, combinée avec une alliance égyptienne, s'évanouissaient : il n'était plus question que de maintenir le *statu quo*, sans recouvrer les terres perdues par le royaume latin en Terre sainte.

Mais l'autre face de cette action à la fois diplomatique et militaire était un succès : plusieurs ambassades avaient pris le chemin du Caire ; le roi avait généreusement donné du sien pour racheter les captifs et les esclaves, sans s'arrêter étroitement aux stipulations du traité. Et le recouvrement des prisonniers pouvait être considéré comme terminé.

Louis IX pouvait-il faire plus ? Joinville et le chansonnier anonyme avaient affirmé qu'il lui aurait suffi d'ouvrir largement son trésor de guerre, toujours bien garni, pour reconstituer une armée nombreuse. Mais le même Joinville nous apprend qu'en août 1250, les gens du roi se faisaient tancer parce qu'ils n'avaient encore retenu aucun chevalier ; ils firent valoir que les engagements éventuels s'annonçaient à un taux trop élevé pour qu'on s'y tînt, et qu'ils étaient fort peu nombreux. C'est alors que Joinville fut convoqué par le roi pour justifier la somme qu'il demandait, et qu'il établit un budget dont il nous donne le détail. Il obtint alors trois mille livres pour lui-même, un autre baron et trois bannerets, somme qui paraît avoir servi de base à d'autres engagements, parmi les chevaliers qui acceptèrent de différer leur retour. D'autres se joignirent à eux lorsqu'ils furent libérés des prisons égyptiennes : c'est ainsi que le contingent de Joinville atteignit cinquante chevaliers quand il put prendre à son service quarante autres Champenois revenus du Caire pendant l'hiver 1250-1251. Les comtes d'Eu et de Guines arrivèrent de France avec d'autres croisés ; le Temple et l'Hôpital comblèrent leurs pertes en faisant venir des hommes de leurs commanderies d'Occident, et on pouvait compter sur les barons de Syrie. Mais l'armée royale elle-même ne comptait guère que cinq cents chevaliers, ce qui ne lui permettait pas de se mesurer aux milliers de cavaliers que pouvaient aligner le sultan de Damas ou les émirs du Caire.

Cependant les croisés, maintenus sous les armes d'abord à Acre, puis à Jaffa, puis à Tyr et à Sidon, ne restaient pas inactifs. Depuis le début du XIIIᵉ siècle, une des tâches que s'assignaient les croisés durant leur séjour en Terre sainte consistait à relever les murailles des forteresses démantelées par les Musulmans, à bâtir de nouveaux châteaux, à renforcer les places fortes. Les Latins d'Orient, en effet, très inférieurs en nombre à leurs voisins musulmans, avaient établi un réseau fortifié qui leur permettait de tenir en échec les envahisseurs éventuels et d'attendre l'arrivée de renforts. La présence d'une armée de croisés permettait de procéder aux travaux sans que l'on eût à craindre que ceux-ci fussent perturbés par des incursions ennemies. Bien pourvus d'argent, d'ingénieurs et de travailleurs, les princes croisés s'attachaient à réaliser de telles constructions. Et c'est ainsi que Safet, Châtel-Pèlerin, Ascalon, avaient été bâtis ou rebâtis à l'occasion des croisades précédentes.

Le premier soin du roi fut de pourvoir à la sécurité d'Acre. La cité, assise sur un promontoire entre la rade et la pleine mer, s'était considérablement agrandie du fait de la naissance et de la croissance d'un bourg, qui s'était développé sur la hauteur de Montmusard, au nord de la ville. Le roi de France prit à tâche d'entourer ce bourg d'une muraille qui s'appuyait à la mer et qui se raccordait à l'enceinte de la cité un peu à l'ouest du château royal. Ce travail occupa l'hiver 1250-1251.

A partir du 29 mars 1251, on passa à la reconstruction de Césarée. Les Musulmans avaient démantelé la ville en 1191 ;

on n'en avait encore relevé que la citadelle. Les fouilles
récentes ont révélé toute l'ampleur de la tâche accomplie par
les ingénieurs du roi et par les ouvriers qu'ils dirigeaient. Le
roi lui-même transporta de la terre et des pierres, à la fois
pour donner l'exemple et gagner les indulgences que le légat
avait attachées à ce travail. Un profond fossé, long de quinze
mètres, couvrait la muraille sur trois côtés, la mer bordant le
quatrième. Seize puissantes tours carrées flanquaient une
enceinte admirablement maçonnée. Et ces travaux n'empêchaient pas qu'on travaillât en même temps à Cayphas et à
Châtel-Pèlerin, pour en renforcer les murailles.

En mai 1252, l'armée se portait sur Jaffa. Ici aussi, la citadelle seule avait été rebâtie. Le comte de Jaffa imagina, pour
accueillir le roi, de faire décorer tous les créneaux de celles-ci
par des boucliers à ses armes. Mais c'est l'enceinte ruinée par
les Musulmans qui fit l'objet de travaux de fortification
d'ampleur comparable à ceux de Césarée.

Quand on quitta Jaffa, ce fut pour trouver à Sidon une ville
où des travaux avaient déjà été entrepris, mais interrompus
par l'attaque de mai 1253. Dès la fin de juin, on travailla à
renforcer le château de mer, et à doter la ville elle-même,
bâtie sur la terre ferme, d'une muraille qui s'appuyait sur une
deuxième citadelle, le « château de terre ». Les travaux se
poursuivirent jusqu'à la fin du séjour du roi.

Ce sont donc trois grandes places fortes et le bourg neuf
d'Acre qui s'inscrivaient à l'actif du séjour du roi en Terre
sainte... et au passif du trésor royal. Pour les années
1250-1253, c'est-à-dire sans tenir compte de l'achèvement des
travaux de Sidon, les dépenses faites pour fortifier les places
d'outre-mer se montaient à 95 000 livres ; le total a donc largement dépassé cent mille livres — qu'on se rappelle que la
rançon demandée pour l'armée (et dont la moitié seulement
fut finalement payée) était de quatre cent mille. L'armature
de forteresses des possessions latines dans le royaume de
Jérusalem pouvait être regardée comme complètement rétablie (il ne restait plus aux Hospitaliers qu'à entreprendre la
construction d'un château sur le mont Thabor, ce à quoi ils se
consacrèrent à partir de 1255).

Le roi de France avait eu à s'employer dans d'autres
domaines. La principauté d'Antioche, du fait de la prolongation de la régence de la veuve du prince Bohémond V, une
nièce d'Innocent III, Lucienne de Segni, était exposée à des
difficultés opposant celle-ci à son fils Bohémond VI. Celui-ci
vint trouver Louis IX et lui demanda d'obtenir de sa mère
que celle-ci, continuant à gouverner le comté de Tripoli, lui
confiât Antioche, dont la situation était précaire, en lui attribuant une partie des revenus de la principauté. Louis réussit
à accorder la mère et le fils. C'est lui qui arma Bohémond
chevalier, et le jeune prince « avec l'agrément du roi, écartela
ses armes, qui sont vermeilles, aux armes de France ». Il
s'entremit aussi pour mettre fin aux vieilles querelles qui
opposaient les princes d'Antioche aux rois d'Arménie, en
arrangeant le mariage de Bohémond VI avec la fille du roi
arménien.

Le roi de France put, au cours de son séjour, prendre un
contact plus approfondi que ne l'avait fait aucun des croisés
précédents, même au cours de la cinquième croisade, avec le
monde oriental. C'est ainsi qu'il vit arriver une ambassade du
Grand Comnène qui régnait à Trébizonde et qui sollicitait la
main d'une princesse de la maison capétienne. Louis, qui
n'oubliait pas les intérêts de l'Empire latin de Constantinople, suggéra aux envoyés de l'empereur de Trébizonde de
demander plutôt en mariage une parente de Baudouin II, de
façon à fournir à celui-ci un allié contre les Grecs de Nicée.
Pendant son séjour à Acre, c'est un envoyé du Vieux de la
Montagne qui était venu et avait cherché à l'impressionner
par la menace de l'assassinat, pour obtenir soit qu'il payât tribut, soit qu'il fît renoncer les Templiers et les Hospitaliers au
tribut que ceux-ci recevaient des Ismaïliens du Djebel Ansa-
rieh. Sans se démonter, le roi le renvoya aux maîtres des deux
ordres, et l'envoyé revint quinze jours plus tard avec des présents auxquels Louis, ne voulant pas être en reste, répondit
par d'autres cadeaux que le Dominicain Yves le Breton fut
chargé d'aller porter au Sheikh.

C'est aussi pendant ce séjour que revint l'ambassade
envoyée en Mongolie au temps de l'hivernage en Chypre.

André de Longjumeau avait été reçu par la régente Oghul-Qaïmish qui lui avait remis une lettre sommant le roi de France de faire acte de soumission à l'Empire mongol. Louis se repentit d'avoir donné suite aux ouvertures qui lui avaient été faites de la part des Mongols en 1249. Aussi, lorsque le Franciscain Guillaume de Rubrouck, qui désirait aller dans l'Empire mongol pour y évangéliser les païens, vint lui demander son appui, se borna-t-il à lui donner une lettre de recommandation pour le prince Sartaq, dont on venait d'annoncer le baptême, en félicitant ce dernier de sa conversion.

Le roi et la reine Marguerite avaient été très attentifs à munir Rubrouck de tout ce qui pouvait être nécessaire à un missionnaire, de livres enluminés et d'ornements, en particulier, que Sartaq et son entourage devaient s'approprier. Ceci témoigne d'un intérêt pour la conversion des infidèles dont nous avons bien d'autres preuves. C'est Louis IX qui avisa Innocent IV de la situation difficile des chrétiens de Mésopotamie, que le khalife et d'autres princes musulmans empêchaient de se donner des évêques : il provoqua ainsi la rédaction de la bulle *Athleta Christi* qui autorisait le légat à pourvoir les sièges épiscopaux qui seraient vacants chez les Chrétiens orientaux (1253). Il travailla à la conversion des Musulmans : il s'en était déjà préoccupé au temps de la campagne d'Égypte ; il envoya à Royaumont de jeunes Musulmans pour les faire élever chrétiennement, et en recueillit d'autres qui s'étaient enfuis des pays de l'Islam pour embrasser la foi chrétienne. Ainsi donnait-il une nouvelle impulsion aux efforts d'évangélisation qui avaient l'Orient latin pour théâtre.

On pourrait relever d'autres interventions dans la vie religieuse de la Terre sainte. Louis avait ramené avec lui l'ancien évêque de Damiette, Gilles de Saumur, auquel il avait confié la garde de son sceau : lorsque l'archevêque de Tyr mourut, il le recommanda au suffrage des chanoines qui en firent leur nouvel archevêque. Il s'avisa d'autre part que les monnaies à légende arabe frappées dans le royaume de Jérusalem sur le modèle des dinars musulmans portaient l'année de l'Hégire ;

ceci lui parut insupportable et il s'en ouvrit au pape, qui
ordonna que désormais les « besants sarrasinaz » d'or rem-
placeraient l'invocation musulmane par une invocation chrétienne.

Le séjour en Terre sainte apportait-il à la dévotion du
roi un aliment nouveau ? Il n'aurait sans doute tenu qu'à
lui de faire le pèlerinage de Jérusalem : le sultan d'Alep
lui aurait accordé le sauf-conduit nécessaire. Mais, quand
on le lui proposa, il consulta ses barons et s'accorda avec
eux pour s'y refuser, car il aurait ainsi paru reconnaître
la souveraineté d'un prince musulman sur la Ville Sainte
qu'il voulait rendre à la Chrétienté. C'est seulement à Nazareth qu'il put se rendre, en 1251, pour la fête de l'Annonciation. Mais, fidèle à ses habitudes, il ne manquait pas
de visiter tous les sanctuaires qui commémoraient des épisodes de la vie du Christ et qui restaient accessibles. C'est
ainsi qu'au cours de son séjour à Sidon, il s'en fut entendre la messe avec Joinville dans une chapelle érigée en
mémoire d'un des miracles accomplis par le Seigneur. C'est
alors que le sénéchal de Champagne prit peur, en voyant
le teint basané du clerc qui offrait la paix à baiser au roi,
qu'il ne s'agît d'un assassin déguisé, et qu'il prit lui-même
l'objet pour l'apporter à saint Louis. Quant aux mortifications, l'épisode de l'ensevelissement des cadavres laissés
par les Musulmans à Sidon lors de l'attaque de la ville lui
donna l'occasion de les pratiquer : il s'obligea à porter personnellement les corps en terre, malgré leur état de putré-
faction.

Ce séjour en Terre sainte, qui faisait de lui le responsable
des États latins et qui le faisait vivre au milieu des souvenirs
de la vie terrestre du Christ, n'en était pas moins pour lui à
charge, d'autant plus que les nouvelles venant de France
étaient de nature à l'inquiéter. Ses finances s'épuisaient ; il
avait été impossible de mener des opérations militaires profitables : le raid sur Baniyâs avait été un échec, et il avait fallu
renoncer à un projet de conquête de Naplouse. La conclusion
de la trêve avec le sultan d'Alep et de Damas mettait d'ailleurs fin à tout nouveau projet de ce genre, et on pouvait

considérer que la Terre sainte était à l'abri de nouvelles hostilités.

Joinville nous dit qu'il avait deviné que le roi était décidé au retour lorsqu'il l'avait chargé d'acheter à Tripoli, en profitant d'un pèlerinage que le sénéchal accomplissait à Notre-Dame de Tortose, des pièces de camelin qu'il destinait aux couvents franciscains du royaume de France. Mais Louis IX tint à faire approuver cette décision au cours d'une réunion à laquelle participaient le patriarche de Jérusalem, les maîtres des ordres et les barons de Terre sainte. Ceux-ci s'accordèrent pour considérer que le roi avait accompli tout ce qu'il avait à faire, et c'est ainsi qu'après avoir envoyé à Tyr la reine Marguerite et les trois enfants que celle-ci lui avait donnés au cours de la croisade, il vint les rejoindre pour se rendre avec eux à Acre, à la fin de février 1254. Le légat Eudes de Châteauroux, qui approuvait le départ mais regrettait de voir se dissoudre cette « sainte compagnie », demeurait encore quelque temps en Terre sainte. Il fallait trouver des navires : mais, au lieu des trente-huit grandes naves qu'on avait réunies en 1248, il en suffisait d'une douzaine. Le 25 avril 1254, la petite flotte pouvait mettre à la voile.

Le long séjour du roi de France en Orient n'avait pas été inutile, puisque le souverain pouvait, en reprenant la route de son royaume, considérer qu'il avait accompli le programme défini dans sa lettre d'août 1250. Les prisonniers avaient été libérés ; la sécurité du royaume de Jérusalem, renforcée par les travaux de fortification qu'Eudes de Châteauroux complétait encore après le départ du roi en achevant la muraille du bourg d'Acre. Par contre, la situation politique dont le roi avait espéré pouvoir tirer parti pour réaliser enfin la récupération de la Ville sainte avait évolué de telle sorte que les espoirs qu'il avait mis en elle n'avaient pu se réaliser ; encore est-ce en jouant des querelles des princes musulmans qu'il avait pu mener à bien la récupération des captifs.

C'était peu, sans doute, au regard des espérances qui s'étaient fait jour lors du départ de la croisade ; mais le roi de France était parvenu à atténuer les effets de l'échec de la campagne d'Égypte et à tirer le meilleur parti des atouts qui lui restaient. Il avait pour cela laissé son royaume aux mains d'une régence qui avait dû affronter des difficultés croissantes, et il ne lui était plus possible de différer son retour. Encore allait-il, en quittant la Terre sainte, continuer à veiller à la sécurité de celle-ci. C'est là un trait de plus qui distingue sa croisade de celles qui l'avaient précédée.

LES PROBLÈMES DE LA RÉGENCE

Louis IX avait pu quitter son royaume et prolonger son séjour en Orient, en raison de la confiance qu'il mettait dans les qualités et dans l'expérience de Blanche de Castille. Celle-ci était restée au courant du gouvernement, et son fils pouvait s'attendre à ce qu'elle maintînt les directions qu'il avait lui-même données à son action. Il lui avait donné des auxiliaires : un conseil comprenant l'archevêque de Bourges, les évêques de Paris, de Senlis, d'Évreux et d'Orléans, d'autres clercs, quelques chevaliers (les frères Guy et Hervé de Chevreuse, Geoffroy de la Chapelle, Renaud de Trie). Et la régente s'était tout d'abord efforcée de faire rentrer les sommes perçues au titre de la décime, et exécuter les décisions prises par le roi à la suite des enquêtes de 1247, lorsque celles-ci avaient entraîné des réparations pour les torts subis par des plaignants. Elle avait aidé Alphonse de Poitiers à préparer son départ. Un chroniqueur note, à la date de 1250, l'envoi d'une masse considérable de deniers (onze chariots tirés par quatre chevaux, chacun portant deux grands tonneaux cerclés de fer, plus un certain nombre de chevaux de somme) que les Génois devaient ensuite transporter à Damiette. Quant au chapelain d'Alphonse de Poitiers, il avertissait son maître, le 20 avril de la même année, de l'envoi de 17 404 livres tournois, de vins, de fromages, de harengs salés : le souci d'approvisionner l'armée restait l'une des premières préoccupations de ceux qui demeuraient en France.

Le 27 septembre 1249, au moment où il se préparait à son tour à partir pour la croisade, Raymond VII de Toulouse

mourait, après avoir rédigé un testament et un codicille par
lesquels il léguait des sommes importantes aux églises, et tout
spécialement à celle de Fontevrault, l'abbaye favorite des
Plantagenêts, dont sa mère était issue ; il y élisait sa sépulture
et lui léguait tous ses joyaux ; il ordonnait que l'on restituât
les sommes qu'il avait reçues pour la croisade de la reine
Blanche, du pape, et d'autres ; il prescrivait l'envoi à ses frais
de cinquante chevaliers à la croisade. Il avait institué comme
héritière de ses domaines sa fille Jeanne, et chargé son sénéchal, Sicard Aleman, de gouverner ses terres.

Cette mort, qu'on nous dépeint comme une « moult belle
fin », laissait à Blanche de Castille le soin d'assurer le passage du comté de Toulouse et de ses dépendances à sa belle-
fille et à son fils Alphonse. Nous avons la bonne fortune de
posséder la lettre que le chapelain du comte de Poitiers, Philippe, trésorier de Saint-Hilaire de Poitiers, lui écrivit le
20 avril 1250. Philippe, qui avait quitté son maître lors de
l'embarquement de celui-ci, était allé avertir la reine mère
qu'Alphonse s'en remettait à elle ; aussitôt connue la mort de
Raymond, Blanche le renvoya, en compagnie des frères de
Chevreuse, pour recueillir les serments de fidélité des sujets
du comte de Toulouse à leurs nouveaux seigneurs. Sicard
Aleman les attendait à Castelnau et les priait d'attendre, pour
entrer à Toulouse, le retour des messagers qui étaient allés
demander à Blanche la confirmation des franchises de la
ville. Ce qui fut fait : le 1er décembre, les consuls, citoyens et
habitants de Toulouse prêtaient serment ; les barons et chevaliers du Toulousain, le comte de Comminges, ceux du Quercy
faisaient de même dans les jours suivants. En Agenais, on fit
des difficultés : ce pays avait constitué la dot de la mère de
Raymond, sœur de Richard Cœur-de-Lion, et le traité de
1229 avait stipulé que, si Jeanne de Toulouse mourait sans
hoirs, il reviendrait au roi d'Angleterre. Les envoyés de la
reine se rendirent alors à La Réole, où ils rencontrèrent
Simon de Montfort, qui administrait la Guyenne pour
Henri III, et qui accepta de confirmer les trêves. Assurés de
ne pas faire l'objet d'un litige entre Capétien et Plantagenêt,
les gens de l'Agenais firent alors acte de soumission ; et les

commissaires se rendirent en Rouergue pour recevoir
d'autres serments de fidélité. Le 1er mars, c'est Barral des
Baux qui s'engageait à obtenir la soumission des gens d'Avignon à Alphonse de Poitiers et de ceux d'Arles à Charles
d'Anjou. Les commissaires purent alors revenir auprès de la
reine. Et Philippe écrivait au comte de Poitiers que celui-ci
ferait bien de remercier sa mère pour la réussite de cette opération qui assurait, sans qu'on eût rencontré aucune difficulté, l'exécution du traité de 1229 (on n'alléguait pas, dans
les serments de fidélité, le testament de Raymond VII ; il est
vrai que le premier soin d'Alphonse de Poitiers et de sa
femme fut de faire casser ce testament, vraisemblablement
parce qu'ils estimaient que leur beau-père et père avait été
trop généreux pour les églises...). Il ajoutait : « Le royaume
de France et votre terre sont en paisible état, par la grâce de
Dieu. »

Au moment où son chapelain lui écrivait, Alphonse de Poitiers était captif des Sarrasins. Et la nouvelle du désastre de la
croisade et de la capture du roi suscita une vive émotion, non
seulement dans le royaume, mais dans tout l'Occident. Frédéric II, faisant état de ses bonnes relations avec le sultan (dont
il ignorait la mort), avait offert ses bons offices pour faire
libérer le roi. Innocent IV, dans une lettre du 12 août, invitait
les évêques de France à faire à nouveau prêcher la croisade,
et rappelait les Croisés de Frise, de Norvège et d'Allemagne à
l'exécution de leur vœu. On sait mal quelle fut la réponse à
ces appels. Joinville n'a noté l'arrivée à Acre, en 1251 ou
1252, d'un de ces nouveaux croisés, le chevalier Elnard de
Séninghem, près de Saint-Omer (« Monseigneur Alenard de
Senaingan ») avec ses chevaliers, que parce que celui-ci montait un vaisseau qu'il avait fait construire en Norvège et avec
lequel il avait passé le détroit de Gibraltar. Le roi Ferdinand
de Castille, à la prière de la reine Blanche, prenait la croix et
promettait de partir en Terre sainte ; la mort devait le prévenir. Henri III lui-même se croisa, mais sans autoriser ses
sujets à le précéder pour rejoindre l'ost du roi de France.

De tout ce mouvement, il ne sortit que peu d'effet. La lutte
entre Frédéric II et Innocent IV se poursuivait en Italie, tan-

dis qu'en Allemagne Conrad IV luttait contre Guillaume de Hollande. En décembre 1250, Frédéric mourait : il prévoyait dans son testament qu'une somme de cent mille onces d'or serait employée « pour le secours de la Terre sainte », mais en en soumettant l'utilisation « à la décision dudit Conrad et des autres nobles croisés ». Or Conrad devait d'abord prendre possession du royaume de Sicile, et il mourut en 1254 avant d'avoir manifesté l'intention de partir pour la Terre sainte.

La reine régente, pour sa part, eut à se préoccuper d'abord de fournir à son fils de nouveaux secours en argent. Elle parvint à faire reconduire pour deux ans la levée de la décime sur le clergé ; quant aux villes, elles firent l'objet de nouvelles sollicitations auxquelles il leur était impossible de se dérober : Noyon dut fournir cinq cents livres, en sus des quinze cents versées trois ans plus tôt. Mais elle rencontra aussi peu d'enthousiasme auprès des chevaliers et des barons qu'elle invita à répondre à l'appel de son fils. Ceux du Languedoc qui s'étaient croisés avec Raymond VII n'étaient pas partis : Innocent IV pria les évêques français de leur rappeler leur vœu. Quelques barons se mirent en route ; ceux qui étaient revenus de la croisade, encore épuisés par l'effort fourni, ne bougèrent pas. Alphonse de Poitiers et son frère Charles avaient été renvoyés en France par le roi ; ils avaient pris possession des parts qui leur revenaient de l'héritage de Raymond VII. Alphonse avait bien des velléités de repartir, mais ne passa pas à l'exécution de son projet. Charles, lui, n'en manifesta aucune.

L'appel du roi trouva, par contre, une résonance inattendue dans les milieux populaires où se renouvelèrent les scènes qui avaient marqué, en 1096, la croisade de Pierre l'Ermite et, en 1212, la croisade des enfants. Des troupes de paysans se rassemblèrent, dans le nord de la France et en Flandre, au printemps de 1251, sous la conduite des chefs improvisés dont l'un, le « Maître de Hongrie » aurait été un moine du nom de Jacques, évadé d'un monastère cistercien. Ces « pastoureaux », au nombre de plusieurs milliers, se mirent en marche vers Paris où ils arrivèrent en juin. Blanche de Castille alla à leur rencontre et les ravitailla, couvrant ainsi de son autorité cette réponse tumultueuse à l'appel de son fils. Mais le mouvement dégénéra ; les Pastoureaux s'en prirent aux Juifs et aux clercs : ceux qui s'étaient réunis pour un synode, à Rouen, vers la Pentecôte, furent malmenés ; d'autres désordres éclatèrent à Orléans le 11 juin.

Le mouvement avait-il pris une allure de revendication sociale ? Ou bien combinait-il avec une animosité contre les nobles (qui restaient dans leurs terres au lieu d'aller combattre) et contre le clergé — à qui, comme l'écrit Rutebeuf dans *la Disputaison du Croisé et du Décroisé,* il appartenait d'assumer la charge de la défense de l'héritage du Christ, puisqu'il vivait « de sa rente » — une hostilité contre les Juifs, prêteurs d'argent certes, mais aussi complices supposés des Infidèles ? Les chroniqueurs juifs du temps ont enregistré la septième croisade comme une persécution. Il est vrai qu'à ce moment se dessinait un mouvement de type « sioniste » dans les communautés juives ; certains éléments se rendaient en Terre sainte ; mais il est douteux que les Pastoureaux aient été sensibles à ce qui se passait à l'intérieur de ces communautés.

Toujours est-il que la rumeur publique ne tarda pas à accuser les Pastoureaux de pratiques peu compatibles avec la discipline ecclésiastique : des laïcs administraient les sacrements, prêchaient, imposaient la croix. La reine se décida à prendre des mesures contre eux et, quand ils eurent commis toute sorte d'excès à Bourges où ils étaient entrés malgré l'interdiction de l'archevêque, le bailli royal les poursuivit et fit pendre le Maître de Hongrie et plusieurs autres meneurs. Une autre bande fut arrêtée et dispersée devant Bordeaux par Simon de Montfort. Cependant d'autres éléments atteignirent Aigues-Mortes. Il se peut qu'un certain nombre d'entre eux ait rejoint l'armée de saint Louis. Mais ce grand mouvement avait causé plus de souci à la régente qu'il n'avait apporté d'aide à la croisade.

La reine Blanche, cependant, s'affaiblissait dès le début de 1251. Elle vécut jusqu'à la fin de 1252 et mourut, après quelques semaines de maladie, soit dans les derniers jours de novembre, soit le 1er décembre. Saint Louis ne devait l'apprendre que bien des mois plus tard, quand il était déjà à Sidon, donc à la fin du printemps de 1253. On sait par Joinville quel fut son chagrin ; il fondit en larmes et s'enferma pendant deux jours sans vouloir voir personne, tandis que la reine Marguerite s'attristait sur le sort de ses enfants restés en France et privés de la tutelle de leur grand-mère. Mais la disparition de Blanche de Castille allait avoir d'autres conséquences.

Sa mort, en effet, faisait du fils aîné du roi, Louis, qui n'avait pas dix ans, le détenteur légitime de l'autorité royale. C'est Alphonse de Poitiers — Charles d'Anjou poursuivant ses propres affaires — que l'on voit à l'occasion présider le conseil du roi. Ce conseil restait celui qu'avait désigné Louis IX avant son départ ; il était essentiellement composé de prélats, sans doute fort capables, mais dont les barons qui s'étaient ligués contre eux en 1246 étaient mal disposés à suivre les avis. Et cela d'autant plus que le pape Innocent IV ne se privait pas d'enjoindre à ces prélats de prendre des mesures de ce genre : l'évêque d'Orléans était invité à user des sanctions ecclésiastiques pour contraindre les officiers royaux à remettre le temporel de l'évêché de Thérouanne aux mains du chapitre cathédral, contrairement aux droits de la couronne ! Aussi certains barons avaient-ils conçu le projet de demander à Simon de Montfort, comte de Leicester, alors en froid avec Henri III son beau-frère qui lui avait retiré le gouvernement de la Guyenne, de prendre la régence du royaume de France avec le titre de sénéchal.

D'autres difficultés opposaient les prélats du conseil aux officiers royaux. Plusieurs postes de baillis ou de sénéchaux restaient vacants. La levée des décimes était compromise. Dans le Midi, l'évêque d'Albi entama une guerre privée, ce qui montre la défaillance de l'autorité royale. Et tout ceci se répercutait sur la situation du roi resté en Orient. En 1254, ce dernier était arrivé au bout de l'imposant trésor de guerre qu'il avait emporté et que les envois de la reine mère avaient alimenté. Il lui fallut, à son retour, procéder à de nouvelles demandes d'argent aux bourgeois de ses villes (Noyon, pour sa part, lui prêta six cents livres, et se satisfit d'en recouvrer

seulement cent), pour remettre ses finances à flot — alors
qu'en 1250 la reine Blanche était encore à même de satisfaire
aux paiements des assignations que l'impératrice de Constantinople faisait sur le trésor royal, sans préjudice des envois
d'argent qu'elle fournissait à saint Louis.

Ce dernier avait rendu en compagnie du légat une sentence
arbitrale entre les Avesnes et les Dampierre, qui se dispu-
taient l'expectative de l'héritage de la comtesse Marguerite de
Flandre et de Hainaut. Or, Guillaume de Dampierre, « héritier du comté de Flandre », qui avait participé à la croisade,
fut tué accidentellement au cours du tournoi de Trazegnies,
en 1251. Les Avesnes en profitèrent pour remettre en question l'accommodement précédent, en soulevant la question
des terres appartenant au comté de Flandre et situées en
dehors du royaume de France, dont ils soutenaient que le roi
n'avait pu légitimement attribuer la possession, et en particulier des îles de Zélande. Guillaume de Hollande, roi d'Allemagne par la grâce d'Innocent IV, les soutenait. Guy et Jean
de Dampierre firent appel au baronnage français ; leur armée
se heurta à Westcapelle, dans l'île de Walcheren, à Jean
d'Avesnes et à son allié Florent de Hollande, le 4 juillet 1253.
Ce fut une déroute complète : les deux Dampierre, les comtes
de Bar, de Joigny, de Guines, Simon de Nesle et Erard de
Valery étaient faits prisonniers.

C'est alors que la comtesse Marguerite, qui avait pris fait et
cause pour ses enfants du second lit contre ceux du premier,
fit appel à Charles d'Anjou, en promettant à celui-ci les comtés de Hainaut et de Namur. Charles accepta, non sans user
de l'autorité royale dont il s'estimait détenteur pour exiger
des villes du domaine royal une importante contribution. Les
gens de Noyon se plaignaient, par exemple, qu'il leur eût
demandé cinq cents sergents, ce qui leur coûta cinq cents
livres environ, et aussi un prêt de douze cents livres, dont il
ne devait rendre qu'une partie. Il put ainsi rassembler une
armée nombreuse et occupa le comté de Hainaut. Là-dessus,
le roi Guillaume de Hollande se porta à sa rencontre et vint
s'établir devant Valenciennes. Une trêve était conclue au
printemps de 1254 ; mais la question de la succession de

Flandre et de Hainaut restait ouverte ; les ambitions du comte d'Anjou menaçaient d'ouvrir un conflit entre la France et l'Allemagne ; l'œuvre de pacification était à reprendre et un certain nombre de barons français restaient prisonniers.

Le danger anglais lui-même se rallumait. Henri III, aux prises avec la rébellion des barons gascons qu'avait soutenue Gaston de Béarn, avait envoyé Simon de Montfort à Bordeaux ; il l'avait rappelé et remplacé par son fils Édouard, en 1253. Blanche de Castille avait refusé au roi d'Angleterre le passage qu'il avait demandé à travers la France ; d'autre part, les Gascons avaient recherché l'alliance du roi Alphonse X de Castille, qui prétendait avoir des droits sur la Guyenne du chef de sa grand-mère Aliénor, la mère de Blanche. C'est alors qu'Henri III s'était rendu à Bordeaux où il parvint à mettre fin à la rébellion, puis à s'entendre avec le roi de Castille qui maria sa fille au prince Édouard. Le conseil de régence s'alarma : en septembre 1253, on mit garnison dans les forteresses de Normandie ; on obligea les barons du Poitou à « rendre » leurs châteaux aux officiers du roi, car on craignait la collusion des Lusignan avec le roi d'Angleterre ; et on alla jusqu'à semoncer l'armée royale pour la réunir en Berry. En 1254, fort de l'alliance castillane, Henri III laissait entendre qu'il était prêt à descendre en France.

Louis IX n'avait donc pu avoir les mains libres pour opérer en Orient que grâce à la présence de sa mère à la tête du royaume. La difficulté des liaisons à travers la Méditerranée ne lui a sans doute pas permis de prendre les mesures qu'aurait imposées la disparition de la reine Blanche : le jeune âge de Louis, l'état maladif d'Alphonse de Poitiers, les ambitions de Charles d'Anjou, laissaient le conseil de régence sans autorité véritable. L'affaire de Westcapelle était un coup porté à la défense du royaume, tandis que la soumission des rebelles gascons et le rapprochement anglo-castillan donnaient à Henri III une occasion de faire revivre ses revendications. Tout ceci, joint à l'épuisement de son trésor, rendait impossible au roi de France de retarder son retour au-delà du premier « passage » de 1254, dès que les navires purent affronter la traversée de la Méditerranée.

LE RETOUR DE SAINT LOUIS

Le voyage par mer qui, en dix semaines, ramena le roi de France depuis Acre jusqu'en Provence, est l'un des moments où nous connaissons le mieux saint Louis dans sa familiarité quotidienne. Comme pendant son séjour en Terre sainte, en effet, le sire de Joinville fut associé de très près à la vie du roi pendant cette longue traversée. La belle armée que Louis IX avait amenée à Chypre et en Égypte avait fondu ; bien des chevaliers de son entourage avaient péri ; d'autres étaient revenus en France. Et c'est ainsi que le sénéchal de Champagne, qu'aucun lien direct n'unissait au roi de France avant la croisade, s'était trouvé devenir un de ses commensaux et un de ses conseillers, voire de ses confidents.

Joinville prit place, à Acre, sur le même navire — une nef marseillaise — où s'étaient embarqués le roi, la reine Marguerite et leurs enfants, ainsi que le connétable, le chambellan et le bouteiller de France. Sur cette nef, par un privilège tout à fait exceptionnel, le légat Eudes de Châteauroux avait autorisé le roi à faire ériger un autel richement orné où l'on conservait le Saint-Sacrement. En règle générale, eu égard aux irrévérences inévitables de la vie du bord et aux inconvénients liés au mouvement du navire, on s'abstenait de conserver les saintes espèces en mer. Saint Louis y faisait célébrer chaque jour « le service de la messe entière ». Mais le légat n'était pas allé jusqu'à autoriser la consécration du pain et du vin à bord de la nef royale : le roi de France devait se contenter en réalité de faire dire, selon l'usage, une « messe sèche » excluant « le canon et ce qui appartient au sacrement ». Néanmoins, grâce à ce privilège, sa dévotion eucharistique pouvait trouver à s'alimenter. Et, dans les moments de danger, Louis s'en allait se prosterner devant le Saint-Sacrement où il s'abîmait en prière.

Joinville se vit même investir d'une mission de confiance, à la suite d'un incident qui aurait pu mal tourner : une des femmes de la reine avait posé du linge près d'un chandelier allumé. Le feu prit à l'étoffe et gagna les tentures du lit. La reine Marguerite, qui ne manquait ni de présence d'esprit, ni de sang-froid (comme, dans un moment de péril, on lui proposait d'aller éveiller ses enfants, elle répondit qu'on les laissât dormir, et que, si le navire devait sombrer, ils iraient à Dieu en dormant), la reine, donc, sauta de sa couche, saisit les linges qui brûlaient et les jeta à la mer. Au matin, saint Louis narra l'aventure et dit à Joinville : « Sénéchal, je vous commande que vous ne vous couchiez pas dorénavant jusques à tant que vous ayez éteint tous les feux de céans, excepté le grand feu qui est dans la soute du vaisseau ; et sachez que je ne me coucherai pas jusques à tant que vous reveniez à moi. »

La traversée fut marquée par un épisode qui aurait pu devenir dramatique. Au moment d'arriver à Chypre, le navire, trompé par la brume, donna sur un banc de sable, à proximité de Larnaca. La panique s'empara des passagers ainsi que des marins, que leur responsabilité, du fait de la présence du roi, affolait encore plus. Le maître de la nef, Frère Raymond, un Templier, fit reconnaître l'avarie par des plongeurs qui confirmèrent l'échouage ; une partie de la quille avait été enlevée, mais sans causer de voie d'eau. On pressait saint Louis de passer sur un autre bateau ; il s'y refusa, estimant que les autres passagers prendraient peur et ne voudraient pas continuer le voyage sur le même navire, ce qui les exposerait à rester sans ressources dans l'île. Olivier de Termes, qui n'osa pas se confier à ce bateau, devait demeurer plus d'un an à Chypre avant de trouver un moyen de revenir. Et cependant, la nef du roi, après avoir été réparée dans un port chypriote, fut parfaitement en état de poursuivre la traversée.

Peu après le départ de l'île, on affronta une violente tempête. Le vent était si fort qu'il fallut jeter les cinq ancres et abattre la cloison de la chambre qu'on avait aménagée pour le roi sur le pont, et qui donnait trop de prise à l'air. La reine s'en vint trouver Joinville, qui la persuada de promettre un modèle de navire en argent à Saint-Nicolas du Port ; le roi,

cependant, s'était mis en prière. Et, le danger passé, il tira
pour le sénéchal la leçon de l'événement : un simple petit
vent, qui n'était pas même « l'un des quatre maîtres vents »
avait bien failli noyer le roi de France, la reine, leurs enfants
et leurs compagnons. Il y voyait un avertissement de la Providence, et une invitation à réformer sa conduite.

Un nouveau retard fut occasionné par la désobéissance de
six jeunes Parisiens qui profitèrent de l'escale des galères
d'escorte à Lampedusa, où la reine les avait envoyées chercher des fruits pour ses enfants, pour s'attarder dans les ver-
gers. Les galères les attendirent ; on s'inquiéta sur les navires
du roi, craignant que les galères eussent été victimes d'une
attaque de pirates sarrasins. Saint Louis, se refusant à admettre l'idée d'abandonner ses hommes entre les mains des Infidèles, donna ordre de faire voile vers Lampedusa. On rencontra les galères en route ; mais les six fautifs durent terminer le
voyage dans une « barque de cantier », la chaloupe que chaque nef traînait en remorque...

On toucha terre près d'Hyères, qui relevait du comté de
Provence, dont le comte était Charles d'Anjou. Saint Louis
n'en prétendait pas moins débarquer dans sa propre terre,
c'est-à-dire pousser jusqu'à Aigues-Mortes, encore que sa
santé fût si affaiblie que Joinville dut le soutenir pour débarquer. La reine Marguerite souhaitait vivement terminer le
voyage au plus tôt. Et c'est Joinville qui serait venu à bout de
l'obstination du souverain en évoquant la mésaventure de la
dame de Bourbon, qui avait rencontré sur cette partie du par-
cours de tels vents contraires qu'elle avait mis sept semaines à
faire cette courte traversée. Le voyage par mer s'acheva donc
au port d'Hyères, le vendredi 3 juillet 1254, si l'on adopte le
compte du bon sénéchal.

A Hyères même, le roi rencontra l'abbé de Cluny ; mais il
put surtout profiter de la venue d'un prédicateur franciscain
en renom, Hugues de Barjols, que Salimbene estimait « un
des plus grands clercs du monde, un autre Paul, un autre Éli-
sée, un homme extrêmement spirituel ». Le sermon qu'il prononça devant le roi, et où il dénonça le trop grand nombre de
religieux qui hantaient la cour royale, avant de dresser un

programme de réforme pour le royaume, fondé « sur la justice » a beaucoup impressionné Joinville. Il renforça sans doute saint Louis dans les sentiments qu'il avait formés au cours de la croisade.

Le voyage se fit d'abord avec une certaine lenteur. Le roi séjourna quelque temps à Hyères, se mit en route à travers la Provence en visitant au passage l'ermitage de la Madeleine, à la Sainte-Baume, et retrouva la terre de son royaume à Beaucaire, où Joinville le quitta. Il se rendit à Aigues-Mortes, puis, par Nîmes, Saint-Gilles et Alès, il gagna le Puy, Brioude, Issoire, Saint-Pourçain, Saint-Benoît-sur-Loire et enfin Vincennes, puis Saint-Denis où il avait commencé son voyage un peu plus de six ans auparavant. Le 7 septembre 1254, le roi faisait son entrée à Paris. Il n'avait, semble-t-il, cessé de porter la croix, insigne du pèlerinage, qu'à Saint-Denis où il l'avait prise à son départ. S'il cessait de se considérer comme un croisé, astreint à accomplir le voyage de Terre sainte, il persistait à se regarder comme tenu par ses devoirs envers cette « périlleuse terre ». Les quatre années qu'il y avait passées après avoir quitté l'Égypte l'avaient rendu familier des problèmes qu'affrontait le royaume d'outre-mer. Il savait que la trêve qu'il avait conclue était précaire : sa durée était limitée, et elle pouvait être rompue si l'équilibre réalisé entre les Mamelouks et le sultan d'Alep se trouvait compromis. Même renforcés par la construction de belles forteresses, les moyens de défense des Latins d'Orient restaient insuffisants

Aussi saint Louis avait-il laissé en Terre sainte un fort détachement de chevaliers dont l'effectif atteignait la centaine et dont le trésor royal assurait la solde. A leur tête, il avait placé un de ses meilleurs compagnons, Geoffroy de Sergines. Celui-ci, chevalier de la région de Sens, était devenu son homme lige en 1236, quand son précédent seigneur, Hugues de Châtillon, comte de Blois et de Saint-Pol, l'avait autorisé à passer au service du roi. Il était le frère de Pierre de Sergines, qui avait été élu archevêque de Tyr en 1235 après avoir été abbé de Saint-Jacques de Provins, et il était peut-être auprès de lui quand l'archevêque mourut en Terre sainte, en 1244. Pendant la croisade d'Égypte, il avait été l'un des sept ou huit

« bons chevaliers » qui constituaient comme l'état-major du roi. C'est lui qui avait commandé l'arrière-garde pendant la retraite sur Damiette ; il avait été capturé en même temps que saint Louis et avait été chargé par celui-ci de porter aux défenseurs de la ville l'ordre de la remettre aux Égyptiens. Et le roi lui avait confié le commandement de son corps de bataille pendant l'expédition de Baniyâs. C'était donc l'un de ses hommes de confiance, et, en le laissant en Terre sainte, comme « chevetaine de sa gent », Louis IX avait accepté de se séparer d'un de ses meilleurs capitaines.

Ce n'était pas pour un bref laps de temps. Geoffroy devait mourir à Acre le 11 avril 1269 sans avoir revu la France. On l'avait investi des plus lourdes responsabilités ; dès 1254, l'assemblée des barons du royaume de Jérusalem (le roi Henri Ier de Chypre était mort et son fils Hugues II était en bas âge) lui conférait la charge de sénéchal. Un conflit entre Génois et Vénitiens, suscité par une dispute à propos d'une église d'Acre dont les deux républiques réclamaient la possession, dégénéra en une guerre civile généralisée, la « guerre de Saint-Sabas ». C'est à Geoffroy que la reine Plaisance de Chypre, régente du royaume, confia le soin de rétablir la concorde, en le faisant *bayle* du royaume.

La baylie lui fut retirée en 1263, quand le nouveau régent, Henri d'Antioche, s'installa à Acre. Mais c'est Geoffroy de Sergines qui continuait à suppléer le régent quand celui-ci quittait la Terre sainte. Il apparaissait comme l'un des seuls chefs dont on acceptait l'autorité dans ces terres franques si divisées contre elles-mêmes. Et quand il mourut, c'est Robert de Cresèques, lequel lui avait succédé à la tête de « la gent le roi de France » qui fut à son tour investi de la charge de sénéchal, comme si celle-ci était normalement dévolue au représentant du roi Louis.

Aux yeux de l'opinion française, Geoffroy de Sergines portait tout le poids de la lutte contre les Infidèles, à laquelle il prit une part des plus actives (il fut notamment blessé lors d'une attaque des Mamelouks contre Acre, en 1263). Le poète Rutebeuf lui a consacré une pièce de vers tout entière, la *Complainte de Monseigneur Geoffroy de Sergines,* où il exalte :

> Sa grand valeur et sa bonté,
> Sa courtoisie et son sens,

et où il le dépeint ainsi :

> Félon voisin et ennuyeux
> Et cruel et contrarieux
> Le trouvent la gent sarrasine,
> Car de guerroyer ne les fine.

Et, dans une autre pièce où il déplore l'indifférence des Occidentaux envers la Terre sainte, c'est encore le bon chevalier qu'il apostrophe :

> Messire Geoffroy de Sergines,
> Je ne vois par ici nul signe
> Que l'on maintenant vous secoure.

C'était donc un excellent combattant et un homme de grand sens dont le roi s'était privé en faveur du royaume de Jérusalem. Saint Louis assumait aussi une charge financière non négligeable en entretenant cette petite armée de chevaliers et d'arbalétriers que vinrent renforcer Olivier de Termes et Erard de Valery. La solde arrivait parfois en retard (en 1267, Geoffroy dut engager ses propres biens pour payer ses troupes). Mais, chaque année, le roi envoyait environ 4 000 livres à Acre.

Ces secours permanents (la garnison du roi de France devait être maintenue à Acre jusqu'à la perte de la ville, en 1291) pouvaient-ils apparaître comme les éléments avancés d'une nouvelle croisade ? C'est là une question que les historiens se sont posée. En revenant en France, le roi était-il dans l'intention de consacrer l'essentiel de son activité à la préparation d'une nouvelle expédition à laquelle il eût participé lui-même ? C'est une hypothèse à laquelle plusieurs excellents auteurs se sont ralliés, en estimant que les quelques années qui séparent le retour du roi de sa seconde prise de croix, en mars 1267, n'ont été pour lui qu'un intermède, en attendant la reprise de la croisade, simplement interrompue en 1254.

Néanmoins, il est également possible que, sans abdiquer les responsabilités qui étaient à ses yeux les siennes à l'égard des terres d'outre-mer, saint Louis ait repris l'attitude qui avait été celle des années antérieures à 1244, quand il prodiguait ses secours à Baudouin II de Constantinople et quand il confiait à Amaury de Montfort le soin de le représenter dans la croisade de 1239. Les encouragements et l'assistance qu'il donna à Alphonse de Poitiers, lequel préparait sans hâte excessive (lui aussi avait eu de gros soucis financiers entre 1254 et 1256) une nouvelle croisade, peuvent laisser entendre qu'il lui eût paru suffisant de charger son frère de diriger à sa place une expédition soutenue par les ressources du royaume de France.

Le roi n'était-il vraiment hanté, en revenant d'Orient, que par l'idée d'un échec à réparer et d'une croisade à reprendre ? L'expérience de la campagne d'Égypte et de la captivité, en fait, lui avait beaucoup appris. Et cela jusque dans des domaines où l'on ne se serait pas attendu à le voir influencé par l'Islam : c'est, nous dit Geoffroy de Beaulieu, parce qu'il avait entendu parler d'un sultan sarrasin qui avait fait copier à ses frais tous les livres nécessaires aux « philosophes » de sa foi qu'à son retour en France le roi ordonna d'établir une bibliothèque annexée à la Sainte-Chapelle et de la garnir des livres des Pères de l'Église (saint Augustin, saint Ambroise, saint Jérôme, saint Grégoire et d'autres « docteurs orthodoxes »), copiés à neuf et non achetés d'occasion, à la fois pour son propre usage et pour les mettre à la disposition de ceux qui en auraient besoin pour leurs travaux. Cette bibliothèque — la première bibliothèque royale — ne devait pas lui survivre (les livres furent partagés après sa mort entre les Cisterciens, les Franciscains et les Dominicains), mais sa fondation témoigne de la volonté d'imiter une des institutions musulmanes qui lui semblaient pouvoir être utiles aux Chrétiens.

Les Mamelouks avaient voulu obtenir de lui un serment

dans lequel il se serait comparé, en cas de parjure, au Chrétien qui marche sur la croix. Est-ce cette exigence qui lui fit horreur au point qu'il fit désormais attention à ne pas marcher sur les pierres tombales quand celles-ci étaient marquées d'une croix ? L'épreuve avait en tout cas, nous dit son confesseur, fait prendre à sa dévotion plus d'ampleur et plus de profondeur.

L'échec de la croisade, d'ailleurs, ne pouvait manquer de poser devant la conscience du roi des questions redoutables. Les hommes des XIIᵉ et XIIIᵉ siècles avaient déjà, plus d'une fois, été confrontés à ce problème : comment une croisade, expédition entreprise pour le service de Dieu et bénie par l'Église, pouvait-elle s'achever sur la défaite des Chrétiens, sur la « honte de Dieu » ? Certains ont été jusqu'à mettre en doute que la croisade ait pu être voulue par Dieu : ils sont peu nombreux. Même les troubadours et les *Minnesänger* du parti impérial, qui invectivaient la Papauté à propos de la guerre déchaînée contre le comte de Toulouse ou Frédéric II, ou ceux qui dénonçaient avec violence « Rome » à l'occasion de l'échec de la cinquième croisade, ne contestent pas la croisade en tant que telle : c'est à l'application de l'indulgence à des guerres contre les Chrétiens de leur parti, c'est au détournement des vœux prononcés par les croisés vers d'autres fins, c'est aux chefs malavisés ou incapables qu'ils s'en prennent. Quant aux moralistes et aux théologiens, ils imputaient l'échec de telle expédition aux péchés des croisés ou à celles de la Chrétienté tout entière.

Et précisément, saint Louis, qui avait soigneusement préparé sa croisade au plan spirituel comme au plan temporel, qui avait sollicité et obtenu les prières des communautés religieuses les plus ferventes, ne pouvait manquer de se demander dans quelle mesure lui-même n'avait pas été de ces pêcheurs qui avaient lassé la miséricorde divine. Nous savons que, dès qu'il avait quitté l'Égypte, il avait donné congé « à tout plein de ses gens », et il expliqua à Joinville que ceux-là avaient tenu leurs lieux de débauche tout près de sa tente, au moment des pires épreuves que l'armée eût rencontrées. Il avait donc conscience que la croisade, qui devait être une armée de pénitents, avait manqué à cette obligation : aussi, dans la deuxième partie de son séjour en Orient, se montra-t-il plus rigoureux : un chevalier surpris en mauvais lieu se voyait renvoyé en Occident après une humiliation publique, son cheval et son équipement étant confisqués. Et le légat Eudes de Châteauroux confia à Joinville, au moment de se séparer de lui, combien il avait de peine à quitter cette « sainte compagnie » pour aller retrouver les intrigues de la cour romaine.

Mais, la croisade achevée, le roi allait-il oublier la leçon qu'il estimait avoir reçue ? Les propos qu'il tint à son entourage après la tempête qu'ils essuyèrent ensemble nous montrent qu'il restait pénétré par la pensée de la nécessité où il se trouvait de vivre plus chrétiennement. Pénitent pendant l'expédition, pénitent il allait rester après son retour. Geoffroy de Beaulieu a écrit que « depuis son heureux retour en France..., autant l'or l'emporte en valeur sur l'argent, autant sa nouvelle manière de vivre l'emportait en sainteté sur sa vie antérieure ». Et, selon Joinville, c'est à partir de son retour de croisade que le roi renonça au luxe des vêtements, portant désormais du drap ou du camelin au lieu d'étoffes de soie, qu'il cessa de coucher sur un lit de plume pour dormir sur un lit de bois couvert d'un matelas de coton.

Quant à ses devoirs de souverain, ils avaient pris à ses yeux des exigences nouvelles. Le souvenir de sa captivité et des humiliations qu'il avait subies lui rappelait que, tout roi de France qu'il fût, il n'était que comme le « roi de la fève », exalté un jour, oublié le lendemain. Ce qui importait, c'était qu'il contribuât à assurer le salut de ses sujets en même temps que le sien.

Sans doute le fait d'avoir vécu sans l'appareil qui entourait le pouvoir royal, vaincu, malade, humilié, lui avait-il permis de mieux comprendre la pauvreté et de se persuader de l'éminente dignité des pauvres et des pénitents ; bien des clercs, depuis le début de l'âge des croisades, s'étaient convaincus que ceux-là étaient les mieux placés pour obtenir l'audience de Dieu et attirer sa bénédiction sur les entreprises placées sous l'invocation de son nom.

Il ne s'agissait pas seulement de préparer par un renouvellement spirituel une nouvelle expédition outre-mer : la « conversion ». du roi était plus profonde. On sait par son confesseur qu'il envisagea à un moment de renoncer à la couronne pour entrer en religion. Il s'en ouvrit à la reine Marguerite, laquelle n'était pas le moins du monde disposée à quitter le siècle pour se faire religieuse elle-même : elle combattit avec vigueur le projet de son mari, arguant de la jeunesse de leur fils. Charles d'Anjou, semble-t-il, fut lui aussi mis dans la confidence et se mit également en travers de la résolution de son frère. Ainsi, dit Geoffroy de Beaulieu, « ne pouvant accomplir son pieux dessein, lui fallut-il rester dans le siècle avec encore moins d'amour pour le monde, mais encore plus de crainte de Dieu et de désir de bien faire ».

D'après Mathieu Paris — mais son témoignage s'accorde mal avec celui de Joinville qui nous montre, pendant la traversée, le roi dans son état d'esprit habituel — la crise morale que paraît avoir traversée saint Louis aurait provoqué chez ce dernier un véritable abattement. Un évêque l'aurait mis en garde contre « ce dégoût profond de la vie et cette tristesse qui abolit toute joie spirituelle et qui est la maladie des âmes ». A quoi « le plus pieux des rois de la terre » aurait répondu : « Si j'étais seul à souffrir l'opprobre et l'adversité, et si mes péchés ne retombaient pas sur toute l'Église, je serais plus ferme pour supporter ma douleur. Mais, par malheur pour moi, toute la chrétienté a été couverte de confusion à cause de moi. » Et c'est seulement après qu'on eût fait chanter pour lui une messe du Saint-Esprit que le roi aurait commencé à accepter les consolations.

Sans que peut-être le retour de la croisade ait eu cet aspect dramatique, il est certain que le roi de France en revenait persuadé qu'il lui fallait persévérer dans l'austérité du pénitent, mais aussi que son devoir de souverain l'obligeait à mener le peuple qui lui était confié dans la voie du perfectionnement moral et spirituel. Aussi Guillaume de Nangis, quand il évoque la maladie qui, en 1244, avait failli emporter le roi, peut-il s'exclamer : « De cette maladie provinrent des fruits profitables en plusieurs manières puisqu'elle a à la fois apporté un secours à la Terre sainte et un meilleur état pour le royaume, comme on le verra. »

TROISIÈME PARTIE

Le plus grand roi d'Occident

Le 21 juillet 1253, Guillaume de Rubrouck s'entretenait, un peu à l'est de la Volga, avec le prince mongol Sartaq. Celui-ci lui posa cette question : « Quel est le plus grand seigneur parmi les Francs ? — L'empereur, répondit Rubrouck, dans la mesure où il tient son pays en paix. — Non, rétorqua le Mongol. C'est le roi de France. » Il le disait, explique le voyageur, parce qu'il avait entendu parler de saint Louis par un envoyé de Baudouin II de Constantinople, Baudouin de Hainaut, et aussi par l'un des membres de l'ambassade qui avaient visité le roi à Chypre en décembre 1249. Il est permis de penser que le prince mongol, qui était alors l'héritier présomptif du chef de la Horde d'or, Batou, avait d'autres sources d'information. Mais il est certain que, lorsque saint Louis revint de croisade, auréolé du prestige du défenseur de la Terre sainte, nul parmi les souverains d'Occident ne pouvait rivaliser avec lui. Et cela d'autant plus que Frédéric II était mort le 13 décembre 1250 et que son fils Conrad IV, qui s'efforçait de consolider l'héritage paternel, mourait à son tour le 21 mai 1254. Ni Guillaume de Hollande, que cette mort faisait enfin roi d'Allemagne sans contestation, mais pour bien peu de temps, ni Henri III d'Angleterre, ni les rois d'Espagne, ni aucun des autres rois chrétiens n'approchait en puissance et en autorité du roi de France.

Celui-ci, qui revenait d'Orient avec la volonté de faire

régner dans son royaume la justice et la paix, et d'en extirper
aussi bien l'hérésie que l'usure, le blasphème et les vices
condamnés par la morale chrétienne, allait donc se trouver
dans une situation très favorable à la réalisation de ses desseins. La réforme de l'administration du royaume, dont les
enquêtes précédentes avaient révélé la nécessité, et son
contrôle par de nouvelles enquêtes, représentaient pour lui
un premier impératif. La volonté de faire régner la paix entre
les chrétiens, et avant tout entre les sujets de son royaume,
allait lui conférer une stature d'arbitre dans toutes les querelles qui divisaient l'Occident au milieu du XIIIᵉ siècle — et
ceci devait contribuer au développement de la justice royale.
La transformation des structures de l'aristocratie, rendant
celle-ci plus proche de lui, permettait d'atteindre à une certaine association de la grande noblesse à l'exercice du pouvoir royal, plus étroite qu'elle n'avait été jusqu'alors. C'est
dans l'Église peut-être que le roi rencontra le plus de difficultés, en dépit de tout l'intérêt qu'il attachait à la vie religieuse,
ou à cause d'elle, puisque la faveur qu'il témoignait aux
ordres mendiants heurtait le clergé séculier, à commencer par
les maîtres de l'Université.

Mais le roi puissant, autoritaire et obéi, malgré quelques
tiraillements dans son proche entourage, se voulait un chrétien soumis aux exigences de l'humilité et de l'austérité. Ce
n'est pas sans quelque surprise que l'on constate que cette
volonté d'abaissement personnel n'excluait pas le moins du
monde chez lui la conscience d'une éminente dignité de la
couronne, dont peut-être jusque-là aucun roi de France
n'avait été à ce point pénétré.

CHAPITRE PREMIER

Le gouvernement du royaume et sa réforme

C'est dès son retour dans son royaume que le roi Louis entama ce qu'on peut appeler une réforme, et des institutions, et surtout de l'esprit dans lequel fonctionnaient ces institutions. Soucieux d'équité et de justice, très attentif à éviter de garder pour lui ce qui aurait été injustement enlevé à autrui, il allait édicter des règles qui s'imposeraient désormais à tous ceux qui exerceraient l'autorité en son nom, et, par ses enquêteurs, tenir la main à l'exécution de ces règles. Le but qu'il se proposait était d'éliminer de son royaume tous les péchés qui offensaient la majesté divine : l'hérésie et l'usure lui offraient une cible particulièrement visible, et l'entraînèrent à prendre des mesures contre les Albigeois, les Juifs et finalement contre les prêteurs lombards.

Mais ces préoccupations morales ont aussi amené le roi à s'entourer de l'avis d'hommes dont la rectitude de pensée et la science s'imposaient ; de la sorte, les modalités de la réforme se trouvèrent soumises à l'influence du renouveau du droit, un renouveau dont le royaume de France était l'un des centres privilégiés, du fait de la présence à Orléans d'une université directement inspirée par la pensée des grands juristes bolonais. Les contemporains ne s'y sont pas trompés et, à l'enthousiasme des clercs lettrés, répond la mauvaise humeur des tenants du droit ancien. Néanmoins l'évidente sincérité du roi, son souci des droits des autres, sa propre rectitude et le respect qu'il suscitait ont été universellement reconnus. Ceux-là même qui le critiquent savent qu'il est « le meilleur roi qui ait jamais détesté le désordre », comme disait Rutebeuf, et qu'il ne saurait sciemment priver autrui de son droit légitime. Mais il n'empêche que, dans son désir de faire vivre son royaume conformément aux exigences de la morale et de l'équité, le roi Louis pose quelques-uns des premiers jalons d'un édifice monarchique qui, sous ses successeurs, deviendra redoutable. Les assises de sa cour qui prennent le nom de Parlement préparent la voie à l'institution qui assurera à l'autorité royale une plénitude de puissance rarement égalée sous d'autres cieux.

LA RÉFORME DU ROYAUME

Moins de six mois après avoir repris contact avec la terre de son royaume, saint Louis publiait la grande ordonnance de décembre 1254, qui apparaît dans l'histoire de la monarchie capétienne comme la première des ordonnances réformatrices qui devaient se succéder, siècle après siècle, sous ses successeurs directs comme sous les Valois et les Bourbons. Cette ordonnance fut suivie d'autres décisions à objet plus limité, mais qui toutes tendent au même but : purifier le royaume de France des vices qui entachaient son administration aussi bien que de ceux qui contrevenaient à la morale chrétienne ; si le mot n'avait été détourné de son sens, on dirait : mettre le royaume et les sujets en état de grâce.

Les rois, ses prédécesseurs, et Louis IX lui-même avaient déjà promulgué un certain nombre d'ordonnances, c'est-à-dire de décisions de portée générale, normalement arrêtées au cours d'une assemblée de prélats et de barons qui, en s'associant à cette promulgation, garantissaient l'exécution des mesures envisagées. Louis VII avait proclamé la « paix du roi », avec la caution de ses grands vassaux ; Philippe-Auguste avait légiféré en matière de duel judiciaire, en interdisant aux champions l'usage d'épées de plus de trois pieds de long ; en matière de guerre privée, en imposant le respect d'un délai de quarante jours entre le défi et le début des hostilités, pour permettre à ceux qui allaient être impliqués dans le conflit du fait de leur parenté avec les belligérants d'être informés des dangers qu'ils allaient courir. Saint Louis avait pris, en 1230 et 1234, des mesures contre l'usure, et spécialement contre celle que pratiquaient les prêteurs juifs ; il s'était prononcé en 1235 et en 1246, sur les modalités de la levée du droit de relief, ou de rachat, prévu par la royauté, ou par d'autres suzerains, à l'occasion de la mort d'un fieffé et de l'accession de ses enfants à la tenue du fief.

L'ordonnance de 1254 avait un tout autre caractère. M. Carolus-Barré, qui en a scruté les origines et l'élaboration, a insisté sur ce que les semaines passées par le roi dans les sénéchaussées languedociennes, avant qu'il prît la route de Paris, lui avaient permis de prendre contact avec les hommes qui avaient mené, pour le compte d'Alphonse de Poitiers, des enquêtes dans les anciens territoires gouvernés par Raymond de Toulouse, et d'être informé de la situation que ces enquêtes avaient révélée. De retour à Paris, après avoir repris le dossier des enquêtes menées dans son propre domaine en 1247, lesquelles mettaient en lumière les excès commis par les officiers royaux, et reçu conseil des prud'hommes de sa cour, il arrêtait un certain nombre de dispositions dont nous avons quatre versions qui diffèrent, mais qui coïncident dans l'ensemble : certaines n'envisagent que le cas des bailliages et des prévôtés de la France du Nord, d'autres celui des sénéchaussées, baylies et vigueries du Midi. L'objet essentiel de ces textes reste identique : il s'agit de mettre fin aux abus commis par les agents du roi. L'analyse rapide de ces textes (en retenant les versions les plus développées, au risque d'une contamination) en donne un panorama très large.

Le roi déléguait à ses officiers l'administration de la justice, la perception de ses revenus et le maintien de l'ordre public. L'ordonnance s'attachait donc d'abord à la justice. L'officier royal devait juger sans faire aucune acception de personne, en se conformant à la coutume et en prenant l'avis d'assesseurs jurés ; il devait conserver le droit du roi et celui d'autrui. Pour garantir son impartialité, il lui était interdit d'accepter aucun cadeau d'éventuels justiciables, cette interdiction visant sa femme, ses enfants, ses conseillers, ses serviteurs. Exception était faite pour des dons de pain, de vin ou de fruits d'une valeur inférieure à dix sous. De même, il ne lui était pas permis de se faire remettre à titre de prêt des sommes supérieures à vingt livres ; encore devait-il les restituer dans les deux mois.

Comme baillis et sénéchaux devaient rendre leurs comptes et subir divers contrôles, ils auraient pu être tentés d'acheter leurs juges : le roi leur interdisait d'offrir quoi que ce fût aux auditeurs des comptes, aux membres du conseil royal ou aux enquêteurs dépêchés dans leur circonscription.

C'est aux baillis et aux sénéchaux qu'il appartenait de contrôler la gestion et les agissements des officiers inférieurs (vicomtes, sergents, forestiers dans le Nord ; bayles, juges, sergents dans le Midi). Ici aussi, on pouvait craindre que ceux-ci, s'ils étaient fautifs, fussent tentés de s'assurer l'indulgence de leurs supérieurs par des présents. Aussi était-il rigoureusement interdit aux premiers d'accepter quoi que ce fût de leurs subordonnés.

Le roi se préoccupait d'empêcher ses représentants de se constituer les éléments d'une fortune foncière dans leur circonscription. Ni bailli, ni sénéchal n'était en principe autorisé à acquérir des terres ou d'autres biens-fonds dans son bailliage ou sa sénéchaussée, pas plus que d'y établir ses enfants, soit par mariage, soit par l'obtention d'un bénéfice ecclésiastique, soit en obtenant qu'un fils ou une fille fût reçu dans un monastère. Mais cette interdiction ne s'étendait pas aux officiers inférieurs, recrutés sur place, et souvent fermiers de leur office.

Les abus du droit de gîte en terre d'Église, des tournées que l'on pouvait être tenté de multiplier pour bénéficier des prestations levées en cours de route, étaient également réprimés. Et un paragraphe spécial envisageait les réquisitions de chevaux : on ne pouvait y procéder que pour le service du roi, et en payant la location de l'animal. Encore les pauvres, les marchands qui passaient et les ecclésiastiques devaient-ils en être exempts.

Le roi interdisait aussi de multiplier les « bedeaux » (subordonnés), ceux-ci étant à la charge du peuple ; de procéder au trafic des offices inférieurs de judicature, pour éviter la dilution des responsabilités. Il se préoccupait des abus possibles dans l'administration de la justice : des détentions arbitraires, des amendes levées en dehors des assises régulières et sans consultation préalable des assesseurs.

Les officiers ayant charge des revenus royaux, il leur était prescrit de ne rien prélever à leur usage sur ceux-ci, ni à l'occasion des baux à ferme des droits royaux, ni de la frappe et du change des monnaies. Les navires, qu'ils fussent utilisés pour le transport de marchands ou de pèlerins, ne devaient pas non plus être frappés de taxes au profit du bailli, du sénéchal ou de leurs auxiliaires. Les baillis ayant le droit de prohiber les exportations de denrées pour empêcher les disettes pouvaient être tentés de prescrire de telles prohibitions, pour faire ensuite commerce de licences d'exportation : ceci aussi était interdit.

Baillis et sénéchaux devaient veiller à la bonne conduite de leurs auxiliaires et les punir s'ils étaient infidèles, injurieux envers les justiciables, malhonnêtes, s'ils commettaient des exactions ou prêtaient à intérêt. En outre, c'était à eux de veiller à ce que l'on ne fournît ni armes, ni vivres, ni autre chose aux Sarrasins quand ceux-ci étaient en guerre avec les Chrétiens, ni aux ennemis du roi en dehors des périodes de trêve. A eux aussi de réprimer les vices publics (blasphème, jeux de hasard, prostitution, ivrognerie) et de faire observer les ordonnances visant les Juifs. Tout ceci, ils devaient le jurer publiquement en prenant possession de leur charge, et le faire jurer par les officiers inférieurs.

Enfin, il était prévu qu'en sortant de charge, le bailli ou le sénéchal devait demeurer quarante (ou cinquante) jours sur place pour répondre aux accusations qui pourraient être portées contre lui.

A chaque nouvelle rédaction — et ces ordonnances, qui devaient être lues publiquement dans chaque circonscription, faisaient l'objet d'une copie différente à chaque fois —, des adjonctions ou des modifications pouvaient intervenir. En février 1255, on ajoutait à ces stipulations l'interdiction aux sénéchaux d'élever des troupeaux ailleurs que dans leurs propres pâturages, et à leurs clercs de prélever des sommes excessives pour la rédaction des actes. Toutes ces mesures étaient reprises, en 1256, dans une nouvelle ordonnance. Et, la même année, dans des conditions que nous retrouverons, saint Louis se préoccupait de moraliser l'administration des communes urbaines, où d'autres abus s'étaient révélés à l'occasion de la levée des impositions.

L'énumération des dispositions de l'ordonnance laisse entrevoir la variété des exactions dont les officiers royaux pouvaient se rendre coupables ; nous les connaissons aussi par les enquêtes ordonnées par le roi. Les décisions prises par celui-ci tendaient au soulagement des sujets, à qui il importait de n'être pas pressurés par des tyranneaux prompts à faire monnaie de leurs prérogatives et toujours tentés de se créer une clientèle dans leur circonscription. Saint Louis devait redire ce souci dans les enseignements qu'il donna à son fils Philippe, sous cette forme : « Cher fils, prends garde diligemment qu'il y ait bons baillis et bons prévôts en ta terre, et fais souvent prendre garde qu'ils fassent bien justice et qu'ils ne fassent à autrui tort ni chose qu'ils ne doivent. De même, ceux qui sont en ton hôtel, fais prendre garde qu'ils ne fassent injustice à personne, car, bien que tu doives haïr le mal qui est en autrui, plus encore tu dois haïr celui qui viendrait de ceux-là qui auraient reçu leur pouvoir de toi. »

Dans ces mêmes « enseignements », le roi rappelait à son fils qu'il devait bannir de sa terre les péchés publics : blasphème, fornication, jeux de hasard, ivrognerie, et extirper l'hérésie dans toute la mesure du possible. L'ordonnance de 1254 met elle aussi l'accent sur la lutte contre l'immoralité. Mais quant à l'hérésie, saint Louis ne paraît pas avoir innové en ce qui concerne la répression du catharisme. C'est le concile tenu à Toulouse en 1229 qui avais pris contre celui-ci des mesures qui restèrent à la base de tout le combat mené contre les hérétiques. On avait alors institué une inquisition, sous la forme de commissions constituées dans chaque paroisse par un prêtre et deux laïcs pour la recherche de ceux-ci, sous la direction de l'évêque diocésain. Peu après, l' « Inquisition » passait aux Dominicains, à qui les Franciscains furent normalement associés en 1246, et la papauté se réservait la nomination des inquisiteurs. Le concile réuni à Béziers en 1246 élaborait les règles de procédure que devait suivre la nouvelle institution. Celle-ci, grâce aux interrogatoires auxquels étaient soumis les suspects revenus à l'orthodoxie, recueillait des informations qui permettaient de repérer les « Parfaits » et leurs adhérents. En 1242, à la suite du meurtre des inquisiteurs à Avignonet et de l'échec de la rébellion de Raymond Trencavel, un certain nombre d'hérétiques quittèrent le Languedoc pour l'Italie ; un réfugié affirma avoir rencontré à Crémone l'évêque cathare de Toulouse. Montségur paraît avoir été le refuge de ceux qui dirigeaient les Cathares de la région pyrénéenne : lorsque le château tomba aux mains des gens du roi, après un an de siège (mars 1243 - mars 1244), près de deux cents hérétiques préférèrent le bûcher à l'apostasie ; l'Église cathare fut décapitée. Les seigneurs locaux renonçaient à toute collusion avec elle. Les « Parfaits » n'étaient plus qu'un petit nombre, vivant dans la clandestinité, et l'Inquisition démantela plus d'un des réseaux qui les soutenaient.

Dans le Nord, le recul de l'hérésie était plus net encore ; on voit les moines de la Charité-sur-Loire demander l'autorisation de reconstruire les maisons des Cathares locaux qui avaient été rasées, ce qui atteste qu'il ne paraissait plus nécessaire de maintenir ce qui avait été un exemple destiné à effrayer les hérétiques éventuels. Innocent IV, le 21 avril 1245, invitait les inquisiteurs à se relâcher de leur sévérité, en réservant les condamnations rigoureuses aux seuls Cathares endurcis. Les officiers royaux ou comtaux, paraît-il, s'offusquèrent de cette mansuétude et exécutèrent certains hérétiques relaps que les inquisiteurs n'avaient condamnés qu'à la prison perpétuelle. Il est vrai que les prisonniers s'évadaient souvent et que, d'ailleurs, on leur accordait parfois des congés à passer dans leur famille ; les inquisiteurs acceptaient

également de commuer des peines en d'autres moins rigoureuses.

Il n'est pas étonnant que cette clémence relative ait indis-
posé les officiers du roi. Les décisions prises en 1229 et sanc-
tionnées par l'autorité royale (Louis IX s'y réfère régulièrement) prévoyaient la collaboration des cours laïques et des
cours ecclésiastiques pour la répression de l'hérésie. Il ne faudrait pas prendre les enquêtes prescrites en 1247 par le roi
comme marquant un début d'amnistie : elles avaient pour but
de réparer les injustices commises, non de revenir sur les
condamnations et les confiscations opérées à juste titre, que
ce fût pour crime d'hérésie ou pour crime de rébellion. Si l'on
parcourt les dépositions recueillies vers 1258, en Minervois et
dans la région de Carcassonne, en réponse aux demandes de
restitution formulées par les gens de la région, on constate
qu'on oppose à celles-ci que tel « fut faidit dans la guerre du
vicomte » (Trencavel) ou dans celle du comte de Toulouse,
ou « a porté les croix pour crime d'hérésie », ou été emprisonné pour la même raison, ou a abrité des hérétiques ou des
faidits. « La communauté de Limoux fut rebelle, et faidite, et
ennemie, et fit grande guerre contre le roi » (Louis VIII) :
ceci paraît exclure qu'elle recouvre les droits qu'elle a perdus.

Il y avait d'ailleurs encore, à cette date — l'enquête en
témoigne —, des « faidits », donc des insoumis qui tenaient
la campagne ; il fallut, en 1255, que le sénéchal de Carcassonne et de Béziers mît le siège devant une autre forteresse
des contreforts pyrénéens, celle de Quéribus et, à cette occasion, il demanda l'aide des évêques en faisant valoir les intérêts de la foi ; mais il ne semble pas que Quéribus ait été,
comme Montségur, un repaire d'hérétiques. Il n'empêche que
la paix ne pouvait encore être considérée comme pleinement
assurée, que la collusion des faidits et des hérétiques pouvait
encore apparaître comme à craindre.

En tout cas, lorsque saint Louis s'adresse à ses enquêteurs,
en avril 1259, et qu'il leur annonce son intention d'adoucir les
mesures qui avaient été prises en 1229, l'essentiel de celles-ci
reste en vigueur : le roi précise qu'il ne saurait être question,
sauf grâce spéciale, de restituer les biens confisqués à ceux

qui ont été convaincus d'avoir assisté ou abrité chez eux des hérétiques avérés, qui ont été condamnés à la prison ou livrés au bras séculier, qui se sont dérobés au jugement ou qui ont pris la fuite pour échapper à l'Inquisition. Les mêmes rigueurs s'appliquaient aux rebelles de 1226, de 1240 ou de 1242 : les confiscations dont ils avaient été frappés restaient appliquées. Toutefois le roi veillait à ce que des tiers ne fussent pas lésés (notamment les femmes, qui ne devaient pas supporter les conséquences des fautes de leurs maris) et ordonnait de restituer à leurs héritiers les biens des ex-hérétiques qui, d'eux-mêmes, s'étaient repentis et étaient entrés en religion. Une autre mesure, prise en 1258, interdisait de confier des charges ou des offices aux fils ou petits-fils des hérétiques convaincus. Cela ne devait pas plus empêcher Guillaume de Nogaret de faire une belle carrière que saint Louis ne s'était interdit de confier à un ancien faidit, Olivier de Termes, le commandement d'une partie de ses troupes, ou d'avoir dans son entourage Trencavel lui-même...

Au fond, saint Louis s'était borné à endosser les mesures prises par l'Église pour arrêter les progrès de l'hérésie et reconquérir le terrain perdu, sans qu'il y eût initiative de sa part. On le voit cependant solliciter Alexandre IV pour obtenir de celui-ci que la responsabilité de l'Inquisition et la charge d'extirper l'hérésie dans tout le royaume de France fût confiée au prieur de la province dominicaine de France et au gardien des Franciscains de Paris (13 décembre 1255). En fait, cette mesure intervenait après qu'une circonscription analogue eut été créée et confiée au prieur du couvent dominicain de Paris à la demande d'Alphonse de Poitiers dans l'ensemble de ses propres domaines : il s'agissait de mieux coordonner l'action des inquisiteurs et celle des officiers du roi — ou du comte — qui devaient exécuter leurs sentences et, éventuellement, procéder aux confiscations au profit du souverain, non d'accélérer la répression.

En tout cas, les hagiographes n'ont pas relevé, en faisant le portrait moral du roi, son zèle pour l'extirpation de l'hérésie, ce qu'ils n'auraient pas manqué de faire au cas où saint Louis eût témoigné d'un souci particulièrement marqué en ce sens.

Il nous semble que, la répression ayant été organisée et le reflux de l'hétérodoxie étant indéniable, Louis IX s'est borné à laisser fonctionner les institutions ecclésiastiques en leur assurant, comme il était prévu dès l'origine, l'appui de ses propres officiers, dont le zèle n'avait pas besoin d'être stimulé.

Il n'en est pas de même dans les autres domaines où le roi entendait faire progresser la réforme morale dont il était le partisan convaincu. Peut-être n'est-il pas de zèle plus grand chez lui que celui dont il a témoigné dans sa lutte contre le « mauvais langage ». L'ordonnance de 1254 interdit aux baillis et aux prévôts de prononcer « nulle parole qui tourne au mépris de Dieu, de Notre-Dame et de tous les saints ». Louis, nous le savons, s'abstenait scrupuleusement de tout juron : Joinville nous affirme qu'en vingt-deux ans, il ne l'a jamais entendu jurer et que, pour renforcer ses affirmations, il lui paraissait suffisant d'y ajouter un « vraiment » ; pas davantage n'employait-il le nom du diable, et le bon sénéchal l'en approuve hautement, déplorant que dans le royaume de France « à peine on puisse parler qu'on ne dise : " que le diable y ait part ! ", ou que l'on envoie son interlocuteur au diable »...

Pendant son séjour à Césarée, il avait fait mettre au pilori un orfèvre coupable d'avoir blasphémé, en lui accrochant autour du cou les boyaux et la fressure d'un porc. De retour en France, il alla jusqu'à faire marquer au fer rouge sur les lèvres un bourgeois de Paris coupable du même crime, ce qui paraît avoir suscité quelque scandale autour de lui. Il aurait riposté qu'il se serait volontiers fait marquer de cette manière si cela avait suffi pour éliminer ce vice du royaume, et qu'il méritait bien plus d'éloges pour avoir agi ainsi que pour un acte de charité dont on le louait. C'est alors, semble-t-il, qu'il s'en entretint avec le légat, Simon de Brie, et, selon Geoffroy de Beaulieu, qu'il réunit les barons et les prélats à Paris pour édicter des statuts contre l'usage du blasphème ; le pape Clément IV l'encouragea, par lettre du 12 août 1268, dans cette voie, mais en lui recommandant de ne pas aller dans le châtiment jusqu'à la mutilation ou la peine de mort. Aussi l'ordonnance de 1269 prévoyait-elle que le blasphémateur serait puni d'une amende, ou du pilori, ou du fouet. Et partant pour Tunis, il continuait à rappeler ses sujets à l'observation de ces statuts. Le blasphème n'était-il pas une injure gratuite à Dieu et aux saints ?

C'est également dans l'ordonnance de 1254 que nous voyons le roi interdire à ses officiers les jeux de dés et de « tables », et même les échecs — jeux de hasard et jeux d'argent (on se souvient de la colère de saint Louis quand il surprit Charles d'Anjou en train de jouer, avec les enjeux à côté de lui, pendant la traversée de Damiette à Acre). L'ordonnance ajoute que la fabrication des dés est interdite dans tout le royaume.

Est aussi interdite aux officiers la fréquentation des tavernes. Et celle-ci n'est autorisée qu'aux passants et aux voyageurs, lesquels peuvent y être reçus et y séjourner, à l'exclusion des gens du lieu.

Saint Louis lutte encore contre la prostitution : il interdit bien entendu à ses officiers de fréquenter les femmes de mauvaise vie ; mais il prescrit en même temps que celles-ci soient chassées des maisons qui les abritent ; leurs biens devaient être confisqués, ainsi que ceux des gens qui leur louaient une maison.

Mais le royaume souffrait tout particulièrement d'une autre plaie : l'usure. Certes, les canonistes, après avoir abondamment discuté, proscrivaient en principe tout prêt à intérêt. La réalité était plus nuancée ; on admettait la légitimité du prélèvement des récoltes par ceux qui recevaient une terre en gage. Mais le développement d'une économie d'échanges rendait inéluctable le recours au crédit, et toutes les catégories sociales y recouraient. On ne compte pas les abbayes qui, endettées au-delà de leurs moyens et affligées par « le gouffre des intérêts », devaient être remises aux mains d'un administrateur judiciaire (on disait « en commende ») et renoncer temporairement à tout recrutement pour rétablir leur situation ; encore moins les nobles contraints à mettre en gage leurs terres et leurs châteaux, non seulement aux mains de leurs seigneurs que le droit féodal obligeait à les tenir sans prélever d'intérêt, mais aussi à des bourgeois, ou bien aux grands banquiers italiens de Plaisance ou de Sienne, qui n'étaient pas soumis aux mêmes contraintes. On connaît les fortunes réalisées par certains bourgeois des villes du Nord, comme par les chevaliers lyonnais qui tenaient des « tables de prêt » : les capitalistes ne manquaient pas, qui cherchaient à placer leurs capitaux dans les meilleures conditions.

La charge la plus lourde, c'était le prêt « à la petite semaine » que pratiquaient les Juifs et certains prêteurs italiens, ceux d'Asti en particulier, ainsi que d'autres connus sous le terme générique de « Caorsins » qui n'a probablement aucun rapport avec la ville de Cahors. Ils prêtaient, généralement sur gages, à ceux qui fréquentaient les marchés auprès desquels ils tenaient leurs « tables », en principe pour un très court délai ; si l'emprunteur remboursait au jour dit, l'intérêt était inexistant ou très faible. S'il ne remboursait pas, les intérêts commençaient à courir, à un taux généralement élevé, et en s'ajoutant au capital. Or il n'était guère de vilain, de petit seigneur, d'artisan, qui n'ait eu besoin un jour ou l'autre de se faire avancer quelques deniers, et les « lettres » (les reconnaissances de dettes) s'accumulaient chez les Juifs et chez les Lombards.

La lutte contre l'usure avait commencé très tôt, sous Philippe-Auguste et sous Louis VIII. Et ce sont les Juifs qui avaient été spécialement visés (les Lombards d'Asti n'ont commencé à s'établir dans le royaume qu'aux environs de 1220). La première ordonnance de saint Louis, prise à Melun en 1230, reprenait les dispositions de celle qu'avait rendue son père en 1223 : elle interdisait à l'avenir aux Juifs de prêter de l'argent, annulait les intérêts en cours et prescrivait le remboursement des sommes prêtées, dans un délai de trois ans. Les créances avaient été enregistrées, les Juifs mis en état d'arrestation. Mais, quatre ans plus tard, une nouvelle ordonnance tenait compte de ce que les créances en question inscrivaient en réalité une somme supérieure à celle qui avait été prêtée, parce qu'elle incorporait une majoration correspondant à un intérêt. Cette majoration fut évaluée au tiers, et il était prescrit aux débiteurs de ne restituer à leurs créanciers

Sceau de Saint Louis, au type de majesté. *(Archives Nationales).*

Sceau utilisé en l'absence du roi, alors en Croisade (1270), au type de la couronne. *(Archives Nationales).*

Tête de l'un des gisants exécutés pour l'abbatiale de Saint-Denis : Clovis II. *(Giraudon).*

LA BONNE MONNAIE
ROI

UNE RELIQUE INSIGNE
Le reliquaire de la Sainte-Épine, offert par Saint Louis
à Saint-Maurice d'Agaune. Trésor de l'abbaye. *(Abbaye
de Saint-Maurice)*.

que les deux tiers de la somme en question. Certains s'étaient déjà acquittés : le roi ordonnait qu'on leur rendît le tiers de leur ancienne dette. Il interdisait aux baillis de mettre en prison les débiteurs chrétiens défaillants et de vendre leurs biens, et stipulait que désormais les Juifs ne pourraient prendre de gages qu'en présence de témoins dignes de foi (les « bons hommes ») sous peine de perdre la somme prêtée.

Avant de partir en Terre sainte, il avait ordonné de procéder à la saisie des biens des Juifs et à l'expulsion de ceux-ci, en même temps d'ailleurs qu'il avait agi de même à l'égard de certains usuriers chrétiens de Normandie, dont on avait saisi les biens lors de leur décès. Une ordonnance de 1258 confirmait cette décision, en stipulant que les officiers royaux prélèveraient sur la valeur des biens saisis le montant des intérêts pour le rendre aux débiteurs, lesquels devaient rembourser le capital au trésor royal. Ceci n'était pas allé sans certaines exactions : les Pastoureaux avaient pillé les maisons juives de Bourges ; certains officiers avaient sans doute réalisé des profits illicites, puisque l'ordonnance exigeait qu'ils rendissent compte des biens juifs saisis, en même temps qu'elle prescrivait la vente des maisons, des revenus et des immeubles. Mais confiscations et expulsions ne visaient sans doute que les usuriers juifs, car la présence de nombreux Juifs reste certaine, et l'ordonnance elle-même prescrit la restitution aux communautés juives de leurs synagogues et de leurs cimetières. Quant à l'ordonnance de 1254, elle reprenait les termes de celle de 1230, rappelait la condamnation du Talmud, considéré comme blasphématoire à l'égard de la foi chrétienne, et interdisait aux Juifs de prêter à intérêt dans l'avenir, en les incitant à vivre du travail de leurs mains ou du métier de marchand.

On s'est demandé si, en s'en prenant avec tant d'insistance aux Juifs, le roi n'avait pas eu une arrière-pensée : celle d'inciter ceux-ci à embrasser la foi chrétienne pour échapper à ces vexations. La joie dont il témoignait toutes les fois qu'un Juif se faisait baptiser, la relative fréquence de telles conversions, l'attribution de pensions ou de cadeaux à ces nouveaux baptisés, paraissent aller dans ce sens. Guillaume de Chartres a raconté comment, parmi les conseillers du roi, plusieurs l'incitaient à tolérer le prêt à intérêt pratiqué par les Juifs, « puisque de toute façon ceux-ci étaient damnés », en s'en prenant plutôt aux usuriers chrétiens, lesquels exigeaient des intérêts plus élevés encore. A cela il aurait répondu que c'était aux évêques qu'il appartenait d'agir contre les usuriers chrétiens (de fait l'usure figurait avec le parjure parmi les cas relevant des cours d'Église), tandis que lui seul pouvait s'en prendre aux Juifs, qui étaient ses propres serfs, et qui pouvaient opprimer ses sujets en se prévalant de son autorité. Les grands barons, d'ailleurs, relayaient la législation royale contre les Juifs de leurs propres terres. Il ne devait cependant pas négliger les usuriers chrétiens. Une dernière ordonnance, promulguée en 1269, prescrivait l'expulsion des Lombards et des Caorsins.

Il est difficile d'apprécier le résultat qu'obtinrent ces différentes ordonnances. Le recours au crédit restait inévitable, et il était entré dans les mœurs : aussi le prêt sur gages, qui restait autorisé, dissimulait-il sans doute bien souvent un paiement d'intérêt ; les communautés juives se rachetaient des mesures d'expulsion moyennant des versements d'argent ; il n'était pas question de se priver des services des grands banquiers italiens qui usaient de contrats de change fort avantageux ; les Astesans, victimes de confiscations lors de leur guerre avec Thomas de Savoie, avaient accumulé de grosses fortunes. La moralisation du marché de l'argent n'a sans doute été que partielle.

L'interdiction du blasphème atteignit-elle davantage son but ? Pour nombre de « prud'hommes » qui usaient de jurons inoffensifs (Jean de Nesle, à la croisade, jurait « Par la coiffe de Dieu ! ») bien d'autres ont dû continuer à employer le langage interdit ; et comment savoir si les dénonciations prévues par l'ordonnance de 1268 affluèrent ? La clientèle des tavernes déserta-t-elle celles-ci, et la prostitution fit-elle plus que de devenir un peu plus clandestine, tout cela pour peu de temps ? Nous ignorons si les officiers royaux et les barons dans leur terre tinrent effectivement et vigoureusement la main à faire respecter les prescriptions des ordonnances.

Toutefois n'oublions pas que Joinville affirme que, dans son château, il était pratiquement parvenu à éliminer tout « mauvais langage ». La volonté de moralisation de saint Louis peut avoir été relayée assez largement et produire au moins partiellement son effet. Mais elle exigeait que l'administration royale répondît à ce que le roi attendait d'elle.

L'ADMINISTRATION ROYALE À L'ÉPREUVE DE LA RÉFORME

La transformation de l'administration royale avait été inaugurée au temps de Philippe-Auguste, par l'institution des premiers baillis, et la répartition du royaume entre les bailliages était devenue assez stable pour que, sous le règne de saint Louis, il n'y eût plus lieu d'y introduire autre chose que des remaniements de détail : création d'un bailliage de Mantes, détaché de celui de Gisors ; réunion du bailliage de Pont-Audemer à celui de Rouen ; de celui d'Étampes, ou de Gâtinais, à celui d'Orléans ; de celui de Senlis à celui de Vermandois... Il s'agissait d'ailleurs parfois de mesures temporaires, tandis que les modifications de la consistance du domaine royal amenaient la création d'un bailliage à Mâcon en 1239 (il était d'ailleurs confié à cette date au connétable d'Auvergne), la disparition de celui de Périgord et Quercy lorsque ces territoires furent cédés au roi d'Angleterre ; les bailliages d'Anjou, d'Artois, de Poitou, d'Auvergne, de Saint-Omer, cessaient d'être royaux lorsque les terres correspondantes entraient dans le domaine des apanagistes. Le bailliage — ou la sénéchaussée (mais on emploie couramment le premier terme pour parler des circonscriptions confiées aux officiers qu'on appelle parfois respectivement le bailli de Beaucaire et de Nîmes, ou le bailli de Carcassonne) — était donc devenu le rouage essentiel de l'administration du domaine royal en même temps que l'organe permettant de contrôler les agissements des grands barons. Et c'était aux baillis qu'il appartenait de veiller à la bonne gestion des pré-

vôts, viguiers, bayles chargés d'administrer les éléments de ce
domaine.

Nous savons que la grande préoccupation de saint Louis
fut de s'assurer que les officiers auxquels il remettait l'exercice des pouvoirs royaux étaient dignes de confiance. Il s'est
exprimé avec netteté sur ce point, tant dans ses enseignements à son fils que dans l'ordonnance de 1254. Et Guillaume de Saint-Pathus rapporte à ce souci la création des
enquêteurs que, nous dit-il, le roi choisissait soit parmi les
religieux mendiants, Dominicains ou Franciscains, soit parmi
les clercs séculiers, soit parmi les chevaliers, à un rythme
variable (mais parfois plusieurs par an) pour enquêter sur les
excès commis par ses agents, en leur conférant le droit de
faire procéder à des restitutions « sans demeure », c'est-à-
dire sans délai, comme celui de priver de leur office les prévôts ou les sergents convaincus d'avoir mal agi. Ces pouvoirs,
on le voit, ne s'étendaient pas jusqu'aux baillis eux-mêmes,
qui ne pouvaient être dessaisis de leur office que par le roi.
Mais ils nous privent du moyen de savoir si nombreux furent
les officiers inférieurs qui firent l'objet d'une révocation prononcée par les enquêteurs.

Le point de départ du recours systématique aux enquêtes
doit être cherché, nous le savons, dans les scrupules de
conscience qu'éprouvait le roi, lorsque, venant de se croiser,
il ressentait le besoin de procéder à la restitution des biens
mal acquis dont il pouvait jouir indûment. Ces scrupules ne
devaient pas le quitter : en 1258, il se préoccupait de la destination à donner aux possessions dont il devait se dessaisir à
ce titre et dont on ne pourrait retrouver les légitimes ayants
droit. Il sollicitait du pape Alexandre IV une bulle l'autorisant à distribuer aux pauvres les biens en question et, le pape
l'y ayant autorisé, il adressait de surcroît une circulaire à tous
les évêques et archevêques du royaume pour obtenir d'eux
une autorisation analogue (1259). Nous possédons une trentaine de réponses des prélats, toutes favorables également à
la substitution, aux ayants droit inconnus, des pauvres que le
roi secourrait en utilisant ces gains illicitement réalisés.

Les enquêtes de 1247 avaient mis en évidence un nombre

appréciable de spoliations commises par Louis VIII, Philippe-Auguste ou par Louis IX lui-même, mais encore plus
d'exactions émanant des officiers royaux. Nous savons
qu'avant son départ pour l'Orient, saint Louis en avait tiré les
conséquences, en réparant bon nombre des injustices dont il
avait eu connaissance, et en révoquant ou en déplaçant certains des officiers coupables. Son frère Alphonse, en héritant
des domaines de son beau-père Raymond VII, avait mis des
enquêteurs au travail — l'un d'eux, un chevalier originaire de
Saint-Gilles, entré dans les ordres après son veuvage, Guy
Foulcois (ou *Fulcodi*), devait passer au service du roi dès le
retour de ce dernier en France —, en Toulousain et en Albigeois. Sans attendre, saint Louis fit reprendre les enquêtes
dans ses sénéchaussées languedociennes par l'archevêque
d'Aix, Philippe, le Dominicain Pons de Saint-Gilles, le Franciscain Guillaume Robert et le même Guy. Nous possédons
les témoignages qui furent opposés aux demandes de restitution de la part de celui qui défendait les intérêts du roi : le
juge de Carcassonne, Barthélemy du Puy. Mais d'autres
enquêteurs étaient au travail dans la France du Nord : on sait
que maître Jean de la Porte, chanoine de Paris, et deux religieux mendiants, les frères Thiécelin et Jean de Longueval,
étaient chargés de mener les enquêtes « sur le fait des restitutions et des réparations » *(in negocio restitutionum et emenda-
cionum vices gerentes regis)* dans les bailliages de Paris et de
Sens, dès 1255. En 1257, l'archidiacre d'Orléans, Geoffroy, le
Dominicain Geoffroy Tribuel et le Franciscain Pierre de
Valenciennes enquêtaient dans les bailliages de Sens, de
Tours et d'Orléans, tandis que Robert de la Houssaye, doyen
du chapitre de Senlis, le Dominicain Adam de Saint-Riquier
et le Franciscain Robert de Nesle agissaient de même en
Picardie. Mais ce sont trois clercs du roi, maître Henri de
Vézelay, Nicolas de Châlons et Pierre de Voisins, lesquels
procédaient aux enquêtes « sur les restitutions et les
amendes » dans les sénéchaussées de Carcassonne et de
Beaucaire, dont nous connaissons le mieux les opérations.
Ils partaient des plaintes recueillies précédemment par
Guy Foulcois et ses collègues « sur certains des biens du roi

qu'on disait avoir été injustement pris par ses officiers » et des contre-témoignages recueillis par Barthélemy du Puy, que nous avons cités. C'était à eux qu'il appartenait de prononcer les sentences, et nous savons qu'ils éprouvèrent le besoin de soumettre au roi un certain nombre de questions relatives aux principes dont ils devaient s'inspirer et à quelques cas particuliers. Nous avons déjà fait allusion aux réponses de saint Louis, qui leur recommandait une certaine indulgence à l'égard de ceux qui ne pouvaient être considérés ni comme ayant adhéré à l'hérésie ou à la rébellion, ni comme ayant prêté assistance aux hérétiques ou aux rebelles, ou de ceux qui pouvaient se prévaloir d'une grâce royale ; le roi se montrait particulièrement attentif à la sauvegarde des droits des femmes, en admettant pour celles-ci le bénéfice des dispositions du droit écrit lorsqu'elles étaient contraires à celles de la coutume de France.

L'étude des sentences rendues au cours de cette enquête, qui se prolongea jusqu'en 1262, a été menée par J. R. Strayer. Elle a montré l'attention avec laquelle avait été conduit l'examen des plaintes et l'équité des décisions, plus encore que l'indulgence de celles-ci : les enquêteurs ne transigèrent pas sur les droits du roi, et se montrèrent particulièrement peu disposés à reconnaître aux évêques les pouvoirs temporels que ceux-ci revendiquaient ; mais ils consentirent, dans le plus grand nombre des cas, des restitutions au moins partielles aux requérants.

Les trois enquêteurs envoyés dans les deux sénéchaussées méridionales avaient eu essentiellement à juger du bien-fondé des réclamations portant sur les dépossessions dont la guerre des Albigeois et ses conséquences avaient été la cause. Dans les autres régions, les enquêtes portaient surtout sur les exactions commises par les baillis, les prévôts, les autres officiers subalternes (forestiers ou sergents) au nom du roi. Les plaignants prennent ce dernier à partie. Ainsi maître Étienne de Lorris, le Dominicain Thomas de Chartres et le Franciscain Robert de Nesle, enquêtant dans les bailliages d'Amiens, de Vermandois et de Senlis, reçoivent la plainte d'un bourgeois de Compiègne « contre le roi et contre Bertier Angelart, bailli de Vermandois », qui l'a condamné à vingt livres d'amende pour des violences commises en pleine halle, en présence du maire et des jurés de la ville, ce qu'il nie. Le bailli répond que la sentence était juste, puisqu'il y avait eu effusion de sang. Des témoins confirment cette déclaration. Les enquêteurs absolvent « le roi et Bertier » de cette accusation et imposent silence à l'accusateur.

Dans d'autres cas, c'est au plaignant qu'on donne raison, en lui accordant un dédommagement : les mêmes enquêteurs condamnent le prévôt de Choisy à rendre 52 sous qu'il avait indûment exigés d'un certain Oudard Quinqueruel. Ou alors, il leur arrive de promouvoir un compromis.

L'ordonnance de 1254 avait prévu que le bailli, quittant son bailliage, devait rester pendant un certain temps sur place pour répondre aux accusations qui pourraient être portées contre lui. C'était encore à des enquêteurs qu'il appartenait de procéder en cette matière. Et particulièrement instructive se révèle l'enquête menée au moment où Mathieu de Beaune cessait d'exercer les fonctions de bailli de Vermandois, qu'il avait prises en 1256 après avoir été bailli d'Orléans. On n'interrogea pas moins de 508 témoins pour savoir si, pendant les quatre années qu'il avait passées en Vermandois, il s'était conduit conformément aux exigences de la morale. L'enquête devait tourner au bénéfice du bailli sortant ; mais il est intéressant de constater que les interrogations étaient conçues sur le modèle des prescriptions de l'ordonnance de 1254. Ainsi le maire de Chauny certifie-t-il que le bailli s'était bien conduit à l'égard des gens de Chauny, qu'il avait gardé selon son pouvoir les droits du roi et veillé à la sauvegarde du pays, et que lui-même n'avait jamais entendu personne se plaindre de la manière dont le bailli menait les plaids. On lui demanda si Mathieu recevait des présents : il affirma que le bailli avait effectivement accepté deux ou trois « pots » de vin (ce que prévoyait l'ordonnance) mais qu'il avait refusé des dons d'argent quand on avait voulu lui en faire ; que ni lui, ni sa famille, n'avaient sollicité ou reçu de prêts. En ce qui concerne ses serviteurs, leur désintéressement était moins absolu : deux de ses clercs et deux écuyers avaient laissé

entendre, en arrivant à Chauny, qu'ils avaient des housses en
mauvais état ; on s'était empressé de leur en acheter des
neuves ; mais il était fort possible que le bailli n'en eût pas eu
connaissance...

Sans doute se trouvait-il des administrateurs moins probes
ou moins consciencieux ; mais la fréquence des enquêtes permettait au roi de leur faire sentir la nécessité de respecter les
obligations de leur charge. Lui-même, d'ailleurs, au cours de
ses tournées dans son domaine — et, chaque année, il visitait
une partie de celui-ci, ce qui n'allait pas sans l'amener à
modérer l'exercice du droit de gîte qui aurait pesé trop lourd
sur des communautés obligées de le recevoir à plusieurs
reprises —, s'informait de la manière dont se comportaient
ses représentants et prenait des mesures pour améliorer leur
administration. Les remaniements des circonscriptions, les
déplacements des baillis, coïncident souvent avec ses visites.

Si nous en croyons son confesseur, Geoffroy de Beaulieu,
le roi, « attentif et diligent à rechercher et à examiner des
officiers et des baillis bons et fidèles », ne faisait pas seulement enquêter sur ses représentants dans les bailliages, mais
aussi sur les agissements de ceux qui le servaient dans son
hôtel. Cependant, nous dit-il, Louis se montrait trop indul-
gent pour ses baillis, ses officiers ou ses proches, et ne se
hâtait pas de les châtier de leurs agissements lorsque ceux-ci
étaient répréhensibles. Ceci ne paraît pas contredire ce que
nous savons d'autre part du tempérament et de l'attitude de
saint Louis, ferme sur le principe, sachant être rigoureux
pour l'exemple, mais porté au compromis et accessible à la
mansuétude.

En tout cas, il semble que le roi ait pris soin de ne pas laisser ses baillis trop longtemps dans le même ressort, et plusieurs d'entre eux sont passés dans plusieurs circonscriptions.
Philippe de Chenevières quitte Étampes pour Coutances ;
Gérard de Quevresis, Orléans pour Senlis ; Pierre d'Auteuil,
Carcassonne pour Étampes ; Geoffroy de Roncherolles,
Beaucaire pour le Vermandois... L'ordonnance de 1254
n'entendait-elle pas interdire à un bailli de s'établir à
demeure dans son bailliage ?

La surveillance des prévôts et des autres officiers inférieurs se révélait plus difficile, du fait que ceux-ci prenaient à ferme leurs charges, et que leur choix dépendait de l'enchère. Guillaume de Chartres loue précisément le roi d'avoir à l'occasion renoncé à un profit en confiant ses prévôtés à des personnages mieux famés lorsque d'autres lui offraient des sommes plus élevées. Néanmoins le système de l'affermage postulait que les candidats aux prévôtés fissent un bénéfice en recouvrant de leurs administrés, à titre de redevances, d'amendes ou d'exploits de justice, plus d'argent qu'ils n'en versaient eux-mêmes par avance au trésor royal ; il rendait difficile d'apprécier le montant des revenus que le roi pouvait normalement attendre, et il justifiait dans une certaine mesure l'âpreté des prévôts à rentrer dans leurs débours. Certains, d'ailleurs, se plaignaient d'avoir eu à supporter à des titres divers (obligation d'héberger les baillis au cours de leurs tournées, achat de chevaux en vue d'accomplir leur office) des dépenses qui rendaient leur gestion déficitaire.

Aussi le roi recourut-il, sur une aire géographique assez étendue, correspondant peut-être à la Picardie et aux régions voisines, à la mesure connue au Moyen-Age sous le nom de « mise en garde » des prévôtés. Il fit expédier par sa chancellerie, vers 1260, des « lettres de non mise en vente des prévôtés » en vertu desquelles, au lieu de mettre ces dernières aux enchères, les baillis désignaient des hommes dont la capacité et l'honnêteté leur paraissaient également recommandables, pour exercer les fonctions de prévôt, rendre la justice et percevoir les revenus provenant de celle-ci, en rendant compte de leurs recettes et de leurs dépenses aux conseillers du roi chargé d'ouïr les comptes. Ceci exigeait que leurs gages fussent prélevés sur le montant de leur recette, alors que, dans le système de la ferme, ils étaient censés être dédommagés de leurs débours par le bénéfice qu'ils tiraient normalement de leur office. Le système de la garde était donc onéreux pour le souverain qui grevait son revenu de ces gages au lieu de faire supporter la charge correspondante par les administrés dans chaque prévôté. Toutefois, en dehors du soulagement que ceux-ci purent connaître pendant la durée de la mise en garde, il faut reconnaître que la royauté en tirait profit elle aussi, du fait qu'elle pouvait mieux savoir le montant de ses revenus avant de soumettre à nouveau la désignation des prévôts aux enchères.

Une de ces « mises en garde » prenait une signification particulière : il s'agissait de Paris où, depuis le temps de Philippe-Auguste, deux personnages, appartenant généralement aux grandes familles de la bourgeoisie parisienne, exerçaient simultanément les fonctions de prévôt : l'un paraît avoir eu une compétence comparable à celle des baillis, essentiellement en matière judiciaire (et sans doute celui-là recevait-il des gages et rendait-il des comptes), l'autre étant plus spécialement chargé de collecter les revenus du roi à Paris et au voisinage de cette ville. Joinville a dessiné de la situation de Paris sous ce régime un tableau fort noir : « La prévôté de Paris était alors vendue aux bourgeois de la ville et à d'autres. Certains, après l'avoir achetée, se rendaient complices des abus commis par leurs enfants ou par leurs neveux... Le menu peuple était très pressuré, et il ne pouvait obtenir justice contre les riches hommes qui faisaient au prévôt de grands présents. En ce temps-là, quiconque disait la vérité devant le prévôt ou ne voulait pas se rendre parjure à propos de dettes... était mis à l'amende et puni... Avec cela, il y avait tant de larrons et malfaiteurs à Paris et au-dehors que tout le pays en était rempli. »

Le roi Louis, entre 1254 et 1261, mit fin à l'affermage de l'un des offices de prévôts et il semble qu'il ait cherché à unifier les compétences des deux titulaires. Puis, en 1261, il réunit les deux offices en un seul qui fut confié à un ancien prévôt d'Orléans, Étienne Boileau, lequel se qualifia désormais de « garde de la prévôté de Paris » et que l'on peut regarder comme le premier des prévôts du Châtelet : la vieille construction fortifiée qui commandait l'accès du Grand Pont fut rebâtie et considérablement agrandie pour abriter les services de la prévôté. Étienne a surtout attaché son nom à la rédaction du *Livre des Métiers*, où il codifiait pour la première fois les statuts des métiers parisiens, en s'assurant le contrôle de ceux-ci ; mais on lui doit aussi la réorganisation de la cour de justice propre à Paris. Et il semble que son action ait été fort efficace.

Parallèlement, le roi avait réorganisé la police de sa capitale ; la désignation d'un chevalier comme « garde de la cité de Paris », avec le recrutement de sergents soldés qui lui étaient subordonnés, les uns servant à pied et les autres à cheval, donnait au « guet » de Paris une structure qui devait se maintenir pendant des siècles. Le « chevalier du guet » et ses auxiliaires paraissent avoir ramené l'ordre dans les rues de la ville. « Nul malfaiteur, larron ou meurtrier n'osa demeurer à Paris qu'il ne fût tantôt pendu ou mis à mort. Parent, lignage, or ni argent ne pouvaient servir de protection », affirme le sénéchal de Champagne, lequel ajoute que la vie économique connut sous ce règne un véritable *boom*, et que les taxes et impôts avaient vu leur revenu doubler.

Mais, en même temps, le roi avait donné à la bourgeoisie de Paris d'autres responsabilités. C'est dans le cadre de cette réforme que se situait la promotion du prévôt des marchands et de ses échevins, lesquels représentaient essentiellement la puissante hanse des marchands de l'eau, et accessoirement les autres métiers, dont l'organisation ne fut jamais poussée à Paris au point d'en faire des forces politiques, comme ce fut le cas dans les villes du Nord. Jugeant en matière commerciale, supportant le poids des charges urbaines et notamment des dépenses de voirie, payant de leurs deniers les sergents du guet, comme les métiers l'avaient fait avant la réforme quand ils avaient leur propre police, les bourgeois représentés par le prévôt des marchands et ses échevins jouaient le rôle d'une administration municipale fonctionnant à côté du prévôt royal.

Certes, les mesures prises par saint Louis n'ont pas suffi à unifier l'administration et particulièrement celle de la justice à Paris. L'évêque, nombre d'abbayes, des seigneurs particuliers continuaient à exercer leur juridiction, chacun dans leur territoire, et veillaient jalousement sur leurs exemptions, auxquelles le roi lui-même témoignait un grand respect : on connaît l'histoire de ces gens qui faisaient tapage pendant un sermon auquel il assistait, et à qui il ne fit imposer silence par les siens qu'après s'être assuré que la justice lui appartenait à cet endroit. Le recours à l'organisation que s'étaient donnée les bourgeois de Paris, sans que la ville eût reçu collectivement charte de franchises, ni à plus forte raison charte de commune, pouvait favoriser le maintien de l'ordre et l'unité des réglementations.

L'attitude de saint Louis envers les communes répondait d'ailleurs à des exigences contradictoires. Respectueux des précédents, des coutumes et des privilèges concédés par ses prédécesseurs, il multiplia, au cours de son règne et plus spécialement lors de ses tournées dans son domaine, les confirmations des institutions municipales : ainsi, lorsqu'il visita ses sénéchaussées méridionales, à l'été de 1254, confirma-t-il les privilèges de Nîmes et de Beaucaire. En même temps, comme nous l'avons vu, il n'hésitait pas à faire appel largement à la bourse de ses bonnes villes, appel auquel celles-ci ne pouvaient pas se dérober. Chaque commune devait normalement acquitter une redevance annuelle, à titre de compensation pour les différentes taxes dont la royauté lui avait fait remise lors de la concession de sa charte. Ainsi les gens de Roye devaient-ils cent livres par an. Mais la commune avait donné en sus 600 livres « pour l'ost de Bretagne », 400 livres « au retour de l'ost de Bretagne », 1 200 livres pour la croisade, 1 100 livres (en trois versements) pendant le séjour du roi en Terre sainte, à quoi il fallait ajouter 300 livres payées à Charles d'Anjou lors de sa campagne de Hainaut (somme à majorer de l'entretien des sergents que la ville lui avait fournis pour cette expédition : il y en avait pour près de 150 livres). Noyon, qui devait 200 livres au titre de sa charte de commune, avait eu à supporter des charges plus lourdes encore. Or, en 1258, en vue de l'indemnité à payer à Henri III d'Angleterre, le roi faisait à nouveau appel à ses villes : il demandait 600 livres à Roye, 1 200 à Noyon, 120 à la petite bourgade de Cerny-en-Laonnois, 4 166 à Amiens. Cette fois, les communes crièrent grâce, sollicitant au moins un délai pour s'acquitter.

Comme l'a montré M. Jordan, le caractère unanime de ces résistances amena le conseil du roi à s'interroger sur la réalité des situations difficiles qu'évoquaient les villes à l'appui de leurs demandes de délai ou de dégrèvement. Et le roi se fit fournir par les communes un état de leurs dettes, de leurs créances, avec un aperçu de leurs dépenses. C'est par dizaines que ces états vinrent s'entasser, entre 1259 et 1261, dans les archives des services comptables du roi, qui les examinèrent très attentivement.

En dehors des avances et des dons consentis au souverain, en effet, il apparaissait que les finances des villes étaient grevées de charges de toutes sortes. Elles s'étaient endettées (Cerny-en-Laonnois avouait 900 livres, dont 420 sous forme de rentes viagères) pour payer les sommes demandées, et le service des intérêts pesait sur leurs ressources. Elles devaient offrir des présents au roi lui-même, ou aux siens, lors de leur venue en ville : Roye affirmait que ceci représentait chaque année une centaine de livres. La poursuite des procès, surtout quand elle exigeait une comparution au parlement royal, se traduisait par d'énormes frais de déplacement que l'on remboursait au maire, aux échevins, à leurs conseils.

Or le roi, qui considérait les maires de ses villes de commune comme des officiers chargés de rendre la justice et de gérer des éléments de son domaine, bien qu'ils fussent désignés par l'élection, redoutait qu'ils fussent tentés d'abuser de leurs fonctions pour s'enrichir, eux-mêmes et leurs proches, aux dépens de leurs administrés. Il savait parfaitement que des oligarchies urbaines avaient, en fait, le contrôle des communes (et dans le Midi, des consulats), qu'elles avantageaient leurs clients et leurs familles. Des troubles opposant le « menu peuple » aux oligarques éclataient ici ou là, révélateurs d'un malaise qu'on pouvait craindre général.

Aussi saint Louis prit-il en 1262 deux ordonnances, l'une concernant les bonnes villes de Normandie, l'autre celles de la France proprement dite. En Normandie, le roi invitait les maires en fonction et les autres « bons hommes » de chaque ville à désigner trois personnes, le 29 octobre suivant, en se réservant le choix du nouveau maire entre ces trois candidats. En « France », il stipulait seulement que le renouvellement de tous les maires aurait lieu ce même 29 octobre. Ainsi, le roi

imposa à beaucoup de communes, en Picardie comme en
Normandie, des officiers ayant fait leurs preuves ailleurs, par
exemple comme prévôts ou comme maires d'autres villes,
pour prendre les offices de maires. Le fait s'était déjà produit
dans le passé, mais l'ordonnance lui donnait un caractère
plus général.

A toutes les villes, Louis imposait l'obligation de soumettre
leurs comptes à ses propres auditeurs, chaque année, aux
octaves de la Saint-Martin d'hiver. Il prohibait la constitution
de nouveaux emprunts, aussi bien que l'usage des cadeaux —
exception faite des traditionnels présents en vin, pourvu que
ceux-ci fussent sous forme de flacons ou de coupes (car on
eût pu tourner la réglementation par l'offre de tonneaux...)
—, sauf si la permission en avait été obtenue du roi. Il prescrivait la limitation des voyages et déplacements : le maire ou
son lieutenant, une ou deux autres personnes, un avocat et le
clerc de la ville, au maximum, pouvaient se déplacer aux frais
de la ville pour suivre une affaire, et leurs dépenses devaient
rester raisonnables. Et il exigeait qu'à l'avenir le responsable
des dépenses municipales ne pût pas avoir par-devers lui plus
de vingt livres à la fois de l'argent de la ville.

Les ordonnances de 1262 sonnaient le glas de l'indépendance des communes et l'instauration d'un régime de tutelle.
Elles paraissaient avoir été imitées au-delà des limites du
domaine royal : le duc de Bourgogne poursuivait en
1263-1264 le maire de Beaune et ses jurés, pour avoir conclu
des « alliances » contraires au droit avec d'autres bourgeois.
Désormais les bonnes villes, assujetties à l'obligation de soumettre leur comptabilité aux gens du roi, allaient être plus
étroitement surveillées par ceux-ci.

La mise sous surveillance des communes s'insérait donc
dans tout un ensemble de mesures qui tendaient à mettre le
menu peuple du royaume, et plus spécialement celui du
domaine royal, à l'abri des tentations que l'exercice des fonctions publiques pouvait inspirer tant aux officiers royaux,
grands et petits, qu'aux membres des corps de ville. Les uns
et les autres devant, par le serment qu'ils prêtaient —, et saint
Louis rappelait dans l'ordonnance de 1254 le caractère solen-

nel de celui-ci et la gravité du crime de parjure —, garder le droit du roi et le droit d'autrui et rendre la justice sans considération de personne, aux riches comme aux pauvres, il fallait qu'ils fassent preuve de probité et d'impartialité.

Louis IX aurait sans doute souhaité aussi que ses agents ne se montrassent pas exagérément zélés à faire valoir ses propres droits, et « plus royalistes que le roi ». C'était le sens qu'indiquaient les instructions qu'il avait données à ses enquêteurs. Lorsqu'on voit avec quel soin un Barthélemy du Puy, à Carcassonne, réunissait tous les témoignages susceptibles de faire échouer les revendications de ceux qui s'estimaient lésés par le pouvoir royal, on peut être certain que plus d'un officier estimait que son devoir de « garder le droit du roi » primait celui de « garder le droit d'autrui ». Mais il semble qu'au moins deux des vices inhérents à l'administration médiévale, la corruption et le favoritisme, avaient été sérieusement combattus. Quant à la capacité des administrateurs, des cas comme celui d'Étienne Boileau paraissent indiquer que saint Louis avait souvent eu la main heureuse.

LA JUSTICE DU ROI

Joinville nous a laissé un résumé du sermon que le Franciscain Hugues de Barjols avait prononcé, à Hyères, devant le roi et lui, au moment du retour de la Croisade. Le Frère Mineur avait insisté sur ce que le pire manquement d'un souverain au devoir de sa charge était le « défaut de justice », et il avait apostrophé le roi en ces termes : « Que le roi prenne bien garde de faire si bien justice à son peuple qu'il en garde l'amour de Dieu. Sans quoi, Dieu lui ôterait le royaume de France. » Mais il n'était certainement pas besoin de ce sermon, qui a fait tant d'impression sur le sénéchal de Champagne, pour persuader saint Louis que son premier devoir était celui d'assurer à son peuple la justice à laquelle celui-ci avait droit, une justice qui comportait une double exigence : maintenir chacun en son droit ; réprimer rigoureusement les atteintes à l'ordre public. Tous les « Miroirs » composés à l'intention des princes du Moyen-Age l'ont répété à l'envi et, dès ses années de formation, saint Louis n'a pu manquer d'être imprégné de ce principe.

Il l'a, en tout cas, formulé à son tour dans les instructions qu'il a laissées à son successeur : « Cher fils », écrivait-il, « s'il advient que tu deviennes roi, prends soin d'avoir les qualités qui conviennent à un roi ; c'est-à-dire que tu sois si juste que, quoi qu'il arrive, tu ne t'écartes pas de la justice... Soutiens de préférence le pauvre contre le riche jusqu'à ce que tu saches la vérité ; et, quand tu la connaîtras, fais justice. » De même, si le roi était à la fois juge et partie, il fallait qu'il soutînt le point de vue de son adversaire, car ses propres conseillers ne seraient que trop tentés d'abonder dans son sens, par complaisance. Mais une fois encore, dès que la vérité se serait fait jour, aucune autre considération ne devait plus intervenir : la sentence pouvait condamner le pauvre, ou le faible, si celui-ci était le coupable ou s'il n'était pas dans son droit, sans que le juge eût à éprouver des scrupules de conscience.

Il est précieux pour nous de disposer de ce témoignage direct sur les principes qui dictaient sa conduite à un roi dont l'image traditionnelle est celle du souverain siégeant en justice sous le chêne de Vincennes. Ces principes, d'ailleurs, sont ceux de toute une société ; et Joinville, toujours à propos du séjour à Hyères, évoque une autre anecdote où il apparaît dans le rôle de celui qui donne une leçon. Saint Louis avait reçu en présent deux beaux chevaux de l'abbé de Cluny ; le lendemain, l'abbé était venu lui exposer longuement ses doléances ; et le sénéchal fit avouer au roi que, sans le cadeau en question, peut-être aurait-il écouté ces doléances d'une oreille moins favorable. Loin de s'en formaliser, le roi fit part à ses conseillers de la remarque du Champenois. Nous n'irons peut-être pas jusqu'à affirmer que les dispositions de l'ordonnance de 1254 interdisant aux baillis d'accepter le moindre cadeau des justiciables ont été directement inspirées par les paroles du sire de Joinville...

Faire droit à tout un chacun, sans égard de personne : nous

avons vu comment les enquêtes ordonnées par le roi sur les restitutions et les réparations témoignent de ce souci, que saint Louis exprimait encore dans ses enseignements à son fils (« si tu apprends que tu possèdes quelque chose à tort... rends-la tout de suite, quelque grande que soit cette chose, terre, deniers ou autre bien. Si... tu n'en peux savoir la vérité, arrive à telle solution, en prenant conseil de tes prud'hommes, que ton âme et celle de tes ancêtres soient en repos... »).

En ce qui concerne la rigueur dans le châtiment, les moralistes du Moyen-Age y ont vu l'une des marques de l'amour d'un prince pour la justice. Nous avons déjà cité cette phrase d'un hagiographe qui regrettait que la mansuétude du roi l'eût amené à épargner à ses officiers, parfois, le châtiment qu'ils méritaient. Louis a été attentif à tenir compte des intentions et des circonstances : tel clerc qui, attaqué par trois sergents royaux qui voulaient le dépouiller, avait tué l'un d'un coup d'arbalète et les deux autres à l'aide d'un « fauchon », se vit pardonner son acte, parce qu'il avait agi en légitime défense, et le roi alla jusqu'à le prendre à ses gages pour partir en croisade, en considérant qu'il était mieux fait pour être guerrier que pour être prêtre. Un cordonnier qui avait commis un homicide, du fait que l'on n'avait pu prouver qu'il avait eu intention de tuer, eut la vie sauve et se vit enjoindre de partir en Terre sainte. D'autres commutations de peine attestent que le saint roi ne voulait pas la mort du pécheur, notamment dans le cas d'Enguerran de Coucy, où cependant l'autorité royale avait été engagée.

Par contre, la dame, appartenant à la famille de Pierrelaye, qui avait été condamnée à mort pour avoir fait périr son mari, avait fait l'objet de multiples interventions — celle de la reine Marguerite, de Jeanne de Toulouse, comtesse de Poitiers, et même de Dominicains et de Franciscains — pour qu'en raison de la sincérité de son repentir le roi lui fît grâce de la vie, ou au moins acceptât qu'elle fût pendue ailleurs qu'à Pontoise par égard pour l'honneur des siens : Louis, perplexe, s'en remit à son conseiller, Simon de Nesle, lequel lui fit observer que la sentence ayant été justement rendue, il n'y

avait pas lieu de faire grâce, et de renoncer à la publicité d'un
châtiment exemplaire. Et le roi fit exécuter la coupable,
comme il passa outre à d'autres interventions dans une
affaire de viol où l'un des membres de sa maison avait été
condamné.

Cette justice, dont il se regardait d'autant plus comme le
détenteur et le responsable suprême dans son royaume que
les légistes rapportaient au roi de France la plénitude du pouvoir judiciaire que le droit romain reconnaissait à l'empereur,
le roi la déléguait aux prévôts, aux viguiers et aux autres officiers qui l'administraient au commun des justiciables ; et
nous savons comment Louis veillait à ce qu'ils exercent leurs
fonctions en toute équité pour maintenir les droits des uns et
des autres en assurant le maintien de l'ordre public. Mais
c'est également de lui que les grands vassaux ou les simples
barons, voire tous les détenteurs de fief « avec justice »,
tenaient leur droit de rendre la justice à leurs dépendants, si
l'on accepte la théorie qui, progressivement, se définissait
dans le royaume de France, encore qu'elle rencontrât des
oppositions qui deviennent de moins en moins fréquentes
dans la seconde moitié du XIIIᵉ siècle. Les légistes, qui étaient
au travail, notamment à l'université d'Orléans, depuis le
début du siècle, élaboraient en effet une doctrine qui tendait
à se substituer à la réalité du siècle précédent, lorsque chaque
baron ou chaque prélat dans sa propre seigneurie, se considérait comme pouvant administrer la justice dans sa terre en ne
reconnaissant effectivement le pouvoir judiciaire du roi que
lorsqu'il entrait en conflit avec ses égaux.

C'est cette transformation, liée à l'intervention de concepts
venus du droit romain, élaborés depuis plus d'un siècle à
l'université de Bologne où les grands juristes du XIIᵉ siècle
avaient défini un corps de doctrine associant les usages
féodaux aux préceptes du Code de Justinien, qui explique
comment le pouvoir du roi en matière judiciaire a pris, au
temps de saint Louis, une activité nouvelle. L'idée que le roi
est le suprême détenteur de la justice amène les justiciables à
envisager la possibilité de s'adresser directement à lui pour
obtenir le redressement d'un tort qui leur a été fait, ou pour

faire réformer une sentence émanant d'un officier. Il est probable que, dès la première moitié du XIIIe siècle, les baillis royaux ont commencé à réformer les sentences rendues par les prévôts où les viguiers placés sous leur contrôle, à juger les affaires opposant un seigneur à un autre, ou à une église, ou à un agent du roi. La mise sur pied des commissions d'enquêteurs a habitué les hommes du domaine royal à dénoncer les jugements rendus à leur encontre et à demander leur réformation. L'usage de l'appel d'un juge inférieur à un juge supérieur s'est introduit de façon progressive, sans qu'on puisse le suivre très précisément. Au milieu du siècle, les baillis apparaissent comme des juges, et l'usage d'en appeler à eux des sentences des prévôts paraît bien établi.

A l'échelon supérieur, la cour du roi avait, depuis bien longtemps, à juger des procès, notamment ceux qui opposaient les grands seigneurs et les prélats les uns aux autres, ou bien au roi. Dès les premières années du règne, elle se réunit « en parlement » pour trancher des litiges comme ceux qui concernent la succession de Champagne. C'est bien avant la croisade que les réunions de ce genre paraissent prendre plus de régularité, et la cour, une composition plus précise. Un chevalier de l'entourage royal, Geoffroy de la Chapelle, semble y tenir une place prépondérante, et, auprès de lui, figurent un nombre croissant de « maîtres » — de ces maîtres dont certains figurent parmi les bénéficiaires des distributions de manteaux effectuées dans l'hôtel royal. En 1252, pendant que le roi est en Orient, un arbitrage rendu par Simon de Nesle, Aubert de Hangest, Guillaume de Praieurs et Pierre de Fontaines est réalisé « devant les mestres de la cour du Roi », assemblés en parlement à Pontoise. L'institution du Parlement est donc née, sans décision de principe, de ces parlements réunis de façon de plus en plus fréquente, avec une procédure qui se définit peu à peu.

C'est en 1254 que commence le recueil des arrêts rendus par les Parlements, auquel on a donné le nom d'*Olim*. Cette date n'est peut-être pas fortuite : un historien a récemment proposé de voir dans le retour de saint Louis un moment où il fallut traiter un grand nombre de dossiers restés en souf-

france pendant son absence. Quoi qu'il en soit, c'est à partir
de cette date qu'il est possible de suivre l'activité du Parlement et de mieux connaître sa composition.

Les Parlements se tiennent à peu près toujours à Paris, avec
assez de régularité pour que commencent à se définir les époques de leur session ; les comptes rendus par les communes
en 1260 attestent que l'on s'y rend en connaissant la date de
leur réunion, qui est réglée de telle sorte qu'un bailli y soit
convoqué pour répondre des affaires de son bailliage. On y
porte des appels venant des cours des baillis, voire certains
de ceux qui, en Normandie, ont déjà été portés devant l'Échiquier de Rouen, tout autant que des affaires, opposant le roi
à des feudataires, qui n'ont pas été précédemment soumises à
d'autres cours. Les procès jugés au cours des quatre sessions
annuelles sont des plus variés.

La cour du roi était formée de vassaux et de clercs ; mais
progressivement, les grands vassaux en disparaissent. Non
parce qu'ils en sont systématiquement écartés, mais parce que
la procédure prend un aspect plus technique. On admet toujours qu'un procès portant sur une pairie doit être jugé
devant la cour des pairs, c'est-à-dire devant d'autres grands
barons ou prélats ; mais ni Enguerran de Coucy, ni l'archevêque de Reims n'ont pu se prévaloir efficacement de ce privilège. Tout au plus les barons peuvent-ils siéger dans la cour,
qui n'a pas une composition fixe ; mais ils sont toujours aux
côtés des « prud'hommes du conseil » du roi, dont l'avis
l'emporte sur le leur à l'occasion du procès d'Enguerran. Un
seul seigneur de haut rang, Simon de Nesle, fait habituellement partie de la cour, où siègent souvent des chevaliers de
l'hôtel du roi, comme son chambellan, Pierre de Villebéon.
Mais, de plus en plus, ce sont les « maîtres » et les simples
chevaliers issus du même milieu social qui y font entendre
leurs voix.

Le procès soutenu par l'archevêque Thomas de Reims est
un bon exemple de la méthode suivie par le Parlement :
l'archevêque a été sommé de comparaître devant le conseil
du roi, pour répondre de ses prétentions à la garde d'une
abbaye. Un conseiller du roi, maître Julien de Péronne (qui

fut, à Rouen, bailli du roi) fait fonction de rapporteur et expose les raisons de trancher en faveur de l'argumentation du roi, au vu des pièces qui lui ont été soumises. L'archevêque est assisté d'un avocat qui le pousse à demander le jugement de la cour des pairs ; on le déboute. Et c'est Pierre de Fontaines et les autres maîtres qui délibèrent et confirment les conclusions du rapporteur.

« Maîtres » et chevaliers (Julien de Péronne fut élevé à la chevalerie après avoir longtemps porté le premier titre) ont en commun une culture juridique. C'est au milieu du XIIIe siècle qu'ont été rédigés — avant les *Établissements de Saint Louis* qui datent des années 1270, et qui ne sont d'ailleurs pas un texte promulgué par le roi, mais un coutumier privé — les deux premiers recueils coutumiers, le *Livre de Justice et de Plaid*, et le *Conseil à un ami* dont l'auteur est précisément ce Pierre de Fontaines qui paraît avoir été la cheville ouvrière des Parlements. Pierre, qui naquit dans une petite famille seigneuriale du Vermandois, a-t-il fait ses études à Orléans ? La chose n'est nullement impossible, mais il n'existe aucune preuve en ce sens. De toute façon, il a été très influencé par le mode de raisonnement des maîtres orléanais, lesquels, comme avant eux ceux de Bologne, s'efforcent de combiner avec le respect des coutumes les enseignements du droit romain. Et, précisément, les parlements du roi, et après eux le Parlement de Paris, se font, dès le milieu du XIIIe siècle, les instruments de la pénétration de ce droit.

C'est au Parlement de la Chandeleur de 1260 (en février 1261, d'après notre façon de compter) que se manifeste avec éclat le progrès du droit romain : une ordonnance rendue à cette date, et reprise par la suite, proscrivait le duel judiciaire. Jusque-là un accusé avait la possibilité d'appuyer ses affirmations en offrant à son adversaire un gage de bataille : à la suite de cette provocation, il le combattait en champ clos (à cheval et à l'épée pour un chevalier, à pied et au bâton pour un roturier). De même, celui qui estimait avoir été condamné à tort pouvait provoquer les juges qui avaient prononcé la sentence, comme ayant « faussé » le jugement. L'idée sous-jacente à cette coutume était qu'en offrant son corps au péril du combat (et l'on exécutait le champion vaincu), celui qui s'en prévalait attestait la vérité de sa déposition et qu'il était prêt à mourir plutôt qu'à laisser mettre sa loyauté en doute.

L'Église avait déjà proscrit les ordalies (le « jugement de Dieu ») dans ses propres cours ; la royauté semble avoir déjà introduit antérieurement le recours à l'enquête, emprunté à la procédure romano-canonique, en pays de droit coutumier. L'ordonnance de 1261 prohibait les « batailles » et leur substituait la preuve par témoin.

Ce qui apparaît traditionnellement aux historiens comme un indéniable progrès sur le duel judiciaire, où ils voient la possibilité ouverte au plus fort de triompher du plus faible par la force des armes, n'a pas été accueilli avec la même faveur par les contemporains. Les barons furent nombreux à maintenir les « batailles » sur leurs terres (Philippe de Beaumanoir en témoigne pour le comté de Clermont-en-Beauvaisis). Au lendemain même de la proclamation de l'ordonnance royale, le prieur de Saint-Pierre-le-Moûtier dont la terre était placée sous un régime de pariage, c'est-à-dire de coseigneurie du roi et du prieuré, faisait savoir son intention de continuer à admettre l'usage du duel : le roi faisait droit à sa demande, en stipulant seulement que lorsqu'il y aurait bataille, celle-ci se déroulerait devant un représentant du prieur, mais en l'absence de tout officier royal.

D'autres exprimèrent leur opposition avec virulence : une chanson exprime avec beaucoup de netteté leur avis :

> « Gens de France, moult êtes ébahis.
> Je dis à tous ceux qui sont nés des fiefs :
> Qu'ainsi Dieu m'aide ! vous n'êtes plus des francs.
> L'on vous a bien de franchise éloignés
> Puisque vous êtes par enquête jugés.
> Quand la défense ne peut vous donner aide
> Trop êtes vous cruellement pris au piège.
>
> ...
>
> Je sais, de vrai, que Dieu ne veut pas
> Un tel servage, tant soit-il sollicité.

Hé ! Loyauté, pauvre chose ébahie.
Vous ne trouvez qui de vous ait pitié
Vous auriez force, et pouvoir et assurance,
Car vous êtes à notre roi amie ;
Mais les vôtres sont trop clairsemés
Autour de lui.
Je n'en connais qu'un seul auprès de lui,
Et celui-là est si épris de clergie
Qu'il ne peut pas vous apporter d'aide.
Ils ont tout ensemble broyé
L'aumône et le péché. »

L'auteur de la chanson se présente comme un des barons de royaume, de ceux « qui sont nés ·des fiefs », et il s'exclame : « j'aime bien rester le maître de mon fief. » Il exprime donc le point de vue des chevaliers et des barons qui se considèrent comme tenus d'apporter au roi leur service de conseil. « J'eusse menti ma foi », ajoute-t-il, « si j'avais ainsi laissé mon seigneur déconseillé. » Le péché que risque de commettre le roi, à ses yeux, c'est de laisser l'habileté procédurière, la « clergie », des clercs et des gens de plume, l'emporter sur la possibilité de faire la preuve de son bon droit en mettant son corps en danger. Edmond Faral, qui a étudié cette chanson, a pensé qu'elle pouvait être l'écho du procès engagé par saint Louis contre Enguerran de Coucy, peu après l'adoption de l'ordonnance sur la procédure d'enquête. En tout cas, l'auteur, qui proteste de sa loyauté envers le roi, s'insurge contre la prééminence auprès de lui de conseillers dont aucun, sinon Simon de Nesle qui est sans doute celui qu'il accuse d'être « épris de clergie », n'appartient au monde des barons.

Il n'est pas sans intérêt de constater que l'accent de cette chanson rappelle celui de la déclaration souscrite en novembre 1246 par les barons du royaume qui s'en prenaient alors aux abus de la justice ecclésiastique en matière temporelle :

« Les clercs, après nous avoir abusés par une feinte humilité, s'élèvent maintenant contre nous avec la ruse des renards et s'enflent d'orgueil, sans songer que c'est par la guerre et par le sang des nôtres que, sous Charlemagne et les autres, le royaume de France a été converti de l'erreur des païens à la foi catholique. Ils empiètent tellement sur la juridiction des princes séculiers qu'aujourd'hui les fils des serfs, dès qu'ils sont clercs, jugent selon leurs lois les hommes libres et les fils des hommes libres, alors qu'ils devraient bien plutôt être jugés eux-mêmes par nous selon les lois des anciens conquérants de la Gaule. »

Et les « grands du royaume » insistaient alors sur ce que « le pays n'a point été acquis par le droit écrit ni par l'arrogance des clercs, mais par le sang des guerriers ». En 1246, ils avaient bénéficié de l'appui du roi. Quinze ans plus tard, c'est contre la cour royale, acquise aux nouvelles tendances du droit, que se manifeste la mauvaise humeur des barons et des gentilshommes. Le Parlement allait effectivement devenir l'instrument de la mise au pas des seigneurs justiciers et de l'introduction d'une procédure qui devait transférer aux institutions judiciaires de la royauté la réalité de l'administration de la justice.

L'auteur de la chanson déjà citée laisse entendre que le « gentil cœur du roi » n'aurait pas manqué de rétablir la saine coutume si sa voix pouvait percer l'écran qu'un entourage acquis à la « clergie » constituait autour du souverain. Mais il est certain que saint Louis, respectueux de la coutume, savait s'en écarter quand il estimait que celle-ci était contraire à l'équité. On le voit, en 1267, à propos de l'abolition d'une coutume qui, à Tournai, autorisait un meurtrier précédemment banni à racheter le droit de bourgeoisie dont il avait été privé sous réserve de s'être réconcilié avec les parents de la victime, dire que cette coutume n'était pas une coutume mais un abus *(corruptela)* et qu'en conséquence il s'estimait en droit de la supprimer.

Saint Louis, qui participait à l'occasion, aux assises du Parlement, ne se dessaisissait pas de son droit de juger en personne. « Quand il avait touché les écrouelles et écouté la messe », nous dit Guillaume de Saint-Pathus, « il faisait appeler ceux qui avaient des affaires à lui soumettre, et il faisait ouïr les plaids par ses chevaliers et par ses clercs. » Joinville a plus d'une fois participé à ces « plaids de la porte », selon sa propre expression, qui sont les ancêtres des « requêtes de l'Hôtel ». « Il avait sa besogne arrangée de telle manière que monseigneur de Nesle, le bon comte de Soissons, et nous autres de son entourage... allions ouïr les plaids de la porte. » Après qu'on eut pris note des cas qui se présentaient, le roi s'asseyait sur le pied de son lit, convoquait les parties et s'efforçait de les accorder en leur proposant un arrangement. Ou bien, si l'on était en été, il se rendait dans le jardin du palais de la Cité, faisait étaler un tapis sur lequel il s'asseyait avec ses conseillers ; ou bien c'était au bois de Vincennes, le dos appuyé contre un chêne, qu'il donnait audience aux plaignants. Il désignait, nous dit Joinville, Pierre de Fontaines et Geoffroy de Villette, deux chevaliers de son conseil, pour entendre les parties ; lui-même donnait sa décision, ou confirmait celle des deux chevaliers. Ceci se passait de façon tout à fait informelle, sans intervention des huissiers.

L'équité, dans l'esprit du roi, l'emportait sur la forme du droit. C'est ainsi que, lorsqu'il enjoint au comte de Nevers — son fils Jean-Tristan — de livrer à Guy de Dampierre les deux châteaux de Châteauneuf et de Cosne, qui avaient été assignés à Guy par Eudes de Nevers, avec une rente sur la prévôté de Nevers, en nantissement d'un prêt de 3 200 livres, « il voulut et ordonna que ce fût fait non par jugement, mais par la voie de l'équité ». Dans l'affaire du comté de Dammartin-en-Goële, qui revenait au domaine royal à la mort de la comtesse de Boulogne, veuve de Philippe Hurepel, Mathieu de Trie demandait à être mis en possession du comté en vertu d'une lettre de saint Louis qui accordait ce fief aux héritiers de la comtesse. Or le sceau de cire appendu à cette lettre était brisé, ce qui, selon l'usage, enlevait toute valeur au document. Le conseil du roi (Joinville en était) en concluait à la nullité de ce titre et, par conséquent, à la réunion de Dammartin au domaine royal. Cependant saint Louis se fit apporter par son chambellan, Jean Sarrazin, un autre exemplaire du sceau en question ; on compara la partie subsistante de celui que présentait le sire de Trie à cet exemplaire, qui datait, comme l'autre, de l'époque antérieure à la croisade. La similitude étant évidente, le roi se déclara incapable en conscience de tirer parti de l'accident qui avait brisé un fragile gâteau de cire pour refuser à Mathieu de Trie le bénéfice d'une concession réellement faite. Louis IX, ici, dépassait aussi autant le formalisme féodal que celui du nouveau droit, dans une affaire où il était directement intéressé, pour rester fidèle à la parole donnée.

Dans les plaids de la porte, comme dans d'autres réunions plus ou moins formelles, le roi reste inséparable de son conseil, encore qu'il ne se juge pas tenu par les décisions de celui-ci. C'est souligner l'importance de ce groupe de conseillers, lesquels doivent encore fournir les auditeurs qui se faisaient présenter les comptes des officiers royaux (c'est ce qui nous vaut d'avoir conservé un certain nombre de ceux-ci) et aussi, depuis 1262, ceux des bonnes villes. Mais nous connaissons mal les modalités de ce contrôle financier, qui était encore bien loin de prendre la forme d'une Chambre des Comptes.

Le Parlement, lui, a déjà acquis la fixité de son siège ; ses assises deviennent périodiques ; sa procédure commence à se définir. Il continue à être constitué de chevaliers, de clercs, que le roi appelle à former sa cour, sans qu'il y ait à proprement parler de conseillers et de présidents au Parlement, qu'on ne verra apparaître qu'au XIVe siècle. Ce qui se transforme, entre les premières années du règne de Louis IX et la seconde moitié du siècle, c'est la doctrine qui anime les membres de la cour du roi. La procédure de l'appel, celle de l'enquête, venues du droit romain par l'intermédiaire des cours d'Église et à la faveur de l'enseignement universitaire, ont changé les conditions de l'administration de la justice. Elles vont placer la cour royale au-dessus de toutes les cours du royaume, et faire apparaître le roi aux yeux de tous ses sujets comme le justicier suprême. L'idée de la « souveraineté » en prend une consistance nouvelle, et reprend les notions qui avaient été celles du droit romain. Sans nul doute, l'amour de la justice qui anime saint Louis est sincère ; il n'en reste pas moins que ce zèle va favoriser la construction d'un pouvoir royal qui va être, en France, exceptionnellement fort, sans que, dans la pensée du saint roi, ce soit au renforcement de ce pouvoir qu'il ait travaillé.

LA BONNE MONNAIE DU TEMPS DE SAINT LOUIS

S'il était un domaine dans lequel le morcellement féodal se faisait sentir, dans la France médiévale, c'était bien celui de la frappe et de la circulation des monnaies. Le morcellement s'expliquait par le fait qu'il avait pris naissance à une époque où l'économie était assurée en grande partie par des livraisons et des échanges en nature, qui intervenaient dans des aires géographiques limitées. L'économie du XIIIᵉ siècle, stimulée par un commerce actif, qui mettait en rapport des contrées éloignées, était essentiellement monétaire, et la situation des monnaies devenait de plus en plus anachronique. Que ce fût à saint Louis, fort étranger à première vue aux spéculations économiques, qu'il ait été réservé de commencer à y porter remède, ce n'est pas un des aspects les moins originaux du règne.

Le système des monnaies qu'il avait trouvé à son avènement restait celui qu'avaient élaboré les grands Carolingiens, et dont la base était le denier, pièce d'argent pesant à peu près deux grammes, dont on « taillait » 240 dans une livre d'argent d'un poids, à l'origine, de 480 grammes. Le rapport du denier au sou d'or (douze deniers pour un sou) était parfaitement fictif, d'autant plus qu'on ne frappait pas de sous : si l'on comptait en sous, c'était uniquement par commodité.

Les empereurs et les rois carolingiens, conscients de ce que la monnaie était le régulateur de la vie économique, avaient laissé aux comtes et aux évêques le soin de donner aux espèces monétaires une valeur en rapport avec l' « abondance du temps » ; ils avaient abandonné à de nombreuses églises le profit de la frappe des monnaies, et, de la sorte, le nom et l'effigie du patron de l'église s'étaient substitués au nom et à l'effigie du souverain. Des inféodations avaient assuré aux grands de l'ordre laïc des droits du même genre sur la monnaie frappée dans leur baronnie. C'est ainsi que la possession d'un atelier monétaire apparaissait comme un droit patrimonial, et que c'est par dizaines que l'on compte les personnages et les établissements qui, au début du XIIIe siècle, avaient le droit de battre monnaie, et se considéraient comme habilités à donner aux espèces un poids ou un aloi différent de ceux qu'elles avaient eus à l'origine.

Dans chaque ressort, seule avait cours la monnaie frappée dans l'atelier local, qu'il fût royal, ducal, comtal, seigneurial, épiscopal ou abbatial, ainsi que d'autres monnaies de valeur équivalente, reconnues comme telles par le seigneur du lieu, parfois en vertu d'accords passés avec ses voisins. Seuls les deniers frappés dans ces conditions pouvaient être échangés au marché du lieu contre des denrées. Les espèces étrangères, rachetées par des changeurs, étaient cédées par ceux-ci à l'atelier local qui les frappait à nouveau au type qui y était en usage, tout ceci laissant un bénéfice au changeur, au monnayeur et au propriétaire de l'atelier.

Bien entendu, les voyageurs, les pèlerins, les marchands étaient amenés à tenir compte du cours des espèces dans les régions qu'ils traversaient. Dès la première croisade, les chefs de l'armée s'étaient préoccupés de fixer le cours des deniers en usage parmi les participants de l'expédition. Au XIIe siècle, une monnaie avait connu une fortune particulière : c'était le denier de Provins, frappé par les comtes de Champagne et familier à tous ceux qui, des Flandres à l'Italie, fréquentaient les grandes foires champenoises. Non seulement il servait d'étalon de référence dans les contrats, mais il avait été imité jusque par les autorités romaines qui avaient frappé un denier provinois avec la légende ROMA CAPUT MUNDI.

Ce qui rendait encore plus nécessaire la référence à un étalon de ce genre, c'était l'instabilité des monnaies. Un baron aux prises avec des difficultés financières résistait difficilement à la tentation d'affaiblir sa monnaie, en diminuant le poids des pièces, ou bien en incorporant davantage d'un métal de moindre valeur dans l'alliage utilisé pour la frappe. Mais les besoins du commerce allaient dans le même sens : le stock de métal précieux ne s'accroissant que très lentement, il fallait multiplier les pièces pour avoir davantage de moyens de paiement, et telle ville commerçante, comme Gênes, frappait en 1141 des deniers dans un alliage comprenant un tiers d'argent pour deux tiers de cuivre ! Il fallait, dans les actes, distinguer les deniers forts et les deniers faibles, les « vieux » et les « nouveaux »...

Les rois de France disposaient d'un certain nombre d'ateliers. Mais une uniformisation était intervenue : au début du XIIIe siècle, tous ces ateliers ne frappaient plus guère que deux types de deniers : celui de Paris, ou *parisis*, qui était la monnaie traditionnelle des Capétiens, et celui de Tours, ou *tournois*, qui avait été frappé par l'abbaye de Saint-Martin jusqu'à l'annexion de la Touraine par Philippe-Auguste, mais qui s'était déjà largement répandu dans les régions de la Loire. L'annexion au domaine royal des sénéchaussées méridionales avait amené saint Louis à y ouvrir un atelier qui frappait un denier de Nîmes, au type particulier (une fleur de lys à l'avers, une croix entre deux fleurs de lys au revers). On sait que cet atelier était encore en activité en 1251. En outre, le roi était associé à l'évêque de Laon dans l'exploitation de l'atelier de cette ville qui frappait des deniers *lonesiens*. On attribue à Louis, ou à sa mère Blanche, une réforme du rapport entre les deux deniers proprement royaux : au lieu de 68 deniers de Paris pour cent deniers de Tours, ce qui était le rapport en usage avant 1228, on prenait 80 deniers de Paris pour cent de Tours.

Les raisons qui allaient amener le roi à intervenir dans le domaine monétaire semblent avoir été de deux ordres : une question de doctrine d'abord, une question économique ensuite.

Les juristes bolonais du XIIe siècle, en particulier ceux qui travaillèrent à la demande de Frédéric Barberousse pour élaborer la liste des droits régaliens que celui-ci promulgua comme constitution de l'Empire à la diète de Roncaglia, avaient inclus la monnaie au nombre des droits régaliens, dans la ligne du droit romain. Les légistes de l'école orléanaise qui entouraient Louis IX ne pouvaient avoir sur ce

point une perspective différente : c'est ainsi, pensons-nous,
qu'ils amenèrent le roi à préparer l'ordonnance qu'il publia à
la mi-carême de l'année 1263. Mais, soucieux de prendre
l'avis des intéressés, le roi avait associé à cette élaboration
des bourgeois de cinq villes : Paris, Orléans, Sens, Provins et
Laon — trois villes du domaine royal, deux autres qui disposaient d'ateliers monétaires de bonne réputation. L'ordonnance, d'ailleurs, stipulait uniquement que la monnaie du roi
devait être reçue en paiement dans l'ensemble du royaume, et
que nul n'était autorisé à la « trébucher », c'est-à-dire à peser
les pièces pour s'assurer qu'elles avaient bien le poids requis,
l'empreinte qu'elles portaient devant suffire à en apporter la
garantie. Ces espèces, les deniers parisis, tournois et lonesiens, devaient être les seules acceptées en paiement dans le
domaine royal aussi bien que dans les baronnies dont le
détenteur n'avait pas droit de battre monnaie. Une tolérance
était accordée dans les provinces de l'Ouest où l'on pouvait
employer les deniers bretons et angevins, ceux du Mans et les
« esterlins » du roi d'Angleterre, dont le cours était fixé (un
mançois pour deux angevins, cinq angevins ou bretons pour
quatre tournois, un esterlin pour quatre tournois). Mais, à la
Toussaint 1265, le roi prononçait le « décri » des esterlins,
qui ne devaient plus être acceptés après le 15 août suivant
que pour leur poids de métal.

Cette décision, qui rompait avec beaucoup d'habitudes (on
comptait volontiers en marcs), suscita des résistances. Nous
savons, par une consultation demandée au théologien Gérard
d'Abbeville, que le roi jugea nécessaire de faire prêter serment aux habitants du royaume d'observer cette ordonnance,
et qu'il y eut tant de réticences que l'autorité royale préféra
fermer les yeux sur les infractions, en attendant de recourir à
un autre moyen pour retirer leur valeur aux esterlins.

Les barons n'avaient pas pour autant été privés de leur
droit de frapper des deniers, pas plus que de celui qui leur
permettait de donner cours aux monnaies dans leur ressort,
sous réserve désormais que les parisis et les tournois auraient
cours partout. Toutefois le roi stipulait qu'ils ne devaient pas
adopter de types susceptibles d'être confondus avec les mon-

naies royales : il devait y avoir « dissemblance aperte, et devers croix, et devers pilles » (à l'avers et au revers). Et, aussitôt, un messager était envoyé à Alphonse de Poitiers, qui frappait tant à Poitiers qu'à Toulouse des deniers au même poids (217 pièces dans un marc d'argent) et au même type que le tournois, pour lui enjoindre de cesser sa fabrication et d'adopter un autre modèle. Alphonse obtempéra ; l'atelier de Montreuil-Bonnin ferma le 30 juin 1263 et ne rouvrit qu'en 1265 pour frapper des « poitevins nouveaux », qui remplaçaient l'image connue sous le nom de « châtel tournois » par un symbole tiré des armes du comte, associant une demi-fleur de lys à un demi-château de Castille...

Les officiers du roi ne manquèrent pas de tracasser les barons à propos de leur droit de battre monnaie : la frappe des deniers de Nevers fut un moment suspendue, et l'évêque de Mende dut s'adresser au Parlement, en 1266, pour obtenir d'être rétabli dans son droit que le sénéchal de Beaucaire lui avait enlevé. Quant à Hugues XI de la Marche, comte d'Angoulême, qui était accusé par l'évêque et le clergé d'avoir procédé à plusieurs mutations monétaires (en affaiblissant à la fois le poids et le titre de ses deniers sans pour autant avoir distingué les nouvelles monnaies des anciennes autrement qu'en déplaçant un point qui de la droite de la croix, était passé à la gauche), il fit l'objet d'une enquête qui établit la réalité des faits à lui reprochés. Hugues invoqua le droit qui était le sien de faire varier sa monnaie, tout en reconnaissant qu'il avait effectivement, de la sorte, causé un certain préjudice aux églises (les revenus de celles-ci, payés en nouvelle monnaie, étaient évidemment diminués, sans que les deux parties aient été d'accord sur l'importance de ce dommage). Le Parlement condamna le comte à revenir à la frappe de la « bonne monnaie ».

Le roi n'excédait pas le pouvoir traditionnel des détenteurs du droit de battre monnaie en décriant, dans son propre domaine et là où des seigneurs particuliers ne jouissaient pas de ce droit, les espèces autres que celles qui sortaient de ses ateliers. Qu'il ait imposé dans le ressort des barons et prélats qui jouissaient, et du droit de frapper des deniers, et de celui de donner cours aux deniers d'autrui, l'acceptation des deniers tournois, parisis ou laonnais, c'était déjà se prévaloir d'un droit régalien qui n'avait sans doute pas été jusque-là universellement reconnu. C'était aussi faire de la monnaie royale — et, en fait, du denier tournois qui prend alors le pas sur le parisis — l'étalon de référence pour les conversions de monnaie à autre (cependant les régions de la Saône et du Rhône continuaient à se référer plus volontiers à l'excellent denier des archevêques de Vienne). L'intervention royale dans l'exercice du droit monétaire des barons était également chose nouvelle. Le roi n'interdisait pas à ceux-ci de frapper en abondance (tel pot de cuivre retrouvé dans la région d'Avallon où il avait été enterré vers 1315 contenait quelque 13 000 deniers digenois frappés par le duc de Bourgogne), ni de faire varier la définition de leurs espèces : le duc Robert II de Bourgogne procédait au temps de Philippe III à de telles manipulations que ses sujets préférèrent lui accorder le bénéfice d'une « dîme de la monnaie ». Néanmoins, en discutant le droit de tel baron à frapper ses deniers, en contrôlant les types de ceux-ci, en intervenant à propos d'une mutation eu égard au préjudice causé à des tiers, l'administration royale préparait le retour à l'unicité de la frappe des monnaies par le roi. Dans l'immédiat, elle affirmait que ce droit était un droit régalien, dont le roi pouvait avoir délégué l'exercice, mais dans des conditions bien définies.

C'est ce qu'allait affirmer à nouveau la décision prise en 1266, en ce qu'elle interdisait à tout autre qu'au roi la frappe de monnaies autres que le denier, ses subdivisions (la maille et la pite) et, éventuellement, le double denier. Mais cette décision a une toute autre portée, et elle nous incite à penser que le roi et son entourage avaient pris conscience d'une situation nouvelle, qui caractérise tout particulièrement le monde méditerranéen.

L'Occident médiéval, dans la mesure où il coïncidait avec l'ancien empire carolingien, avait opté aux VIIIᵉ et IXᵉ siècles pour un monométallisme presque absolu, puisqu'on n'y frappait pratiquement que des espèces d'argent. Mais, dans le bassin de la Méditerranée, les marchands qui passaient des

UN RELIQUAIRE MONUMENTAL
La Sainte-Chapelle de Paris : la chapelle haute.
Au fond, la tribune supportant la châsse des reliques de la Passion.
(Giraudon).

TÉMOINS DE LA CROISADE
En haut : la tour Constance, à Aigues-Mortes. *(Giraudon)*.
En bas : le fossé et les glacis de l'enceinte de Césarée, dégagés par les
fouilles récentes. *(Ambassade d'Israël)*.

pays musulmans aux territoires byzantins et aux royaumes chrétiens étaient amenés à se servir d'autres monnaies, mieux adaptées aux besoins du grand commerce : le *nomisma,* puis l'*hyperpère*, des empereurs byzantins, le *dinâr* d'or et le *dirhem* d'argent des khalifes et des autres potentats musulmans d'Orient, d'Égypte et d'Afrique du Nord, voire d'Espagne ; il n'était pas jusqu'à la petite pièce d'or frappée par les émirs de Sicile, le *tari* ou quart de *dinâr*, qui n'eût été adoptée par les marchands chrétiens d'Amalfi, de Gaète ou des autres villes de l'Italie du Sud. Les croisés arrivant en Syrie avaient rapidement émis des pièces de monnaie d'or qui n'étaient que des contrefaçons soit du *besant* des Byzantins, soit, et surtout, des *dinârs* égyptiens et syriens, tout comme les Normands de Sicile imitaient les pièces byzantines et musulmanes.

La frappe de ces contrefaçons était tellement habituelle que nul ne s'étonnait de voir le nom des sultans et l'année de l'Hégire figurer sur les besants « sarrasinaz », « tripolaz » ou antiochéniens, en écriture arabe. Les *maravédis (marabotini)* des Almoravides avaient été contrefaits par les rois chrétiens d'Espagne, et la république de Gênes elle-même faisait frapper dès le milieu du XIIᵉ siècle des pièces d'or au type arabe, pour commercer avec l'Afrique du Nord. Une pièce d'argent, le demi-dirhem des Almohades, connue sous le nom de *miliarès* (le *milreis* portugais en a gardé le nom), a été abondamment imitée de Majorque à Arles, à Marseille et en Italie : en 1253, le comte de Lavagna (un Fieschi, parent du pape Innocent IV) passait marché pour la frappe de *miliaresi* ; en 1262, l'évêque de Maguelonne, qui disposait d'un atelier monétaire pour émettre des deniers « melgoriens », faisait lui aussi frapper des miliarès.

Si l'on imitait servilement les monnaies musulmanes, c'est parce que celles-ci étaient les instruments rêvés du grand commerce : elles évitaient de recourir au maniement d'une quantité prodigieuse de petits deniers dont la valeur intrinsèque ne cessait de diminuer et qu'il fallait ramener au cours de monnaies mieux connues. Aussi, dès le début du XIIIᵉ siècle, les Vénitiens avaient-ils émis la première pièce d'argent de valeur supérieure au denier, en adoptant d'ailleurs un type byzantin, le *matapan* ou gros de Venise ; d'autres villes d'Italie suivaient leur exemple.

Il semble que ce soit en Terre sainte que saint Louis découvrit ce marché monétaire propre aux pays méditerranéens. Du moins est-ce pendant son séjour que le légat Eudes de Châteauroux s'avisa de l'insupportable scandale que constituait la frappe par les Chrétiens de pièces qui, copiant servilement les modèles musulmans, portaient des inscriptions à la gloire du Prophète. Dès 1251, l'atelier d'Acre émit des dinars et des dirhems, toujours fidèles aux types aiyûbides, mais datés de l'année de l'incarnation et glorifiant la Trinité en langue arabe. Le pape Innocent IV approuva cette initiative le 8 février 1253 et encouragea la substitution de pièces à légende chrétienne aux pièces reproduisant des formules musulmanes. On voit même paraître un besant d'or, peut-être frappé par Bohémond VI d'Antioche, qui porte en latin la devise CHRISTUS VINCIT, CHRISTUS REGNAT, CHRISTUS IMPERAT.

Cependant, en Occident, la frappe de monnaies à légende musulmane continuait : Clément IV devait, en 1266, rappeler à l'ordre l'évêque de Maguelonne qui continuait à frapper des miliarès datés de l'année de l'Hégire, en lui reprochant à la fois d'user du nom d'un prince qui n'autorisait pas cette fabrication et d'invoquer le Prophète des Musulmans. Saint Louis dut agir de même, deux ans plus tard, à l'égard d'Alphonse de Poitiers qui, comme tous les princes méridionaux, frappait ses miliarès d'argent à légende musulmane. Dans cette optique, la frappe des « gros » peut apparaître comme une mesure destinée à mettre fin à l'habitude si fortement implantée de contrefaire les monnaies musulmanes. La lutte contre cette contrefaçon, coïncidant avec le séjour du roi de France en Orient, paraît indiquer que Louis IX avait été personnellement attentif à cette question et que c'est lui qui avait attiré l'attention d'Innocent IV sur ce point.

Sans doute n'est-ce pas dès son retour que le roi entreprit une réforme monétaire. D'ailleurs les dépenses de la croisade paraissent avoir causé en France une véritable disette de métal précieux, si on en croit un historien postérieur qui affirme que le roi « fit courir monnaie de cuir bouilli en son royaume ». Mais, en 1265, l'ordonnance prescrivant le décri des esterlins (qui coïncidait avec le rachat par le roi du droit de graver les coins avec lesquels on frappait la monnaie parisis) — l'esterlin correspondait à quatre deniers tournois — préludait à la décision prise en 1266, laquelle ordonnait que l'on frapperait des *gros*, pièces d'argent ayant cours pour un sol tournois (soit douze deniers), selon un poids et un aloi bien défini :

« Ne seront faits que 58 deniers par marc, et chaque denier sera pesé de telle manière que le plus fort et le plus faible ne s'éloigneront du poids juste que de deux grains au plus. » Le marc d'argent-le-roi (un alliage à onze deniers douze grains d'aloi, soit à 23/24e d'argent fin) pesant 241 grammes, chaque gros pesait 4,05 grammes d'argent. En même temps, on remaniait légèrement le poids du denier tournois, dont on frappait désormais 220 dans un marc, au lieu de 217 précédemment. Les nouveaux « gros tournois » d'argent ne s'alignaient pas sur le système des gros italiens, mais s'incorporaient dans celui de la monnaie française. Une controverse a opposé Louis Blancard, qui voyait en eux l'imitation des besants frappés en Terre sainte, avec la croix et la légende BENEDICTUM SIT NOMEN DOMINI NOSTRI DEI JHESU CHRISTI du revers, à Adrien Blanchet qui insistait sur la légende TURONUS CIVIS et le châtel tournois de l'avers pour y voir une adaptation du type de la monnaie de Tours : il semble qu'on puisse penser que le gros s'inspirait de l'un et de l'autre.

Complétant cette réforme, les ateliers royaux frappèrent également une pièce d'or qui, cette fois, évoque de très près le besant déjà cité, l'*Agnus Dei* dit de Bohémond VI, du fait qu'elle porte également la devise CHRISTUS VINCIT. Cette pièce, dont le champ était occupé à l'avers par l'écu fleurdelysé, était la première monnaie d'or frappée par les rois capétiens ; elle avait, elle aussi, été précédée par des espèces italiennes, l'*augustalis* de Frédéric II, qui imitait les monnaies impériales antiques (1233) et le florin émis à Florence en

1252. Comme le gros, l'écu d'or ne portait pas d'indication de valeur, mais il était lui aussi rattaché au système tournois, son cours étant fixé à 12,5 sous.

La frappe des gros et celle des écus étant réservée au roi, l'apparition de ces nouvelles monnaies, plus encore que le décri général de 1263, manifestaient le renouveau du monnayage royal et du droit monétaire de la royauté. Il ne faudrait toutefois pas insister à l'excès sur l'importance de la frappe des monnaies d'or. Si l'écu de saint Louis n'est pas fréquent dans les collections, c'est probablement parce qu'il ne fut mis en circulation qu'en quantité limitée, sans être en mesure de concurrencer le florin ; et il n'est pas exclu qu'il ait eu d'abord une valeur de prestige. Par contre, la création du gros représentait un moment capital de l'histoire de la monnaie française. Monnaie stable (son cours ne devait pas varier avant le temps de Philippe le Bel, et celui-ci continua la frappe des gros selon les modalités fixées par son grand-père), au type bien choisi, le « gros vieux tournois du temps de saint Louis » devait rester un étalon souvent cité dans les contrats jusque très avant dans le XIVe siècle. Il apparut, lorsque reprirent les manipulations monétaires, comme le symbole même de la « bonne monnaie » ; il offrait aux marchands un moyen de paiement infiniment plus commode que le denier, et d'une valeur intrinsèque indubitable.

Et, en définitive, c'est peut-être à l'émission de gros que saint Louis doit d'être resté dans la mémoire des peuples comme le type du souverain attaché à maintenir une bonne monnaie. Les « bons gros tournois vieux » ont contribué à ce qu'on pourrait appeler la légende de saint Louis ; on perdit vite le souvenir du renouveau du droit régalien dont il avait aussi été l'artisan. Il n'empêche que la promotion de la procédure d'enquête et l'introduction du cours obligatoire de la monnaie du roi dans tout le royaume représentent deux pas décisifs dans la réintroduction de la notion d'une souveraineté à la mode romaine en France, et que c'est à saint Louis qu'on doit leur réalisation.

CHAPITRE II

Le faiseur de paix

C'est à propos d'une observation de ses conseillers, qui le mettaient en garde contre la médiation qu'il avait proposée à des princes étrangers en guerre les uns contre les autres, que saint Louis fut amené à citer, en se l'appliquant à lui-même, le *Beati pacifici* de l'Évangile, qu'il traduisait « Bénis soient tous les apaiseurs ».

Ce qu'il leur avait dit, il le répéta sous une forme plus développée dans les enseignements qu'il fit mettre par écrit pour son fils Philippe. « Cher fils », lui disait-il, « je t'enseigne que tu te défendes, autant que tu pourras, d'avoir une guerre avec nul chrétien », ceci visant les conflits dans lesquels le roi pouvait être partie ; « je t'enseigne que les guerres et les luttes qui seront en ta terre ou entre tes hommes, tu t'efforces, autant que tu le pourras, de les apaiser, car c'est une chose qui plaît beaucoup à Notre-Seigneur. »

La guerre, nous le savons, était pour les hommes du Moyen-Age le recours contre les injustices : lorsqu'un prince ou un seigneur, ou encore une commune, ne parvenait pas à se faire rendre ce qui lui appartenait légitimement, ou lorsque le roi ne pouvait obtenir d'un de ses sujets qu'il fasse droit ou qu'il répare ses torts envers un autre, elle devenait un moyen « raisonnable » de contraindre l'auteur des torts en question à s'incliner. Et saint Louis, dans ses enseignements, le reconnaît. Mais il invite son fils à épuiser toutes les voies possibles

pour « recouvrer son droit avant de faire guerre ». Et il lui
recommande d' « éviter les péchés qui se font en guerre », et
notamment les préjudices occasionnés « aux pauvres gens
qui ne sont pas coupables de forfaiture ». La guerre se traduisait couramment par des courses sur le plat pays, l'enlève-
ment des hommes et du bétail, l'incendie des maisons et des
granges, ces déprédations étant considérées comme un moyen
de pression pour amener celui dont la seigneurie était dévas-
tée à réfléchir et à venir à composition. Louis recommandait
à son fils d'employer plutôt un autre moyen : mettre le siège
devant les châteaux ou les villes de l'adversaire, ce qui devait
immanquablement l'amener à résipiscence. En tout état de
cause, il l'invitait à bien s'informer et à s'entourer de conseils
avant de déclarer la guerre, pour être sûr que celle-ci soit
juste, et de respecter le délai prescrit par Philippe-Auguste
entre le défi et le début des hostilités.

Dans toute la mesure du possible, le roi considérait la
guerre comme un mal à éviter, et la paix comme l'idéal à réaliser. En ce qui le concernait lui-même, il n'a pratiquement
pas eu recours à la force autrement que pour réduire tel nid
de larrons ou pour faire respecter les sentences de justice.
Mais en ce qui concernait les hommes du royaume, grands
barons ou simples seigneurs, pouvait-il leur interdire le
recours à la guerre ?

La question est loin d'être simple. Interdire le recours aux
« batailles » dans la procédure des cours de justice était une
chose ; proscrire les guerres privées en était une autre. Et
l'affirmation, souvent reproduite, selon laquelle saint Louis
avait interdit ces dernières reste objet de discussion.

Une ordonnance de janvier 1258 s'adressant à tous les
habitants du diocèse du Puy, dont Guy Foulcois venait d'être
élu évêque, leur faisait savoir que le roi interdisait toute
guerre dans le royaume, et en particulier les incendies et les
dommages causés aux animaux de trait, victimes habituelles
des pillards ; le nouvel évêque devait jurer de châtier ceux qui
enfreindraient la paix. On peut remarquer que les termes
employés sont ceux-là même qui figurent aux deux siècles
précédents dans les documents illustrant le mouvement de la

« paix de Dieu », devenue par la suite la « paix du roi ». Robert Fawtier pensait qu'il ne fallait pas donner à ce texte une portée générale, et que cette décision pouvait faire écho aux préoccupations de Guy Foulcois. Philippe le Hardi rappelait plus tard que son père avait réglementé les infractions à la paix, précisément sur le conseil de ce même Guy. Et Pierre de Fontaines, l'autre conseiller très écouté du roi, admet la légitimité de la guerre privée, même contre le roi, en cas de défaut de droit évident. Un arrêt du Parlement de 1260 déboutait un chevalier qui demandait des dommages et intérêts pour avoir été blessé dans une telle guerre : il ne semble donc pas que le roi de France ait totalement interdit les guerres privées, même s'il en a restreint l'exercice par une réglementation très stricte. Nous savons d'ailleurs qu'il usait au maximum de l'asseurement, c'est-à-dire de mesures ponctuelles par lesquelles il interdisait à un personnage qui en avait défié un autre de passer aux actes de guerre, en prenant le second sous sa protection, ce qui obligeait le premier à accepter le jugement des cours royales.

Toutefois saint Louis n'est-il pas allé plus loin ? Un arrêt du Parlement de 1265 évoque le cas des habitants de Chivres qui avaient commis des violences dans la terre du comte de Soissons, et mentionne l'amende qu'ils avaient encourue « pour avoir porté les armes contre la défense du roi », en enfreignant « son ordonnance sur l'interdiction du port des armes ». A ce document s'en joint un autre, un mandement d'Alphonse de Poitiers, en date de 1269, faisant allusion à « l'interdiction générale qui a été faite de porter les armes », tout en autorisant à titre exceptionnel le comte de Rodez et sa suite de porter les armes dans son propre fief. Cette interdiction du port d'armes, dont le texte a malheureusement été perdu, semble indiquer que le roi avait été plus loin dans la proscription de la guerre privée qu'en s'efforçant de limiter les abus de celle-ci. Toutefois les enseignements à Philippe III eux-mêmes laissent entrevoir que Louis n'avait pas totalement proscrit le recours à la guerre.

Le roi, en effet, ne pouvait pas priver ses barons de la possibilité de réprimer les méfaits commis dans leur terre. Ainsi lorsque Pierre de Pierre-Buffière, un seigneur du Limousin, avait détruit les fourches patibulaires de la vicomtesse de Limoges et accueilli dans son château les ennemis de celle-ci, la vicomtesse avait fait guerre à Pierre et l'avait capturé ; le sénéchal de Périgord était intervenu pour faire libérer ce dernier ; mais le Parlement, en 1268, prenait acte de la soumission du sire de Pierre-Buffière. Dans de tels cas, la guerre était assimilée à la mise en œuvre de la sentence d'une cour. D'autre part, la guerre était aussi un moyen d'obtenir justice ; elle était trop enracinée dans la société féodale pour pouvoir être abolie par une simple décision législative.

Ce qui était possible, c'était la médiation que le roi pouvait proposer pour mettre fin au conflit, avant ou après le déclenchement des hostilités. La pratique de l'asseurement, à l'intérieur du royaume, permettait d'imposer cette médiation, en contraignant les sujets du roi (au besoin en usant de moyens de force) à accepter des voies pacifiques pour parvenir à un accord. Et l'on ne saurait compter le nombre d'arbitrages réalisés dans le royaume, que ce soit entre les simples chevaliers, les communes (qui prétendaient aussi avoir droit de guerre), les églises ou les barons.

Saint Louis n'a pas toujours pris lui-même en main ces arbitrages, qui étaient d'ailleurs eux aussi très enracinés dans la pratique judiciaire médiévale. Ses conseillers, ou même des arbitres extérieurs à son conseil et désignés par ses soins, s'en chargeaient : le chambellan Pierre de Villebéon semble avoir été considéré comme particulièrement apte à concilier les parties, en raison sans doute de la confiance que le roi mettait en lui.

Mais ce qui donne une couleur très particulière à l'action de saint Louis en faveur de la paix, c'est qu'elle s'est exercée très largement en dehors de son royaume. Et c'est là que se manifeste évidemment le prestige de ce roi dont on reconnaissait unanimement le sens de l'équité et le souci de trouver un terrain d'entente entre les adversaires (un troubadour qui ne l'aimait pas, en 1261, parlait avec irritation « du roi de France, qu'on tient pour droiturier ») : il a fait figure d'arbitre-né dans les dissensions entre princes, églises et barons qui se manifestaient à proximité des frontières de la France.

LE DIT DE PÉRONNE

Parmi les arbitrages rendus par saint Louis, il n'en est pas qui aient suscité plus de controverses que celui qui mit fin — provisoirement — à la querelle des Avesnes et des Dampierre pour la succession aux comtés de Flandre et de Hainaut. Cette querelle, déjà évoquée plus haut, avait atteint pendant l'absence du roi de telles proportions qu'elle fut l'un des motifs qui amenèrent celui-ci à hâter son retour en France. Encore fallut-il plus d'un an pour qu'une solution pût être trouvée.

On se souvient que le point de départ de cette querelle remontait aux deux mariages successivement contractés par la fille cadette de Baudouin, comte de Flandre et de Hainaut, devenu en 1204 empereur de Constantinople. Marguerite de Flandre, confiée à la garde de son oncle Philippe de Namur, qui mourut en 1212, passa sous celle du bailli de Hainaut, Bouchard d'Avesnes, lequel se hâta de l'épouser. Mais ce mariage avait été annulé du fait que Bouchard, d'abord destiné au clergé et pourvu de bénéfices, aurait été ordonné sous-diacre, avant de rentrer dans le siècle parce que son frère aîné n'avait pas d'enfants. Le sous-diaconat lui interdisant de contracter mariage, la comtesse Jeanne de Flandre avait obtenu l'annulation en cour de Rome, en 1216 ; mais les deux époux ne se séparèrent que plus tard et deux fils, Jean et Baudouin, leur étaient nés entre-temps. En 1223, Marguerite était remariée à Guillaume de Dampierre, dont elle avait eu trois fils. D'ailleurs, on avait négligé de demander au pape la dispense de parenté nécessaire, et Marguerite ne devait réparer cet oubli qu'après la mort de son second mari...

Cette double procédure posait un délicat problème de droit. Les Avesnes, qui étaient populaires dans le Hainaut, pouvaient, s'ils étaient reconnus comme enfants légitimes, prétendre en vertu de leur droit d'aînesse à la totalité de l'héritage de leur mère ; celle-ci, par contre, favorisait ses enfants du second lit, lesquels avaient intérêt à ce que les enfants d'un mariage invalide fussent déclarés incapables de succéder. Les uns et les autres étaient appuyés par leur lignage : Gautier, comte de Blois, et après lui les Châtillon-Saint-Pol penchaient pour Avesnes ; les Dampierre, et parmi eux le sire de Bourbon, pour les enfants du second mariage. Aussi les comtesses Jeanne et Marguerite avaient-elles réalisé un accord, sanctionné par saint Louis en 1235, qui destinait les deux septièmes de l'héritage de Marguerite à Jean et Baudouin, les cinq autres septièmes à Guillaume de Dampierre et à ses frères. Entre-temps, Jeanne mourait, laissant ses deux comtés à sa sœur, laquelle n'était jusque-là qu'en possession de l'Ostrevant, de Crèvecœur, Arleux et Bouchain.

Les Avesnes avaient obtenu leur légitimation de l'empereur Frédéric II, lequel concédait en 1245 à la comtesse Marguerite l'investiture du marquisat de Namur et de la Flandre impériale (la partie sise à l'est de l'Escaut). La diète d'Empire, en 1246, refusait d'entériner cette investiture : dans l'Empire, on admettait que seuls les hommes pouvaient tenir un fief de bannière.

C'est dans ces conditions qu'était intervenu l'accord ménagé par saint Louis et par Eudes de Châteauroux en 1246. En allouant le Hainaut aux Avesnes et la Flandre aux Dampierre, le roi et le légat restaient dans la ligne de l'accord de 1235, sans s'arrêter à l'argumentation ni de Jean et Baudouin, qui se réclamaient de leur droit d'aînesse, ni de Guillaume et ses frères, lesquels mettaient en doute la légitimité de la naissance de leurs demi-frères. La sentence n'avait pas donné satisfaction aux premiers, et Jean d'Avesnes, ayant épousé la sœur de Guillaume de Hollande, roi des Romains par la main d'Innocent IV, entendait entrer immédiatement en possession du Hainaut : Guillaume de Hollande lui en donnait l'investiture en 1247, et l'évêque de Liège acceptait qu'il lui en fît hommage.

A cela s'ajoutait la question de Namur, fief tenu du Hainaut. Le roi de France tenait ce comté à titre de gage pour les cinquante mille livres qu'il avait prêtées à l'empereur de Constantinople Baudouin II ; néanmoins, les droits de suzeraineté du comte de Hainaut restant intacts, Guillaume de Hollande avait prescrit aux Namurois de reconnaître Jean d'Avesnes comme leur seigneur (1248).

Avant de partir en croisade, Guillaume de Dampierre, à qui sa mère avait reconnu le titre de comte de Flandre tout en se réservant la jouissance du comté, était parvenu à se mettre d'accord avec Guillaume de Hollande. Marguerite conservait le titre de comtesse de Hainaut ; Jean d'Avesnes renonçait à revendiquer la Flandre impériale, y compris les îles de Zélande dont les comtes de Flandre se disaient suzerains, tandis que sa mère l'autorisait à recevoir l'hommage qui était dû pour le comté de Namur (janvier 1249). Ceci facilitait l'issue du procès pendant en cour de Rome sur la légitimité des fils de Bouchard d'Avesnes, qui fut publiquement reconnue en novembre 1249.

Cette déclaration pouvait donner un nouvel aliment aux prétentions de Jean d'Avesnes. Or, à peine revenu de croisade, Guillaume de Dampierre mourait accidentellement (6 juin 1251). Marguerite se hâtait de transférer le titre d'héritier du comté de Flandre au frère cadet du défunt, Guy, qui prêtait hommage à Blanche de Castille, tenant lieu du roi de France, en février 1252, tout en promettant de respecter les conventions arrêtées précédemment. Là-dessus, Guillaume de Hollande demanda à Marguerite d'agir de même à l'égard de Jean d'Avesnes en lui reconnaissant le titre de comte de Hainaut. La chose lui tenait d'autant plus à cœur, que, n'ayant pas de fils, il envisageait, dès qu'il aurait obtenu du pape la couronne impériale, de faire élire Jean roi des Romains à sa place.

Le refus que lui opposa Marguerite suscita son indignation. Arguant de ce que la comtesse avait négligé de lui rendre l'hommage qu'elle lui devait pour la Flandre impériale et le comté de Namur, il la privait de ses fiefs dont il investissait Jean d'Avesnes, en juillet 1252. Les Dampierre ne trouvaient pas d'autre parade que de solliciter du pape l'annulation de la déclaration de légitimité de 1249 ; cependant, les Hen-

nuyers se ralliaient à Jean et chassaient les gens de la comtesse Marguerite.

C'est le moment que celle-ci choisit pour faire revivre les
prétentions des comtes de Flandre à lever un tribut sur le
comté de Hollande à propos des îles de Zélande. Le comte
Florent, frère du roi Guillaume, chercha à écarter cette revendication ; Marguerite fit appel aux barons du royaume de
France pour soutenir ses fils, dont le débarquement à Walcheren se transforma en désastre (4 juillet 1253) : presque
toute l'armée d'invasion fut capturée, à commencer par les
deux frères de Dampierre.

Hors d'état de résister, la comtesse Marguerite se jeta dans
les bras de Charles d'Anjou. Elle offrit à celui-ci de lui céder
le comté de Hainaut, à condition qu'il prît aussi en charge la
défense de la Flandre. Charles accepta, entra en Hainaut,
occupant Valenciennes et Mons. Ni l'évêque de Liège, ni le
roi des Romains, n'acceptaient le fait accompli. Guillaume
leva une armée et vint offrir la bataille à Charles ; les conseillers de celui-ci (et parmi eux les comtes de Blois et Saint-Pol,
liés par le sang à Jean d'Avesnes) lui recommandèrent de la
refuser. Le roi des Romains, disaient-ils, n'avait rien « méfait
sur lui » ; Charles, n'avait donc pas à se faire justice. Et, ajou-
taient-ils, saint Louis était fort bien disposé pour Guillaume
de Hollande ; il n'appartenait pas à son frère de se jeter en
travers de cette alliance.

Ainsi Guillaume fut-il amené à licencier son armée. Mais
Charles entendait bien faire de ses droits sur le Hainaut une
réalité. Il exigea l'hommage des seigneurs hennuyers, et
notamment de celui d'Enghien : Siger d'Enghien le refusa, et,
lorsque le comte d'Anjou et l'archevêque de Reims marchè-
rent contre lui, il remit son château aux mains des gens du roi
de France. Et saint Louis rappela son frère à Paris.

L'intervention du roi de France changeait la face des
choses. Sans doute Florent de Hollande et son allié, le comte
de Clèves, avaient-ils rapidement relâché, contre rançon, les
barons français capturés ; mais ils gardaient prisonniers le
comte de Flandre et son frère, deux des principaux vassaux
du roi.

D'un autre côté, le frère du roi de France était quasi en état de guerre contre le roi des Romains, à un moment où les affaires de l'Empire exigeaient la plus grande prudence. Aussi saint Louis prit-il à cœur de promouvoir le retour à la paix. Il fit, en novembre 1255, un voyage à Gand, pour s'entretenir avec la comtesse Marguerite, rendre tangible l'appui qu'il lui apportait, et préparer les voies à un apaisement. Celui-ci ne pouvait qu'être onéreux pour les bourgeois des villes flamandes, dont les plus riches avaient déjà eu à payer rançon aux Hollandais : aussi le roi avait-il été en butte à des manifestations hostiles pendant son séjour gantois. La comtesse lui offrait de reprendre en fief de la couronne de France le château de Rupelmonde et le pays de Waes, éléments de la Flandre impériale : il se garda d'y donner suite.

Cependant, Guillaume de Hollande mourait dans une obscure escarmouche, au cours d'une expédition en Frise, le 28 janvier 1256. Louis acceptait d'être désigné comme arbitre par la comtesse Marguerite et par ses deux fils aînés. Il parvint enfin à faire accepter à l'une et aux autres le « dit de Péronne », le 24 septembre 1256.

La base de cette nouvelle sentence restait le traité de 1246, dont lui-même et Eudes de Châteauroux avaient été les auteurs. Tout au plus précisait-on que le territoire dont Marguerite avait joui avant de devenir comtesse (l'Ostrevant et ses annexes), dont il n'avait pas été question en 1246, reviendrait à Guy de Dampierre et à son frère. Ceux-ci devaient hériter de la Flandre ; Jean et Baudouin d'Avesnes, du Hainaut.

Mais il y avait un fait nouveau : la cession du Hainaut à Charles d'Anjou. Louis IX fit évidemment pression sur son frère, bien que celui-ci ne fît état que de son propre désir de contribuer à la libération de ses cousins de Dampierre. Mais Charles mit son désintéressement à haut prix, arguant des dépenses qu'il avait dû engager et des dommages qu'il avait subis : il restituait le Hainaut à la comtesse Marguerite, qui le destinait à Jean d'Avesnes, contre paiement de 160 000 livres tournois dont les versements devaient s'échelonner sur treize années. Et la comptabilité des villes de France nous apprend que, pour se procurer les quarante mille livres du premier terme, la comtesse dut leur emprunter de fortes sommes. De surcroît, pour ménager l'honneur du comte d'Anjou, celui-ci devait recevoir l'hommage des deux frères d'Avesnes, de Siger d'Enghien et, quand ils auraient retrouvé la liberté, des deux frères de Dampierre : un hommage qui, d'ailleurs, ne comportait guère d'autre obligation que de garantir Charles contre toute attaque venant de l'un d'eux. Des dédommagements étaient prévus pour ceux qui avaient été lésés au cours de la guerre, et le roi ordonnait à tous d'oublier leurs rancœurs.

Quelques jours plus tard, à Bruxelles (13 octobre), la comtesse Marguerite traitait avec Florent de Hollande de la libération de ses fils, moyennant une rançon, la cession des îles de Zélande, et le mariage de Florent avec une fille de Guy de Dampierre. Elle devait renoncer à l'Ostrevant au profit du comte de Hainaut dès novembre 1257. Un mois plus tard, le 24 décembre 1257, Jean d'Avesnes mourait, et son frère Baudouin venait publiquement demander le pardon de leur mère, en assurant qu'il avait agi à l'instigation de son aîné.

Comme nous le disions, l'arbitrage de Péronne a fait couler des flots d'encre. A la suite de Duvivier et de Pirenne, plusieurs historiens ont cru pouvoir y reconnaître une habile manœuvre d'un roi capétien poursuivant la politique de sa maison sous couvert d'une mission pacificatrice. A leurs yeux, le principal effet de cet arbitrage était de séparer définitivement le Hainaut de la Flandre, avec laquelle il était uni depuis la fin du XIIe siècle, et de créer à la frontière septentrionale du royaume une situation favorable aux desseins de la monarchie française, en installant dans les deux comtés des dynasties appelées, par la force des choses, à être sans cesse hostiles l'une à l'autre. De surcroît, les Dampierre, qu'on regarde comme des sujets français, recevaient la plus grosse part de l'héritage ; les Avesnes, davantage liés à l'Empire, devaient se contenter du Hainaut, alors que leur droit d'aînesse aurait pu leur valoir d'hériter du tout.

Il ne faut pas perdre de vue qu'en fait l'arbitrage de 1246, sur lequel celui de 1256 ne revenait pas, se présente comme la suite normale de l'accord de 1235 dans lequel l'inégalité du lot réservé aux Avesnes par rapport à celui des Dampierre était déjà spécifiée. La reconnaissance de la légitimité des premiers par l'empereur, puis par le pape, ne paraît pas avoir modifié cette donnée première (et on peut remarquer que Bouchard d'Avesnes, le père des deux enfants, et son frère Gautier participaient à la négociation de 1235). En 1256, mis à part une précision relative à l'Ostrevant, rien n'avait été changé aux dispositions des conventions antérieures.

D'autre part, peut-on faire des Avesnes des sujets de l'Empire et des Dampierre des sujets du royaume ? Les attaches des seconds dans la France capétienne sont indéniables ; mais le mariage de Gautier d'Avesnes, frère de Bouchard, avec une petite-fille de Louis VII qui lui avait apporté le comté de Blois, suivi du mariage de sa fille Marie avec Hugues de Châtillon-sur-Marne, comte de Saint-Pol (en 1225), donnait aux Avesnes une assise incontestable dans le baronnage français. Le roi, d'ailleurs, fait préciser dans la rédaction de son « dit » que les uns comme les autres sont ses cousins *(consanguinei nostri)*.

L'intérêt qu'aurait eu le roi de France à démembrer la principauté flamando-hennuyère et à opposer durablement deux lignages relève, au fond, d'un machiavélisme qui, si nous en croyons Joinville, n'aurait pas été étranger à certains conseillers du roi, mais auquel le même témoignage nous montre que saint Louis était absolument rebelle.

« Pourquoi », disaient les premiers, « ne les laissait-il pas guerroyer, car, bien appauvris, ces gens ne viendraient pas lui courir sus, comme ils le faisaient dès qu'ils étaient assez riches ? » A quoi le roi répondait : « Si les princes voisins voyaient que je les laisse guerroyer, ils se pourraient bien aviser entre eux et dire : « c'est par mauvaise intention que le roi nous laisse guerroyer ». Alors il arriverait que, par haine pour moi, ils me viendraient courir sus. J'y pourrais bien perdre... »

Plus délicate nous paraît la façon dont le dit de Péronne a ménagé les intérêts de Charles d'Anjou. La somme que la comtesse Marguerite et ses deux fils s'engageaient à payer au

comte d'Anjou apparaît comme très élevée. Charles avait-il
dépensé autant pour se rendre maître du comté de Hainaut ?
Il est difficile de le dire : Louis avait chargé son chambellan,
Pierre de Villebéon, de vérifier les comptes. Et nous savons
d'autre part que Charles avait extorqué pour sa campagne de
grosses sommes aux villes, sans compter les contingents qu'il
avait levés. Son armée était nombreuse ; elle a tenu les
champs pendant un temps relativement long. Il se peut que
les 160 000 livres demandées représentent un ordre de grandeur assez voisin de ce qu'avait été le coût de l'opération,
encore que certains auteurs aient estimé que cette somme correspondait à ce qu'aurait été le prix d'achat du Hainaut. De
toute manière, Charles tira sans doute en définitive de cette
affaire un profit pécuniaire.

Mais les contemporains paraissent avoir été plus sensibles
au fait que le roi avait contraint son frère à lâcher prise, tout
en ménageant son amour-propre. Il n'est pas certain que
l'acharnement de la comtesse Marguerite à avantager ses
enfants du second lit aux dépens de ses aînés ait autant cho-
qué les hommes du XIIIe siècle que les agissements de Jean
d'Avesnes, pressé d'écarter sa mère du gouvernement du Hainaut et recourant pour cela à toute sorte d'alliances : Charles
d'Anjou a pu leur apparaître comme un preux chevalier prenant la défense d'une veuve dont les enfants étaient captifs, et
matant les Hennuyers rebelles à leur dame légitime. Pour
eux, le dit de Péronne était équitable et le roi avait agi avec
désintéressement, puisque la couronne de France n'en tirait
aucun avantage ; seuls les partisans des Avesnes s'estimèrent
lésés. Reste que ni les Dampierre, ni leurs rivaux, n'apparaissaient comme ruinés : les ressources contributives de la Flandre semblaient, au XIIIe siècle, inépuisables !

La paix n'était cependant pas encore pleinement assurée.
Car la question de Namur restait pendante. On se souvient
que Baudouin II avait remis ce comté en gage au roi Louis ;
mais Namur restait un fief relevant du Hainaut, dont la diète
de 1246 avait refusé de reconnaître Marguerite comme légitime détentrice. Le roi des Romains investit donc de Namur
les frères d'Avesnes, qui donnèrent le comté en fief à Henri

de Luxembourg, tandis que le conseil de régence, en 1252, en restituait l'administration à Marie, femme de Baudouin II. Le jour même du dit de Péronne, Jean et Baudouin d'Avesnes avaient renoncé aux droits qu'ils tenaient du roi des Romains et annulé leur concession à Henri de Luxembourg, Baudouin s'engageant plus spécialement à seconder, s'il le fallait, l'impératrice Marie pour qu'elle récupérât sa terre.

Mais un conflit éclata entre Marie et ses sujets. On dit que les fils des riches bourgeois opprimaient les moindres gens, les obligeant à payer leurs dépenses dans les tavernes et mettant leurs filles à mal. Le bailli de l'impératrice, qui voulut y mettre ordre, fut tué ; les coupables s'enfuirent, et Marie exigea des bourgeois qu'on les lui livrât. Les bourgeois s'adressèrent alors au roi de France ; mais Pierre de Fontaines leur répliqua rudement qu'ils n'avaient qu'un moyen de faire la paix avec leur dame : d'aller la corde au cou se livrer à sa justice ou à sa miséricorde (saint Louis, nous dit-on, trouva la réponse trop brutale). Mais les bourgeois préférèrent appeler Henri de Luxembourg qui, à la fin de 1258, entra dans leur ville. L'impératrice s'était adressée à sa suzeraine, la comtesse Marguerite, qui mit garnison dans ses châteaux. Mais l'armée levée en Champagne par Baudouin d'Avesnes fut menée avec une remarquable impéritie (Baudouin s'entendait-il avec Henri ?) ; sa retraite fut troublée par les attaques de ses adversaires et il ne put empêcher le château de Namur de capituler. Cette fois, Marie de Constantinople fit appel à Guy de Dampierre, qui vint à son tour attaquer Henri.

Pour résoudre ce conflit, il fallut que le nouveau roi des Romains, Richard de Cornouailles, cassât la sentence de 1246 qui avait refusé à Marguerite l'investiture du marquisat de Namur ; que Baudouin II, revenu en Occident après la chute de Constantinople et très à court d'argent, cédât son comté à Guy de Dampierre pour vingt mille livres, en le chargeant en outre de rembourser son dû au roi de France ; que Guy épousât la fille d'Henri de Luxembourg (1263). Saint Louis prêta la main à cet arrangement, sans égard à ce que la couronne de France perdait tous ses droits sur Namur, droits qui se réduisaient d'ailleurs à une engagère.

Ces conflits, qui troublaient la paix des pays de la Meuse, se situaient dans le climat du « grand interrègne ». On sait que le pape avait déchu Frédéric II de son titre impérial et son fils, Conrad IV, de celui de roi des Romains — ce dernier titre correspondant à la possession des royaumes d'Allemagne et d'Arles, et conférant l'expectative de la couronne impériale. Successivement le landgrave de Thuringe et Guillaume de Hollande avaient été élus rois des Romains par les électeurs d'Empire, tandis que Conrad était reconnu par d'autres parmi ceux-ci : Guillaume, on l'a vu, avait pris parti dans la querelle des Avesnes et des Dampierre. Louis, tout à la préparation de sa croisade, avait gardé une stricte neutralité entre Conrad et Guillaume, et nous avons vu que l'auteur de la *Chronique de Reims* le considérait comme favorable à ce dernier.

En 1256, la mort de Guillaume, succédant à celle de Conrad survenue deux années auparavant, mettait la question de la succession au trône d'Allemagne à l'ordre du jour. Henri III d'Angleterre avait fait proposer aux électeurs, après que le pape se fut prononcé contre l'éventualité de l'élection du jeune Conradin, la candidature de son frère, Richard de Cornouailles, auquel les archevêques de Cologne, de Mayence et le duc de Bavière donnèrent leur voix, le 13 janvier 1257. Jean d'Avesnes figurait parmi les partisans du nouvel élu. Ceci posait un difficile problème au roi de France, qui risquait de voir se renouveler la collusion tant redoutée, avant la croisade, entre le roi d'Angleterre et l'Empire. Or un second groupe d'électeurs, constitué par les évêques de Spire et de Worms, l'archevêque de Trêves et le duc de Saxe, désignait le 1er avril un autre candidat, le roi de Castille Alphonse X.

Alphonse était-il le candidat du roi de France, qui venait en novembre 1255 de marier son fils aîné à la fille du roi de Castille ? Et le mariage, arrangé en mai 1257, d'une des filles du roi, Marguerite, avec le duc de Brabant Henri — mariage qui ne se réalisa pas, en raison de l'aliénation mentale du fiancé —, entre-t-il dans la même perspective, celle de constituer une ligue dirigée contre le Plantagenêt élu au trône d'Allemagne ? Guy de Dampierre et le duc Hugues IV de Bourgogne se rallièrent également au Castillan. Le second, il est vrai, le fit à l'occasion d'un pèlerinage à Compostelle, et y vit sans doute, outre l'occasion de s'assurer le paiement d'une confortable rente, le moyen de faciliter ses entreprises en Franche-Comté : on ne saurait voir nécessairement la main du roi de France dans cet acte d'allégeance d'un baron français.

Mais, dès le mois d'avril 1257, un envoyé d'Henri III était à la cour de France, et Richard de Cornouailles participait très activement, par lui-même et par son envoyé Arnold, prévôt de Wetzlar, aux négociations tendant à un rapprochement entre Capétiens et Plantagenêts ; il ne fait pas de doute que, pour ces derniers, les perspectives ouvertes en Allemagne faisaient passer au second rang leurs revendications sur les fiefs français. Richard s'était fait couronner à Aix-la-Chapelle le 17 mai 1257 ; Alphonse n'avait pas quitté l'Espagne. Il ne semble pas que le roi de France ait gardé longtemps une attitude hostile à l'égard de son beau-frère, le nouveau roi des Romains. Le renversement de la politique capétienne à l'égard des Plantagenêts faisait, au contraire, de celui-ci un garant de la paix sur la frontière orientale du royaume, sans que le roi de France eût à se préoccuper d'opposer une véritable barrière à ses entreprises éventuelles : les démarches diplomatiques de 1257-1259, dont Mathieu Paris fait état, sont restées très discrètes et n'ont pas eu de suite. Jusqu'à la mort de saint Louis, le maître de la partie septentrionale de l'Empire demeura pour la royauté française un voisin de tout repos.

LES ARBITRAGES DU ROI DE FRANCE

En ramenant la paix dans les comtés de Flandre et de Hainaut, saint Louis avait sans doute en vue la paix de son propre royaume ; et, s'il avait été choisi comme arbitre par les parties en présence, c'était à la suite d'une initiative de sa part. Il ne pouvait en effet laisser aller à l'aventure l'un des principaux fiefs du royaume de France ; la querelle qui portait sur le Hainaut, terre d'Empire, menaçait tout autant la Flandre, qui était au premier chef un fief français.

Mais ce qui a donné tout son relief à l'action pacificatrice du roi, c'est que, très tôt après son retour de croisade, on prit l'habitude de faire appel à lui pour mettre fin à des guerres ou à des conflits qui ne concernaient pas le royaume, ou qui ne mettaient celui-ci en cause que de façon indirecte. Sans doute, après 1256, l'effacement du pouvoir impérial en Allemagne, en Lorraine et dans le royaume d'Arles donnait-elle à l'arbitrage d'un souverain étranger un caractère de nécessité ; sans doute aussi les papes, et tout spécialement Clément IV qui avait été son collaborateur, recommandèrent-ils de façon pressante son intervention dans des affaires difficiles. Il reste que l'Occident chrétien, entre 1254 et 1270, regardait le roi de France comme celui qui était le plus apte à rétablir la concorde et à concilier la justice avec la modération. Difficile équilibre où, précisément, saint Louis a donné toute sa mesure.

Joinville nous a raconté comment le roi intervint dans la querelle qui s'amorçait, peu après son retour, entre les héritiers de Thibaud IV de Champagne. Celui-ci était mort en 1253, laissant une fille née de son mariage avec Agnès de Beaujeu, Blanche, et deux fils et deux filles de son troisième mariage avec Marguerite de Bourbon. L'aînée de ses enfants avait épousé en 1236 Jean le Roux, futur comte de Bretagne, ce qui avait à l'époque provoqué un conflit avec le roi. A cette date, Thibaud IV avait promis de laisser le royaume de Navarre au jeune ménage. Mais, à sa mort, c'est le fils aîné de Marguerite, Thibaud V, qui se mit en possession du royaume. La comtesse de Bretagne ayant demandé au roi de la recevoir à l'hommage pour ses terres de Champagne, et Thibaud V sollicitant la main d'une des filles du roi de France, Isabelle, saint Louis profita de ce que les deux grands barons étaient présents au Parlement de la Toussaint 1254 pour repousser la demande de Thibaud jusqu'à ce que ce dernier et sa sœur se fussent accordés. Joinville, qui était là aussi et dont on avait

pu constater en quelle faveur le roi le tenait, intercéda pour
son seigneur : Louis lui répondit qu'il ne tenait pas à ce que
l'on pût dire « qu'il mariait ses enfants en déshéritant ses
barons », autrement dit qu'il ne pouvait pas faire de sa fille
une reine de Navarre si les droits de Jean le Roux et de sa
femme n'étaient pas d'abord éclaircis. Les Champenois com-
prirent, et un accord fut très rapidement conclu, la comtesse
Marguerite et son fils constituant une rente de trois mille
livres au profit de Blanche, qui devait la tenir en fief de son
demi-frère. C'est alors que le roi consentit à donner sa fille au
roi de Navarre.

Le dit de Péronne venait d'être prononcé quand le roi
s'attaqua à une autre affaire : celle qui opposait Charles
d'Anjou à sa belle-mère, Béatrix de Savoie, veuve du comte
Raymond-Béranger de Provence. Celle-ci, qui vivait alors à la
cour de France, était en conflit ouvert avec son gendre pour
de nombreuses raisons. Charles avait refusé de s'associer à la
proscription générale des Astesans lorsque ceux-ci avaient
détenu prisonnier le frère de Béatrix, Thomas de Savoie. Ses
officiers avaient harcelé la comtesse douairière, qui avait
recueilli dans son comté de Forcalquier les adversaires du
gouvernement de Charles en Provence. Charles revendiquait
quatre châteaux que son beau-père Raymond-Béranger avait
donnés en gage au roi d'Angleterre en 1243, moyennant une
somme de 4 000 marcs d'argent. Le roi de France parvint à
amener sa belle-mère à renoncer au comté de Forcalquier et à
ses dépendances moyennant une rente annuelle et une
somme de cinq mille livres tournois, qu'elle exigeait de recevoir du trésor royal ; à libérer les Astesans captifs, et à obtenir
du roi d'Angleterre le dégagement des quatre châteaux,
moyennant les 4 000 marcs que Charles devait lui payer. Le
comte d'Anjou, de son côté, accordait une amnistie totale à
tous les partisans de Béatrix (novembre 1256-janvier 1257).

L'affaire de Provence traînait depuis longtemps et empoisonnait l'atmosphère du comté. Le traité, juré en présence du
roi de France, ne libérait pas seulement Charles d'Anjou de
la redoutable enclave que formaient jusque-là Forcalquier et
les quatre forteresses du roi d'Angleterre dans son comté ; il

enlevait aux rebelles provençaux un point d'appui et le soutien de la comtesse douairière. Celle-ci allait désormais vivre
à l'hôtel de Nesle, près de sa fille la reine de France, débarrassée de ses différends avec Charles ; Louis pouvait se félici-
ter d'avoir ramené la concorde dans sa famille. Charles
d'Anjou, une fois de plus, en profitait.

La Bourgogne d'outre-Saône, qu'on n'appelait pas encore
Franche-Comté, était elle aussi un foyer de conflits et de
guerres. En 1236, le puissant comte Jean de Chalon avait
obtenu pour son fils Hugues la main d'Alix, fille du duc de
Méranie Otton III, qui détenait le titre de comte palatin de
Bourgogne. En 1248, peu avant d'être assassiné, Otton III désignait Alix pour héritière du comté de Bourgogne, du fait
qu'elle était la seule de ses cinq filles à parler la langue du
pays. Cette décision, cependant, n'était pas acceptée par
Guillaume de Hollande qui, agissant en qualité de roi des
Romains, conférait l'investiture du comté à une autre sœur, la
femme du burgrave de Nuremberg.

Or Jean de Chalon s'était remarié avec Isabelle de Courtenay, qui lui avait donné un fils. Et, profitant du passage de
Guillaume qui revenait de Lyon, en 1251, il obtint que le roi
des Romains érigeât en fief d'Empire sa seigneurie de Salins,
qu'il destinait à cet enfant, et qu'il lui concédât les droits
impériaux à Lausanne et à Besançon. Il rachetait, toujours
au profit de son fils du second lit, les droits du burgrave
de Nuremberg. Et, en 1252, il faisait hommage au duc
Hugues IV de Bourgogne de tout un ensemble de fiefs : la
manœuvre était évidemment dirigée contre Hugues de Chalon et, ponctuée de brèves réconciliations, la guerre avait
éclaté entre le père et le fils dès 1251. Elle prenait en 1255 un
caractère de grande sauvagerie ; des seigneurs bourguignons
et champenois s'engageaient aux côtés de l'un ou de l'autre.

Nous ne savons pas si Joinville, qui était neveu de Jean de
Chalon, eut l'occasion d'en parler au roi. Mais saint Louis
s'entremit, envoya, à ses frais, des membres de son conseil
aux belligérants, et parvint en 1256 à ramener la paix, Jean de
Chalon renonçant à faire de son fils puîné un anti-comte ;
des conventions matrimoniales complétaient l'accord.

Mais ce conflit avait amené les moines de Luxeuil, pour échapper aux exactions des deux parties, à rechercher un protecteur ; ils s'étaient placés sous la garde de Thibaud V de Champagne. Cette fois Jean et Hugues de Chalon, réconciliés, s'élevèrent contre le traité de pariage qui avait été conclu le 26 juillet 1258 ; ils trouvèrent des alliés, le comte Thibaut de Bar-le-Duc et le sire de Choiseul (ce dernier venait d'être condamné par le Parlement royal pour une affaire similaire, du fait qu'il avait molesté les moines de Molesme qui avaient eux aussi appelé Thibaud V pour les protéger). Une guerre éclata, les Comtois s'emparèrent de Luxeuil ; le roi de Navarre ne put prendre Gray, et Louis IX proposa à nouveau sa médiation. Son maître queux, Gervais d'Escrennes, obtint des belligérants la désignation d'un arbitre, Eudes, fils du duc Hugues IV et comte de Nevers, qui enquêta sur le ressort de Luxeuil. La paix revint, sans d'ailleurs, semble-t-il, que l'affaire eût été réglée au fond : la guerre devait reprendre en 1266.

Un peu après, un nouveau conflit surgissait, cette fois à Besançon, entre les habitants, formés en commune et soutenus par les barons voisins, et l'archevêque, seigneur de la ville. Le pape Alexandre IV implora l'aide du roi de France, du roi de Navarre et du duc de Bourgogne ; c'est saint Louis qui chargea l'abbé de Cîteaux, en 1259, de négocier un accommodement entre les Chalon et l'archevêque ; Jean et Hugues de Chalon acceptèrent de cesser les hostilités et de détruire les forteresses qui bloquaient les châteaux de l'archevêque.

Ce n'est pas seulement en Bourgogne, c'est aussi en Lorraine que l'intervention du roi était sollicitée. L'affaire de Ligny-en-Barrois lui donna l'occasion de s'employer à réconcilier les princes dont les terres étaient limitrophes de celles du royaume.

Ici encore, la complexité des relations féodales, des successions seigneuriales et des liens familiaux s'enchevêtrait comme à plaisir. La terre de Ligny avait été donnée par le comte Henri II de Bar-le-Duc à sa fille Marguerite quand elle avait épousé Henri, comte de Luxembourg, en 1231, sous cer-

SAINT LOUIS

taines conditions, et en particulier moyennant la promesse
que les détenteurs de Ligny ne prêteraient hommage à aucun
seigneur autre que le comte de Bar, qui lui-même rendrait
hommage au comte de Luxembourg. Or, fidèle à la politique
qui avait permis aux comtes de Champagne de s'infiltrer
dans les pays lorrains et bourguignons par le biais des
pariages et des reprises de fiefs, Thibaud IV de Navarre avait,
moyennant finances, réussi à se faire reconnaître seigneur de
certaines terres du ressort de Ligny. En 1265, Waleran de
Luxembourg transformait cette reconnaissance en un aveu de
suzeraineté pour le château et la châtellenie de Ligny.

Il n'en fallut pas plus pour allumer la guerre. Le comte Thibaut de Bar, assisté de l'évêque et des citoyens de Metz et de
Guy de Dampierre, comte de Flandre, beau-frère de Waleran, se porta contre Ligny et s'en empara (5 juillet 1266) ; des
courses, de part et d'autre, dévastèrent le pays. Thibaut et ses
alliés rencontrèrent l'armée ennemie à Preny et la mirent en
déroute, capturant le comte de Luxembourg, Henri, et celui
de Vianden. Là-dessus Thibaud V, revenant de Navarre,
envahit le Barrois. Thibaut de Bar proposa de s'en remettre
au roi de France et à d'autres arbitres : c'était ce que
Clément IV avait déjà suggéré, le 8 novembre 1266. Le
duc de Lorraine Ferry III — qui était le neveu du comte de
Luxembourg — obtenait du roi Louis que celui-ci fît libérer
son oncle. Louis parvenait ensuite à convaincre Thibaud V,
qui entre-temps avait saccagé la terre de Choiseul, de se
retirer de la guerre ; il se faisait remettre Ligny en garde. En
octobre 1267, les divers belligérants s'engageaient, sous peine
de lourdes sanctions pécuniaires, à accepter l'arbitrage du roi.

Cette fois, la querelle passait sur le plan des écritures. De
mars à juin 1268, le roi Louis fit mener quatre informations
distinctes : sur la rivalité entre Bar et Luxembourg ; sur le
conflit entre Champagne et Bar ; entre Bar et Choiseul ; entre
le comte de Bar et son frère Renaud. Les parties soumirent
leurs mémoires. Thibaud V désigna un arbitre, son connétable Eustache de Conflans ; le comte de Bar un autre, le sire
d'Apremont. Les deux arbitres ne purent se mettre d'accord :
il avait été prévu qu'en ce cas le chambellan du roi, Pierre de

Villebéon, trancherait le débat. C'est ce qu'il fit en septembre 1268 ; mais il fallut deux ans pour régler toutes les questions accessoires !

Comme l'a remarqué Élie Berger, la sentence était assez habilement conçue pour que chaque partie y trouvât son compte, soit sur le plan de l'honneur qui devait rester sauf, soit sur le plan matériel. Au roi de Navarre, on remettait provisoirement le château de Ligny, qu'il devait ensuite inféoder au comte de Luxembourg, celui-ci le sous-inféodant à son frère Waleran. Henri de Luxembourg devait payer une indemnité, à titre de dédommagement pour la perte de suzeraineté, au comte de Bar, mais il recouvrait sa liberté et s'insérait dans la hiérarchie féodale entre Waleran et Thibaud V ; Thibaut de Bar, qui avait remporté deux succès, la prise de Ligny et la victoire de Preny, recevait quatre mille livres à titre de compensation pécuniaire. C'était toutefois Thibaud V qui, en fin de compte, gardait le ressort de Ligny, point de départ du conflit.

Pas plus dans le cas de Ligny que dans les affaires comtoises, le royaume de France n'était directement intéressé par ces conflits. Certes, les barons français y participaient dans une mesure plus ou moins grande. Mais c'était vraiment l'amour de la paix qui faisait agir le roi, car, en aucun de ces arbitrages, la couronne de France ne recevait quelque profit autre qu'indirect. Joinville, qui cite les interventions royales dans les querelles des Chalon, de Luxeuil et dans la guerre de Ligny, nous dit que « les Bourguignons et les Lorrains qu'il avait apaisés l'aimaient tant et lui obéissaient si bien que je les vis venir plaider des procès qu'ils avaient entre eux pardevant le roi, en sa cour, à Reims, à Paris et à Orléans ».

La dernière grande affaire, elle aussi extérieure au royaume, bien qu'elle eût ses répercussions à l'intérieur de ses frontières, fut celle de Lyon. Le siège archiépiscopal de cette ville devint vacant lorsque l'archevêque Philippe de Savoie, qui n'avait jamais été consacré, quitta sa dignité pour rentrer dans le siècle, en 1267. Privés de leur archevêque, les chanoines du chapitre cathédral et les citoyens de la ville entrèrent en lutte, au point que les seconds envahirent la

SAINT LOUIS

cathédrale et le cloître des chanoines, obligeant ceux-ci à se réfugier au cloître de Saint-Just, qu'ils fortifièrent tandis que leurs adversaires construisaient eux aussi des fortifications. Le comte de Forez vint à l'aide des chanoines ; le sénéchal de Lyon, des citoyens. Enfin, en 1269 les deux partis firent trêve et s'en remirent à l'évêque d'Autun, qui avait le privilège d'administrer le siège archiépiscopal quand celui-ci était vacant, et qui avait excommunié les adversaires du chapitre. On décida de s'en remettre à l'arbitrage du roi et du légat du pape : celui-ci désigna l'abbé de Cluny, le roi envoya Jean d'Escrennes et le bailli de Bourges, auxquelles les pièces des deux parties furent remises le 22 janvier 1270.

La sentence arbitrale fut rendue le mois suivant. Elle ordonnait le rétablissement de la paix, la libération des prisonniers, la restitution des maisons canoniales aux chanoines et la destruction des fortifications édifiées pendant le conflit, aussi bien que la levée des sanctions canoniques prononcées par l'évêque d'Autun. Quant aux questions de détail, elles devaient être réglées par deux prud'hommes désignés de concert.

Seulement, dans les mois qui suivirent, le roi partait pour Tunis où il devait mourir. Son prestige n'étant plus là pour imposer la paix aux adversaires, ceux-ci reprirent la lutte, qu'il fallut une nouvelle intervention de Philippe III pour apaiser définitivement.

C'est tout au long de la frontière du royaume, depuis la Flandre jusqu'à la Provence, que les arbitrages royaux avaient été sollicités, soit par les adversaires, soit par les papes, soit par des tiers. Il est certain que ces arbitrages ont contribué au rayonnement de la monarchie capétienne dans ces zones où l'action impériale, généralement discrète, avait été particulièrement oblitérée du fait des crises qui avaient marqué les dernières années de Frédéric II, le règne de Conrad IV, celui de Guillaume de Hollande (Richard de Cornouailles assez peu compté). Toutefois, lorsque l'autorité des rois des Romains va se trouver rétablie, on reverra leurs envoyés, leurs troupes et les vicaires d'Empire dans cette frange de territoires : on ne saurait donc dire que, par son action pacificatrice, Louis IX ait préparé la réunion de ces terres au royaume capétien.

Le roi est intervenu par ses hommes de confiance, les Pierre de Villebéon, les Gervais et Jean d'Escrennes, d'autres encore, ces gens « de son conseil » qu'il envoyait « à ses frais », comme le souligne Joinville. Les modalités de ses arbitrages évoquent donc celles qui présidaient aux jugements qu'il rendait dans les « plaids de la porte ». Il est à remarquer avec quel souci de concilier les parties sans faire pièce à la justice le roi intervient ici aussi. Les propos que lui prête le sénéchal de Champagne, quand il voulait mettre les plaignants « en voie droite et raisonnable », en les poussant à accepter des compromis entre leurs exigences et les offres de leurs adversaires, pourraient tout aussi bien s'appliquer aux négociations par lesquelles saint Louis a cherché, et réussi, à réconcilier des adversaires et à mettre fin aux guerres qui dévastaient les confins de son royaume. La recherche de la paix, par la réalisation d'une justice très concrète, respectueuse des principes, mais consciente de la difficulté de donner pleinement tort ou raison aux uns ou aux autres, laisse une étonnante impression de mesure et de réalisme, dans un domaine où le roi de France ne pouvait pas imposer, mais devait convaincre.

La paix avec l'Angleterre et avec l'Aragon

S'il s'efforçait de ramener la paix entre les autres, le roi de France ne pouvait négliger ses propres querelles, et avant tout les deux grands conflits qui, depuis le temps de son grand-père et de son père, opposaient le royaume de France à deux autres états, ses voisins : l'Angleterre et l'Aragon.

La question des territoires enlevés par Philippe Auguste et par Louis VIII aux Plantagenêts empoisonnait, depuis l'avènement d'Henri III, les relations entre les deux dynasties. Les deux parties avaient des arguments aussi valables à faire valoir à l'appui de leurs droits : du côté français, on invo-

quait la sentence de la cour des pairs qui avait privé Jean
sans Terre de ses fiefs français, sentence dont le roi d'Angleterre avait reconnu la légitimité au lendemain de sa défaite à
la Roche-aux-Moines, le 18 septembre 1214, par le traité de
Chinon, en renonçant à l'héritage d'Henri II Plantagenêt et à
la suzeraineté de la Bretagne. Du côté anglais, on s'appuyait
sur le traité de Londres, de 1217, par lequel Louis VIII s'était
engagé à restituer à Henri III tous les territoires qui avaient
été enlevés à son père. A cela, les Français répondaient que le
même traité avait stipulé que les sujets du roi d'Angleterre
qui s'étaient ralliés à Louis lors de son débarquement dans
l'île bénéficieraient d'une amnistie, et que cette clause avait
été violée, frappant par là tout le traité de nullité. Quarante
ans d'hostilités sporadiques n'avaient pas fait avancer la solution de la question de droit, et les troubadours ne se gênaient
pas pour laisser entendre qu'Henri III manquait de vigueur
pour faire valoir sa cause. L'un d'eux, en 1261, chantait ceci :

> « Du roi anglais, je ne veux dire ni bien ni mal,
> Ni à d'autres que je pourrais reprendre,
> Car un jour, nous les verrons peut-être s'enhardir
> A réclamer ses fiefs, qu'on ne veut pas leur rendre. »

Dans la réalité, Henri n'avait pas cessé de rappeler ses
revendications, bien que ses tentatives pour les faire aboutir
se soient soldées par de coûteux échecs. Pendant la croisade,
il s'était abstenu de conclure des trêves durables avec le roi
de France, espérant profiter éventuellement de circonstances
favorables. Celles-ci ne s'étaient pas présentées, et les difficultés que le Plantagenêt avait rencontrées du côté de ses
barons de Gascogne, aussi bien les revendications du roi de
Castille sur l'Aquitaine, l'avaient paralysé. Ce n'est qu'en
1254 qu'il avait pu conclure une alliance matrimoniale avec
la Castille et triompher des rebelles gascons. Entre-temps, il
s'était croisé, promettant au pape de partir en Terre sainte en
juin 1256 ; il avait ainsi obtenu le droit de lever une décime
sur le clergé de son royaume ; mais une partie de l'opinion
anglaise, celle dont Mathieu Paris est l'interprète, le soupçon-

nait de n'avoir pas l'intention d'utiliser cet argent pour sa croisade.

En fait, la rébellion gasconne avait obligé Henri III à se rendre à Bordeaux et à y séjourner en 1253 et 1254. Et, pendant qu'il s'y trouvait, le pape Innocent IV le fit approcher par ses envoyés pour lui proposer l'octroi de la couronne de Sicile, dont il entendait priver Conrad IV de Hohenstaufen, pour son second fils Edmond. Henri, très intéressé par cette perspective alléchante, paraît dès lors avoir subordonné toute sa politique à l'espoir de placer son fils sur le trône sicilien ; son zèle, déjà bien tiède, pour la récupération de ses fiefs français n'en fut pas réchauffé.

Les affaires de Guyenne réglées, Henri se proposa de rentrer en Angleterre ; mais, comme saint Louis venait de revenir d'Orient, et se rappelant sans doute l'excellent accueil que le roi de France et sa mère avaient réservé quelques années plus tôt à Richard de Cornouailles, alors croisé, il demanda à Louis IX de l'autoriser à traverser le royaume de France, d'autant plus qu'il désirait visiter l'abbaye de Fontevrault où reposaient ses ancêtres, et celle de Pontigny où on vénérait les reliques d'un prélat anglais, saint Edmond, pour lequel il avait une dévotion particulière. Le roi plantagenêt, véritable connaisseur en matière artistique, souhaitait peut-être aussi contempler la cathédrale de Chartres où Louis vint à sa rencontre.

Ce voyage était-il uniquement dicté par des motifs de piété ? On peut en douter. Henri III avait pour femme Aliénor de Provence, sœur de la reine de France ; et, depuis la disparition de Blanche de Castille, Marguerite de Provence prenait davantage d'influence sur son mari. Les deux sœurs étaient très liées, et la perspective d'une réunion de famille n'avait sans doute pas été étrangère à l'accueil favorable que saint Louis avait réservé à la demande de son beau-frère : Béatrix, femme de Charles d'Anjou, et Sanche, femme de Richard de Cornouailles, se retrouvèrent, elles aussi, avec leurs sœurs à Paris, à la Noël 1254.

Le roi Louis semble avoir éprouvé de la sympathie pour Henri III. Il tint à l'accompagner en personne lorsqu'il quitta

Paris pour Boulogne-sur-Mer. Et, quelques mois plus tard, il lui envoyait l'éléphant qu'il avait lui-même reçu en présent du sultan d'Égypte : cet animal, le premier sans doute qu'on ait vu en Angleterre, suscita l'admiration au point que, dans un manuscrit de Mathieu Paris conservé à Cambridge, on trouve l'image de ce pachyderme, accompagné de son conducteur, Henri de Flor, qui est là, nous dit le dessinateur, pour donner l'échelle...

Avait-on mis à profit cette rencontre amicale pour discuter les questions en litige ? Mathieu Paris nous affirme que le roi de France avait pris conscience de ce qu'il détenait des biens mal acquis et qu'il cherchait à les restituer à Henri III. On peut en douter. Mais il est certain que, lorsque Simon de Montfort vint de la part du Plantagenêt, en juin 1255, pour solliciter le renouvellement des trêves, Louis l'accorda sans difficulté. Par contre, lorsque le roi Louis négocia le mariage de son fils aîné, Louis, avec la fille d'Alphonse X de Castille, en novembre 1255, ne cherchait-il pas à prendre une assurance contre une éventuelle collusion anglo-castillane, telle que pouvait la laisser entrevoir le mariage du prince Édouard avec la sœur du même Alphonse ? En tout cas, deux ans plus tard, l'entente des rois de France et de Castille se manifeste lorsque les princes électeurs hésitent sur le choix d'un roi des Romains : les Français sont parmi ceux qui poussent à l'élection d'Alphonse de Castille pour faire pièce au frère du roi d'Angleterre, et le roi de Castille accepte d'être appelé à la couronne.

L'élection du frère de Henri III au trône impérial parut en effet à beaucoup un échec pour la politique du roi de France, et, plus encore, pour celle de son frère Charles d'Anjou. Richard de Cornouailles n'était-il pas l'époux de la troisième fille de Raymond-Béranger de Provence ? Le troubadour Raymond de Tors s'exprimait ainsi :

> « Il est juste que je chante et parle,
> Car de Vienne et d'Arles
> Veut être roi sire Richard ;
> Dont a peine le roi, pour Charles,

Et grand plaisir sire Édouard,
Qui n'est ni lâche, ni couard.

Et peut-être qu'à notre comte
De Provence, il demandera des comptes
Celui qui se couronnera du Long Clou ;
Mais déjà je ne compte pas les coups
Que, bien ajustés ou portés à faux,
Ils porteront, forts ou mous. »

L'allusion à la couronne de fer des rois lombards (qui passait pour avoir été faite d'un des clous du Christ en croix) rappelle en effet que le roi des Romains avait vocation à être appelé à porter la couronne impériale, et à régner en Italie. Mais le principal souci du frère du roi d'Angleterre n'était pas, semble-t-il, de profiter de sa situation nouvelle pour faire valoir ses droits à l'héritage provençal : pour Henri III comme pour le pape, sa présence sur le trône des empereurs était un atout dans la vaste opération envisagée contre les Hohenstaufen et dont le grand bénéficiaire devait être Edmond, appelé à la couronne de Sicile. En tout cas, avant même que Richard et sa femme Sanche eussent été couronnés roi et reine des Romains à Aix-la-Chapelle, le 17 mai 1257, l'évêque élu de Winchester, Aymar de la Marche, un des demi-frères du roi d'Angleterre et du nouveau roi, avait été envoyé à saint Louis, sans doute pour lui porter des assurances sur les intentions des Plantagenêts. En ce qui concerne l'élection impériale, Louis fut sans doute assez rassuré pour n'apporter qu'un appui très platonique aux prétentions d'Alphonse X de Castille, dont l'élection au trône de roi des Romains avait eu lieu un mois plus tôt : il savait donc que l'élection de Richard ne représentait une menace ni pour son propre royaume, ni pour la Provence de Charles d'Anjou.

Mais l'évêque de Winchester lui avait sans doute aussi fait part des intentions que le roi Henri avait exprimées, en ce même mois de mai, au pape Alexandre IV : substituer au renouvellement périodique des trêves avec la France un véritable traité de paix. En septembre, une grande ambassade partait pour Paris : deux évêques, l'abbé de Westminster et trois barons de haut rang (Simon de Montfort, Pierre de Savoie et Hugues Bigot) allaient porter au roi de France ce qui apparaît comme une nouvelle invitation à lui rendre ses fiefs français — la Normandie, l'Anjou, le Maine, la Saintonge, et, à son frère Richard, le Poitou. Ils rappelaient au Capétien l'argumentation du Plantagenêt : si la confiscation des possessions de Jean sans Terre avait pu être justifiée par les fautes qu'il avait commises, il était injuste d'en avoir privé ses fils, innocents de ces fautes. Saint Louis répondait en renvoyant l'affaire au Parlement qui devait se tenir à la mi-carême suivante, et l'abbé de Westminster restait à Paris pour suivre le procès.

En fait, cette démarche ouvrait la voie à des négociations qui se poursuivirent tout au long de l'hiver 1257-1258. La reine Marguerite, qui paraît dans la suite avoir été en correspondance suivie avec sa sœur Aliénor, poussait au rapprochement des deux beaux-frères. Henri III, tout à ses projets siciliens, se heurtait en Angleterre à des difficultés croissantes, ses barons et les églises se montrant peu disposés à financer son entreprise. Le 8 mai 1258, Henri donnait pouvoir à Simon de Montfort, à Hugues Bigot, à Pierre de Savoie et à deux de ses demi-frères pour traiter avec le roi de France.

C'est ainsi que l'on aboutit au fameux traité de Paris, conclu le 28 mai 1258. Il mettait fin aux revendications anglaises sur la Normandie, l'Anjou, la Touraine, le Maine et le Poitou, auxquels Henri III renonçait expressément. Il réglait la question des biens provenant de l'héritage de la mère de Raymond VII de Toulouse, fille d'Henri II d'Angleterre, en Agenais et en Quercy (en prévoyant une enquête sur le Quercy, dont on connaissait mal le statut) : il était prévu que le roi d'Angleterre recouvrerait ces terres si la comtesse Jeanne, épouse d'Alphonse de Poitiers, mourait sans enfants. Mais, en attendant, Louis IX promettait de verser chaque année au roi d'Angleterre l'équivalent du revenu de l'Agenais, soit 3 720 livres. En compensation de sa renonciation, Henri III obtenait une somme correspondant à l'entretien, pendant deux années, de cinq cents chevaliers, somme qu'il promettait de n'employer qu'au service de Dieu, de l'Église ou au profit du royaume d'Angleterre : il s'agissait de 134 000 livres, que le roi se procura en imposant une taille à ses sujets ; les villes furent lourdement taxées, comme nous l'avons vu.

Le roi de France donnait à son beau-frère tous ses domaines dans les diocèses de Limoges, Cahors et Périgueux ; il lui promettait, après la mort d'Alphonse de Poitiers, la partie de la Saintonge située au sud de la Charente. Toutefois, il réservait à la couronne de France les terres tenues par les évêques de Limoges, de Cahors et de Périgueux, ainsi que les fiefs que Charles d'Anjou et Alphonse de Poitiers tenaient de lui. Quant aux autres fiefs, ils étaient cédés en principe au roi d'Angleterre, mais sous réserve de l'acceptation de leurs détenteurs. Ceux-ci optèrent en grande partie pour la mouvance capétienne : le Plantagenêt récupérait essentiellement l'hommage du comte de Périgord, des vicomtes de Limoges, de Turenne et de Ventadour. Et le roi de France conservait le droit de maintenir son sénéchal en Périgord, avec la possibilité de construire des villes neuves à la faveur de pariages passés avec les églises. Les Capétiens devaient user largement de cette possibilité, en opposant les villes neuves françaises aux bastides anglaises, durant les décennies qui suivirent.

Cet abandon de territoires et de droits de fiefs a été sévèrement jugé par les historiens : le roi d'Angleterre récupérait en effet une assez vaste mouvance dans le Massif central, même si la royauté française y maintenait une emprise non négligeable. Mais, aux yeux du roi de France, aucun des droits de la couronne n'avait été abandonné (on devait voir, en 1267, les habitants de Brive prêter serment au roi ; c'est celui-ci qui jugea la succession à la vicomté de Turenne) ; il ne s'agissait que d'une inféodation.

L'autre partie du traité portait sur la rentrée de Bordeaux, de Bayonne, de la Gascogne, dans la mouvance française. Henri III se reconnaissait vassal de saint Louis pour tout ce qu'il possédait sur le continent, le roi de France jouissant dès lors dans tous ces territoires des mêmes droits que ceux qu'il exerçait dans les terres de ses grands vassaux. Le duc de

Guyenne redevenait l'un des pairs de France (et le roi passait l'éponge sur ce qu'il n'avait pas rendu ses devoirs de fief pendant un demi-siècle) ; le roi de France pouvait recevoir les appels venant de Guyenne et les faire juger par son Parlement, ses officiers pouvaient à nouveau instrumenter dans le ressort du duché et de ses dépendances (l'un d'eux allait en 1269 saisir des revenus appartenant au roi d'Angleterre à Bordeaux même).

L'accord suscita de très vives réactions des deux côtés de la Manche ; les barons anglais reprochaient à leur roi d'avoir abandonné des droits pour le recouvrement desquels l'Angleterre avait consenti de tels sacrifices. Du côté français, Joinville nous rapporte les objections des conseillers du roi : « Sire, nous nous émerveillons beaucoup... que vous vouliez donner au roi d'Angleterre une si grande partie de votre terre, que vous et vos devanciers aviez conquise sur lui à cause de sa forfaiture. D'où il nous semble que, si vous croyez que vous n'y aviez pas droit, vous ne faites pas une bonne restitution au roi d'Angleterre, puisque vous ne lui rendez pas tout... ; et si vous croyez que vous y aviez droit, il nous semble que vous perdez tout ce que vous lui rendez. » Nous retrouvons ici exactement la même conception que celle qui présidait aux arbitrages du roi : un compromis, qui passait outre aux strictes exigences du droit, lorsque les arguments des deux parties se révélaient d'égale force, heurtait la notion, familière aux esprits médiévaux, d'un droit intangible.

Mais la réponse du roi est non moins nette : « Seigneurs, je suis assuré que les devanciers du roi d'Angleterre ont tout à fait justement perdu ce que je tiens par droit de conquête. Et la terre que je lui donne, je ne la donne pas comme quelque chose dont je serais tenu envers lui et ses héritiers, mais pour mettre amour entre mes enfants et les siens, qui sont cousins germains. Et il me semble que j'emploie bien ce que je lui donne, puisqu'il n'était pas mon homme et que, par là, il entre en mon hommage. » Les deux perspectives se complètent : l'accord de 1258 rétablissait la paix entre deux dynasties étroitement apparentées ; et la souveraineté du roi de France était rétablie sur tout le territoire du royaume alors que, depuis le temps de Philippe-Auguste, elle n'était plus reconnue dans les terres des Plantagenêts. Dans une France féodale, le retour du roi d'Angleterre à la vassalité du roi de France était un succès indéniable, même s'il était payé d'un accroissement de fief (les terres du Massif central) et d'une indemnité qui était, d'ailleurs, inférieure à celle que Charles d'Anjou avait obtenue pour sa renonciation au Hainaut.

La rentrée de la Guyenne dans la mouvance capétienne allait se manifester de façon visible dès l'année suivante. Il fallut plusieurs mois à Henri III pour convaincre ses barons d'accepter le traité et pour obtenir l'accord de ceux qui pouvaient revendiquer, comme lui, l'héritage de Jean sans Terre : ses propres fils, son frère Richard de Cornouailles et son fils, sa sœur, la comtesse de Leicester. Si Richard renonça dès le 20 juin à tous ses droits, sauf ceux qu'il tenait de sa mère sur le comté d'Angoulême, la comtesse fit de grandes difficultés. Cependant Henri III passait la Manche et Louis se portait au-devant de son beau-frère. La rencontre entre les deux rois, auxquels s'étaient joints Richard de Cornouailles et Simon de Montfort, eut lieu à Abbeville, où l'on échangea les ratifications, et où le comte de Leicester fit, pour sa part, acte de renonciation au Languedoc et au comté d'Évreux, qui avaient appartenu à la famille de Montfort.

Le 4 décembre 1259, à Paris, dans le jardin du Palais, et en présence de nombreux barons, Henri III, genou à terre, plaçait ses mains dans celles de saint Louis et lui prêtait hommage. La réconciliation des deux maisons était ainsi scellée, et la première manifestation en fut le mariage conclu entre le fils du comte de Bretagne, le futur Jean II, et la fille du roi d'Angleterre, assorti de la promesse de la restitution du comté de Richmond au nouveau gendre de Henri III. Et, au moment où ce dernier repartait pour l'Angleterre, dans les premiers jours de 1260, saint Louis perdait son fils aîné, Louis de France. Henri revint sur ses pas pour assister aux obsèques du jeune homme, portant lui-même la civière sur laquelle reposait le corps.

Cette réconciliation, succédant à la longue période d'hostilité entre les Capétiens et les Plantagenêts qui avait com-

mencé avec les premières entreprises de Henri II sur le Toulousain, en 1159, allait être durable. Ce n'est qu'en 1293, lorsque Philippe le Bel prit fait et cause pour les Rochelais dans
une querelle entre marins, que les deux dynasties se retrouvèrent, et pour peu de temps, en conflit. Le réalisme du roi de
France et sa volonté de pacification n'avaient donc pas été en
défaut.

Une autre hypothèque pesait dès le début du règne, et déjà
auparavant, sur les relations du royaume de France avec ses
voisins : c'était l'ensemble des litiges qui opposaient les
Capétiens à Jacques Iᵉʳ d'Aragon. Du côté français, on était
sensible à ce que la vieille marche d'Espagne fondée par les
Carolingiens, et qui était restée une partie du royaume capétien, eût pratiquement rompu ses liens avec la couronne
depuis la fin du XIIᵉ siècle. On a beaucoup insisté sur ce
qu'un concile réuni à Tarragone en 1180 avait prescrit de
substituer pour la datation des actes écrits l'année de l'ère
chrétienne à celle du règne des rois de France, qui avait été
jusque-là en usage dans les comtés de Barcelone, de Roussillon, de Cerdagne, de Conflent, de Besalù, d'Ampurdan,
d'Urgel, de Gérone et d'Osona. La décision du concile ne fut
pas appliquée immédiatement partout, et elle n'était sans
doute pas uniquement dictée par la volonté d'affirmer une
indépendance. Mais il est certain que lorsque les comtes de
Barcelone étaient devenus rois d'Aragon, en 1162, ils avaient
cessé de faire hommage aux rois de France.

D'un autre côté, comtes de Barcelone et rois d'Aragon
n'avaient pas cessé, depuis la fin du XIᵉ siècle, d'étendre leur
influence à l'intérieur du royaume capétien. Les comtes de
Barcelone, prétendant à la suzeraineté sur la vicomté de Carcassonne, se faisaient prêter hommage au titre de celle-ci par
les Trencavel. Bertrand de Saint-Gilles, pour s'assurer
l'alliance de son voisin méridional, se serait avoué son vassal
au début du XIIᵉ siècle : de ce fait, les rois d'Aragon se regardaient comme suzerains de tous les domaines de la maison de
Saint-Gilles, y compris le comté de Foix. Le mariage de
Douce de Carlat avec Raymond-Béranger III avait fait passer
dans la mouvance et dans le domaine des comtes de Pro-

vence, dont la maison d'Aragon avait hérité, le Gévaudan, Carlat et Millau, donc toute une partie du Massif central.

Tous ces droits avaient été remis en question du fait de la croisade d'Albigeois. Sans doute Simon de Montfort avait-il reconnu la suzeraineté de Pierre II d'Aragon sur Carcassonne ; mais l'intervention malheureuse du même Pierre II en faveur de Raymond VI de Toulouse avait autorisé les vainqueurs de Muret, et le roi de France, à considérer les fiefs tenus par le roi d'Aragon dans le royaume de France comme perdus définitivement par sa maison. Il s'agissait de droits de suzeraineté, mais aussi de certaines possessions domaniales, et en particulier de Millau qui avait été attribué au comte de Toulouse ; aussi les Aragonais avaient-ils un moment réoccupé la ville par la force (1237). Des envoyés de Jacques Ier étaient venus trouver Blanche de Castille et saint Louis à Saint-Benoît-sur-Loire, pour faire valoir les droits de leur maître sur Millau. A deux reprises, en 1234 et en 1240-1242, les deux royaumes avaient été sur le point d'entrer en guerre, et Jacques Ier avait arrangé au Puy, en juillet 1243, une entrevue avec Louis IX pour régler leurs différends : elle ne paraît pas avoir eu lieu. Heureusement pour le royaume de France, Jacques le Conquérant était surtout attiré par la *reconquista* et par la conquête du royaume maure de Valence.

Néanmoins la frontière aragonaise restait préoccupante. Aussi n'est-il pas surprenant que saint Louis ait fait porter de ce côté un effort particulier pour mettre en état de défense les passages des Corbières. Carcassonne, que revendiquait le roi d'Aragon, était devenue une place forte exceptionnellement puissante. Pour la couvrir, le roi avait fait occuper Peyrepertuse, en 1239-1240, Quéribus, en 1255, et d'autres châteaux qui avaient eux aussi été puissamment fortifiés. Il avait obtenu des seigneurs de certaines de ces forteresses l'autorisation d'y mettre garnison.

Mais le point le plus sensible était la situation féodale de Montpellier. La dernière héritière des Guilhem de Montpellier avait apporté la ville et la seigneurie à son époux, Pierre II d'Aragon. Cette seigneurie était tenue en fief des évêques de Maguelonne, et l'on s'était habitué à considérer que ceux-ci ne la tenaient de personne, depuis que les papes leur avaient abandonné le comté de Melgueil. Mais Jacques Ier ayant cherché à se libérer de cette suzeraineté, le prélat, sur le conseil de Guy Foulcois, s'était rappelé qu'il était vassal du roi de France pour Montpellier et pour le port de Lattes, ce qui réduisait le roi d'Aragon à n'être plus que l'arrière-vassal du roi capétien (1252). Jacques Ier avait alors riposté en rappelant ses droits sur Millau, sur le comté de Foix, sur le Gévaudan, sur le Fenouilledès. Le troubadour Bernard de Rovinhac, soufflant sur le feu, lançait un vibrant appel aux rois d'Aragon et d'Angleterre en les incitant à faire guerre au roi de France. Les infants d'Aragon avaient mené des incursions dans le pays de Carcassonne, et le sénéchal de Beaucaire interdisait le commerce des vivres avec Montpellier et avec les autres terres du roi d'Aragon.

Jacques Ier et saint Louis firent preuve de la même volonté d'apaisement : le roi aragonais calma ses plus fougueux partisans ; tous deux désignèrent en juin 1255 deux arbitres, Herbert, doyen de Bayeux, et le sacriste du chapitre de Gérone. Le 11 mars 1258, Jacques envoyait au roi de France l'évêque de Barcelone, le prieur de Corneillan et Guillaume de Roquefeuil, pour conclure la paix sur les bases arrêtées par les deux chanoines. On laissait provisoirement de côté l'affaire de Montpellier. Louis IX renonçait expressément à la suzeraineté sur la Marche d'Espagne ; Jacques Ier, à ses prétentions sur les pays de Carcassonne, de Termes, d'Agde, de Béziers, d'Albi, de Rodez, de Foix, de Narbonne, de Nîmes, de Sault, de Peyrepertuse, sur le Lauragais, le Razès, le Minervois, sur les comtés de Toulouse et de Saint-Gilles, sur le Gévaudan, Millau et Grèzes : il ne conservait en France que la vicomté de Carlat, qui était tenue en fief de lui, et on procédait à un échange territorial entre le Fenouilledès, d'une part, les comtés de Roussillon et de Besalù, de l'autre, pour régulariser la frontière. Dans l'acte de confirmation, donné un peu plus tard, Jacques Ier renonçait en outre aux droits qu'il aurait pu avoir sur l'Agenais et le Comtat Venaissin, tous deux provenant de l'héritage toulousain.

Le traité de Corbeil (11 mai 1258), ratifié à Barcelone le

16 juillet, était complété par une convention matrimoniale : le mariage d'Isabelle d'Aragon avec le second fils du roi, Philippe. Toutefois Marguerite de Provence profitait de cette circonstance pour passer en son propre nom un accord avec son cousin d'Aragon. Par le testament de son père, Raymond-Béranger V, il avait été prévu que le comté de Provence, au cas où la plus jeune fille du comte, Béatrix, mourrait sans enfants, reviendrait à sa sœur Sanche (l'épouse de Richard de Cornouailles), ou, si celle-ci mourrait également sans hoirs, à Jacques d'Aragon, ceci excluant les deux sœurs aînées, Aliénor et Marguerite elle-même. La reine de France obtenait de Jacques qu'il lui fît abandon de ses droits : elle pourrait ainsi, le cas échéant, faire valoir ses revendications sur l'héritage provençal...

Le traité de 1258 mettait donc fin à un conflit qui, s'il n'avait pas pris de grandes proportions, aurait néanmoins pu entraîner des hostilités entre les deux souverains. Il inaugurait un climat plus favorable dans les relations des deux royaumes. Quand on célébra le mariage d'Isabelle d'Aragon avec le futur Philippe III, en 1262, Jacques Ier ne fit pas de difficulté pour promettre au roi de France de ne pas soutenir les Marseillais, alors en révolte contre Charles d'Anjou, et qui cherchaient un appui du côté d'un prince dont la famille avait longtemps gouverné la Provence.

La question de Montpellier, cependant, n'était pas réglée. Un bourgeois de cette ville, en conflit avec son seigneur, fit appel au sénéchal de Beaucaire. Jacques Ier écrivit à saint Louis pour lui demander de ne pas recevoir cet appel, puisque Montpellier ne relevait pas de la couronne de France.

Malheureusement pour cette thèse, on conservait des titres, le plus ancien datant de 1155, qui reconnaissaient expressément la suzeraineté du roi de France sur Montpellier. Les envoyés du roi d'Aragon furent reçus par le roi de France, assisté d'Eudes Rigaud, archevêque de Rouen, de Simon de Nesle, de Pierre le Chambellan et de Philippe de Nemours. Louis parla haut et ferme, se refusant à abandonner ses droits sur Montpellier, même au prix d'un conflit armé (25 mai 1264). L'affaire n'alla pas plus loin.

Traité de Paris et traité de Corbeil se placent ainsi dans un
éclairage différent. La revendication anglaise avait été une
source permanente de difficultés, voire d'inquiétudes ;
la question aragonaise ne s'était traduite qu'à de longs
intervalles par des menaces de guerre ou par des démarches. Toutefois le soutien du roi d'Aragon à Trencavel ou à
Raymond VII aurait pu être aussi dangereux que celui
accordé par Henri III à Pierre Mauclerc ou à Hugues de la
Marche. Il peut apparaître, pour l'historien d'aujourd'hui,
que l'abandon d'une suzeraineté devenue toute théorique sur
les pays situés au sud des Corbières en échange de tout un
ensemble de prétentions dont certaines pouvaient sembler
fondées, notamment en ce qui concerne Carcassonne ou Millau, représentait un marché fort avantageux. Il était cependant beaucoup plus grave de renoncer aux droits de la couronne sur toute la Marche d'Espagne que de donner au roi
d'Angleterre l'investiture de certaines terres rattachées par
saint Louis lui-même, pour la plupart, au domaine royal.
C'est cependant cette investiture qui paraît avoir suscité le
plus d'émotion et de réticences dans l'entourage royal. Pour
que saint Louis, qui maintint si énergiquement ses droits sur
Montpellier, ait accepté de renoncer à l'ancienne Marche
d'Espagne, n'est-ce pas parce que les revendications arago-
naises pouvaient être grosses de danger, peut-être surtout
quand il s'avérait que l'union d'Alphonse de Poitiers et de
Jeanne de Toulouse risquait de demeurer stérile, et que le
destin du Toulousain allait être à nouveau remis en question ?

Du côté anglais, saint Louis avait fait preuve de son sens
de l'équité et de l'équilibre entre le droit et le fait ; il n'avait
rien cédé sur le principe essentiel de la souveraineté royale ; il
avait réintégré l'héritier des Plantagenêts dans le baronnage
français, au prix de quelques concessions territoriales, non
négligeables certes, mais cependant secondaires. Il avait surtout montré qu'à ses yeux la paix passait avant le maintien
obstiné de ses droits.

LA RÉVOLTE DES BARONS D'ANGLETERRE. LA MISE D'AMIENS

Au lendemain même de la réalisation de la paix avec le roi d'Angleterre, saint Louis s'est trouvé engagé dans une des négociations les plus délicates qu'il ait eu à affronter. Et on a porté sur cette négociation des jugements sévères : le « moins heureux » des arbitrages du roi ; la preuve d'une incompréhension des affaires anglaises ; la marque d'un manque d'impartialité ; un « échec ». Ces jugements ne sont pas sans fondement. Mais ils s'appliquent essentiellement à l'acte central de cette négociation, la « mise d'Amiens » qui, de fait, ne rallia pas les deux parties ayant choisi le roi de France comme arbitre. L'affaire était beaucoup plus complexe, et on comprend qu'elle ait occupé une part importante de l'activité du roi de France et de son conseil à partir de 1259.

Le royaume d'Angleterre, au milieu du XIIIe siècle, suivait une voie parallèle à celle que suivait le royaume de France. Le roi Henri III gouvernait avec l'aide d'un conseil qui comprenait de plus en plus de professionnels et de familiers du roi ; des Franciscains et des Dominicains assistaient ce dernier dans ses tâches gouvernementales ; des étrangers, Savoyards et Poitevins en particulier, étaient présents dans ce conseil comme dans la maison du roi. Les droits de la couronne étaient très régulièrement invoqués et défendus. Et l'existence des libertés dont la Grande Charte était l'expression la plus respectée n'allait pas sans quelques atténuations ; Henri III, qui devait convoquer des parlements, se passait volontiers de l'avis de ses barons, et évitait de recourir à des taxes générales qui l'auraient obligé à obtenir l'accord de ceux-ci et des prélats, toujours prêts à se coaliser contre les exigences financières de la royauté. Les légistes étaient au travail : c'est le temps de Bracton, l'auteur du *De legibus Angliae*; et Henri III avait imposé en 1257 à ses officiers, conseillers et juges le serment de ne pas accepter de présents, tout comme Louis IX l'avait imposé aux siens en 1254.

Mais cette évolution se trouvait compromise par les besoins d'argent d'un roi passionné par les arts, les constructions, les fêtes, généreux à l'excès, en particulier pour ses parents du côté maternel, les Lusignan, et pour ceux de sa femme, les Savoie, qui occupaient des postes enviés et en faisaient profiter leur clientèle. Les affaires de Poitou, de Gascogne, du pays de Galles, coûtaient cher et avaient déjà suscité des mouvements hostiles ; la politique du roi, qui tenait à se concilier la cour de Rome, amenait le monde ecclésiastique à se plaindre de l'avidité des « Romains ».

Là-dessus, en 1254, Henri avait réussi à obtenir du pape la concession à son second fils du royaume de Sicile, ce qui signifiait, aux termes d'un traité passé avec Alexandre IV en 1255, qu'il devait envoyer des troupes et une somme considérable d'argent en Sicile avant l'hiver 1256. La réaction de son clergé l'avait amené à retarder ses versements ; et c'est à l'instigation du pape qu'il avait conclu la paix avec le roi de France ; l'argent que celui-ci lui promettait devait financer sa campagne. En avril 1258, Henri convoquait ses barons et ses prélats pour leur soumettre les exigences pontificales.

C'est alors que les principaux barons avaient demandé que l'affaire de Sicile fût soumise au Parlement et qu'avant l'expédition projetée, le roi procédât à la réforme de son royaume. L'accord avait été facilement réalisé ; mais, lorsque le Parlement se réunit à Oxford, le 17 juin 1258, ce fut pour discuter un plan de réforme arrêté par les barons et prévoyant la réunion régulière du Parlement, trois fois l'an, l'élection d'un grand conseil et le choix des principaux officiers du royaume en accord avec les barons et les prélats, ainsi que diverses autres dispositions. Ces « provisions d'Oxford » furent adoptées dans l'enthousiasme.

Mais l'entourage familial du roi se divisa. Les membres du groupe des Poitevins, c'est-à-dire les demi-frères du roi, entrèrent en conflit avec le second mari de la sœur de Henri III, Simon de Montfort, comte de Leicester, qui les fit chasser du royaume. Après un certain nombre de difficultés, Simon de Montfort, devenu le principal chef du parti réformateur, fit adopter en octobre 1259 un nouveau texte, les « provisions de Westminster ».

Pendant ce temps, on négociait à Paris : Simon de Montfort s'y rendit et se montra particulièrement âpre à défendre les droits de sa femme : Aliénor d'Angleterre, en effet, avait autant de prétentions à faire valoir sur l'héritage de Jean sans Terre que ses frères Henri III et Richard, et elle parvint à faire bloquer au Temple de Paris une part de la somme promise par saint Louis, pour s'assurer qu'elle ne serait pas frustrée de sa part. Il semble que ce marchandage ait exaspéré le roi d'Angleterre, très inquiet d'autre part du rapprochement intervenu entre Simon et son propre fils, le futur Édouard Ier. Retenu en France par la mort du prince Louis, le mariage de sa fille avec Jean de Bretagne et une maladie, il demanda à saint Louis d'empêcher les barons anglais de faire passer des troupes du continent en Angleterre, et il se fit verser une avance, qui lui permit de rentrer dans son royaume à la tête d'une petite armée, et de ramener son fils à l'obéissance.

Louis IX, cependant, se préoccupait du conflit naissant entre son beau-frère et le comte de Leicester. Et Marguerite de Provence, qui entretenait une correspondance personnelle avec Henri III, agissait dans le même sens. C'est pour le compte du roi de France qu'on voit apparaître en Angleterre l'archevêque de Rouen Eudes Rigaud et le chevalier Jean de Harcourt, en juillet 1260 : Eudes obtint qu'au lieu de faire comparaître Simon en jugement, le roi Plantagenêt désignât une commission pour arbitrer leur différend.

Mais Henri III, qui avait peu à peu repris le contrôle des affaires, agissait en cour de Rome où les barons n'étaient pas moins actifs. Il exposait au pape combien les Provisions d'Oxford, en limitant le pouvoir royal, représentaient une entrave à l'exercice des attributions de celui-ci. Alexandre IV, se ralliant à son point de vue, le déliait, le 14 avril 1261, de l'observation du serment qu'il avait prêté de respecter les Provisions. Le pape s'étonnait que, sous prétexte de réformer le royaume, on eût privé le roi de sa liberté d'action et affirmait que ce n'était pas aux sujets de contrôler les princes, « seigneurs des lois ». Louis IX, de son côté, assurait son beau-frère de son appui, sous forme d'envois d'argent et de troupes ; le comte de Saint-Pol passait en Angleterre avec ses chevaliers. Dans ces conditions, Henri III se sentait assez fort pour dénoncer officiellement les Provisions. Néanmoins les chefs du parti réformateur, les comtes de Warenne, de Gloucester et de Leicester, et l'ex-justicier Hugues Bigot, s'adressaient eux aussi au roi de France.

Grâce à Richard de Cornouailles, le roi et les barons se mirent d'accord, en décembre, sur un compromis. Henri, cependant, poursuivait sa querelle contre Simon de Montfort, qui s'était retiré en France, et ceci par-devant la cour du roi de France. Mais le comte de Leicester se reconstituait un parti, auquel adhérait jusqu'au fils de Richard de Cornouailles, Henri d'Allemagne. En mai 1263, les barons sommaient leur roi d'observer les Provisions et entamaient une vendetta contre ceux qui avaient abandonné leur parti ; Simon isolait Londres de la côte et occupait les ports pour empêcher la venue de renforts du continent. Le prince Édouard se jetait dans Windsor. Sa mère essayait de l'y rejoindre ; les Londoniens soulevés l'accablèrent d'outrages et l'obligèrent à rebrousser chemin. Le roi dut se remettre aux mains des barons, qui attaquèrent le château de Windsor en se réclamant de son autorité et obligèrent Édouard à l'abandonner.

Nous savons que le roi de France et la reine Marguerite furent scandalisés par cette double atteinte à la dignité royale. Néanmoins, en septembre 1263, ils reçurent à Boulogne Henri III, la reine Aliénor et Simon de Montfort, qui avaient fait la paix ; Henri acceptait à nouveau les Provisions d'Oxford. Mais de nouvelles difficultés intervinrent, et les deux parties décidèrent de s'en remettre à l'arbitrage du roi de France « sur les provisions, ordonnances, statuts et toutes obligations d'Oxford, ainsi que sur toutes les querelles et discordes que nous avons et que nous avons eues jusqu'à la dernière Toussaint à propos de ces provisions, etc. ». Le roi, le prince Édouard et les barons de leur parti, d'une part, le comte de Leicester, les évêques de Londres, de Worcester et leurs adhérents de l'autre, comptaient que Louis IX leur donnerait réponse avant la Pentecôte (13-16 décembre 1263).

Saint Louis s'était rapproché de la Manche, de façon à être plus près des uns et des autres. Il ne fit pas attendre sa décision. La « mise d'Amiens » est, en effet, du 23 janvier 1264 : le roi Henri avait comparu en personne, ainsi que plusieurs barons. Simon, qui s'était cassé la jambe en tombant de cheval, avait envoyé des procureurs ; les deux parties avaient rédigé des mémoires où ils exposaient leurs arguments respectifs ; et le roi Louis s'était entouré du conseil de barons et de prud'hommes. Voici ce qu'il concluait :

« Nous constatons qu'à cause des provisions (etc.) d'Oxford et de ce qui en est résulté, il y a eu grand dommage pour le droit et l'honneur du roi, trouble dans le royaume, oppression et pillage des églises, graves pertes pour les autres personnes du royaume, clercs ou laïcs, indigènes ou étrangers, et que l'on peut raisonnablement craindre que ce ne soit pire à l'avenir...

« Au nom du Père, du Fils et du Saint-Esprit, nous cassons et déclarons nulles les dites provisions (etc.) et tout ce qui en découle, d'autant plus qu'il apparaît que le souverain pontife les a cassées et déclarées nulles par ses lettres ; nous décidons que le roi, les barons et tous les autres qui ont donné leur accord à cet arbitrage, et qui s'étaient en quelque manière engagés à les observer, en sont entièrement libérés. »

Le roi de France ajoutait que nul ne pouvait établir de nouveaux statuts en s'appuyant sur les Provisions, que tous les documents établis en vertu de celles-ci étaient sans valeur, que les châteaux remis par le roi à ses barons à titre de garantie devaient lui être rendus.

Il affirmait le droit du roi d'Angleterre à choisir tous ses officiers aussi bien que les gens de son hôtel, et cela parmi les étrangers comme parmi ceux qui étaient nés en Angleterre, cassant les décisions qui avaient chassé les étrangers du royaume, et restaurant le roi dans la plénitude de son autorité. Il précisait cependant que sa décision n'entamait en rien les libertés et privilèges dont jouissait l'Angleterre avant

l'adoption des Provisions, et prescrivait une amnistie générale.

Il était évident que la « mise d'Amiens » donnait sur tous
les points satisfaction à Henri III. De surcroît, saint Louis et
la reine Marguerite avaient écrit au pape Urbain IV qui, à
leur requête, nommait pour légat en Angleterre le cardinal-
évêque de Sabine, qui n'était autre que l'ancien conseiller du
roi de France, Guy Foulcois, en vue de rétablir l'ordre dans
ce royaume. Mais, en attendant, Louis avait envoyé auprès de
Simon de Montfort un baron de Terre sainte qu'ils connais-
saient bien tous les deux, Jean de Valenciennes, pour essayer
de persuader le comte de Leicester et le roi de s'accorder, le
roi d'éviter de donner des charges à des étrangers, le comte
d'accepter la « mise d'Amiens ».

Cette mission de dernière chance échoua ; Simon avait
refusé d'accepter la sentence royale en arguant de ce qu'au
lieu d'un arbitrage, Louis IX avait prononcé une annulation
des Provisions. Les deux parties prirent les armes ; le 14 mai,
Simon remportait à Lewes une victoire décisive, s'emparant
de la personne du roi et de celle de Richard de Cornouailles,
et contraignant le prince Édouard et son cousin Henri à se
livrer comme otages. Les barons imposèrent au roi captif un
texte conforme aux Provisions, et Henri III l'adressa au roi
de France en lui demandant de l'accepter.

Seulement la capture du roi et de son fils n'avait pas abattu
le parti royaliste. La reine Aliénor restait libre et s'employait
à lever des mercenaires en France ; sa sœur Marguerite lui
apportait toute son aide, essayant de persuader Alphonse de
Poitiers de saisir tous les vaisseaux anglais présents dans ses
ports (et les Anglais s'approvisionnaient de sel et de vin à La
Rochelle et dans la baie de Bourgneuf) pour les mettre à la
disposition de la reine d'Angleterre — ce qu'Alphonse refusa
de faire en invoquant le droit des gens (mai 1264) — ; un peu
plus tard, elle obtenait de lui l'arrestation, à La Rochelle, de
certains Bayonnais qui avaient pris le parti des barons et
contribué à l'échec du projet de débarquement. Quand Louis
l'apprit, il les fit aussitôt libérer...

Sans doute le roi de France avait-il été sensible aux lettres angoissées que lui écrivait Henri III, telle celle du 8 juillet 1264 : « Si vous êtes assez insensibles à notre ruine et à celle de notre royaume pour autoriser la préparation en France d'une expédition destinée à libérer [les otages], vous les mettrez dans un péril qu'on ne peut apprécier. » Mais, d'autre part, il continuait à mettre son espoir dans une négociation. Il proposait la tenue d'une conférence à Boulogne pour le 8 août ; Henri III acceptait, mais en suggérant une date plus tardive ; les barons rédigeaient un nouveau texte qui prévoyait pratiquement la mise en tutelle du roi Henri et de son fils. Henri d'Allemagne faisait la navette entre Boulogne et Canterbury, où on avait amené Édouard et où Simon de Nesle et Pierre de Villebéon se rendaient à leur tour. A nouveau, on demandait au roi de France de se prêter à un arbitrage et de désigner ses arbitres. Mais, cette fois, le légat Guy Foulcois, à qui on avait interdit l'accès de l'Angleterre, y mit le holà : le 21 octobre, il lançait contre les barons rebelles une sentence d'excommunication.

Cependant les royalistes s'organisaient. Érard de Valery, un des confidents de saint Louis, prenait contact avec Édouard ; un des Lusignan, Guillaume de Valence, débarquait en Angleterre ; Édouard échappait à ses gardiens, prenait la tête d'une armée et anéantissait à Evesham celle de Simon de Montfort, lequel périssait dans la bataille (4 août 1265).

Le roi de France n'avait pu empêcher la reprise de la guerre civile, et cependant il n'avait pas épargné ses efforts. Il s'était surtout efforcé d'apaiser les différends personnels qui opposaient Simon de Montfort à Henri III, différends qui comptaient sans doute autant dans le conflit que les problèmes constitutionnels. En 1261, Simon et Henri s'étaient mis d'accord pour remettre la solution de leurs difficultés à Louis IX, ou, à défaut, à la reine Marguerite et au chambellan Pierre ; c'est ceux-ci qui acceptèrent cette mission en s'associant Hugues IV de Bourgogne. Et Richard de Cornouailles, le 9 mai 1262, invitait son frère à accepter ce qui serait proposé en France. Mais Henri préférait soulever de nouveaux griefs ; se rendant à Paris où il devait discuter avec

les gens du roi pour régler les questions restées pendantes
depuis le traité de Paris, il faisait venir un Bordelais pour
témoigner des exactions commises par Simon pendant qu'il
gouvernait la Guyenne, et il engageait un docteur orléanais
pour lui servir de conseil. Saint Louis, qui avait logé son
beau-frère à Saint-Maur-des-Fossés, essayait de réconcilier le
comte de Leicester avec lui ; Simon lui avouait même, en janvier ou février 1263, qu'il était persuadé des bonnes intentions du roi Henri, mais qu'un accord irait contre son honneur.

Néanmoins, malgré ses interventions en faveur du comte
de Leicester, la reine de France penchait certainement pour
Henri III, mari de sa sœur : c'est elle qu'Henri sollicitait pour
qu'elle intervînt auprès d'Urbain IV en vue de faire maintenir
le don de la Sicile à Edmond ; c'est à elle qu'il envoyait les
joyaux de la couronne qu'elle mettait en dépôt au Temple, en
mai 1261 ; ses envoyés allaient la trouver, en janvier 1263, et
elle leur demandait d'attendre qu'elle eût bien disposé le roi
en leur faveur ; elle demandait — en vain — à Alphonse de
Poitiers de mettre ses navires à la disposition du roi et de la
reine d'Angleterre qui étaient venus à Boulogne en septembre
1263 — en compagnie d'ailleurs du comte de Leicester. La
reine de France était certainement plus disposée que son mari
à la partialité envers Henri III.

Il n'empêche qu'après Evesham et après le siège de Kenil-
worth où les Montfortiens s'étaient enfermés, c'est en France
que se réfugièrent la comtesse de Leicester et son fils Simon.
Le pape Clément IV invita le roi de France « à préférer la justice à la compassion ». Non seulement Louis fit la sourde
oreille ; mais il s'employa à réconcilier la comtesse avec le
roi. Comme Henri III se refusait à admettre l'éventualité d'un
retour du jeune Simon en Angleterre, Louis s'efforça d'obtenir la levée de cette interdiction, sans succès d'ailleurs, malgré plusieurs démarches (1266-1268).

Il est vrai que Simon de Montfort, bien qu'il eût opté pour
le royaume d'Angleterre, restait un baron français, fort bien
apparenté dans le royaume de France. Que sa femme, la comtesse Aliénor, était la fille d'Isabelle de Lusignan, et qu'à

ce titre elle revendiquait une part du comté d'Angoulême. Louis IX n'avait aucune des raisons que pouvait nourrir son beau-frère de poursuivre les Montfort de sa vindicte.

Il n'en était pas de même pour les idées réformatrices du parti baronnial. Clément IV devait écrire à saint Louis que celles-ci étaient d'un très mauvais exemple. De toute façon, ce que prétendaient obtenir les barons, c'était la mise en tutelle de la royauté ; ils luttaient précisément contre le type de gouvernement que saint Louis, en vue de réaliser un idéal de paix et de justice, essayait de mettre en œuvre dans son royaume. Il était admis par les juristes comme par les théologiens que le roi était investi par Dieu de la plénitude d'un pouvoir royal dont il devait user pour le bien de ses sujets. Les Provisions d'Oxford retiraient à un souverain le libre choix de ses serviteurs et de ses agents, et les désordres qui avaient suivi leur adoption paraissaient attester que ces nouveaux principes portaient des fruits amers. La « mise d'Amiens » ne pouvait être autre qu'elle fut, en dépit du désir, certainement sincère, du roi, de rétablir la paix entre le roi d'Angleterre et ses barons.

On voit mal, d'ailleurs, quel compromis Louis IX aurait pu tenter de réaliser dans un conflit où se mêlaient les ambitions, les rancunes, les agissements de clans et de clientèles, et où l'inimitié personnelle de Simon et du roi Henri, qu'il avait vainement cherché à dissiper, paraissait insurmontable. Mais il est remarquable que, depuis le moment du traité de Paris jusqu'à l'été de 1264, donc après le prononcé de la « mise » et le rejet de cette décision par les partisans de Simon, les partis et les hommes en conflit n'aient jamais cessé de s'en rapporter à l'esprit de justice et à l'amour de la paix du roi de France ; les séjours que celui-ci fit à Saint-Omer, à Boulogne, à Amiens, dans l'espoir de parvenir à cette pacification montrent qu'il n'y épargna pas sa peine.

CHAPITRE III

La transformation des structures
de la société féodale

Le royaume que saint Louis allait laisser à son fils, en 1270, n'a pas seulement été marqué par la puissante personnalité d'un souverain attaché à y rétablir le règne de la paix et de la justice à la faveur de la construction d'une machine administrative pénétrée de droit nouveau. Il reste, fondamentalement, un royaume féodal, où les barons, les clercs, les religieux gardent leur place. Il est cependant aussi un État où des traits bien différents se font jour ; le développement de la cour du roi qui s'organise en un Parlement, le contrôle d'une administration locale qui commence à faire pénétrer les intentions du souverain dans la vie de ses sujets en sont autant d'indices.

Mais il serait erroné, et anachronique, de supposer que l'action d'un roi, et même d'un roi tel que saint Louis, soit la seule force qui ait amené cette évolution. L'Europe du XIIIe siècle tout entière est en mouvement, et l'apparente stabilité des structures de cette époque où tout semble exprimer l'équilibre et l'épanouissement d'une civilisation ne parvient pas à dissimuler les mutations qui s'opèrent à tous les niveaux. Les baronnies de la seconde moitié du XIIIe siècle ne sont plus semblables à celles du temps de la régence de Blanche de Castille. L'Église séculière se transforme, elle aussi, et les évêques du temps d'Alexandre IV, de Clément IV, n'ont plus les mêmes réactions que ceux qui exerçaient leurs fonctions sous le pontificat de Grégoire IX. L'Église régulière a subi une véritable révolution avec le développement prodigieux des ordres mendiants, qui prennent dans l'État une place inattendue — et cela n'est pas la conséquence de la faveur personnelle du roi Louis à leur égard : Frédéric II a dû bannir de ses États, mais seulement après avoir coopéré avec eux, les Dominicains et les Franciscains ; Henri III, comme saint Louis, les associe à son gouvernement.

Il n'est pas jusqu'aux universités qui ne prennent une place nouvelle ; les crises de celle de Paris ont vraiment secoué le royaume ; les légistes formés à Orléans lui fournissent son armature ; les théologiens de Toulouse assurent le retour en force du catholicisme en Languedoc.

Il y a donc, entre 1250 et 1270, un moment de l'histoire du royaume de France qu'il faut considérer pour lui-même. Dans ce pays où les architectes et les sculpteurs gothiques sont parvenus à la pleine maîtrise de leur technique, où l'on connaît dans tous les domaines de la civilisation un véritable classicisme, l'ensemble des forces constitutives du royaume s'est ordonné, et le roi, à la tête de la pyramide féodale, paraît le couronnement d'un édifice harmonieux, où cependant l'on sent le frémissement des tendances nouvelles.

LES BARONS ET LE ROI

Au moment où Hugues de la Marche rameutait des partisans pour les opposer à l'armée royale, en 1242, un seigneur poitevin se serait écrié : « Un valet du roi fait toutes ses volontés en Bourgogne, en Champagne, et dans d'autres terres. » Il dénonçait ainsi ce qui, aux yeux des féodaux de l'Ouest, encore mal habitués à l'obéissance envers le roi de Paris, apparaissait comme l'asservissement des grands à l'égard du roi et de ses agents. Lorsqu'en 1265, les gens de la vicomtesse de Limoges, fille du duc de Bourgogne, se permettent d'arracher la bannière royale placée sur le monastère de

Saint-Yriex en signe de protection, l'affaire est immédiatement évoquée au Parlement ; et, lorsque les moines de Vézelay, dix ans plus tôt, malmenaient un sergent royal envoyé
par le prévôt de Villeneuve-sur-Yonne, l'abbé dut également
venir se justifier à la cour royale. Le Poitevin de 1242 avait-il
tort quand il dénonçait l'emprise croissante du pouvoir royal
dans les terres des seigneurs et la diminution du pouvoir de
ceux-ci ?
   Les biographes du saint roi, quand ils ont voulu faire
l'éloge de sa justice, ont relevé un certain nombre d'affaires
particulièrement évocatrices : celles où il s'était montré inac-
cessible aux pressions, aux intercessions, aux considérations
politiques. C'est son frère, Charles d'Anjou, qu'il contraint à
restituer l'argent que celui-ci s'était fait prêter par des bourgeois et qu'il n'avait pas l'intention de leur rendre — et nous
savons par les déclarations des villes sur l'état de leurs
finances que le comte d'Anjou ne s'était pas privé de recourir
à ce moyen. Plus grave fut l'affaire où fut impliqué le même
Charles d'Anjou qui, étant en conflit avec un chevalier apparenté au comte de Vendôme à propos d'un château, avait fait
juger son adversaire par sa cour, où ce dernier avait été
condamné. Celui-ci avait fait appel de la sentence à la cour
royale ; Charles ordonna qu'il fût jeté en prison : Louis évoqua le procès devant lui et, comme son frère se refusait à laisser le chevalier présenter sa défense et à le relâcher, le roi
semonça vertement le comte d'Anjou et l'obligea à s'exécuter.
Quand le plaignant comparut, Louis lui fit donner les meilleurs avocats, en exigeant d'eux le serment de le conseiller du
mieux qu'ils pouvaient, sans se laisser influencer par la personne du comte Charles ; et le chevalier gagna son procès.
   Le comte de Joigny avait un différend avec un bourgeois
du roi qu'il prétendait avoir saisi en flagrant délit, ce qui le
rendait justiciable de la cour comtale. Le bourgeois niait ce
flagrant délit et se réclamait de la justice royale ; le comte
l'avait fait emprisonner, et le bourgeois mourut en prison.
Saint Louis fit arrêter le comte, qui défendait sa cause au Parlement, et le fit mettre en prison au Châtelet. Édouard
d'Angleterre faisait bâtir un château, celui de Castelréal, sur

une terre que revendiquait l'abbaye de Sarlat. Saint Louis
avait donné ordre à trois reprises de suspendre les travaux ;
cet ordre n'ayant pas été exécuté, le sénéchal de Périgord,
Raoul de Trappes, fut envoyé détruire le château.

De ces vigoureuses interventions, celle qui fit le plus de
bruit fut celle d'Enguerran de Coucy, qui se situe sans doute
en juillet 1259. Trois jeunes nobles flamands, dont l'un était
parent du connétable de France, Gilles le Brun, pension-
naires au monastère de Saint-Nicolas-au-Bois, chassant les
lapins, s'égarèrent dans les bois du sire de Coucy. Celui-ci
veillait jalousement au respect de son droit de chasse ; ses
gens saisirent les gentilshommes et les pendirent sans autre
forme de procès. L'abbé et le connétable se plaignirent au roi,
qui manda à Enguerran de comparaître. Le sire de Coucy
récusa la compétence du Parlement, arguant de ce qu'il avait
droit d'être jugé par ses pairs : les gens du roi lui refusèrent
ce privilège, en faisant valoir que la terre de Coucy et de
Marle n'était pas tenue en baronnie, et saint Louis fit arrêter
Enguerran. Néanmoins on réunit les barons, et l'affaire fut
portée devant le Parlement « garni » des barons présents : le
roi de Navarre, le duc de Bourgogne, les comtes de Bar, de
Soissons, de Blois, de Bretagne, l'archevêque de Reims.

Enguerran demanda une suspension d'audience pour se
concerter avec les barons de son lignage. Pratiquement, tous
les seigneurs quittèrent la salle avec lui : appartenant à la
famille de Dreux par sa grand-mère, le sire de Coucy cousinait avec les principaux vassaux du roi. Très mécontenté par
ce qui apparaissait comme une manifestation en faveur de
l'accusé, saint Louis, resté presque seul avec son entourage
habituel, reçut fort mal la solution proposée par le châtelain
de Noyon, Jean de Thourotte, au nom du sire de Coucy :
celui-ci, niant que la pendaison eût été exécutée sur son
ordre, proposait de prouver par « bataille » la vérité de son
affirmation, et refusait de se soumettre à une preuve par
enquête. Le comte Jean de Bretagne intervint, faisant observer que, lorsqu'un baron était mis en cause pour une affaire
touchant sa personne, son honneur et son héritage, la procédure d'enquête ne pouvait être acceptée : le roi riposta que

Jean lui-même avait eu recours à cette procédure dans un litige avec ses propres barons qui lui offraient, eux aussi, la preuve par bataille. Et il rejeta la requête d'Enguerran au nom de la justice et de la volonté de Dieu, en affirmant que ni la « noblesse de son lignage », ni la « puissance de certains de ses parents » ne sauveraient celui-ci du châtiment qu'il méritait. Et Enguerran fut ramené captif au Louvre ; l'enquête fut effectivement menée par Simon de Nesle et Pierre le Chambellan. Enguerran réussit enfin à s'en tirer moyennant la cession des bois en question à Saint-Nicolas, une lourde amende (dix mille livres) et la promesse de passer trois ans en Terre sainte, dont il se fit relever en 1261 moyennant douze autres mille livres.

La rigueur de saint Louis s'explique : il avait considéré, nous dit Guillaume de Saint-Pathus, que les barons « avaient fait assemblée, et semblait qu'ils fissent conspiration contre le royaume et contre son honneur ». Jean de Thourotte avait maugréé, s'exclamant que, si le roi traitait ainsi ses barons, il n'avait qu'à les faire tous pendre. Ces paroles furent rapportées à Louis, qui fit arrêter Jean et lui dit : « Comment, Jean, vous dites que je fais pendre mes barons ? Certes, je ne les ferai pas pendre, mais je les châtierai s'ils agissent mal. » Le mécontentement des grands vassaux est certain ; il s'exprime sans doute dans la chanson « Gent de France, moult êtes esbahie ». Mais Louis ne voulait pas plus les autoriser à contester son autorité qu'il ne l'avait permis à Charles d'Anjou, auquel il avait reproché de se comporter comme s'il avait été roi de France.

Nous le savons, le roi affirmait qu'il ne voulait pas entreprendre sur le droit de justice des autres. Il n'en estimait pas moins que l'intérêt supérieur de la justice l'autorisait à intervenir là où les barons auraient normalement été habilités à juger eux-mêmes. Vers 1267, un seigneur de la région de Nangis, Jean Britaud, était en conflit avec un autre chevalier, Pierre du Bois. Le fils de Pierre ayant péri de mort violente, son père accusa Jean de ce crime, et le roi fit emprisonner ce dernier à Étampes, malgré ses dénégations. Les parents de Jean, et parmi eux le chambellan Pierre lui-même, intervinrent pour qu'il ne fût pas retenu en prison, et le comte de Champagne, faisant valoir que Jean avait son domicile dans ses terres, revendiqua l'affaire pour sa propre cour. Le roi s'y refusa, arguant de ce que Jean était son vassal direct, mais en réalité parce qu'il savait celui-ci « de trop loin plus gentilhomme et plus puissant » que Pierre et que, « puisqu'il avait si grande faveur et si grande aide en sa propre cour, jamais justice ne serait bien faite de lui en une autre cour ». Cette prévention, suscitée par ce que Pierre du Bois était moins bien apparenté et moins riche que son adversaire, coûta à ce dernier plus d'une année d'emprisonnement, avant que l'enquête l'eût reconnu innocent...

Au retour de sa croisade, Louis avait été informé des plaintes qui s'élevaient contre le seigneur de Montréal-en-Auxois, Anseri, accusé de malmener les églises et les gens d'Église, et notamment d'avoir « fait manger un prêtre aux mouches » — c'est-à-dire de l'avoir exposé aux piqûres des abeilles. Anseri était vassal du duc de Bourgogne : le roi somma ce dernier, en le menaçant, la seconde fois, de procéder lui-même à l'arrestation du coupable et à la confiscation de ses terres, de faire justice (1254-1255). Hugues IV dut se résigner à arrêter le sire de Montréal et à réunir ses fiefs au domaine ducal, non sans mettre à la disposition du vassal dessaisi un manoir et des droits de chasse pour le restant de ses jours. Ici aussi, le grand baron avait dû se plier à la volonté royale, alors qu'il n'était peut-être pas convaincu de la nécessité d'agir avec tant de rigueur contre son propre vassal.

Il ne faudrait toutefois pas s'imaginer un conflit ouvert ou larvé entre une féodalité attachée à un droit fondé sur le recours à la force et le respect de la coutume ancienne, et une royauté portant avec elle le droit romain, la procédure d'enquête, les appels, et tout ce qui préparait une forme nouvelle de l'exercice du pouvoir. Car les grands barons déploient une activité parallèle à celle du roi, et qui va dans le même sens : le renforcement de leur autorité, fondé par les mêmes moyens. Saint Louis s'entoure de gens de loi, gentilshommes ou simples « maîtres », formés à l'école orléanaise,

ainsi que de baillis énergiques, prompts à faire respecter les
volontés du roi. Alphonse de Poitiers ou Charles d'Anjou
sont crédités d'avoir fait pénétrer dans leurs fiefs les usages et
les méthodes de l'administration capétienne. Mais Hugues IV
de Bourgogne crée des « commandements le duc » — un chevalier et un clerc — qui vont juger des appels et faire exécuter
les sentences, jusqu'au jour où, en 1262, il les remplace par
trois baillis, considérés comme les délégués de son conseil ; il
appelle auprès de lui un bon juriste formé à Bologne, Jean de
Blanot, dont il fait un chevalier et son vassal. Et, progressivement, se mettent en place dans son duché la procédure
d'appel et une administration, rendue plus efficace par
l'accroissement des ressources financières lié à l'enrichissement de son domaine foncier et à l'étoffement de la mouvance ducale. Dans le dernier quart du XIIIe siècle, la notion
de la « baronnie, ressort et souveraineté » du duc de Bourgogne s'apparente de fort près à ce qu'est la notion de l'autorité royale. Et les vassaux du duc, comme ses sujets, sentent
se resserrer l'étreinte du pouvoir judiciaire ducal, instrument
de sa puissance politique.

Les barons, d'ailleurs, même s'il leur arrive de regimber ou
de ronger leur frein, comme ce fut le cas en 1259, n'ont pas
lieu de voir dans le roi un adversaire. Nous savons qu'ils ont
volontiers eu recours à ses arbitrages et accepté les formules
de conciliation qu'il leur a proposées. Il semble que, du
temps de saint Louis, la royauté, sans renoncer à recevoir des
aveux qui faisaient passer dans la vassalité directe du roi des
seigneuries considérées jusque-là comme indépendantes de
toute mouvance (ainsi pour Cortevaix et le Rousset, dans la
vallée de la Guye, qui reconnurent le roi pour suzerain vers le
temps où il acquérait le comté de Mâcon ; pour Mâlain, en
plein duché de Bourgogne), ou à passer des traités de pariage
qui étendaient l'administration domaniale du souverain, se
soit montrée relativement discrète dans de telles entreprises.

La question la plus irritante était sans doute celle du développement de la « bourgeoisie le roi », c'est-à-dire de l'usage,
de plus en plus largement répandu, de s'avouer ressortissant
du roi par élection de domicile dans une ville de son

domaine : Villeneuve-sur-Yonne, proche de la frontière des
comtés d'Auxerre, de Nevers, de Tonnerre, du duché de
Bourgogne, de la Champagne, était l'un de ces lieux dont de
nombreuses personnes se déclaraient plus ou moins fictive-
ment être les habitants. En 1257, Jean de Joinville lui-même
eut maille à partir avec une certaine Aude de Dampierre, qui
se déclarait bourgeoise du roi, donc qui échappait désormais
à sa juridiction : elle était contrainte à abandonner ses biens
fonciers à son précédent seigneur, mais elle pouvait disposer
librement de toute sa fortune mobilière. Les litiges nés de la
bourgeoisie-le-roi sont nombreux et mettent souvent en
conflit les sergents du roi avec les justices seigneuriales.

Le roi, d'ailleurs, ne paraît pas avoir cherché à étendre
encore davantage son domaine. L'achat du comté de Mâcon,
en 1239, à l'occasion du départ en croisade de Jean de
Braine, frère de Pierre Mauclerc, était peut-être d'abord destiné à fournir au comte de Braine les moyens de financer son
expédition. Les acquisitions de seigneuries méridionales
(Peyrepertuse, Termes) peuvent relever du désir de s'assurer
des forteresses de la frontière aragonaise et de la constitution
d'un réseau fortifié autour de Carcassonne ; celle des droits
des Trencavel sur Béziers, Nîmes et Carcassonne, comme
liquidant des revendications sur des terres déjà réunies au
domaine royal.

La mort de Jeanne, fille de Philippe Hurepel et veuve de
Gautier de Châtillon, posait un problème : elle était héritière
du comté de Clermont-sur-Oise et de biens en Normandie (Mortain et Domfront). Or les dispositions prises par
Louis VIII prévoyaient le retour du comté de Clermont et de
l'héritage de Philippe à la couronne, s'il ne laissait pas de
descendance. Alphonse de Poitiers et Charles d'Anjou
avaient obtenu de leur mère, le 23 février 1252, qu'on exami-
nerait leurs droits sur les parties de l'héritage non visées par
ces dispositions. Le Parlement de 1258 trancha en faveur de
la couronne. Par contre, quand la veuve de Philippe Hurepel,
Mahaut, séparée de son second mari devenu roi de Portugal,
mourut en 1259, et que ses héritiers revendiquèrent les comtés
de Boulogne et de Dammartin, le roi attribua le premier à

Robert d'Auvergne et le second à Mathieu de Trie, sans se prévaloir que, dans le dernier cas, il pouvait arguer de ce que l'acte dont se réclamait Mathieu avait perdu son sceau.

En 1257, le seigneur de Château-Gontier avait revendiqué une part du Perche, précédemment réuni au domaine royal par Louis VIII : le roi l'en dédommagea par une cession de terre. En définitive, mis à part l'achat du Mâconnais et la réunion de l'héritage de Philippe Hurepel, le domaine de la couronne ne s'était agrandi que de quelques châtellenies, dont Péronne, en 1266. Il apparaît que saint Louis, renonçant même à profiter de telle circonstance favorable, n'avait pas poursuivi la politique d'arrondissement domanial de ses prédécesseurs, politique dont leurs barons avaient tant pâti.

Au contraire, le règne de saint Louis a vu se constituer ou se renforcer de grands fiefs : sans parler de ceux qu'il fit former pour ses fils puînés à partir du comté de Clermont, de ceux d'Alençon et du Perche, ou de celui de Valois, respectivement attribués à Robert, Pierre et Jean-Tristan, il s'agit du comté d'Artois ; de celui de Poitiers, agrandi de tous les domaines de la maison de Toulouse ; de l'Anjou et du Maine, auxquels s'ajoutaient des dépendances du comté de Provence en terre française ; du duché de Guyenne accru des cessions consenties au traité de Paris. Les trois premiers étaient issus des dispositions testamentaires de Louis VIII, largement interprétées (puisque rien n'avait été prévu pour Charles), et ils avaient bénéficié des mariages des deux plus jeunes fils de ce roi. Le quatrième, pratiquement étranger au royaume depuis la mort de la reine Aliénor, était rentré dans la mouvance royale grâce au traité de 1259. Le roi de France se trouvait donc à la tête d'un baronnage plus important, et plus puissant, que celui dont disposait son père en 1226.

Le fait nouveau, c'était que les plus puissants des barons appartenaient désormais à la proche parenté du roi. Le fils de Robert Ier d'Artois, les comtes de Poitiers et d'Anjou, étaient respectivement le neveu et les deux frères du souverain. Mais ces liens de parenté allaient beaucoup plus loin. Par le mariage de Thibaud V, roi de Navarre, avec Isabelle de France, le fils de Thibaud le Chansonnier, le grand baron à la fidélité incertaine des débuts du règne, était devenu le gendre du roi, et celui-ci le traitait comme l'un de ses fils : on connaît la scène où Joinville nous montre le roi faisant venir tout près de lui le futur Philippe III et Thibaud, en leur disant : « Vous avez vraiment bien mal agi, vous qui êtes mes fils, de n'avoir pas fait du premier coup ce que je vous ai commandé. » En 1258, c'est à l'aînée des filles d'Eudes de Bourgogne, comte de Nevers, Auxerre et Tonnerre, et héritier présomptif du duc de Bourgogne, Yolande, qu'il fiance son fils Jean de Damiette, que nous appelons Jean-Tristan. Le mariage fut célébré en 1266, peu avant la mort d'Eudes, qui était alors en Terre sainte : il donnait à Jean, non seulement des droits à l'héritage de son beau-père, mais la tutelle des plus jeunes sœurs de sa femme. Le fils du roi de France, devenu comte de Nevers, pouvait être appelé à devenir par la suite le chef de la maison de Bourgogne, désormais très proche du roi lui-même.

On a d'ailleurs l'impression que, bien que le roi n'ait pas fait appel à ses barons dans l'administration quotidienne de la justice de son Parlement — ce qui ne saurait surprendre, chacun d'eux ayant ses propres domaines à administrer —, les grands vassaux ont pris l'habitude de considérer leur présence à Paris comme normale. Il n'est pas jusqu'à Jean le Roux, comte de Bretagne — son mariage avec Béatrix d'Angleterre, nièce de la reine Marguerite, l'avait rapproché lui aussi du roi — qui ne fasse partie de l'entourage royal.

Un signe de cette fréquentation habituelle, qui traduit le rapprochement de la haute noblesse, désormais liée par les liens du sang au détenteur de la couronne, c'est l'apparition des hôtels princiers à Paris — Paris, où Alphonse de Poitiers, d'ailleurs de santé délicate, fait sa résidence, où ses officiers viennent le trouver, lui rendre des comptes, et où il fait juger les appels et les causes intéressant ses sujets du Poitou, de l'Auvergne, de la Saintonge, de l'Albigeois et du Toulousain. C'est Thibaud V qui achète des terrains pour bâtir son hôtel rue Saint-André-des-Arts. Quant à Hugues IV de Bourgogne, il acquiert en 1261 le groupe de maisons qui avaient appartenu à Barthélemy de Brancion, évêque de Pecs en Hongrie, sur les pentes de la montagne Sainte-Geneviève, tout près de l'église paroissiale de Saint-Hilaire-au-Mont ; d'autres achats lui permettent de faire construire le premier hôtel de Bourgogne, qui deviendra en 1412 le Collège de Reims. Tout près de là est l'hôtel du comte d'Auxerre, où Joinville vit le roi pour la dernière fois en 1267, et qui prendra le nom d'hôtel de Chalon. La présence des maisons des grands vassaux à Paris, c'est l'indice d'une dépendance plus étroite envers le roi (qu'on pense à cette maison que le sire de Lusignan avait à Poitiers, dans le château de son seigneur), mais aussi d'une plus grande familiarité.

Sans que leur roi leur ait donné davantage de place dans les organes du gouvernement, dans l'hôtel où dominent toujours les seigneurs du vieux domaine capétien, dans le Parlement où figurent de simples chevaliers, les barons du royaume ont donc repris leur place dans la structure normale de celui-ci. Le roi est exigeant à leur endroit, ne tolère pas d'insubordination, ni tout ce qui peut sembler injustice ou coalition ; mais, en revanche, il compte sur leur collaboration. Avoir reconnu l'existence de la Guyenne comme grand fief, avoir fait des comtes d'Artois, de Poitou et d'Anjou de grands feudataires, ceci, aux yeux du roi, n'est pas un affaiblissement pour le royaume, même si chacun d'eux perçoit des recettes qui auraient pu aller directement au trésor, et commande à des chevaliers qui auraient pu suivre à l'armée les baillis et les sénéchaux du domaine royal. On constate en 1272, quand Philippe III convoque l'ost pour une expédition dans le comté de Foix, que les contingents des grands barons sont plus étoffés que ceux du temps de Philippe Auguste. Louis IX a donc obtenu que ces barons lui rendent des services plus étendus que ceux qu'ils rendaient à son grand-père. Le fait que chacun d'eux ait resserré son emprise sur son propre territoire, en usant de procédés comparables à ceux auxquels recourait la royauté, n'a rien qui nuise, bien au contraire, à l'autorité royale.

Peut-être vaut-il mieux ne pas regarder cette situation avec les yeux des arrière-vassaux. Ceux-ci, nous le savons, n'apprécient pas les progrès d'une justice qui les prive d'un de leurs droits les mieux établis, le gage de bataille ; d'une autorité qui exclut progressivement le recours à la guerre privée, moyen de régler les litiges entre égaux et peut-être à moindres frais qu'en acceptant les sentences du roi et des grands barons — en 1254, lorsque le comte de Sancerre inflige une amende à Geoffroy de Vailly qui n'a pas répondu à une sommation de comparaître en sa cour à propos d'un fief mouvant du roi de France, il lui réclame l'énorme somme de 4 000 marcs d'argent, plus des terres rapportant cinq cents livres par an ; et de tels exemples ne sont pas isolés.

Ils ressentent aussi les entreprises des officiers royaux et de ceux des grands barons sur leurs terres. Joinville, certes, écrivait vers 1309 et peut inconsciemment s'être laissé influencer par une expérience plus récente ; mais il nous dit qu'il a refusé de prendre la croix, en 1267, parce que « tandis que j'étais au service du roi outre-mer et depuis que j'en étais revenu, les sergents du roi de France et du roi de Navarre avaient mis en détresse et appauvri mes gens à tel point que jamais nous ne pourrions être mis en pire condition. Je leur dis que, si je voulais agir au gré de Dieu, je demeurerais ici pour aider et défendre mon peuple ».

Cette « grogne » des simples barons et des seigneurs de fief est, sans doute, la contrepartie du progrès réalisé par l'autorité royale et par celle des grands vassaux de la couronne. Elle n'est pas à oublier : Rutebeuf paraît bien mettre en cause les grands comme le roi lorsqu'il dépeint le royaume de France dans *Renart le Bestourné* après avoir, dans la *Complainte de Constantinople*, fait écho au poète de « Gens de France, moult êtes ébahis » en s'écriant :

> « Loyauté est morte et périe...
> Le roi ne fait droit, ni justice
> Aux chevaliers, mais les méprise. »

C'est que, s'appuyant sur la structure féodale du royaume, qui n'est en rien affaiblie par les mesures nouvelles dont elle sort, au contraire, renforcée, le roi de France associe à son œuvre les hauts barons, mais surtout les plus hauts d'entre eux, en leur laissant le soin et le devoir de faire régner l'ordre chez eux. Le resserrement de l'autorité de chacun d'eux dans ses propres terres est, en quelque sorte, la conséquence du renforcement de celle du roi au sommet de la hiérarchie féodale.

L'ÉGLISE ET LE ROYAUME

Pendant tout le règne, le royaume de France a maintenu avec la papauté des relations empreintes de respect, mais sans aucune servilité. Les papes qui se sont succédés pendant cette période ont été différents les uns des autres, et la cordialité des rapports s'en est ressentie. Grégoire IX, bien qu'il eût pris à propos des fiefs anglais, confisqués sur un roi protégé par le Saint-Siège, la même attitude que son prédécesseur, paraît avoir entretenu avec la régente Blanche de Castille et avec son fils des relations confiantes : le roi de France assurait en effet sans défaillance la défense de la foi chrétienne contre l'hérésie albigeoise, que le pape rencontrait en même temps en Italie et dont il connaissait la menace. Et le roi, s'il avait manifesté une indépendance certaine au cours du conflit entre le pape et l'empereur, penchait évidemment pour le premier.

Avec Innocent IV, saint Louis s'est senti moins en confiance. Il ne partageait pas l'acharnement du pontife contre Frédéric II, et il n'avait guère apprécié le geste du pape venant s'établir à Lyon, au risque de susciter un conflit ouvert avec l'Empire ; il s'était senti la main forcée. L'intransigeance pontificale avait nui dans une certaine mesure à l'efficacité des préparatifs de croisade. Cependant, le pape avait accordé sans difficulté la levée des taxes sur les revenus ecclésiastiques, et il paraît s'être sincèrement préoccupé du sort du roi et des croisés après leur capture par les Mamelouks. Les différends relatifs aux progrès de la juridiction ecclésiastique ne pouvaient laisser indifférent le grand canoniste qui s'appelait avant son élection maître Sinibaldo Fies-

chi ; c'était là une cause inévitable de frictions. Et cependant
saint Louis a eu plus de contacts personnels avec Innocent IV
qu'avec aucun autre parmi les papes italiens avec qui il fut en
rapport.

En 1255, Alexandre IV remplaçait Innocent sur le siège de
saint Pierre, et il ramenait la tiare dans la famille de Segni,
celle d'Innocent III et de Grégoire IX. Il s'empressa de resserrer ses liens avec la couronne de France, en accédant
d'emblée aux requêtes du roi, auquel il concéda des grâces de
toute nature. Alors qu'au temps de Grégoire IX, un archevêque de Rouen avait pu se permettre de lancer l'interdit sur les
chapelles appartenant au domaine royal, Alexandre IV sti-
pule que celles-ci sont à l'abri de l'interdit comme le roi l'est
de toute excommunication fulminée par un prélat, celui-ci
fût-il légat du Saint-Siège. On peut supposer qu'il espérait
ainsi gagner le roi de France à l'idée de conquérir le royaume
de Sicile pour un prince capétien ; mais, saint Louis montrant
fort peu d'enthousiasme pour un tel projet, le pape se tourne
vers le roi d'Angleterre sans marquer la moindre froideur au
Capétien.

La mort d'Alexandre IV ouvrait la voie à un prélat né en
France, sujet du comte de Champagne, qui monta à son tour
sur le trône pontifical. Jacques Pantaléon de Courpalay avait
été précédemment patriarche de Jérusalem ; il était attentif
aux questions orientales auxquelles saint Louis restait si attaché. Il devait réussir à décider Charles d'Anjou à tenter
l'aventure sicilienne, en triomphant des réticences de son
frère. Mais une de ses premières démarches paraît avoir
décidé d'un rapprochement plus étroit entre le siège apostoli-
que et la France : en décembre 1261, il faisait cardinaux trois
conseillers de saint Louis. C'étaient Guy Foulcois, lequel
avait été un des meilleurs auxiliaires du roi avant d'être
appelé à l'évêché du Puy, puis à l'archevêché de Narbonne ;
Raoul Grosparmi, dont saint Louis avait fait son garde des
sceaux pendant la croisade, alors qu'il était archidiacre de
Nicosie en Chypre, et qui était devenu en 1259 évêque
d'Evreux ; Simon Mompris de Brie (ou de Brion), lequel
avait succédé à Raoul comme garde des sceaux, et qui était

alors trésorier de Saint-Martin de Tours. Une deuxième promotion, en 1262, conférait le cardinalat à Guillaume de Bray,
doyen de Laon, à l'abbé de Cîteaux, Guy de Bourgogne et au
propre neveu du pape, Ancher Pantaléon. La cour pontificale, où siégeaient jusque-là deux cardinaux français (Eudes
de Châteauroux et Hugues de Saint-Cher), s'ouvrait largement aux prélats du royaume, et plus spécialement à ceux qui
étaient le plus liés à saint Louis. Deux d'entre eux, Guy Foulcois et Simon de Brie, devaient monter à leur tour sur le trône
pontifical.

L'accession de Guy à la tiare, en 1265, resserrait encore les
relations du nouveau pape Clément IV avec le roi de France,
sans pour autant que Clément, dont on connaît la forte personnalité, se fût mis au service de la politique française : c'est
peut-être lui, au contraire, qui réussit à l'infléchir dans le sens
d'un appui accru à Charles d'Anjou. Clément accorde bien
volontiers son concours au roi de France dans sa lutte contre
le blasphème et dans ses préparatifs de croisade. Et il est certain qu'avec lui, comme avec ses deux prédécesseurs, saint
Louis a pu compter sur la Papauté pour régler ses difficultés
avec l'Église de France.

Parmi les enseignements que le roi fit mettre par écrit à
l'intention de son fils Philippe, il est intéressant de relever
une référence à un propos de Philippe Auguste, qu'il affirmait tenir d'un des conseillers de son aïeul — un de ceux
auxquels il devait sa propre formation politique : « Le roi [il
s'agit de Philippe Auguste] était un jour en son conseil et
quelqu'un de ses gens lui disait que les clercs lui faisaient
grand tort en lui enlevant et en lui diminuant ses droits de
justice, et qu'il s'étonnait de voir comment il le supportait. Le
bon roi répondit : " Je pense bien qu'ils me font grand tort ;
mais, quand je regarde les bienfaits que Notre-Seigneur m'a
accordés, je préfère souffrir ce dommage que de faire quoi
que ce soit qui me mettrait en conflit avec la Sainte
Église. " » Louis en tirait cette leçon à l'usage de son fils :
« Ne sois pas trop disposé à croire ce qu'on te dira contre les
personnes de la Sainte Église. Tu dois les honorer et les protéger pour qu'elles puissent accomplir en paix le service de

Notre-Seigneur. » Ce qui faisait écho au préambule d'une de
ses ordonnances : « Nous avons voulu, depuis notre avènement, servir Celui de qui nous tenons tout ce que nous
sommes. Nous voulons, par honneur pour lui qui nous a
conféré la dignité la plus haute, que soit honorée l'Église de
Dieu, qui avait longtemps eu à souffrir en notre royaume. »

En présence de telles déclarations d'intention, qui ne sont
cependant pas exemptes de certaines réserves, on pourrait
s'attendre à voir le roi Louis, si pieux lui-même, mis en tutelle
par le pape, les archevêques et les évêques. Sa mère n'avait-
elle pas prescrit à ses officiers, par une ordonnance de 1228,
de tenir la main à ce que les excommuniés ne persistent pas
dans leur obstination et se soumettent à la sentence qui les
frappait ?

Or voici, sur ce point précisément, ce que nous rapporte
Joinville. « L'évêque de Paris, Guy d'Auxerre, qui était le fils
de Monseigneur Guillaume de Mello, parla au roi au nom de
tous les prélats, en ces termes : " Sire, les seigneurs que voilà,
archevêques et évêques, m'ont chargé de vous dire que la
chrétienté, que vous devriez protéger, se perd entre vos
mains. " Le roi se signa en entendant cette parole, et dit :
" Dites-moi pourquoi. — Sire, reprit l'évêque, c'est parce
qu'on attache aujourd'hui si peu d'importance à l'excommunication que les gens se laissent mourir excommuniés et ne
veulent pas donner satisfaction à l'Église. " Et l'évêque requit
le roi de prescrire à ses officiers de saisir les biens de ceux qui
ne se seraient pas fait relever d'excommunication dans
l'année. A quoi le roi répondit qu'il le ferait dans la mesure
où on lui prouverait la culpabilité de ceux-ci. L'évêque ayant
objecté qu'il n'était pas possible de soumettre les affaires
relevant des cours d'Église à des juges laïques, le roi riposta
en évoquant le cas du comte de Bretagne, qui avait plaidé
sept ans contre les évêques de sa terre et avait finalement
gagné son procès en cour de Rome. Et il conclut : "Donc, si
j'avais contraint le comte de Bretagne à se faire absoudre dès
la première année, j'aurais agi contre la justice envers Dieu et
envers lui. "»

La contradiction n'est qu'apparente. Pas plus qu'il n'entendait priver ses barons de leurs droits de justice tout en se réservant la possibilité d'intervenir dans les affaires qu'ils avaient jugées pour éviter qu'une injustice fût commise, le roi n'admettait pas que les privilèges du clergé, qu'il reconnaissait, puissent priver un de ses sujets d'obtenir justice. Les prélats usaient facilement de l'excommunication ; Joinville le savait, lui qui avait été excommunié par l'évêque de Châlons parce qu'il n'avait pas voulu investir de l'abbaye de Saint-Urbain, qu'il avait en sa garde, le candidat de l'évêque. Aussi raconte-t-il bien volontiers comment saint Louis tint tête, mais sans quitter le ton de la bonhomie, à plusieurs évêques qui lui avaient demandé audience avant la tenue de son Parlement : l'évêque de Châlons pour son démêlé avec le sénéchal de Champagne ; l'archevêque de Reims, qui réclamait la garde de Saint-Rémy de Reims ; l'évêque de Chartres, qui demandait la main levée de la saisie de son temporel, opérée à propos d'une dette.

La plus grave querelle opposant le roi et ses barons aux prélats était celle portant sur la juridiction ecclésiastique. Elle avait atteint une acuité particulière à la veille de la croisade, quand les barons s'étaient ligués pour abaisser les prétentions des cours d'Église. Le conflit n'était pas apaisé en 1258 : les évêques de la province de Bordeaux, réunis en concile à Ruffec, dénonçaient les agissements des seigneurs et des chevaliers qui molestaient les clercs en se liguant contre eux pour empêcher les laïcs de plaider au for ecclésiastique. Le concile excommuniait et privait de sépulture religieuse les coupables de telles actions. Mais, vers la même date, au Parlement de la Toussaint de 1258, le roi parvenait à un accord avec les évêques normands, en établissant une solution de compromis pour éviter les conflits de compétence. Ainsi le jugement de l'usure étant revendiqué par les cours d'Église, il était convenu qu'en cas de décès d'un personnage suspect d'avoir commis ce crime, le bailli royal enquêterait sur la vérité des faits. Si ceux-ci étaient prouvés, il saisirait les biens du défunt et les remettrait à l'évêque, à qui il appartiendrait d'indemniser les victimes.

Un arrangement de ce genre laissait entrevoir la possibilité d'apaiser bon nombre de différends. Le pape Alexandre IV, s'il prenait des sanctions contre les auteurs de statuts contraires aux libertés de l'Église, s'efforçait de modérer les abus des juges d'Église.

En 1260, il acceptait de laisser au roi le droit d'arrêter les clercs coupables d'homicide ou de crimes énormes, quitte à les remettre ensuite aux évêques ; celui de juger des causes des croisés laïques, bien que ceux-ci fussent en principe sous la protection de l'Église ; celui enfin de priver du privilège de clergie les individus qui se livraient au commerce lorsque, sous prétexte qu'ils avaient reçu la tonsure, ils réclamaient d'être jugés en cour d'Église. D'ailleurs le nombre de cas intéressant des clercs qui furent jugés en Parlement atteste le recul déjà entamé de la juridiction ecclésiastique.

Un autre conflit avait pris naissance au temps d'Innocent IV, le pape ayant largement usé de la prérogative revendiquée par la cour romaine de pourvoir aux bénéfices ecclésiastiques. Innocent IV avait ainsi nommé à des bénéfices situés en France des clercs étrangers au royaume. Si nous en croyons Mathieu Paris, saint Louis s'en était vivement plaint en 1247, arguant de ce qu'il était en droit de remettre les régales, c'est-à-dire de donner l'investiture des bénéfices majeurs, aux évêques et aux abbés des grands monastères. Il n'entendait pas davantage renoncer à son privilège de conférer lui-même nombre de prébendes et de dignités. En 1255, il accepte de renoncer à nommer l'archidiacre de Pontoise et cède ce droit à l'archevêque de Rouen, à condition que celui-ci maintiendrait à Pontoise un official pour juger sur place les causes relevant du for ecclésiastique. Mais, malgré le pape, il désigne en 1265 un archidiacre de Sens. Clément IV prétendait étendre l'effet des réserves pontificales qui donnaient au Saint-Siège le droit de choisir les bénéficiers en passant outre aux prérogatives des collecteurs ordinaires, par la bulle *Licet ecclesiarum.* Louis IX défend énergiquement ses droits, et s'élève en 1267 contre la prétention du légat à conférer une prébende qui était alors vacante à Reims.

Il ne s'agissait pas seulement pour le roi de défendre les prérogatives de la couronne ; il considérait qu'en agissant ainsi il empêchait que les fonctions ecclésiastiques fussent conférées à des clercs qui ne résideraient pas sur place. La collation des bénéfices était pour lui affaire de conscience : Geoffroy de Beaulieu nous affirme qu'il se montrait très scrupuleux dans ses choix, s'en remettant au chancelier de l'Église de Paris et à des religieux mendiants du soin de mener une enquête sur les postulants, et exigeant de ceux-ci qu'ils se démettent des charges qu'ils avaient pu recevoir auparavant.

Le roi n'a pas pour autant renoncé à l'usage où étaient ses prédécesseurs de rétribuer les clercs qui sont à son service par l'attribution de bénéfices ecclésiastiques. Il l'exprime tout simplement dans son testament, en prescrivant que l'on verse à chacun des clercs et des chapelains de son hôtel une pension annuelle de vingt livres tant qu'ils n'auraient pas reçu de bénéfice. En janvier 1259, le conseil du roi s'assemble pour juger une affaire : on voit y siéger l'évêque du Puy, Guy Foulcois, le chantre d'Angers, le chevecier d'Orléans (maître Eudes de Lorris), le doyen de Saint-Martin de Tours (Guillaume de Neauphle), le trésorier de Saint-Frambault de Senlis (Raoul Grosparmi), le doyen de Saint-Aignan d'Orléans (Étienne de Montfort) : tous ces clercs du roi sont titulaires de dignités dans des chapitres cathédraux ou collégiaux du domaine royal. La garde du sceau est assurée par Raoul Grosparmi, puis par Simon de Brie : tous deux seront évêques, comme leur prédécesseur Gilles de Saumur, qui avait été pourvu d'un archevêché en Terre sainte, certainement grâce à la recommandation du roi. Le service de ce dernier apparaît donc comme parfaitement compatible avec la possession d'une charge ecclésiastique ; mieux, il est normal que le roi utilise les compétences de personnes qui sont, en fait, rétribués par les revenus attachés à ces charges.

L'épiscopat français, déjà très lié à la personne royale, l'est désormais encore davantage. Le franciscain Salimbene nous affirme que saint Louis s'est employé à faire élire archevêque par le chapitre cathédral de Rouen le gardien du couvent franciscain de la ville, frère Eudes Rigaud, qu'il avait en amitié, en 1247.

Le registre où le nouvel archevêque a consigné les multiples activités de sa charge nous montre combien souvent il est appelé à la cour. Non seulement il bénit les mariages des enfants de saint Louis, mais il siège au Parlement, il est chargé d'ambassades à l'étranger. Philippe Berruyer, évêque d'Orléans, puis archevêque de Bourges, qui a fait partie entre 1248 et 1254 du conseil de régence, bénéficie en 1257 de la distribution de manteaux faite aux clercs de l'hôtel : c'est aussi un bon serviteur du roi. Mais saint Louis voit en lui autre chose qu'un auxiliaire de son gouvernement : quand le prélat meurt, en 1261, le roi et les évêques adressent une requête à Urbain IV pour lui demander sa canonisation.

Nombreux sont ceux qui doivent au roi leur élévation à l'épiscopat : nous savons que le retour des régales entre ses mains lui donne un moyen d'agir sur les élections épiscopales. Et, du fait que le nouvel élu doit lui prêter serment, saint Louis ne fait guère de différence entre l'obéissance que lui doivent les prélats et celle des vassaux. Il dit de l'évêque de Chartres : « Il était mon homme, puisqu'il avait mis ses mains entre les miennes. »

Point question de laisser péricliter les prérogatives royales. Le roi de France ne prête hommage à personne ; aussi, quand l'archevêque d'Arles réclame la reconnaissance de sa suzeraineté sur les terres d'Argence et de Beaucaire, pour lesquelles Simon de Montfort avait accepté de payer un cens annuel, Louis s'y refuse et verse en dédommagement une somme de cent livres. Dans le cas du comté de Mortain, qui était normalement tenu de l'évêque de Coutances, on admet que cette suzeraineté est mise en sommeil, pour tout le temps où le comté restera aux mains du roi ; et, ici, le bailli doit jurer fidélité à l'évêque. Saint Louis n'est d'ailleurs pas favorable à l'extension des seigneuries ecclésiastiques au détriment des tenures féodales : en 1263, lorsque le seigneur de Beaurevoir veut vendre un alleu à l'évêque de Noyon, et bien qu'il ne s'agît pas d'un fief à proprement parler, il revendique la terre pour lui-même, en remboursant au prélat les six cents livres qu'elle lui avait coûtées.

Au Puy, un débat s'était ouvert sur le point de savoir si le temporel de l'évêque était soumis au droit de régale. L'accession de Guy Foulcois au siège épiscopal facilita la conclusion d'un accord, réalisé en 1258, qui restreignait l'exercice du droit du roi à la prise de possession de la justice et des revenus de l'évêché dans la ville elle-même, mais sans que ses officiers puissent occuper la maison de l'évêque, les murs de la ville, ses autres biens, ni nommer aux prébendes et dignités à la place du prélat. Aussi, lorsqu'en 1266 le sénéchal de Beaucaire prétendit établir au Puy un sergent du roi et un juge royal, l'évêque en obtint le retrait.

Le même Guy Foulcois, devenu pape, rappela au roi que celui-ci l'avait envoyé à Viviers pour enquêter sur l'appartenance du diocèse au royaume ; il avait constaté la présence de privilèges scellés par les empereurs dans les archives, et de bannières impériales remises aux évêques en signe d'investiture. De ce fait, on avait contraint le sénéchal de Beaucaire à renoncer à ses entreprises ; mais il était, depuis, revenu à la charge, et le pape invitait le roi à lui faire lâcher prise.

C'étaient là des cas exceptionnels. Partout ailleurs, les gens du roi faisaient acte de juridiction, prenaient des gages, appelaient en jugement les évêques et leurs vassaux. Ils avaient souvent la main lourde : lorsqu'en 1267 l'évêque de Mende avait refusé d'obéir à l'ordre du roi de remettre entre les mains de ses gens Isabelle d'Anduze qu'il avait prise sous sa garde, le sénéchal de Beaucaire envahit sa terre, prend ses hommes, détruit les moulins, saisit les bœufs de labour ainsi que les mulets et autres bêtes de somme des marchands qui empruntaient les chemins publics après avoir payé le droit de péage au prélat. Lorsque celui-ci se plaint, le Parlement donne raison au sénéchal, lequel n'a fait que prendre des gages pour amener l'évêque à résipiscence...

Aux seigneurs ecclésiastiques, le pouvoir royal interdit pratiquement le recours à la guerre privée, bien que celle-ci soit une des formes de l'exercice de la justice. En 1259, l'évêque de Rodez guerroie contre l'abbé de Conques, l'évêque d'Albi contre celui de Gaillac. Le sénéchal de Carcassonne interdit à l'évêque d'Albi de mener une « chevauchée » ; le prélat se met néanmoins en campagne à la tête d'une petite armée où figurent des bannis et des « faidits ». Le sénéchal enquête ; l'archevêque de Bourges, parce que l'évêque est son vassal pour la cité d'Albi et son suffragant, demande à connaître de l'affaire. Le roi le déboute : pour avoir désobéi à une injonction du sénéchal et pour s'être fait accompagner de rebelles, l'évêque est justiciable du tribunal royal.

Cette restriction apportée au droit de guerre des évêques et des abbés a sa contrepartie : la protection que le roi leur accorde. Nombreuses sont les affaires où l'on voit jouer cette protection. Saint Louis interdit qu'on défie les évêques du domaine royal. Pour avoir lancé un défi à celui de Paris, Guillaume de Bièvre est banni du royaume, et il est dit qu'on rasera la maison de quiconque le recueillera chez lui ; il en est de même pour un autre, qui a défié l'évêque de Chartres. En 1254, un chanoine de cette dernière cité est tué par un bourgeois ; le chapitre cathédral quitte la ville. Le roi fait arrêter vingt bourgeois qu'il fait emprisonner à Nogent-le-Rotrou. Il faut que deux cents Chartrains viennent faire amende honorable, jurant de prêter assistance aux chanoines, pour qu'on les relâche. A Bourges, la foule envahit la maison de l'archevêque, lapidant ce dernier et le légat du pape : autres arrestations, cette fois en attendant le paiement d'une amende de trois cents livres.

En 1263, ce sont les moines de la Charité-sur-Loire qui se plaignent des villageois de Chaulgnes qui se sont jetés sur un religieux qui avait pris leurs bêtes à pâturer indûment en forêt des Bertranges, et qui l'ont remis au prévôt du comte de Nevers qui l'a emprisonné à la Marche-sur-Loire. La cour royale intervient, les villageois doivent payer l'amende. Mais, si c'est un grand baron, le roi n'agit pas autrement. L'abbé de Cluny, sans doute lorsqu'il est venu au-devant du roi à Hyères — où, dit Joinville, il s'assura la faveur de saint Louis en lui offrant deux beaux chevaux (et en lui avançant cinq mille livres) —, se plaint du duc de Bourgogne. Celui-ci, ne pouvant obtenir paiement de ce qu'il réclamait à l'abbaye au titre du financement de la croisade, a fait saisir les prieurés de Cluny situés dans son duché et notamment celui de Tou-

lon-sur-Arroux. Le roi intervient et ordonne au duc de restituer sans attendre à l'abbé ce qu'il a pris.

Quant à Alphonse de Poitiers, son sénéchal de Rodez est
entré dans la terre de l'évêque de Cahors pour détruire un
barrage que celui-ci avait établi sur le Lot, et en faire
construire un autre dans la terre du comte. Saint Louis envoie
sur place son sénéchal de Périgord, Raoul de Trappes, qui
convoque les parties ; le représentant du comte fait défaut ;
l'enquête prouve le bon droit de l'évêque. Le roi fait détruire
le nouveau barrage, rétablir l'ancien et condamne le sénéchal
du comte à une amende et à des dommages et intérêts.

On pourrait multiplier les exemples. L'extension de la
garde royale, tant sur les biens que sur les hommes, multiplie
en effet les occasions d'intervenir. Quand l'abbé de Moissac,
en conflit avec l'évêque de Cahors, fait attaquer le prélat bien
que celui-ci soit accompagné d'un sergent royal, saint Louis
accepte exceptionnellement de laisser à son frère, le comte de
Poitiers, le jugement de l'affaire ; mais il lui donne des instructions sur la manière de mener la procédure. La présence
d'un sergent royal aurait en effet justifié l'évocation à la cour
du roi.

L'affaire qui fit le plus de bruit fut celle de la garde de
Saint-Rémy de Reims. L'archevêque Thomas de Beaumetz
prétendait être le gardien de cette abbaye — et en même
temps de son château et des vingt-quatre villages qui en
dépendaient. L'abbé trouva dans ses archives la preuve que
l'abbaye était de fondation royale et que Philippe Auguste en
avait confié la garde à un archevêque à titre provisoire. Le
conseil du roi se saisit de l'affaire et découvrit d'autres pièces
qui confirmaient la thèse de l'abbé. Thomas chercha à intimi-
der le roi, lui disant : « Je ne voudrais pas, pour tout le
royaume de France, avoir commis un péché tel que le vôtre. »
Louis répliqua vertement ; les évêques de la province refusèrent de se solidariser avec leur archevêque, qui parla de se
pourvoir en cour de Rome, et finit en 1262 par accepter un
compromis. En 1268, son successeur, Jean de Courtenay,
acceptait d'abandonner au roi la garde de Saint-Rémy.

Ce n'est pas que saint Louis ait cherché à faire valoir ce

droit de « garde de toutes les églises du royaume » que Beaumanoir reconnaît au roi de France. Lorsque le droit d'un
baron est prouvé, il s'incline. En 1258, il intervient entre l'évêque de Langres et le comte de Nevers pour arbitrer leur litige
à propos de la garde des possessions de l'abbaye de Pothières
à Mussy-sur-Seine. En 1267, l'abbé de Saint-Urbain conteste
à Joinville le droit de garde auquel prétend celui-ci. Le sénéchal, quand l'affaire vient au Parlement, demande une
enquête ; l'abbé propose une autre procédure qui lui permettrait d'appeler le roi comme gardien, et dit : « Nous aimons
mieux avoir notre abbaye en votre garde plutôt qu'en celle de
celui qui l'a pour héritage. » Louis refuse, et confirme au sire
de Joinville la garde de Saint-Urbain.

Ainsi le roi a-t-il été très attentif à assurer la protection des
clercs et des églises, si bien que, dans les dernières années du
règne, le recours à l'interdit, de la part des prélats, devient
exceptionnel. Néanmoins, il est resté tout aussi attentif à ne
pas laisser ceux-ci entreprendre sur les droits de la couronne.
Il respecte les droits acquis, encore que la protection des
églises donne aux sergents et aux baillis prétexte à s'implanter dans les terres d'Église. Les affaires qui concernent les
églises viennent nombreuses devant le Parlement, et les officiers du roi sont souvent mis en cause.

Le roi, cependant, ne cède pas sur le fond, même s'il
accepte un accord pour mettre fin à un conflit qui s'éternise.
Que ce soit l'accord de 1258 avec les évêques normands, ou
celui de 1260 avec Alexandre IV, nous constatons que saint
Louis n'a abandonné aucune des prétentions de la couronne,
alors qu'il parvient à apaiser un litige qui avait suscité, avant
et après 1250, un violent mouvement anticlérical. Fils soumis
de l'Église en matière morale et religieuse, très attaché à protéger les membres du clergé, Louis IX n'a pas confondu le
spirituel et le temporel. Son indépendance à l'égard des prélats et des papes est remarquable. Mais, fidèle à sa conception de la justice, il n'a pas non plus encouragé les empiétements de ses officiers, dont le zèle ne demande qu'à se manifester. C'est un équilibre difficile qu'il est parvenu à réaliser.

MOINES ET RELIGIEUX : LE CLERGÉ RÉGULIER DANS LA VIE DU ROYAUME

A la rigueur que saint Louis savait opposer, en matière temporelle, au clergé séculier, s'oppose la faveur dont il a entouré les réguliers. Encore une fois, les conseils adressés à son fils Philippe nous apportent l'expression de sa pensée. « Je t'enseigne, lui disait-il, que tu aimes en premier lieu les religieux et que tu les secoures volontiers dans leurs besoins. Et ceux par qui tu crois que Notre Seigneur est le plus honoré et servi, aime-les plus que les autres. »

Cet amour des religieux serait allé si loin que, selon ses biographes, le roi aurait souhaité prendre lui-même l'habit de religion, et faire entrer deux de ses fils, et une de ses filles, l'un chez les Dominicains, le second chez les Franciscains, la troisième chez les Cisterciennes. C'est ce que nous confirme, en ce qui concerne celle-ci, la bulle qu'elle obtint d'Urbain IV pour se prémunir contre des vœux qu'on aurait pu lui faire prononcer contre sa volonté.

Les enseignements du roi laissent entendre qu'il avait ses préférences. Il rejoignait ici, d'ailleurs, la doctrine traditionnelle des canonistes qui considéraient qu'un moine pouvait rompre son vœu de stabilité et quitter son couvent pour un autre si, dans celui-ci, on menait une vie plus parfaite. Mais certains historiens en ont conclu que sa prédilection allait aux ordres mendiants, et que les Cisterciens avaient perdu, avec la mort de Blanche de Castille, la préférence dont ils avaient joui jusque-là. C'est sans doute aller un peu loin, et le témoignage des documents qui nous font connaître les libéralités de saint Louis montre que sa faveur fut beaucoup plus partagée.

Le XIIIe siècle a, en effet, vu fleurir de très nombreuses formes de vie religieuse, au point que l'un des soucis de la papauté fut de remédier à ce que le pape Grégoire X appelait « l'excessive variété des ordres religieux » lorsque le concile

de Lyon de 1274 mit fin à l'existence de plusieurs d'entre eux.
Mais cette variété tenait à une nouvelle conception de la
place que les réguliers — entendons, les hommes et les
femmes qui se pliaient à une règle de vie religieuse —
devaient tenir dans l'Église et dans la société.

Leur fonction traditionnelle était d'adresser à Dieu des
prières, non seulement en vue de leur propre salut, mais aussi
pour la collectivité ; à cette fin, ils s'astreignaient à la célébration des offices liturgiques qui ponctuaient la journée du
moine. Les pieux donateurs ne manquaient pas de leur
demander des prières supplémentaires en vue d'être secourus
dans leurs besoins, spirituels et temporels ; et chaque monastère se voyait obligé d'assurer la distribution d'aumônes souvent alimentées par des fondations particulières, notamment
lors de la commémoration des défunts. Cette fonction-là gardait toute sa valeur, et le roi Louis y attachait, nous le savons
déjà, une grande importance. Il suffirait, pour s'en convaincre, de recenser les démarches qu'il fit, dès son retour de croisade, pour obtenir les prières des abbayes et des prieurés. A
la mi-septembre 1254, le chapitre général de Cîteaux accepte
de continuer la récitation des oraisons qui avaient été prescrites pour le roi et les siens lors du départ de la croisade, en
y ajoutant trois messes célébrées à leur intention. En 1255, les
Prémontrés et les Grandmontains font de même, tandis que
de nombreuses abbayes bénédictines, sollicitées par le souverain, l'associent à leurs prières.

Les Cisterciens restent au premier rang parmi les communautés traditionnelles auxquelles le roi s'en remet pour obtenir la miséricorde de Dieu. Quand il obtient de l'archevêque
de Cologne, en 1260, les reliques de plusieurs des compagnes
de sainte Ursule, c'est l'abbé de Royaumont qui est chargé de
les recevoir ; saint Louis fait déposer l'un des corps à Royaumont, un autre à Maubuisson, un troisième à Chaalis, et il
obtient du chapitre général que celui-ci inscrive au calendrier
de l'ordre cistercien la fête des onze mille Vierges. Sa fidélité
à Royaumont ne se dément pas : il y fait de fréquentes visites,
se plaît à partager la vie des moines, et c'est là qu'il fait enterrer ses trois enfants morts prématurément. D'ailleurs, il finit

par dépasser la mesure compatible avec l'esprit de la règle, dans son zèle à enrichir l'église abbatiale : en 1263, le même chapitre général prescrit à l'abbé de faire disparaître les ornements qui entourent le grand autel : peintures et sculptures, colonnes surmontées d'anges, tentures, ne conviennent pas à l'austérité tant recommandée par saint Bernard.

Nombre d'autres abbayes de moines blancs bénéficient des libéralités du roi. Et celui-ci confirme les donations que d'autres leur font. C'est ainsi que la liquidation de la seigneurie de Termes s'accompagne de plusieurs cessions de terres consenties par Olivier de Termes à l'abbaye de Fontfroide, voisine de Carcassonne : le roi accorde à celle-ci la confirmation de tous ces acquêts. Il ne faudrait pas réduire le bénéfice de telles faveurs aux Cisterciens : les abbayes bénédictines ont elles aussi obtenu en grand nombre concessions, exemptions ou confirmations.

Toutefois, saint Louis a été amené à intervenir de plus près dans la vie de l'ordre de Cîteaux. Celui-ci a connu une crise. L'abbé de Clairvaux, Étienne de Lexington, fut déposé en 1257 sous prétexte d'avoir outrepassé ses pouvoirs en fondant, à Paris, le collège Saint-Bernard. Comme Étienne avait obtenu du pape le privilège de ne pouvoir être déposé, Alexandre IV voulut le rétablir dans sa charge. Saint Louis pria le pape de n'en rien faire, de façon à ne pas créer de trouble dans l'ordre. Mais la querelle reprit quelques années plus tard, deux partis se formant, l'un derrière l'abbé de Cîteaux, l'autre derrière l'abbé de Clairvaux, qui réclamait la réforme de l'ordre. Le roi Louis essaie de rétablir la concorde, et fait même adopter par les deux partis, le 22 mai 1264, une solution de compromis. Mais les deux abbés et leurs partisans restent sur leurs positions : Louis, n'ayant pu épargner à l'ordre l'agitation qu'il avait essayé d'apaiser, se joint alors à ceux qui sollicitent l'intervention de Clément IV. Et c'est ainsi qu'il est l'un des artisans de la réforme que le pape promulgue le 6 juin 1265 par la bulle qui a gardé le nom de *Clémentine*.

La fonction contemplative, qui avait été celle du monachisme bénédictin et de ses branches réformées — celles-ci, à

l'instar des Cisterciens, associant à la célébration de la liturgie selon les normes prévues par les différentes coutumes la
recherche d'une vie plus austère —, se double au XIIIe siècle
d'une autre fonction qui se réclame souvent de la tradition
augustinienne de la christianisation des états de vie, mais qui
tend à faire pénétrer les exigences du message évangélique
dans la vie sociale. A cette nouvelle mission répond la naissance d'ordres qui, depuis la fin du XIIe siècle, se répandent
en France. On y trouve pêle-mêle des religieux qui veulent
mener une vie érémitique, mais à proximité des villes ou
même en ville, dans l'intention d'édifier les chrétiens qui les
habitent : tels les Franciscains, les Carmes, les Frères du Sac ;
d'autres qui se rattachent aux formes de vie des chanoines,
mais en proposant aux fidèles les règles morales et les
dogmes de l'Église : les Dominicains. D'autres se consacrent
à des tâches d'assistance, tels les Trinitaires, ou les Filles-
Dieu qui reçoivent les Repenties. Les Béguines, enfin, sont
simplement de pieuses femmes qui se réunissent pour mener
en commun une vie de sanctification, sans prononcer de
vœux définitifs. Tous ont en commun le désir d'échapper à
l'enracinement qui naît de la possession de biens fonciers ;
plusieurs d'entre ces ordres adoptent un genre de vie fondé
sur la pauvreté volontaire.

L'impression de foisonnement que donne l'apparition de
toutes ces congrégations, tout spécialement après 1254, ressort du texte de Joinville qui énumère les fondations réalisées
par saint Louis, ou du moins auxquelles celui-ci s'intéressa :

« Il fit bâtir plusieurs maisons-Dieu, à Paris, à Pontoise, à
Compiègne et à Vernon, et leur donna de grandes rentes. Il
fonda l'abbaye de Saint-Mathieu de Rouen, où il mit des
femmes de l'ordre des Prêcheurs ; celle de Longchamp pour
les femmes de l'ordre des Frères Mineurs, et leur donna à
elles aussi de grandes rentes... Il fit faire près de Paris, pour
les aveugles de la cité, une maison avec une chapelle pour
entendre le service de Dieu. Le bon roi fit construire, en
dehors de Paris, la maison des Chartreux qui a nom Vauvert... Peu de temps après, il fit faire hors Paris, sur le chemin
de Saint-Denis, un autre établissement qui fut appelé la mai-

son des Filles-Dieu ; il y installa une multitude de femmes, qui, par pauvreté, s'étaient mises en péché de luxure, et il leur donna quatre cents livres... Il établit en plusieurs lieux de son royaume des maisons de béguines.

« Le roi aimait toutes gens qui se mettaient au service de Dieu et qui portaient habit de religion. Il pourvut les frères Carmes, et leur acheta un emplacement sur la Seine près de Charenton. ... Puis il pourvut aussi les frères de Saint-Augustin... et il leur fit faire une église hors les portes de Montmartre. Les Frères du Sac, il les pourvut et leur donna un emplacement sur la Seine, vers Saint-Germain-des-Prés... Après eux, il vint encore une autre espèce de frères que l'on appelle l'ordre des Blancs-Manteaux... Le roi leur acheta une maison près de la vieille porte du Temple de Paris... Vint ensuite une autre manière de frères qui se faisaient appeler Frères de la Sainte-Croix... Il les hébergea en une rue nommée carrefour du Temple et qui dès lors prit le nom de rue Sainte-Croix. Ainsi le bon roi environna de religieux la ville de Paris. »

Le poète Rutebeuf a éprouvé la même impression, mais non le même enthousiasme. Toutes ces sébilles tendues, tous ces frocs, l'irritent. Et il les brocarde dans son poème sur *Les Ordres de Paris* qui fut écrit vers 1263 :

> « Par maint semblant, par mainte guise,
> Ils font ceux qui n'ont pas de métier appris,
> Par quoi ils puissent gagner leur vie.
> Les uns portent une cotte grise
> Et les autres vont sans chemise,
> Et font savoir leur pénitence.
> Les autres, par fausse semblance,
> Sont seigneurs de Paris en France.
> Ils ont déjà encerclé la cité.
> Dieu garde Paris de méchéance
> Et la garde de fausse croyance.
> Qu'elle prenne garde d'être prise ! »

Et il énumère : les Barrés (les Carmes), les Béguines, les Jacobins (Dominicains), les Cordeliers (Franciscains), les

Sacs (l'ordre de la Pénitence Jésus-Christ), les Quinze-Vingts
qui sont les aveugles, les Filles-Dieu, les Trinitaires, le Val
des Écoliers (des Augustins), les Chartreux, les Guillemites.
Trois de ces congrégations seulement étaient établies à Paris
avant saint Louis. Celui-ci avait-il été seulement sensible à la
recherche de perfection de chacun de ces nouveaux ordres,
ou bien était-il aussi attentif à leur rôle social et à l'impact de
leur présence, facteur de renouveau spirituel et aussi d'assistance aux malheureux, dans la capitale du royaume et dans
les autres chefs-lieux ?

Franciscains et Dominicains tiennent une place à part, du
fait que le roi les a associés à son gouvernement — tandis que
c'était un Trinitaire, frère Pierre, qui l'aidait à dire ses
Heures. Les deux ordres avaient eu de bonne heure leurs premiers établissements en terre française. Les premiers Frères
Prêcheurs étaient arrivés à Paris en 1217 ; les Frères Mineurs
les avaient suivis en 1219. Leurs couvents avaient essaimé et
s'étaient multipliés, attirant des hommes venus de toutes les
conditions sociales, y compris bon nombre de clercs séculiers
(Guillaume de Chartres, l'un des confesseurs du roi, avait
commencé une carrière de séculier avant de se faire Dominicain). Le refus de posséder des terres et des maisons, de prélever des dîmes ou des cens, heurtait la conception traditionnelle selon laquelle une communauté devait avoir des terres
pour que le moine puisse vivre du travail de ses mains. Mais,
en fait, les exigences de la desserte liturgique faisaient que les
moines vivaient plus des revenus de ces terres mises en valeur
par leurs tenanciers que de leur travail personnel : les nouveaux ordres apparaissaient d'abord comme ayant refusé de
vivre à la manière des seigneurs. Pour eux, la mendicité était
un moyen de subsistance, ce qui correspondait à la fois à une
confiance absolue dans la Providence et à une manifestation
d'humilité, tout ceci dans l'observance d'un précepte évangélique. En même temps, ce genre de vie mettait les Mendiants
en contact avec les autres fidèles auxquels ils tendaient la
main. Tout ceci leur assurait à la fois une place originale et
une grande popularité : Rutebeuf, qui devait les poursuivre
de sa vindicte, a écrit sa première œuvre, le *Dit des Cordeliers*,

pour stigmatiser l'attitude du clergé de Troyes qui s'opposait
à l'installation des Franciscains dans cette ville par crainte de
les voir accaparer les offrandes des fidèles.

En fait, les Mendiants, très appréciés comme prédicateurs
et comme confesseurs, parce que bien formés dans leurs couvents à ces formes de l'activité pastorale, ont partout suscité
de la part du clergé séculier certaines réticences, en raison de
la concurrence qu'ils faisaient aux prêtres des paroisses, dont
ils étaient d'autre part les meilleurs auxiliaires. La Papauté
dut s'employer pour vaincre ces réticences, non sans qu'en
bien des endroits il eût fallu recourir à des compromis pour
concilier le vœu des fidèles de choisir leur sépulture chez les
Mendiants et le droit des curés à célébrer les obsèques de
leurs paroissiens. Ceci n'empêchait pas, nous le savons déjà,
bien des séculiers de prendre l'habit des Franciscains ou des
Dominicains.

Ceux-ci, d'autre part, avaient fourni le personnel dont
l'Église avait besoin pour lutter contre l'hérésie. Ils coopé-
raient avec les évêques dans la tâche de l'inquisition. Leur
rattachement direct à la Papauté leur valait en Italie l'hostilité de Frédéric II ; en France, il ne semble avoir suscité
aucune difficulté.

Ils ont été présents de bonne heure auprès de saint Louis.
Blanche de Castille avait été en relation avec le maître des
Dominicains, Jordan de Saxe, quand celui-ci résidait à Paris,
et Louis a certainement appris en ces temps-là à connaître les
Frères Prêcheurs. Quant aux Frères Mineurs, il n'a pu manquer de les fréquenter. En tout cas, au moment de son départ
pour la croisade, Salimbene a été témoin des visites qu'il faisait le long de la route aux couvents des uns et des autres. On
pourrait craindre que, Franciscain lui-même, il n'ait été attentif qu'aux visites du roi aux Mendiants ; mais Joinville
confirme que « dans toutes les villes de son royaume où il
n'était encore jamais allé, le roi se rendait auprès des Prêcheurs et des Cordeliers, s'il s'en trouvait, pour requérir leurs
prières ».

C'est en tant qu'hommes de prière, menant une vie d'une
exceptionnelle austérité en raison de son dépouillement des

biens de ce monde, qu'ils sont évoqués ici. Mais ils représentaient sans doute aussi autre chose aux yeux de saint Louis. Hugues de Barjols, lorsqu'il prêcha à Hyères devant ce dernier, tonnait contre le trop grand nombre de religieux qui vivaient auprès du roi, où ils ne respectaient pas leur règle et où ils couraient le risque de commettre les péchés mortels dont la vie du cloître les mettait à l'abri. Ce n'est donc pas seulement pour bénéficier de leurs prières que Louis s'entourait de ces religieux : il lui aurait suffi de demander ces oraisons à leurs couvents.

Il a, de fait, favorisé l'établissement des couvents des Frères Prêcheurs et des Frères Mineurs. L'amende infligée à Enguerran de Coucy en 1259 fut en grande partie affectée à la construction de l'église des Franciscains de Paris et des bâtiments conventuels des Dominicains de la même ville. Saint Louis a fait bâtir les couvents dominicains de Compiègne et de Carcassonne, contribué à la fondation de ceux de Mâcon, de Rouen et d'Évreux ; il est intervenu dans celle de plusieurs couvents franciscains ; on lui doit celle du monastère des Dominicains de Rouen et des Clarisses de Longchamp, ce dernier étant le couvent de prédilection de sa sœur Isabelle. On peut admettre que ces fondations répondaient dans son esprit à la diffusion d'un genre de vie religieuse qui lui paraissait particulièrement agréable à Dieu ; nous savons qu'il appréciait la prédication des Dominicains : il assistait aux leçons qu'on donnait dans leur maison de Compiègne tandis que Salimbene l'a vu s'asseoir par terre, familièrement, au milieu des Franciscains réunis à Sens.

Mais les deux ordres apportaient autre chose qu'une forme de sanctification et qu'une spiritualité particulière. Ils s'adonnaient à l'étude, et saint Louis n'a pu manquer d'apprécier la science des uns et des autres. Saint Bonaventure a prêché devant lui. Et, nous dit-on, un jour où saint Thomas d'Aquin mangeait à la table du roi, perdu dans ses pensées, il se serait subitement écrié : « Voilà l'argument que je cherchais contre les Manichéens. » Et le roi se serait hâté de lui faire apporter de quoi écrire...

Ce que le roi, et bien d'autres, pouvaient attendre des Franciscains et des Dominicains, c'était leur connaissance approfondie des questions de morale. Les deux ordres, qui sont nés au moment où le concile du Latran de 1215 obligeait les fidèles à se confesser une fois par an et encourageait la confession plus fréquente, se sont fait une spécialité du ministère de la pénitence. Saint Louis avait toujours, nous dit-on, deux confesseurs à sa disposition : l'un était Franciscain, l'autre Dominicain. Les uns et les autres étaient des maîtres en théologie morale.

N'est-ce pas ce qui a poussé le roi à choisir au sein des deux ordres les enquêteurs qu'il envoyait à travers son royaume ? Nous n'ignorons pas que les enquêteurs n'ont pas été exclusivement choisis dans les rangs des Frères ; des chevaliers, des prélats, des clercs séculiers ont eux aussi pris part aux enquêtes, surtout depuis 1254. Mais la composition la plus habituelle de ces commissions, souvent constituées de trois personnes, fait place à un Dominicain et à un Franciscain. En 1257, par exemple, Geoffroy Tribuel, un Prêcheur, et Pierre de Valenciennes, un Mineur, sont associés à l'archidiacre d'Orléans ; Adam de Saint-Riquier, Dominicain, et Robert de Nesle, Franciscain, au doyen de Senlis. Alors qu'on est loin de constater une permanence analogue des Frères au conseil du roi ou dans les Parlements. La présence des Mendiants est tellement normale, aux yeux des contemporains, dans les commissions d'enquête, que l'ordre des Frères Prêcheurs avait dû admettre que ses religieux pourraient monter à cheval, contrairement à la règle, de façon exceptionnelle, au cours de ces missions.

Recourant aux religieux des deux ordres en raison de leur expérience de l'appréciation de la gravité des fautes, et de leur correction, le roi s'entourait volontiers de leurs avis. C'est à eux, nous dit Geoffroy de Beaulieu, qu'il demandait de l'éclairer sur le choix des candidats aux bénéfices ecclésiastiques. Il y a toujours des Dominicains et des Franciscains dans son entourage : on les voit intervenir en faveur de la dame de Pontoise qui avait empoisonné son mari, en raison de la sincérité de son repentir. Saint Louis passe d'ailleurs outre à leur avis. Et quand, après le dîner, il s'asseyait

au pied de son lit en compagnie de ses chevaliers « si des Prêcheurs ou des Cordeliers qui se trouvaient là évoquaient
devant lui quelque livre qu'il eût entendu lire volontiers », il
lui arrivait d'écarter cette proposition pour préférer à la lecture une conversation à bâtons rompus. C'est donc qu'en
d'autres occasions, il acceptait que ces religieux lui fassent la
lecture. De toute façon, leur influence sur saint Louis est
indéniable ; ils l'ont formé à leur spiritualité. Et le partage de
ses livres entre leurs couvents et Royaumont est caractéristique.

Cette influence n'était pas du goût de tous ses contemporains. On connaît par Guillaume de Saint-Pathus la manière
dont le roi fut interpellé par dame Sarrette de Faillouël, une
plaideuse qui avait été déboutée au Parlement de la Toussaint
1269 d'une requête qu'elle avait introduite contre Adam de
Commenchon : « Fi ! Fi ! Devrais-tu être roi de France ? Il
vaudrait mieux qu'un autre le fût. Tu n'appartiens qu'aux
Frères Mineurs, aux Frères Prêcheurs, aux prêtres et aux
clercs. C'est grand dommage que tu sois roi de France, et
grande merveille que tu n'aies pas été bouté hors du
royaume ! » A quoi le roi répondit en souriant : « Vous dites
vrai, dame Sarrette. Je ne suis pas digne d'être roi et, s'il eût
plu à Notre-Seigneur, il eût mieux valu qu'un autre le fût, qui
aurait mieux su gouverner le royaume ! »

Mais Sarrette de Faillouël n'était pas seule à penser de la
sorte. Rutebeuf s'est déchaîné contre les deux ordres, auxquels il reproche d'avoir abandonné la simplicité et l'humilité
de leurs débuts, de rechercher les dons, les aumônes, de blan-
chir les usuriers et les hérétiques lorsque ceux-ci les inscrivent
sur leur testament. Il ne supporte pas qu'ils aient l'oreille du
roi, qui devrait, à leur place, écouter ses barons, héritiers des
paladins du temps jadis. C'est dans *La Complainte de
Constantinople* qu'il écrit :

> « Au lieu de Naimes de Bavière,
> Le roi tient une gent doublière,
> Vêtue de robe blanche et grise. »

Néanmoins cette influence n'est pas sans limite. On ne croit plus aujourd'hui, que saint Louis soit entré dans le Tiers-Ordre franciscain. Sa prédilection pour les deux ordres ne l'a pas empêché de témoigner une faveur équivalente à d'autres formes de vie religieuse.

Mais les Mendiants, qui lui proposaient une règle de vie conforme aux exigences morales qui étaient les siennes, lui apportaient aussi une aide précieuse dans le gouvernement de son royaume. Ils lui ont fourni un personnel de choix, et un personnel spécialisé, au moment où saint Louis s'efforçait de donner à son administration et à sa justice une orientation qui correspondait précisément à ce que Franciscains et Dominicains essayaient d'apporter à la société de ce temps.

LES QUERELLES UNIVERSITAIRES ET LA NAISSANCE D'UNE OPPOSITION

La multiplication des couvents des Franciscains, des Dominicains et de leurs émules ; la faveur que ce nouveau type de vie religieuse, vécue au contact immédiat de la société laïque, rencontrait dans tous les milieux aussi bien qu'auprès du roi ; les privilèges que leur accordait la Papauté avec libéralité : tout ceci ne pouvait manquer de susciter des conflits, et en premier lieu avec le clergé séculier. Les fondateurs des deux grands ordres avaient eu soin de faire de leurs religieux des auxiliaires de ce dernier, animateurs de vie spirituelle, mais en dehors du cadre paroissial dont le IVe Concile de Latran avait, en 1215, renforcé les contours. Mais les rivalités n'en avaient pas moins pris naissance, notamment à l'occasion des sépultures. C'était un acte de piété que de choisir le lieu de son ensevelissement chez les Mendiants : non seulement le défunt bénéficiait pour son âme des prières de ces religieux d'élite, mais ces derniers, auxquels toute propriété était interdite, bénéficiaient des offrandes et des aumônes qui accompagnaient les obsèques. Or le clergé paroissial, qui comptait normalement sur le profit de ces offrandes, se trouvait frustré : on ne compte pas les disputes qui furent provoquées par ces élections de sépulture dans la première moitié du XIIIᵉ siècle.

Les conflits entre les clercs séculiers et les nouveaux ordres ne devaient pas s'arrêter là. Certes, les chanoines et les prêtres n'avaient pas été les derniers à subir l'attirance de la pauvreté volontaire et à prendre l'habit des Frères. Mais ceux-ci, par la volonté de la Papauté, avaient développé dans leurs ordres une culture religieuse qui apparaissait comme indispensable à des prédicateurs, à des confesseurs, à des polémistes. Leurs couvents comportaient des écoles *(studia)* où des « lecteurs » donnaient un enseignement débouchant sur la théologie, et les papes autorisaient certains d'entre eux à conférer des grades aux religieux qui avaient suivi cet enseignement. Ceci devait nécessairement amener à des frictions avec les écoles auxquelles était reconnu le privilège de conférer le baccalauréat, la licence et le doctorat.

Le XIIIᵉ siècle a été, en France, le siècle des universités. Nées des écoles des siècles précédents, elles conquièrent en ce siècle une autonomie et une individualité que caractérise l'emploi même du terme d'*universitas,* désignant un corps jouissant d'une personnalité juridique reconnue par des privilèges pontificaux qui reconnaissent à l'Université le droit de s'administrer elle-même, de juger de la capacité des étudiants à recevoir leurs grades, de faire échapper ceux-ci à la juridiction des cours laïques. Toutefois les maîtres et les écoliers n'avaient pas pu secouer totalement la tutelle des autorités épiscopales sous laquelle ils s'étaient organisés en corps : c'est le chancelier de l'évêque de Paris qui délivre les diplômes aux nouveaux gradués, et l'Université n'a obtenu qu'en 1246 de disposer de son propre sceau, qu'elle réclamait depuis le temps d'Honorius III.

La protection royale n'avait pas fait défaut aux universités : les rois de France étaient conscients du prestige de la science universitaire, et aussi du rôle que les écoles jouaient dans l'Église, en formant des clercs lettrés, capables d'élucider les difficultés qui se posaient aux chrétiens, de refouler les hérésies ; la formation juridique qu'on acquérait notamment à Orléans, a été, nous l'avons vu, très appréciée par saint Louis qui a eu recours à d'anciens étudiants bien entraînés à résoudre les questions de droit.

C'est grâce au traité de Paris de 1229 que l'université de Toulouse avait pu prendre naissance, tant du fait de la régente Blanche de Castille que du légat Romain. Elle visait à remédier à l'insuffisance du clergé méridional face à la propagande des hérétiques, en prévoyant l'enseignement des arts libéraux et de la grammaire, celui de la théologie et du droit canon. L'abbé de Grandselve, Hélie, avait eu charge de recruter des docteurs qu'il avait fait venir de Paris : des séculiers, comme Jean de Garlande ; des réguliers aussi ; le Dominicain Roland de Crémone, comme son successeur Jean de Saint-Gilles, avaient tous deux enseigné à Paris avant de venir à Toulouse. Le comte de Toulouse s'était vu imposer l'entretien de ces maîtres, et l'université avait traversé des moments difficiles jusqu'à la soumission définitive de Raymond VII par saint Louis. Mais, pourvue de privilèges par Grégoire IX en 1238, bientôt dotée de son premier collège grâce au testament de Vidal Gautier, elle réunissait assez de clercs et d'étudiants pour que leur turbulence donnât, vers 1266, des soucis aux autorités.

Cette turbulence est un fait général. Elle se manifeste à Paris, où les rixes entre jeunes clercs et bourgeois, les bagarres entre étudiants et sergents du prévôt ont amené des crises sérieuses, d'autant plus que la répression des désordres suscités par les écoliers prend place parmi ces actes de juridiction laïque dont l'Église prétend à ce qu'ils soient exemptés en raison de leur statut clérical : la Papauté reconnaît, en pareil cas, le droit de l'Université à suspendre ses cours et ses exercices. C'est ce qui s'est passé à Paris en février 1229, lors d'une rixe survenue dans une taverne du bourg Saint-Marcel entre écoliers et bourgeois. Les archers de la reine, envoyés pour rétablir l'ordre, n'y allèrent pas de main morte, et plusieurs jeunes clercs, étrangers à l'affaire, restèrent sur le terrain. Forte des privilèges qu'elle s'était fait reconnaître par Philippe-Auguste, l'Université riposta en se mettant en grève et en se dispersant : les maîtres allèrent qui à Oxford, qui à Angers, qui à Orléans, voire à Toulouse. Le pape prit leur parti, et le légat intervint : la reine Blanche dut finalement, en 1231, reconnaître les privilèges de l'Université et contraindre les bourgeois à faire réparation pour les préjudices subis par les écoliers.

Ce n'était pas un monopole parisien. En 1236, vers la Pentecôte, Orléans connaît une grave émeute, dont l'origine aurait été une affaire concernant une femme de peu. Les bourgeois infligèrent une sévère leçon aux étudiants, dont plusieurs furent assommés ou jetés à la Loire. Selon Mathieu Paris, on comptait parmi les morts des neveux du comte de Champagne, du comte de la Marche, des parents du sire de Bourbon et du comte de Bretagne. L'évêque — Philippe Berruyer — jeta l'interdit sur la cité ; les grands seigneurs, parents des victimes, les vengèrent sur les marchands orléanais. Il fallut que le roi intervînt pour apaiser la querelle. Orléans, il est vrai, accueillait surtout des étudiants en droit, souvent de grande famille, particulièrement prompts à jouer de l'épée.

Mais la grève parisienne de 1229-1231 avait coïncidé avec l'entrée des Mendiants dans l'Université ; et ceux-ci ne s'étaient pas solidarisés avec leurs collègues. Des douze chaires de théologie, dont trois étaient réservées à des chanoines de Notre-Dame, l'une avait été conférée en 1229 à un Dominicain ; deux maîtres en fonction avaient pris, l'un l'habit dominicain, l'autre l'habit franciscain, et ils transmirent leurs chaires à leurs confrères. Ainsi trois des chaires échappaient-elles aux maîtres séculiers.

Le conflit entre séculiers et réguliers devait intervenir au temps de la croisade de saint Louis, et il n'est pas exclu que l'absence du roi ait contribué à lui donner son caractère de gravité. Nous devons à M. Dufeil d'avoir reconstitué les phases de l'affaire en les replaçant dans le rythme de la vie universitaire, avec le déroulement de ses leçons, de ses disputations, de la collation des grades. Il semble que le point de départ de la querelle ait été la crainte, de la part des maîtres séculiers, de voir les Mendiants occuper une nouvelle chaire, en même temps que l'irritation causée par la perspective de l'ouverture de nouvelles écoles par les Cisterciens (collège Saint-Bernard), en 1246, les Prémontrés (en 1252) et par Cluny (en 1261). Un statut adopté par l'Université en 1252 stipulait qu'aucun ordre ayant son propre *studium* ne pourrait disposer de plus d'une chaire, ce qui visait les Dominicains, lesquels en avaient deux. Or, en 1253, une rixe opposait écoliers et sergents ; elle faisait un mort. L'Université décidait une grève ; elle invitait les Mendiants à s'y joindre. Ceux-ci posaient comme condition qu'on leur garantirait la possession de leurs chaires ; on s'y refusa et ils s'abstinrent de s'associer à la suspension des cours. On devine que l'atmosphère du Quartier latin devint vite houleuse.

C'est un des maîtres les plus en vue, Guillaume de Saint-Amour, qui fit bientôt figure de chef du parti hostile aux Mendiants. Il trouva une faille dans l'orthodoxie de ses adversaires, du fait de la composition par le Franciscain Gérard de Borgo-San-Donnino d'un traité épousant les doctrines les plus extrêmes du courant issu de Joachim de Flore ; il y releva l'affirmation selon laquelle allait apparaître un nouvel évangile, « l'évangile éternel », dans la perspective de la substitution à l'Église actuelle de l'Église de l'Esprit. Puis il passa à d'autres accusations, cette fois-ci dirigées contre la pratique de la pauvreté comme moyen de perfectionnement spirituel, relevant chez les Pères de l'Église la condamnation de la mendicité et l'obligation pour le moine de vivre du travail de ses mains, ce qui lui permettait de dénoncer les Mendiants comme de faux frères, des loups rapaces, se couvrant du manteau de la perfection de la vie chrétienne. La dénonciation trouva un écho à Rome : le pape Innocent IV, peu avant sa mort, révoqua un grand nombre de privilèges accordés aux ordres mendiants.

Mais cette victoire devait être éphémère. A Paris, face à Guillaume de Saint-Amour et à ses partisans, les Frères opposaient deux jeunes théologiens, non encore pourvus de chaires, mais l'un et l'autre hommes de science et de talent, saint Bonaventure et saint Thomas d'Aquin ; un autre Franciscain, Thomas d'York, réfuta les arguments de Guillaume.

Le nouveau pape, Alexandre IV, annula la bulle d'Innocent IV, cassa les statuts parisiens et exigea la réintégration dans l'Université des maîtres dominicains et franciscains. Saint Louis venait de rentrer d'Orient : fidèle à sa manière, il tenta de faire adopter un compromis qu'élaborèrent les évêques, réunis en synode : on aurait constitué deux sociétés, l'une composée des maîtres séculiers, l'autre des réguliers, auxquels se seraient joints les chanoines de Notre-Dame. Ce fut un échec : Alexandre IV pressa le roi de rétablir l'unité de l'Université ; Guillaume de Saint-Amour écrivit un traité *de Periculis* où il accusait ses adversaires, avec la dernière vigueur, d'être les destructeurs de l'Église. Il n'épargnait pas le roi, auquel il était reproché d'assurer la sécurité des Dominicains par la force armée, ce qui atteste qu'on redoutait les excès d'éléments turbulents. En fin de compte, le roi fit saisir le traité. Guillaume, se rendant à Anagni avec une délégation des maîtres, se trouva en posture d'accusé. Il fut contraint à se soumettre et privé de sa chaire ; le pape demandait au roi de lui interdire l'accès de son royaume (Guillaume, né en Bresse, terre d'Empire, n'était pas régnicole), sans toutefois le priver de ses bénéfices (1257).

La victoire des Mendiants — saint Bonaventure devenait cette année-là général de l'ordre franciscain — était acquise. Elle n'était pas sans conséquence sur le plan intellectuel : saint Thomas, formé en l'université de Naples à la pratique de l'aristotélisme adapté par les maîtres italiens, réalise à Paris une synthèse des connaissances qui prend le pas sur les œuvres de ses devanciers, en pratiquant avec rigueur la méthode du syllogisme.

Sans doute saint Louis n'avait-il pas cherché à privilégier tel ou tel aspect doctrinal : s'il a connu les deux saints — on rapporte que saint Thomas mangea à sa table —, il avait les rapports les plus étroits avec l'un des maîtres séculiers, Robert de Sorbon, et Joinville nous rapporte les égards que le roi avait pour ce dernier. Robert nourrissait un grand projet : celui de fonder un collège à l'intention des écoliers pauvres, pour leur permettre de suivre leurs études sans soucis matériels, comme les ordres religieux le faisaient pour leurs pro-

pres moines. Saint Louis l'aida dans l'achat des maisons destinées à recevoir le futur collège et, lorsque celui-ci prit
forme, c'est au roi que le pape adressa ses félicitations, considérant l'œuvre de Robert de Sorbon comme partiellement
sienne ; et Guillaume de Saint-Pathus, qui évalue à
4 000 livres les dépenses faites par le roi à ce titre et pour
d'autres maisons louées à des écoliers, ajoute qu'il payait des
bourses à de nombreux clercs qui suivaient les écoles, à des
taux variables. Malgré toute sa faveur pour les Mendiants,
Louis avait cherché à tenir la balance égale, et les jeunes
clercs séculiers ont bénéficié de ses libéralités tout comme les
Dominicains et les Franciscains dont il faisait agrandir les
couvents parisiens.

Néanmoins la part décisive qu'il avait prise à l'élimination
de Guillaume de Saint-Amour, peut-être à son corps défendant, lui valut l'hostilité des partisans de celui-ci.
P. Michaud-Quantin a mis en évidence cette hostilité en étu-
diant un « quodlibet » de Gérard d'Abbeville, un disciple de
Guillaume qui, selon l'usage, devait répondre, sans doute à la
fin de 1265, à une question d'actualité posée par un de ses
auditeurs. Gérard, interpellé sur la légitimité de la décision
par laquelle le roi avait interdit à ses sujets de recevoir des
deniers sterling, et imposé à ceux-ci un serment en ce sens,
reconnut que le roi avait le droit d'agir ainsi, tout en entourant cette déclaration d'assez de réserves pour que les gens du
souverain ne pussent se servir de ce texte pour contraindre les
récalcitrants. Mais il se montra beaucoup moins favorable à
l'opportunité de la mesure, dont il recommandait la révocation, en constatant que l'autorité royale avait déjà jeté du lest,
et il s'en prit avec vigueur aux clercs de l'entourage du roi qui
auraient dû mieux conseiller ce dernier. Cette leçon de
morale s'apparente de fort près à une condamnation de la
politique du roi en matière monétaire.

Cette opposition universitaire, très occasionnelle, se manifestait de façon beaucoup plus ouverte par la voix des
auteurs de chansons, qui, nous le savons, tiennent alors la
place de la presse d'opinion.

Louis IX avait déjà été pris à partie par les auteurs de

pièces rimées. Mais, sans s'arrêter aux invectives lancées contre Blanche de Castille à l'occasion de la guerre de Thibaud IV contre les grands barons, ce sont des troubadours qui avaient pris le parti de Raymond VII ou de Frédéric II contre la politique capétienne, ou soutenu les revendications d'Henri III. Un Sordello lui avait reproché d'être trop docile aux volontés de sa mère parce qu'il ne revendiquait pas la couronne de Castille : tout ceci ne visait guère la personne du roi de France.

C'est aux environs de 1261 qu'un troubadour anonyme, écrivant sans doute en Italie, dans l'entourage de Manfred, et remâchant les rancunes des partisans des Hohenstaufen contre le pape, s'exclame, tandis qu'il passe en revue les princes chrétiens :

> « Du roi français, qu'on tient pour droiturier,
> Je veux peu parler, car il vaut peu et il donne peu,
> Sauf qu'il croit garder son honneur intact quand il
> [prend.
> Il me déplaît donc qu'il donne à qui l'implore au nom
> [de Dieu.
> Avec un tel roi, qui n'attache pas de prix à la valeur,
> Que le pape en ait mal, puis qu'il supporte
> Qu'on déshérite un chevalier sans raison.
> Mais il en ait part, lui par qui il convient de souffrir ;
> Et le savent bien Toulousain et Carcassonne. »

L'accent est exceptionnel, tant parce qu'il s'élève contre la réputation d'homme juste qu'on fait au roi Louis, que parce qu'il l'accuse de manquer de générosité, tout en reprenant les rancunes méridionales.

Mais, dans les années qui précèdent, le mécontentement s'exprime aussi sous des plumes françaises. C'est Rutebeuf, le mieux doué des écrivains du temps, qui s'en fait l'expression. Ce clerc, qui a étudié à Paris, qui a renoncé à une carrière ecclésiastique pour se faire jongleur, vit des libéralités des grands, pour plaire à qui il compose des pièces édifiantes, mais aussi de ceux dont il égaie les fêtes en chantant des pièces légères ; il écrit tantôt des satires, tantôt des complaintes ; il met sa plume au service des propagandes, et la croisade lui a offert un thème de prédilection, soit qu'il en ait été un chaud partisan, comme l'a pensé Paul Rousset, soit qu'il n'ait été au fond de lui-même qu'à demi convaincu, comme l'estimait E. B. Ham.

L'affaire de Guillaume de Saint-Amour l'a amené à prendre parti. Sans doute a-t-il été engagé par tel comparse du maître exilé ; mais très probablement il avait lui-même des relations personnelles avec l'un ou l'autre des disciples de Guillaume, s'il n'avait pas lui-même été de ces disciples. Dans une première pièce *(La Discorde de l'Université et des Jacobins)*, il raille les Dominicains ; mais, dans deux autres, il dénonce avec vigueur « la déraison et le desroi qu'on fait à maître Guillaume ». Il lui paraît inadmissible qu'on ait pu exiler ce dernier « sans jugement », et il s'en prend au roi, qui avait juré (« En nom de moi ! ») de maintenir la décision prise par les prélats, et qui n'avait pas tenu cet engagement, en se soumettant à la volonté du pape.

Le roi est à nouveau pris à parti, en raison de la faveur excessive qu'il témoigne aux nouveaux ordres, que ce soit en raison de la création des Quinze-Vingts ou des Filles-Dieu *(Les ordres de Paris)*, en fermant les yeux sur les agissements des Frères, alors qu'il faudrait « que le roi fît enquête sur eux..., comme il en fait sur les baillis » *(Le Dit de Sainte Église)*. Dans le *Dit des béguines*, il avertit ses auditeurs de ne dire que du bien de celles-ci, car le roi ne supporterait pas le contraire. Dans *La Bataille des vices contre les vertus*, il se demande comment « le meilleur roi qui jamais ait haï le désordre » a pu laisser prendre tant d'influence aux Mendiants, que « les Frères tiennent tout le royaume en leur main », et il laisse entrevoir une réaction :

« Que, si Dieu avait pris le roi
Par qui ils ont honneur et prix,
Moult serait la chose changée
Et leur seigneurie éloignée. »

A cette veine anti-dominicaine, qui égratigne au passage les autres ordres et, incidemment, le roi, s'en ajoute une autre, au moment où l'interdiction du duel judiciaire et le procès d'Enguerran de Coucy créent un malaise dans le monde des barons. Rutebeuf s'en fait aussitôt l'écho : dans la *Complainte de Constantinople* (1262), évoquant les catastrophes qui menacent l'Orient latin, il ironise sur le concile que le roi ne manquera pas de réunir, ce qui aboutira à donner de nouveaux pouvoirs « à ceux qui font nouvelle croyance, nouveau Dieu et nouvel évangile » (on reconnaît les accusations portées contre Gérard de Borgo-San-Donnino) et qui en profiteront pour semer leur hypocrisie. Quant à la chevalerie sur laquelle il faudrait compter, comme « loyauté est morte et périe », que « le roi ne fait droit, ni justice, aux chevaliers, mais les méprise », en les jetant en prison à son gré, il n'aura, au lieu de paladins, que ceux qui sont « vêtus de robe blanche et grise ». Et il lui faudrait composer de « béguins » son armée et son conseil : belle compagnie à opposer aux Tartares ! Cette dernière idée est reprise dans *Renart le Bestourné* : Noble le lion, qui représente le roi de France, s'en remet aveuglément à Renard, qu'il a fait « sire de tout son avoir ». Avec ses comparses, le chien Roneau, le loup Ysengrin, l'âne Bernard, Renard gouverne le royaume et dépouille les sujets du roi. Celui-ci, au jour de la bataille, ne pourra plus compter sur personne...

La convergence de la haine des universitaires contre les Mendiants et de la rancune des barons contre les mesures dont ont été victimes tant Enguerran de Coucy que d'autres des leurs fait ainsi de Rutebeuf le porte-parole de toutes les oppositions. Mais ce n'est que pour un temps. Comme l'a écrit E. Faral, avec *Renart le Bestourné*, « la critique atteint son paroxysme..., celle d'un homme atteint dans ses intérêts matériels les plus directs, privé de tout ce que les " bonnes festes " lui apportaient de profit. »

C'est qu'en 1261 le roi, après le pape, a interdit les fêtes et les tournois en raison du danger où se trouvait la chrétienté : les jongleurs sont réduits à la misère. En outre, Rutebeuf s'est dangereusement compromis avec Guillaume de Saint-Amour : il est suspect, quelque peu en rupture de ban. Mais, dès 1263, les commandes reviennent ; le poète retrouve des protecteurs, et parmi eux Alphonse de Poitiers. Le poète de la croisade va pouvoir à nouveau exploiter sa veine de prédilection, en même temps qu'il écrira son *Miracle de Théophile* et quelques-unes de ses plus belles pièces personnelles.

Il n'y en a pas moins eu un moment, lorsque Rutebeuf écrivait ses satires, qu'un baron anonyme composait *Gent de France, moult estes esbahie*, où le roi a été vivement critiqué. Son effort de moralisation du royaume, pour lequel les Frères lui offraient d'excellents instruments, heurtait dans leurs intérêts et dans leurs traditions aussi bien les barons que les clercs ; la protection accordée aux Mendiants dans l'affaire de l'université de Paris, pour relative qu'elle ait été (car nous avons vu que le roi Louis avait eu égard aux positions prises par les maîtres séculiers) l'a mis en conflit avec tout un parti universitaire. Néanmoins, les éclats sont assez rapidement retombés.

L'Université — les universités, plutôt — ont contribué elles aussi à l'épanouissement du royaume au milieu du xIIIe siècle. Parce que l'école philosophique et théologique parisienne, en grande partie grâce au renouveau apporté par les Mendiants, élabore une doctrine scolastique qui, pour un temps, obtient un *consensus* dans l'Occident tout entier. Parce que les juristes orléanais fournissent au pouvoir royal les armes dont celui-ci a besoin pour s'affirmer, et que les barons comme les prélats se servent des mêmes armes pour assurer l'exercice de leurs prérogatives gouvernementales, dans la sphère que le roi leur laisse — et elle est encore très ample. Les Mendiants apportent leur contribution à l'ensemble, aussi bien en coopérant à l'œuvre des universités qu'en fournissant au roi le personnel d'experts en morale dont il a besoin. Un Robert de Sorbon, maître séculier, un Eudes Rigaud, maître régulier avant de devenir archevêque, un Pierre de Fontaines, légiste de l'école orléanaise, sont des plus intimes conseillers du roi, à côté d'un Simon de Nesle qui représente le grand baronnage. Barons, prélats, Frères, universitaires coopèrent ainsi

par-delà les conflits qui révèlent leurs oppositions et celles
que suscite l'action royale, à l'œuvre commune de gouvernement des hommes.

CHAPITRE IV

Le chrétien et le roi

C'est dans la dernière partie de sa vie, celle qui précède la croisade de 1270, que saint Louis a revêtu l'image que nous laissent les hagiographes, celle qui devait s'imposer aux siècles suivants. Celle d'un laïc très profondément engagé dans la vie religieuse, au point d'attirer la remarque que nous avons déjà citée de Sarrette de Faillouël : celle d'un roi soucieux d'inciter ses sujets à suivre la voie de leur salut éternel ; celle d'un père de famille qui invite ses enfants et tous les siens à la perfection spirituelle ; celle du souverain qui s'entoure d'hommes de religion et de prud'hommes.

Cette vision n'est-elle, précisément, que celle d'hagiographes qui ont travaillé sur les matériaux rassemblés en vue d'une enquête de canonisation ? Nous savons quelle est la provenance de ces informations ; elle est assez proche de celui qui a fait l'objet de l'enquête pour nous assurer de la réalité des faits rapportés, et cela d'autant plus que les documents nous permettent plus d'une fois de recouper les témoignages en question. Néanmoins il va de soi que ceux qui ont déposé l'ont fait selon un schéma qui les amenait à ne parler que des vertus qu'on attendait d'un saint. Saint Louis n'est pas seulement l'homme qui répond aux normes définissant celui qui a vécu et qui est mort en odeur de sainteté. Sa façon de gouverner, que nous avons envisagée, nous a montré qu'il s'est aussi tracé un idéal de conduite qui sied à un laïc, et à

un laïc couronné. Le fameux débat que nous rapporte Joinville, où le roi, après avoir mis Robert de Sorbon aux prises
avec ses chevaliers, se prononce en faveur du « pru-
d'homme » contre le « béguin », nous invite à nous poser la
question des choix qu'il a eu à opérer, et de la manière dont il
a cherché à être lui-même plus «prud'homme» que
« béguin ».

Il est hors de question de mettre en doute la très profonde
religiosité du roi ; même si celle-ci s'est manifestée selon des
modes qui sont ceux du XIIIᵉ siècle et qui, parfois, déroutent
les hommes des siècles suivants, elle est un des éléments
essentiels de sa personnalité. Mais Louis IX n'en a pas moins
été très conscient de ce qu'il était roi, et roi capétien. Et, ici,
ce n'est pas aux modèles de vie religieuse qu'il s'est référé.

Il n'est pas, non plus, un isolé, mais un homme très socia-
ble. Celui qui, le soir, après le dîner, refusait la pieuse lecture
que lui offraient les Dominicains ou les Franciscains parce
que « rien ne valait un bon quolibet », entendons une conversation à bâtons rompus, n'était pas enfermé dans sa solitude
ni dans sa méditation ; il a gouverné avec des conseillers dont
nous avons déjà eu l'occasion de discerner l'influence, et
qu'il est nécessaire de regrouper autour de lui pour retrouver
le cercle où s'élaborent les décisions royales. Il est, enfin, et
ce n'est pas la moindre caractéristique de sa personne, très
profondément lié à un groupe familial, très conscient de ses
responsabilités d'époux, de père, de frère.

Tels sont les aspects qu'il convient de mettre maintenant en
œuvre. Sans nous dissimuler qu'il y a là les éléments d'une
analyse psychologique que nous laisserons à d'autres, mieux
qualifiés, le soin de réaliser.

La dévotion de saint Louis

C'est à nouveau aux instructions que saint Louis fit écrire à
l'intention de ses enfants, Philippe III et la reine de Navarre
Isabelle, que nous pouvons demander comment se présentait

le programme de vie chrétienne que le roi leur proposait après l'avoir conçu pour lui-même. La soumission à la volonté divine devant les épreuves, le refus de s'enorgueillir des succès dont il convenait de rendre grâce à Dieu, en étaient les premiers éléments. On ne s'étonnera pas qu'avoir été si fortement mis en garde par sa mère contre le péché, il se soit à son tour efforcé d'en inculquer l'horreur à ses enfants. Il leur recommande le fréquent recours à la confession, une assistance recueillie à la messe ; et il insiste sur la nécessité d'approfondir leur foi en écoutant les prédications et en conversant avec des gens instruits. Il les invite à acquérir des indulgences, autant qu'il leur sera possible. Et il les incite à pratiquer la charité en assistant les pauvres, les malades et « ceux qui pour l'amour de Notre-Seigneur se sont mis en état de pauvreté ».

Il n'est pas difficile d'appliquer les différents points de ce programme à la vie du roi Louis. Se soumettre à la volonté de Dieu est pour lui un impératif qu'il a évoqué dans ses conversations avec Joinville. Il exprime son acceptation des épreuves envoyées par Dieu lorsqu'on lui annonce, sous Tunis, la mort de son fils Jean, aussi bien que lorsqu'au cours de la traversée d'Acre à Chypre son navire est en danger et où il se refuse à l'abandonner pour ne pas mettre les autres en difficulté : « J'aime mieux, dit-il alors, mettre ma personne, ma femme et mes enfants en la main de Dieu » que d'exposer ses compagnons de voyage à devoir renoncer à leur retour en France. Et son humilité le poussait, nous dit-on, à rappeler les épreuves de sa captivité, alors qu'on le pressait de les oublier : un chrétien devait, selon lui, tenir pour un honneur d'avoir été appelé à souffrir pour l'amour du Christ.

Il se confesse souvent, au moins une fois par semaine — le vendredi. Nous sommes ici bien informés, puisque deux de ses biographes ont été ses confesseurs. Selon l'usage du temps, il se soumettait aux coups de discipline infligés par ceux-ci ; il s'agissait d'un fouet fait d'une chaînette de fer qu'il conservait dans une boîte d'ivoire (il en envoya de semblables à l'une de ses filles). Il lui arriva de raconter à Geoffroy de Beaulieu que le prédécesseur de ce dernier frappait

très fort ; il n'en invitait pas moins son nouveau confesseur à
ne pas le faire trop doucement... Cependant Geoffroy parvint
à le dissuader de porter un cilice, c'est-à-dire une de ces che-
mises de crin qu'on revêtait à même la peau, par esprit de
mortification, autrement que les vendredis pendant l'Avent et
le carême, en lui faisant valoir la fragilité de sa peau ; il n'en
portait pas moins, pendant le carême, une ceinture de ce rude
tissu. Et nous savons qu'il s'imposait de coucher sur un lit de
bois et sur un matelas de coton, toujours par esprit de mortification.

Nous connaissons déjà les traits majeurs de sa vie spirituelle, dominée par l'assistance aux offices, les lectures médi-
tées, l'assiduité aux sermons. Le recueillement qu'il recommande à ses enfants, il le pratique lui-même. Et pour marquer
son respect pour les mystères de l'Incarnation et de la
Rédemption, il adopte pour son usage, et incite Dominicains
et Franciscains à faire de même, la coutume qu'ont certains
religieux de fléchir le genou, quand on récite le *Credo*, au *et
homo factus est,* et, quand on lit la Passion, au *et emisit spiri-
tum.* Son respect pour la croix, qu'il marque le Vendredi
saint, lors de l'Adoration de la Croix, en s'y présentant pieds
nus et dans sa chape, l'amène à demander, dans les couvents
où il se rend, que l'on efface les croix gravées sur les tombes
des religieux, pour ne pas avoir à marcher dessus. Nous
savons qu'il se levait à l'heure où les moines disaient Matines
pour chanter cet office avec ses chapelains, qu'il était assidu
à la récitation des Heures et qu'il prolongeait ses lectures tard
dans la soirée.

Mais il n'est pas inutile de noter que tout ceci était moins
inhabituel que peuvent le penser nos contemporains. L'usage
des livres d'heures, pour les laïcs, atteste que nombre de ces
derniers ont adopté, sous une forme abrégée, l'habitude
qu'avaient les clercs de réciter le psautier aux heures canoniques. Ce qui frappe davantage chez saint Louis, c'est sa régularité dans ces pieuses pratiques, la prolongation de ses
prières, l'intensité de celles-ci et l'attirance qu'exerçaient sur
lui les offices liturgiques, comme les sermons. Sa vie religieuse est donc conforme à un certain canon reçu des

hommes de son temps, mais auquel il se plie avec un enthousiasme marqué.

Il a été fort attaché à vénérer les reliques des saints, qu'il
visite en pèlerin, et ceci à la fois, comme il l'a dit un jour à ses
chevaliers, parce qu'il y avait lieu de rechercher leur suffrage
comme on s'efforce d'obtenir la faveur des conseillers d'un
souverain, et dans le but de gagner les indulgences attachées
à cette vénération. L'indulgence étant une remise de la peine
encourue par le pécheur, le roi, si soucieux de ne pas commettre le péché, ne pouvait manquer de souhaiter s'affranchir
de ces peines. Nous savons qu'il a tenu à participer en personne au transport de pierres pour les constructions effectuées en Terre sainte, dans l'intention de gagner les indulgences qui étaient accordées aux travailleurs autant que pour
donner l'exemple.

La vénération des reliques a été pour lui une forme essentielle de dévotion, comme elle l'a été pour tout le Moyen-Age.
On a même noté avec une certaine surprise qu'il avait refusé
que les moines de Pontigny détachassent pour lui une par-
celle du corps de saint Edmond en arguant de ce que ce corps
s'était conservé intact. Car il n'a pas été hostile à collection-
ner les reliques. Nous savons que, bien avant sa croisade, il a
eu la fortune insigne de s'approprier les plus précieuses des
reliques de la Passion ; il accepte cependant de se séparer
d'un grand nombre d'épines détachées de la couronne en
faveur de princes, d'établissements religieux, voire de ses
médecins. Mais on constate que, s'il a offert à Saint-Maurice
d'Agaune, en 1262, une sainte épine dans un magnifique
reliquaire, l'abbé a accepté de se dessaisir à son intention de
plus d'une vingtaine de corps des martyrs de la Légion thé-
baine. L'archevêque de Cologne aussi lui a envoyé des reliques de plusieurs des Onze mille Vierges, sans doute en marque de gratitude pour un don analogue. Et le roi a disposé de
ces précieux ossements en faveur de Saint-Denis et d'autres
abbayes ; il a porté lui-même sur ses épaules la châsse d'un
des saints d'Agaune et d'une des saintes de Cologne lors de
leur transfert à Chaalis. Il a fait bâtir à Senlis une église
dédiée à saint Maurice et fait venir d'Agaune les chanoines

qui la desserviraient. En 1267, avec toute sa cour, il s'est transporté à Vézelay, où avait eu lieu en 1265 l'exhumation du corps de sainte Marie-Madeleine qu'il avait fait déposer dans un somptueux reliquaire, pour participer à la translation. Comme l'a montré M. Carolus-Barré, ces transferts de reliques, dont on pourrait citer bien d'autres exemples, ont eu à ses yeux une grande importance, à la fois en renouvelant la vénération des saints et en constituant un enrichissement pour son royaume.

C'est par esprit d'austérité que le roi s'abstient des vêtements somptueux et des joyaux de prix, ce qui ne l'empêche pas d'être vêtu de façon très convenable (Joinville le dépeint, descendant au jardin du Palais « vêtu d'une cotte de camelot, d'un surcot de tiretaine sans manche, un manteau de soie noire autour du cou, un chapeau de paon blanc sur la tête »). Il a recommandé à ses enfants de s'abstenir de dépenses inutiles. Mais il est conscient que les pauvres risquent de pâtir de ces économies, puisque c'est à eux qu'allaient les vêtements réformés. Aussi, de même qu'il a pris soin de ne pas diminuer les effectifs de ses serviteurs, qui sont plus nombreux qu'au temps de ses prédécesseurs, il remet soixante livres par an à son confesseur pour les distribuer aux nécessiteux en guise de dédommagement...

Nous touchons ici à l'un des traits majeurs de son attitude religieuse : sa libéralité envers les pauvres, les malades, les religieux. Il n'est que de feuilleter les écrits de ses biographes pour y trouver en abondance la mention de ses œuvres de charité. Mais l'unique épave qui subsiste de la comptabilité de son hôtel (les comptes, sur tablettes de cire, tenus par le chambellan Jean Sarrazin en 1256 et 1257) nous confirme ces informations. Natalis de Wailly a calculé que, durant les douze mois qui vont de février 1256 à février 1257, sur un total de 64 000 livres auquel monte la dépense notée par Jean Sarrazin, l'aumônier a reçu près de 5 000 livres, un millier de livres ayant été distribué d'autre manière en aumônes ou pour l'entretien des « baptisés » (les Juifs ou les Musulmans convertis que le roi prend à sa charge). Les aumônes représentent cette année-là près de 10 % des dépenses de l'hôtel.

En 1257, en dix mois, elles se montent à plus de 14 000 livres, dépassant donc la proportion de l'année précédente.

Le roi donne sur son passage aux mendiants de rencontre, qu'il soit à pied ou à cheval. Le Vendredi saint, il se fait même suivre de deux chambellans dont chacun porte cinquante livres pour regarnir la bourse où il puise au fur et à mesure. L'aumônier a normalement charge de répartir ses aumônes ; mais le confesseur sert aussi de ministre des grâces ; Jean Sarrazin note par exemple : « pour trois pauvres femmes de Paris, par la main de frère Geoffroy de Beaulieu, 70 sous ». Louis IX secourt les veuves et les enfants de chevaliers morts à la croisade, de pauvres gentilshommes, de sergents, soit par des dons en argent (dix livres, vingt livres ou davantage), soit en dotant les filles, soit en les faisant placer dans une abbaye, si elles ont un peu d'instruction. Telle veuve, « Berthe, qui est à l'abbaye de Pontoise », a trois fils : le roi se charge de payer leur apprentissage, respectivement chez un charpentier, un pelletier et un cordonnier, et les habille à ses frais.

La tradition des grandes « donnes » est bien établie. Deux fois par semaine, on distribue de l'argent, du pain et les restes de la table royale. Chaque jour, soixante pauvres reçoivent chacun deux pains et quatre deniers. Quand le roi touche les écrouelles — on sait que les rois de France ont la réputation de guérir cette maladie —, rite auquel saint Louis a ajouté un signe de croix, les malades reçoivent de la nourriture et une pièce d'argent. Chaque jour, cent vingt pauvres mangent dans l'hôtel, de deux pains, une quarte de vin, un plat de viande, d'œufs ou de poisson. Treize mangent « en salle » ; ils reçoivent en outre douze deniers. Trois d'entre eux sont installés à une table proche de celle du roi, qui les sert parfois lui-même et leur donne quarante deniers. La veille des grandes fêtes, on nourrit deux cents pauvres, et le menu comporte du pain, du potage, deux plats, chaque convive emportant deux pains et douze deniers.

Saint Louis tient à faire profiter de cette aubaine les lieux plus éloignés de ses résidences habituelles : à Puiseaux, en Gâtinais, on sert quatre fois l'an deux cents pauvres. S'il se

rend dans des régions où il va rarement, le chiffre monte à
trois cents. Et le roi dit, en plaisantant, avant de partir :
« Allons visiter les pauvres de telle contrée, et nourrissons-
les. » Au moment du carême, l'aumônier achète soixante
mille livres de harengs. Et il distribue des cottes, des peliçons,
des souliers.

Ici aussi, saint Louis se conforme à l'usage. Ses prédécesseurs avaient fixé à soixante-huit milliers de harengs,
63 muids de blé, 2 119 livres parisis le montant des aumônes
que les baillis et l'aumônier devaient distribuer pour le
carême ; Louis ajoute à cette somme, en septembre 1260, cinq
livres de plus par jour.

Il faut répondre à des nécessités exceptionnelles. Une
disette éprouve la Normandie : le roi fait porter dans ce pays,
dans des coffres ferrés placés sur des chariots, l'argent qui
vient de ses recettes normandes, et charge ses officiers, en le
distribuant, d'en donner davantage à ses propres tenanciers ;
sans doute lui paraît-il juste de rembourser à ceux-ci, quand
ils sont dans la détresse, ce qu'ils lui ont versé...

Mais il s'intéresse tout spécialement aux établissements
d'assistance. Il a fondé l'hospice des Quinze-Vingts pour y
recevoir trois cents aveugles. Sachant que la pauvreté ali-
mente la prostitution, il fait recevoir les femmes réduites à la
misère chez les Filles-Dieu. Ce vocable suscite les railleries
de Rutebeuf ; l'œuvre n'en cherche pas moins à remédier à un
fléau social.

Les maisons-Dieu, qui ont pour fonction de recevoir les
pèlerins, les voyageurs et aussi les malades, retiennent son
attention, tout comme les léproseries. Il les visite et y laisse
des aumônes. Mais il prend personnellement en charge, avec
Eudes Rigaud, la rénovation des hôtels-Dieu de Vernon et de
Pontoise (1259) ; il fait reconstruire celui de Compiègne,
agrandir l'Hôtel-Dieu de Paris. Il visite les travaux, donne
des indications sur la destination des locaux. Vernon lui
aurait coûté 30 000 livres, Compiègne, 12 000. Encore four-
nit-il les sœurs de Vernon (elles sont vingt-cinq) de vêtements,
l'hôpital de lits, d'ustensiles de cuisine, de cottes pour les
malades. A Compiègne, il inaugure les nouveaux bâtiments

en portant sur une civière, avec son gendre le roi Thibaud, le premier malade qu'on y transfère. A Pontoise, il donne une rente de quatre cents livres et, quand il apprend que l'Hôtel-Dieu de Paris n'a pas de quoi acheter du vin, il y fait porter mille livres — quand cent auraient suffi.

De ces fondations, certaines sont confiées à un ordre pour lequel le roi a une affection particulière : les Mathurins, c'est-à-dire les Trinitaires, qui se consacrent au rachat des captifs en pays musulman. Il leur donne la maison-Dieu de Fontainebleau, puis celle de Compiègne, d'abord gérée par des sœurs. On retrouve là une tendance assez générale : celle qui consiste à établir dans les établissements hospitaliers des congrégations spécialisées. Mais les Trinitaires sont aussi des Mendiants...

Et le roi, nous le savons, s'intéresse vivement à ceux qui ont embrassé la pauvreté pour l'amour de Dieu : Franciscains, Dominicains et ordres similaires. Il assiste spécialement les Béguines : non content de leur donner leur maison de Paris, il charge Geoffroy de Beaulieu d'acheter celle où elles s'installent à Senlis ; il prend à sa charge le voyage de celles qui vont s'établir à Orléans et à Tours, de celles qui, de là, reviennent en Normandie. Dans son testament, il recommande à son fils de fournir aux besoins des Béguines, au-delà des legs constitués à leur intention.

Nous savons aussi qu'il a aidé les clercs pauvres à faire leurs études, et aussi les ordres religieux à créer des collèges. Il n'est pas jusqu'à sa maison de Vauvert qu'il n'ait donnée aux Chartreux pour que ceux-ci, eux aussi, puissent faire profiter leurs religieux de l'enseignement des écoles parisiennes.

Peut-on, parmi toutes ces libéralités, reconnaître les familles religieuses qui jouiraient de sa part d'une faveur particulière ? Que l'on parcoure son testament, daté du début de 1270, et qui, selon l'usage, est avant tout une énumération de legs pieux. Les Frères Prêcheurs et Mineurs y sont inscrits, à raison de mille livres pour chaque ordre. Mais ils coudoient les Victorins et les autres chanoines réguliers, trente abbayes cisterciennes — à commencer par Royaumont, le Lys et Maubuisson —, les Dominicaines et les Clarisses, les Trinitaires et les Prémontrés, l'ordre de Fontevrault, les Chartreux, les Grandmontains, les Guillemites, les Augustins, les Béguines, les Filles-Dieu et d'autres encore. Deux cents maisons-Dieu se partageront deux mille livres ; les léproseries en reçoivent autant. A quoi s'ajoutent les filles à marier et à faire entrer au couvent, les pauvres écoliers, les orphelins, les veuves, les « menus pauvres », ceux qui recevront vêtements et chaussures, et les pauvres églises qui n'ont pas de quoi acheter ornements et vases sacrés.

Le testament confirme ce que nous savions d'autre part : le roi ne paraît privilégier aucun ordre. Tout au plus faut-il remarquer l'absence de toute abbaye bénédictine, comme celle des grands ordres hospitaliers et militaires établis en Terre sainte, ce qui peut surprendre quand on sait l'attachement du roi à Jérusalem. Saint Louis a été assez généreux, à commencer par Saint-Denis, envers les Bénédictins qui ont bénéficié sa vie durant de multiples donations ou exemptions, pour que cette omission ne puisse apparaître comme marquant une désaffection à leur endroit. Il y a là un point qui reste pour nous obscur.

Mais nous constatons que le testament de saint Louis en évoque bien d'autres. La multiplicité des legs, le souci de s'assurer les prières des religieux et des pauvres, la diversité des familles religieuses qui bénéficient des legs, sont des traits assez généraux dans ces documents. Ce qui fait le caractère exceptionnel des libéralités de saint Louis, c'est leur importance. Le roi a ouvert ses mains plus largement que tout autre. Il a eu conscience que son rang dans le monde et la puissance de son royaume lui donnent des moyens exceptionnels pour secourir les misérables et aider les pauvres volontaires. Il s'est laissé convaincre par son confesseur de substituer à des mortifications qui auraient été nuisibles à sa santé des distributions supplémentaires. Tout ceci aboutit à transférer une part très appréciable des revenus de la royauté aux uns et aux autres.

Son entourage n'a pas hésité à lui faire reproche de ces libéralités excessives. Il a convenu lui-même qu'il dépensait beaucoup de cette façon, mais en ajoutant qu'il préférait le faire en aumônes, pour l'amour de Dieu, qu'en achats futiles et que, d'ailleurs, puisqu'il tenait de Dieu tout ce qu'il possédait, il pouvait bien le rendre de cette manière.

Mais, si la générosité de saint Louis et l'objet de celle-ci se placent dans un courant assez général, ce qui est incontestablement original chez lui, c'est sa volonté de s'associer personnellement aux œuvres de charité et de vivre, autant que possible, la vie même des pauvres et des religieux.

On sait comment, un jour, il demande à Joinville si celui-ci lave les pieds des pauvres. Le sénéchal de Champagne s'insurge : « Sire, à la male heure !, les pieds de ces vilains ne laverai-je jamais. » Le roi le reprend, lui rappelant l'exemple donné par le Christ. Et lui-même, à l'instar des prélats et des prêtres, procède le Jeudi saint au lavement des pieds de treize pauvres ; il les essuie ensuite. En outre, nous dit Geoffroy de Beaulieu, il lave et essuie discrètement, tous les samedis, les pieds de trois miséreux qu'il renvoie avec chacun quarante deniers. Il tient à servir lui-même les pauvres qui mangent près de lui, tranchant le pain sur lequel ils disposeront les mets, mettant le pain à tremper dans la soupe, enlevant de ses doigts les arêtes du poisson s'ils sont aveugles. Dans son désir de s'identifier aux pauvres, il va même jusqu'à manger les restes de leur plat, de la même manière qu'ils reçoivent les reliefs de sa table.

On sait comment il se plaisait, à Royaumont, à être traité comme l'un des frères, tout en marquant sa déférence à leur égard, par exemple en s'asseyant à terre pour écouter la leçon, au chapitre, quand ils s'asseyent dans leurs stalles. Il va lui-même chercher au guichet de la cuisine les plats qu'il leur apporte. Il s'attache tout spécialement à faire manger un frère atteint de la lèpre. Et il a fallu que l'abbé lui déconseille de laver les pieds des frères : le roi n'a aucun respect humain, et, prêchant d'exemple, il invite ses proches à l'imiter.

Ce trait de la personnalité du roi mérite aussi de retenir l'attention. Soucieux de se faire humble, toujours prêt à accueillir les enseignements de ceux qu'il estime savants dans les choses de Dieu (de là l'intérêt qu'il porte à l'enseignement de l'Université), le roi de France donne volontiers des leçons.

Non seulement il rédige à l'intention de ses enfants les « enseignements » que nous connaissons, mais — et Joinville en témoigne — il ne manque jamais l'occasion de tirer la morale des événements et des incidents. Il accommode la foi et la morale chrétienne au langage des « prud'hommes ».

Ainsi ce roi, qui apparaît dans sa vie spirituelle, dans ses dévotions, dans l'exercice de la charité, comme un chrétien exemplaire, ne suit pas d'autres voies que celles que connaissent ses contemporains. Il pousse plus loin que la plupart d'entre eux et l'humilité, et la générosité. Son souci d'engagement personnel au service des pauvres, que ceux-ci le soient du fait de la nécessité ou par élection d'une vie meilleure, le rapproche de ceux qui se consacrent aux œuvres d'assistance ; mais il reste dans le siècle. Il appartient à un temps où les laïcs se sentent appelés à porter leur témoignage. Il paraît surtout avoir pensé que le fait d'assumer les hautes responsabilités qui étaient les siennes lui donnait mission de contribuer à l'édification des siens par la parole comme par l'exemple.

LA CONSCIENCE D'ÊTRE ROI

Les hagiographes ne nous laissent rien ignorer de la pratique religieuse du roi jusque dans ses détails les plus intimes ; ils ont relevé ses donations aux églises, ses aumônes aux pauvres, son assistance aux offices et aux prédications. Nous connaissons même les conversations du souverain avec ses confesseurs, voire les admonestations qu'il adressait en son particulier à ses fils et à son gendre. Ils ont pris soin de noter ce qui caractérise le désir de saint Louis de bien gouverner le royaume que Dieu lui avait confié, son sens de la justice. Ils ont laissé de côté, par contre, tout ce qui, dans le caractère du roi, ne relève pas du catalogue des vertus que l'on attend du saint. De même que l'on ne nous a pas appris quelle avait été la formation du chevalier et du souverain féodal, nul ne nous dit quelle idée saint Louis se faisait de sa dignité royale.

Nous savons qu'il soulignait volontiers que celle-ci était passagère ; il se serait comparé au « roi de la fève », dont la royauté ne dure que le jour des Rois.

Mais sa conduite ne révèle-t-elle pas qu'il se faisait cependant de cette dignité une très haute idée ? Et qu'il se regardait comme le serviteur de la couronne — une couronne que représentaient, dans la réalité, les trois couronnes d'or enrichies de pierreries, dont on se servait le jour du sacre, depuis Philippe-Auguste, et qu'il fit déposer en 1261 à Saint-Denis. Un détenteur de la couronne, qui ne devait à aucun prix laisser avilir celle-ci.

Les propos du roi laissent transparaître sa pensée sur ce point. Le coup de vent qui manqua faire périr son bateau en 1254 lui inspire cette réflexion : un petit vent « a failli noyer le roi de France... ». Lorsque Charles d'Anjou se permet de passer outre à un appel émis de sa cour au Parlement du roi, son frère lui rappelle non sans hauteur qu'il n'y a qu'un roi de France. Et, lorsqu'il écrit ses instructions à son fils, il lui recommande d'agir en telle manière que « s'il plaisait à Notre-Seigneur que tu aies l'honneur de gouverner le royaume, tu soies digne de recevoir l'onction par laquelle les rois de France sont sacrés ».

Cette conscience de l'exceptionnelle dignité des rois de France et de leur royaume, que la légende de l'origine miraculeuse des instruments du sacre a sans doute dès lors confortée, est, aux yeux du souverain, fondée en droit. Dès le XIIe siècle, les Capétiens ont revendiqué deux prérogatives : l'indépendance vis-à-vis d'un empereur qui, au temps de Frédéric Barberousse encore, tendait à regarder les rois de France et d'Angleterre comme des rois subordonnés, ses juristes appuyant ses prétentions sur un droit romain ressuscité ; le refus de prêter hommage à quiconque. Or, au temps de Philippe Auguste, Innocent III a été amené, dans la bulle *Per venerabilem* de 1202, à expliquer pour quelle raison c'était le souverain pontife qui avait légitimé les enfants nés du mariage — illégitime — de Philippe et d'Agnès de Méranie, ceci pour refuser la même faveur au seigneur de Montpellier qui, lui, avait des suzerains. « Le roi de France », écrivait le

pape, « ne reconnaît aucun supérieur en matière temporelle. » Cette phrase, recueillie par les juristes, devint un des
arguments familiers de ceux-ci. Il n'est pas jusqu'à Gérard
d'Abbeville, dans son *quodlibet* sur la politique monétaire de
saint Louis, qui ne soit amené à s'exprimer ainsi : « Que chacun soit soumis aux autorités les plus hautes ; or l'autorité
royale est la plus haute, et surtout celle du roi de France, car
comme le dit le canon : le roi de France ne reconnaît personne au-dessus de lui. »

Cet adage permet aux légistes d'en conclure que le roi
qu'ils servent a, comme l'empereur, la possibilité de dire la
loi. Le Bourguignon Jean de Blanot, qui écrit à Bologne un
traité *Des actions* où se reflète son enseignement, rappelle les
deux privilèges du roi de France : celui-ci a les droits que l'on
reconnaît à l'empereur sur tous les hommes de son royaume ;
et d'autre part l'acquisition qu'il fait d'un fief relevant d'un
tiers fait perdre à celui-ci l'hommage qui lui était dû pour ce
fief. Pierre de Fontaines évoque l'origine du pouvoir reconnu
à l'empereur de faire des lois, en citant la *Lex regia* qui trans-
férait à ce dernier la fonction législative dévolue à l'assemblée du peuple : le roi, en conclut-il, le pouvoir de faire des
« établissements », et « ce qui plaît au prince a force de loi ».
Le Livre de Justice et de Plaid ne s'exprime pas autrement.
On n'est plus loin de la célèbre formule : « Le roi est empereur dans son royaume. »

Que Louis IX ait implicitement fait sienne cette doctrine,
sans avoir conscience d'attenter à quelque coutume que ce
fût, la chose paraît certaine, puisqu'il a légiféré par ses ordonnances, qui sont les « établissements » dont parle Pierre de
Fontaines. En ce qui concerne la prestation des hommages,
nous l'avons vu appliquer rigoureusement la disposition
énoncée par Jean de Blanot, mais déjà en vigueur depuis plus
d'un siècle. Tandis que le roi d'Angleterre, qui déniait lui
aussi à l'empereur l'exercice de la souveraineté sur son
royaume, accepte en 1259 de mettre ses mains dans celles de
son beau-frère de France.

Saint Louis semble avoir été sensible à l'idée de la continuité dynastique qui faisait remonter très haut la lignée

régnant sur son royaume. Il est vrai qu'il bénéficiait du renouveau de prestige que la famille capétienne avait acquis du fait du mariage de Philippe-Auguste avec Isabelle de Hainaut, qui passait pour la descendante de Charlemagne. Une prophétie de saint Valéry avait assuré qu'après sept générations, les Capétiens cèderaient la place aux Carolingiens qui reprendraient le trône usurpé par Hugues Capet : il se trouva des hommes pour reconnaître la réalisation de cette prédiction lorsque Louis VIII, fils d'Isabelle, monta sur le trône. Le fils de Louis VIII pouvait donc se réclamer de la double ascendance, carolingienne et capétienne. Mais la tradition épique avait depuis longtemps identifié le royaume des Francs au royaume de France et fait de Charlemagne un roi de France, le « roi de Saint-Denis » : les auditeurs des chansons de geste n'avaient pas besoin du *De reditu regni Francorum ad stirpem Karoli,* savant traité écrit au début du siècle, pour être persuadés de cette continuité.

Or c'est le règne de saint Louis qui voit la composition des premiers ouvrages historiques qui présentent l'histoire du royaume de France et de la lignée royale dans toute la succession des temps. Un Gantois, qui devait devenir chanoine, puis évêque de Tournai, Philippe Mouskès, entreprend après 1242 la rédaction d'une chronique rimée, de 31 500 vers français, où il se propose

> « Des rois de France en rime mettre
> Toute l'histoire et la lignée. »

Ceci en utilisant des sources latines, où l'on fait remonter l'histoire des Francs à Francus, fils de Priam, rattachant ainsi les origines du peuple et de sa dynastie à la légende de « Troie la grande ». La chronique du Pseudo-Turpin est utilisée elle aussi : elle permet à Philippe de faire entrer la matière épique, celle de la *Chanson de Roland,* dans cette vaste fresque, qu'il mène jusqu'aux premières années du règne de saint Louis.

Le chanoine de Tournai travaillait de façon indépendante, tout en ayant eu recours aux œuvres conservées à Saint-

Denis. Vers la même date, l'abbé de ce monastère, si lié à la monarchie capétienne, Mathieu de Vendôme — qui était l'un des conseillers du roi — chargeait un de ses moines de compiler dans un manuscrit unique une série d'œuvres qui se proposaient un but analogue : on y trouvait l'*Histoire des Francs* d'Aimoin, les *Gestes de Dagobert,* les *Annales* carolingiennes, la *Vie de Louis le Pieux* par l'Astronome, l'*Histoire des Ducs de Normandie* de Guillaume de Jumièges, les *Vies* de Louis VI et de Louis VII par Suger, les biographies de Philippe-Auguste par Rigord et Guillaume le Breton, l'ensemble formant un panorama continu allant des Troyens jusqu'à la mort de Philippe-Auguste. C'était l'amorce des *Grandes Chroniques de France,* qui vont désormais être régulièrement tenues à Saint-Denis. L'œuvre n'est pas officielle, mais les liens extrêmement étroits existant entre l'abbaye et la royauté qui y faisait conserver les insignes royaux, et qui y déposait l'oriflamme, pour l'y prendre avant de partir en guerre, lui en donnent le caractère.

Cependant, en attendant qu'un ménestrel d'Alphonse de Poitiers traduise en vers, en 1260, l'*Historia regum Francorum,* saint Louis devait manifester de façon tangible son intérêt pour l'histoire, une histoire où sa race tiendrait sa place. Il avait auprès de lui un Dominicain, frère Vincent de Beauvais, qui avait été en 1228 lecteur à Royaumont, et qui occupait auprès du roi une situation que nous ne connaissons pas exactement. Il a prêché pour Louis IX et pour sa famille, composé des extraits, des abrégés pour l'instruction des enfants du roi. Il ne semble pas cependant qu'il ait été à proprement parler le précepteur de ceux-ci, comme on l'a souvent dit : c'est un clerc du nom de Simon, lequel présenta à la reine Marguerite le livre sur l'instruction des enfants *(De eruditione puerorum)* écrit par Vincent, qui était le précepteur du fils aîné du roi. On dirait presque que Vincent jouait le rôle d'un bibliothécaire du roi, pour lequel il achetait des livres, s'il n'avait eu, semble-t-il, une position plus indépendante.

Vincent conçut le projet de réaliser une vaste encyclopédie, sous forme d'extraits ou d'abrégés de divers auteurs complétés par des passages composés par lui. Le roi s'intéressa vivement à ce *Speculum majus,* fournissant à l'auteur des moyens pécuniaires, lui faisant donner accès à des bibliothèques monastiques où étaient conservés des manuscrits rares, mettant ses propres livres à sa disposition. La reine Marguerite, le futur Philippe III, Thibaud V de Champagne, encourageaient également frère Vincent. Et c'est à la demande du roi que le Dominicain commença par la partie historique, un *Speculum historiale,* en trente-deux livres, dont il donna deux éditions successives, où était envisagée toute l'histoire du monde, jusqu'au temps de la croisade de saint Louis (on y trouve le texte des lettres écrites dans l'entourage de celui-ci pendant le séjour à Chypre et à Damiette). Ce premier travail achevé, et le manuscrit offert à saint Louis, Vincent passa à l'histoire naturelle *(Speculum naturale),* à la théologie *(Speculum doctrinale),* à la morale *(Speculum morale).* La recherche récente a commencé à mieux éclairer les origines et les étapes de la composition de ce vaste ensemble, la principale encyclopédie réalisée au Moyen-Age, qui témoigne en passant de l'intérêt du roi pour cette œuvre considérable.

Celle-ci dépassait, par son ampleur, la simple glorification de la dynastie et du royaume de France. Mais nous avons un autre témoignage de cette perspective historique, de la part du roi Louis.

Il nous ramène à Saint-Denis, qui était depuis les temps carolingiens la nécropole de prédilection des rois de France. En 1231, l'abbé Eudes Clément avait décidé d'entreprendre la reconstruction du chœur de l'abbatiale. A cette occasion, et certainement en accord avec le roi, un plan fut adopté qui donnait une importance exceptionnelle au transept et en particulier à la croisée, où devaient être établies les tombes royales. Ceci exigea des recherches : il fallait identifier les tombes des souverains qui, depuis la fondation de la dynastie mérovingienne, avaient été enterrés là, lire les épitaphes, reconnaître l'identité des princes ; sans doute le projet définitif ne fut-il arrêté qu'après 1239, car cette année-là Philippe Hurepel fut inhumé dans ce cimetière qui, par la suite, fut rigoureusement réservé à ceux et à celles qui avaient porté couronne. Le transfert des restes des rois et des reines n'intervint qu'en 1263-1264.

On avait réservé aux Carolingiens la partie méridionale, aux Capétiens la partie septentrionale. Des Mérovingiens (Clovis, Childebert, Frédégonde, Dagobert) y avaient pris place antérieurement. Saint Louis fit exécuter toute une série de tombeaux sur lesquels étaient figurés des gisants portant couronne et sceptre : Clovis II, Charles-Martel, Pépin le Bref et Berthe, Ermintrude, femme de Charles le Chauve, Carloman, fils de Pépin, Louis III et son frère Carloman, Eudes, Hugues Capet, Robert II et la reine Constance, Henri Ier, Louis VI et son fils Philippe, la reine Constance, femme de Louis VII. Philippe-Auguste et Louis VIII avaient leur tombe, couverte d'une plaque d'émail, au centre (Blanche de Castille avait été enterrée à Maubuisson). Ce travail de sculpture, récemment étudié par M. Erlande-Brandenburg, témoigne de la volonté de rendre aux titulaires de la dignité royale (n'eussent-ils été qu'associés à leur père du vivant de celui-ci, comme Philippe, fils de Louis VI) un hommage exceptionnel.

Car, simultanément, le roi excluait de Saint-Denis la sépulture des autres membres de sa famille. Non seulement ses deux enfants morts en bas âge, Blanche et Jean, furent ensevelis à Royaumont ; mais le prince Louis, héritier présomptif du trône, dont la mort en 1260 fut un deuil universel, et qu'Henri III lui-même tint à accompagner à sa dernière demeure, fut seulement présenté à Saint-Denis pour l'office des morts ; on le porta ensuite à Royaumont, dont le roi voulait faire le cimetière des enfants de France.

L'idée de saint Louis ne devait pas lui survivre, puisque, lorsqu'on transporta ses ossements à Saint-Denis, Philippe III fit enterrer à ses pieds le fidèle chambellan Pierre de Villebéon, et ensevelir dans l'abbatiale Jean-Tristan (que saint Louis avait cependant prescrit de transporter à Royaumont) et Alphonse de Poitiers.

Il n'en ressort pas moins de cette grande réalisation, dont témoignent encore aujourd'hui les quatorze gisants de la « commande de saint Louis » (deux ont disparu), que le roi a voulu distinguer ceux qui avaient reçu l'onction royale des autres membres des lignées carolingienne ou capétienne. Ce n'est pas une nécropole familiale qu'il a voulu établir à Saint-Denis, mais bien une nécropole royale.

Et ceci donne de ce qu'était l'idée monarchique chez saint Louis une perception quelque peu inattendue : le roi épris d'humilité est aussi un souverain très attentif à marquer la différence qui sépare les rois sacrés, les reines couronnées, de ceux qui appartiennent comme eux à la famille élue par Dieu pour fournir les chefs du royaume, mais qui sont restés des sujets. On ne saurait dire qu'avec saint Louis se dessine déjà cette « religion de la royauté » dont on discerne les premiers traits au temps de Philippe le Bel. Néanmoins le contraste de l'humilité personnelle du souverain, soucieux de rapporter à Dieu le crédit de ce qu'il peut faire de bien et d'accuser sa propre faiblesse pour ses erreurs, avec la quasi-infaillibilité dont se réclament sa justice et son administration, supportées par les théologiens et par les légistes, est frappant.

Comme est frappant le contraste d'une volonté d'austérité, de frugalité, de modestie dans le vêtement, et du luxe que le roi sait déployer à l'occasion des grandes fêtes, des réunions de parlements, des assemblées où il convie ses barons. Nous avons la bonne fortune de conserver le compte de la cérémonie au cours de laquelle le futur Philippe III fut armé chevalier, à la Pentecôte 1267 — fête pour laquelle le roi ne manqua pas de lever l' « aide » que la coutume lui accordait en pareil cas. La dépense s'élève à 13 758 livres, c'est-à-dire qu'elle dépasse le montant de la dot d'une des filles du roi. Passons sur les sommes accordées aux « six métiers » qui fournirent ce qui était nécessaire au festin (il fallut confectionner 678 serviettes ; la cuisine à elle seule dépensa 1 648 livres). On ne dit rien de ce que fut l'habillement du roi, qui fut sans doute relativement simple (il coûta 44 livres). Le jeune prince porte robe de samit, et robe de drap d'or fourrée d'hermines, chape d'écarlate violette, surcot et corset de tiretaine et de perse ; sa ceinture de chevalier est d'or, il reçoit un destrier et un palefroi de prix, ses gens sont habillés de neuf ; tout cet équipement monte à 900 livres. Mais le roi habille aussi son neveu, Robert d'Artois, plusieurs grands

barons (comte de Dreux, sire de Bourbon, fils du comte de
Flandre), d'autres barons, Raoul de Nesle, Guillaume de
Fiennes, Renaud de Pons, ainsi que Robert de Fiennes : tous
sont également pourvus d'une robe de samit et d'une autre de
drap d'or. Moins haut placés dans la hiérarchie féodale,
Raoul le Bouteiller, le sire de Montbazon, Eudes de Sully,
Guillaume de Cayeux, Philippe de Nemours, Eustorge
d'Orléans et un septième seigneur reçoivent des robes de
drap de soie fourrées d'hermines ; le seigneur de la Perrière-
sur-Arroux, « parce qu'il était, dit-on, châtelain », une robe
d'écarlate fourrée de gros vair ; cinquante-deux nouveaux
chevaliers, parmi lesquels le neveu de Joinville, Jacques de
Faucogney, reçoivent aussi des robes aux frais du roi. Et tous
ces personnages se voient donner à chacun un destrier et un
palefroi. Les plus jeunes fils du roi, qui sont encore trop
jeunes pour être adoubés, sont vêtus d'écarlate ; des cadeaux
sont remis au second fils du roi d'Angleterre et au fils du roi
d'Aragon qui rehaussent la fête de leur présence. Il faut
même indemniser les cultivateurs dont on a endommagé les
blés en chevauchant de Paris à Vincennes, et rembourser
l'abbé de Saint-Germain-des-Prés qui a dû héberger toute
cette cavalerie. Visiblement, si le roi, fidèle à ses habitudes,
s'est vêtu simplement — non sans habiller de neuf les chevaliers, les chambellans et les valets de sa chambre et ceux de
son fils —, il n'a rien épargné pour que la cérémonie revête
tout son éclat. C'est bien ce que nous disait l'un de ses biographes.

C'est qu'ici, il en va du prestige de la royauté : le roi qui
recommandait à ses chevaliers de porter de beaux vêtements,
« parce que leurs femmes les en aimeraient mieux », sait qu'il
faut savoir dépenser sans compter pour de telles cérémonies.
Le roi de France peut être un ascète qui aspire secrètement à
l'obscurité du cloître ; il est aussi celui à qui il appartient de
faire briller de tout son éclat la cour de France pour imposer
le respect de la royauté à l'intérieur comme à l'extérieur du
royaume.

La famille et l'entourage

Marié et père de onze enfants, dont huit atteignirent l'âge d'homme, ayant encore auprès de lui deux de ses frères et sa sœur, ainsi qu'un neveu, le fils de Robert d'Artois, saint Louis n'apparaît pas seulement comme le roi de France : il est aussi le chef de la famille royale. Une famille qui s'individualise au sein du lignage capétien : les liens de parenté se sont distendus tant avec les Courtenay et les Dreux, qui sont issus de Louis VI, qu'avec les ducs de Bourgogne, détachés du tronc capétien au temps de Robert le Pieux. De ces trois familles, les armes ne retiennent pas les fleurs de lys, qui figurent sur l'écu de toutes les branches issues de Louis VIII : ceux-là seuls sont des « princes des fleurs de lys ». Mais ce n'est pas seulement la présence de ce meuble caractéristique dans leurs armoiries qui leur donne le sentiment d'appartenir à la famille royale. C'est aussi, et ce sera de plus en plus, le fait d'être du même sang que saint Louis.

Lors du procès de canonisation, Charles d'Anjou fut invité à déposer et à dire ce qu'il savait des vertus de son frère. Or il ne se borna pas à faire l'éloge de celui-ci. Il évoqua l'éducation reçue de Blanche de Castille ; il exprima l'idée que tant Robert d'Artois, mort sous les coups des Sarrasins, qu'Alphonse de Poitiers, qui avait succombé aux fatigues de la croisade, méritaient aussi d'être mis sur les autels. L'élection de la famille royale transparaît dans ce témoignage : le plus jeune des quatre frères ne met pas en doute la sainteté de ses trois aînés, et sans doute n'est-il pas éloigné de penser qu'il y participe peu ou prou.

Ceux qui touchent de plus près au saint roi, cependant, ce sont la reine Marguerite et ses enfants, parmi lesquels vient prendre place, lors de son mariage avec Isabelle, le roi Thibaud de Navarre, que saint Louis a traité comme son fils. A-t-il éprouvé pour eux de la tendresse ? Joinville trouvait qu'il ne la manifestait pas assez : le roi, nous dit-il, ne lui

avait jamais parlé de sa femme et de ses enfants jusqu'au jour
où, après quelques mois de séparation, ceux-ci vinrent le
rejoindre à Sidon. Saint Louis, qui n'avait pas quitté la chapelle où il se trouvait alors, demanda au sénéchal qui était
allé à leur rencontre s'ils se portaient tous bien ; ce dernier
fait des réserves sur cette manière d'être de la part d'un mari
et d'un père. Ceci n'empêche pas Louis, dans les deux lettres
à Philippe et à Isabelle qui veulent leur transmettre ses enseignements, de parler de leur amour réciproque et de la
confiance que ceux-ci lui témoignent. Si attentif à se contrôler lui-même, le roi ne dissimule-t-il pas son affection sous
une extrême réserve ?

La reine Marguerite, depuis la mort de sa belle-mère, a-
t-elle pris sur son époux un certain ascendant ? Ce n'est pas
exclu, et il se peut que l'agacement qu'éprouve parfois saint
Louis à l'égard de Charles d'Anjou trouve son origine dans
les griefs quelque peu fondés de sa femme envers son beau-
frère. Car le futur roi de Sicile a mis la main sur tout l'héritage provençal, sans égard à ce que les stipulations des
contrats de mariage de deux des sœurs aînées de sa femme,
les reines de France et d'Angleterre, n'ont pas été pleinement
remplies. Marguerite fait cause commune avec Aliénor, et la
correspondance des deux sœurs en témoigne : elle obtient du
roi d'Aragon, nous l'avons vu, l'abandon à son profit des
droits que celui-ci tenait du testament de Raymond-Béranger.
Saint Louis est assez préoccupé de ce conflit entre sa femme
et son frère pour demander à Urbain IV, en octobre 1262, de
ne pas appeler pour le moment en Italie l'archevêque
d'Embrun, Henri de Suse, et celui de Narbonne, Guy Foulcois, dont le pape veut faire deux cardinaux, parce qu'ils sont
chargés de trouver une solution à l'affaire du comté de Provence. Et, quand le pape donne la Sicile à Charles d'Anjou,
c'est en exigeant qu'il ait d'abord conclu un accord de réconciliation avec la reine.

Celle-ci, d'ailleurs, intervient aussi dans l'affaire d'Angleterre, où elle soutient sans réserve la cause de sa sœur Aliénor
et d'Henri III. Elle a accepté, en 1261, d'être choisie pour
arbitre, concurremment avec Hugues IV de Bourgogne, entre

le roi d'Angleterre et le comte de Leicester ; mais, par la suite, c'est elle qui se charge du dépôt des joyaux de la couronne d'Angleterre, qui demande des vaisseaux à Alphonse de Poitiers pour préparer un débarquement en Grande-Bretagne. C'est elle, et la chose vaut d'être notée, qui demande aux envoyés du roi Henri d'attendre, pour s'entretenir avec saint Louis, qu'elle ait disposé ce dernier en leur faveur. Si elle n'obtient pas que le roi de France se désiste de sa position de neutralité, elle paraît néanmoins sûre de son pouvoir sur lui. Elle aurait voulu, dit-on, le dissuader de partir pour sa dernière croisade ; elle n'y a pas plus réussi que Blanche de Castille vingt-deux ans plus tôt.

On sait qu'elle a essayé d'obtenir de son fils Philippe l'engagement de lui laisser le contrôle du gouvernement du royaume, et qu'il a fallu que saint Louis fasse casser le serment du jeune prince. La reine de France (que l'on voit encore rendre un arbitrage, en 1267, entre le seigneur de Bergerac, Renaud de Pons, et le roi d'Angleterre) n'a pas renoncé à jouer un rôle politique. Son mari se soucie de son sort. En 1260, il transporte le douaire de la reine sur les châtellenies de la région parisienne (Corbeil, Poissy, Meulan, Vernon, Pontoise, Étampes, Asnières, Dourdan et la Ferté-Alais), qui forment le cœur du domaine royal, à la place d'Orléans, Châteauneuf-sur-Loire et de châtellenies voisines. Et, en février 1270, il inscrit en tête de son testament un legs de 4 000 livres au profit de sa femme.

Louis a veillé personnellement à l'éducation de ses enfants. Non content de leur avoir donné des précepteurs et d'avoir demandé à Vincent de Beauvais de composer des ouvrages à leur intention, il les a instruits lui-même. Il les réunissait le soir, nous dit Joinville, leur racontait des anecdotes tirées de l'histoire des bons et des mauvais rois, en en dégageant des leçons de morale. Et les « enseignements » qu'il fit mettre par écrit pour deux d'entre eux nous gardent l'essentiel de ces instructions familières.

Autoritaire, certes — Joinville nous raconte comment il reprit son fils aîné et Thibaud V parce que ceux-ci, étant ses fils, auraient dû lui obéir immédiatement —, le roi a cepen-

dant respecté la volonté de ses enfants ; il aurait souhaité que
Jean de Damiette entrât chez les Dominicains de Paris et
Pierre chez les Franciscains, tandis que sa fille Blanche
deviendrait Cistercienne à Maubuisson. Mais la petite princesse, celle qui était née à Jaffa, s'adressa à Urbain IV qui lui
accorda le privilège de pouvoir quitter le voile, au cas où la
volonté paternelle l'aurait obligée à prononcer ses vœux. Il ne
semble pas qu'elle eut à user de ce privilège ; ni elle, ni ses
frères, n'entrèrent en religion.

Tous les enfants de Louis et de Marguerite finirent par
contracter mariage. Isabelle, en 1258, épousait Thibaud V de
Champagne ; Marguerite était fiancée en 1257 à Henri, fils
aîné du duc de Brabant et d'Alix de Bourgogne. Mais le futur
époux donnait des signes de dérangement cérébral : son
grand-père, le duc Hugues IV, le fit recevoir à Saint-Étienne
de Dijon et c'est son frère cadet, Jean de Brabant, qui épousa
Marguerite en 1270. L'année précédente, Blanche avait
épousé Ferdinand, fils aîné du roi Alphonse X de Castille.
Mais son mari allait mourir avant son père, et ses enfants, les
« infants de la Cerda », ne purent obtenir le trône castillan.
La plus jeune, Agnès, n'était pas encore fiancée en 1270 : le
testament de son père lui attribua une somme de 10 000 livres,
la même qui avait été accordée à chacune de ses sœurs à titre
de dot.

L'aîné des enfants du roi, Louis, qui avait exercé nominalement la régence de 1252 à 1254 et qui avait été fiancé à Bérangère de Castille, mourut en janvier 1260, à l'âge de dix-sept
ans. Vincent de Beauvais écrivit alors une épître de consolation au roi et à la reine. Le jeune prince paraît avoir été bien
doué et s'être attiré la sympathie, et sa mort affecta vivement
la cour. Son frère cadet, Philippe, devenait l'héritier présomptif. On sait comment il se laissa extorquer par sa mère le serment de se soumettre en tout à ses volontés s'il devenait roi.
Armé chevalier en 1267, au milieu d'une nombreuse troupe
de jeunes gens, il avait été fiancé dès 1258 (il avait alors treize
ans) à la petite Isabelle d'Aragon, au moment où les rois de
France et d'Aragon réglaient leurs différends. La jeune fiancée était la nièce de sainte Élisabeth de Hongrie (pour

laquelle Blanche de Castille avait, nous dit Joinville, une
grande vénération, qu'elle manifestait en baisant au front le
fils de la sainte, dans la pensée que sa mère l'avait embrassé
au même endroit). Mais, lorsque vint le moment de célébrer
le mariage, en 1262, saint Louis s'inquiéta des rumeurs selon
lesquelles Jacques Ier s'apprêtait à marier son fils aîné, Pierre,
à une fille de Manfred, lequel était excommunié. Sur les assurances, d'ailleurs fausses, que donna le roi d'Aragon, Isabelle
épousa Philippe.

Les autres fils du roi se marièrent au sein de la noblesse
du royaume. Leur père leur avait constitué des apanages,
beaucoup plus modestes que ceux qu'il avait eu à donner à ses propres frères : à Jean, le comté de Valois ; à
Pierre, celui d'Alençon ; à Robert, celui de Clermont-sur-
Oise. Jean fut fiancé en 1258, alors qu'il avait huit ans, à
une petite-fille du duc de Bourgogne, Yolande, fille aînée
du comte de Nevers. Le mariage fut célébré en 1266 ;
Eudes de Nevers, père de la fiancée, allait bientôt mourir,
ce qui fit de la femme de Jean l'héritière du comté de
Nevers, après qu'un arbitrage eut décidé des parts de l'héritage paternel qui reviendraient à ses sœurs. En 1264,
Pierre se mariait à Jeanne de Châtillon, fille et héritière
du comte de Blois et de Chartres. Robert était encore
enfant ; ce n'est qu'en 1279 qu'il épousa une autre petite-
fille du duc de Bourgogne, qui devait lui apporter le
Bourbonnais et le Charolais. Ainsi les fils puînés du roi Louis
devaient-ils prendre rang parmi les principaux barons du
royaume.

La sœur de saint Louis, Isabelle de France, avait refusé la
main de Conrad de Hohenstaufen. Elle avait fait vœu de
chasteté, à ce que nous rapporte Agnès de Harcourt qui écrivit le récit de sa vie. Elle vécut à la cour, en se revêtant
d'habits très simples et en pratiquant des exercices de piété
qui correspondent à ceux de son frère. Elle obtint de celui-ci
la fondation du monastère des Clarisses (on disait alors les
dames de Saint-Damien) de Longchamp, qui fut achevé en
1259. En 1263, elle s'y retirait, sans cependant prendre l'habit
religieux. Et elle y mourut six ans plus tard, laissant une répu-

tation de sainteté qui devait par la suite aboutir à sa béatifica-
tion.

Saint Louis gardait aussi à ses côtés son frère Alphonse. Le
comte de Poitiers et de Toulouse, qui était, plus encore que
son aîné, de santé fragile, se rendait très rarement dans ses
domaines qu'il faisait administrer avec une scrupuleuse
minutie dont témoignent sa correspondance et sa comptabilité ; il y envoyait des enquêteurs dont les rapports étaient
centralisés à Paris. Car c'est à Paris qu'il résidait le plus souvent, dans le futur hôtel d'Autriche qu'il avait fait bâtir, quand il
ne faisait pas séjour dans une abbaye voisine. Son intention
de reprendre le bâton de pèlerin pour partir en croisade en
Terre sainte paraît avoir été bien réelle : c'est en vain que le
pape Urbain IV chercha à le persuader de commuer ce vœu
pour se rendre en Italie et seconder les efforts de Charles
d'Anjou ; tout au plus accepta-t-il, sur les instances de Clément IV, de fournir à son frère cadet une aide pécuniaire. Il
faisait exécuter dans ses terres les ordonnances de saint
Louis, même lorsqu'elles portaient préjudice à ses propres
droits ; il ordonnait à ses officiers de fournir leur aide au
sénéchal royal de Carcassonne lorsque les infants d'Aragon
tentèrent une incursion dans le Languedoc (1263). En un mot,
il se comportait en vassal modèle, et saint Louis lui faisait
entière confiance.

Il n'est pas certain qu'il en était de même pour Charles
d'Anjou. Ce prince ambitieux et avide, qui rêvait de conquérir la même gloire que Charlemagne, supportait mal toute
atteinte à son autorité. Cela lui valut quelques heurts avec
saint Louis, fort peu traitable quand un vassal se permettait
d'agir à l'encontre de la justice du roi. Il avait mis celui-ci en
difficulté à l'occasion de son aventure du Hainaut. Louis, de
son côté, retarda longtemps l'acquiescement qui lui était
demandé pour permettre à son frère de tenter la conquête de
la Sicile. En 1267, il perdait sa femme Béatrix, ce qui fournissait l'occasion à ses belles-sœurs de rappeler leurs droits sur
la Provence : il s'empressa de demander un serment de fidélité à ses vassaux, mais, au lieu de le faire prêter à son fils
Charles II, héritier de Béatrix, c'est en son propre nom qu'il

le réclamait, et Clément IV l'en blâma. Cependant le roi de France intervenait auprès du roi d'Aragon pour que celui-ci ne fût pas tenté de soutenir les Marseillais révoltés contre le comte. Bien que malaisée, la coopération entre les deux frères était un fait acquis ; les troubadours, nous l'avons vu, n'en doutaient pas. Mais Charles entendait bien que cette coopération fût toute à son profit.

Robert d'Artois, qui avait péri à la Mansoura, laissait deux enfants : Robert, que saint Louis fit chevalier en 1267, et qui épousa une Courtenay, et Blanche, qui épousait en 1269 le fils de Thibaud V et d'Isabelle de France, ce qui resserrait les liens entre les deux familles de France et de Champagne déjà si unies.

Est-ce dans son entourage familial que saint Louis trouvait ses meilleurs collaborateurs ? La chose est possible en ce qui concerne Alphonse de Poitiers, cependant handicapé par son état de santé. Mais c'est ailleurs qu'il faut chercher ceux qui inspiraient ses décisions ou qui les faisaient exécuter.

Rutebeuf, dans *Renart le Bestourné,* déplore que le roi Noble se laisse diriger en tout par Renard le goupil, Isengrin le loup et son frère Primaut, Roneau le chien et l'âne Bernard, traditionnellement représenté comme le chapelain du roi. On a voulu y voir des pseudonymes. Pour E. B. Ham, Renard serait Charles d'Anjou, ou bien symboliserait les Frères Mendiants ; Isengrin, Jean le Roux, comte de Bretagne ; Roneau, Thibaud V ; Bernard, Eudes Rigaud. C'est eux qu'il incrimine pour avoir dirigé la politique du roi dans le sens d'une croisade qui incite celui-ci à économiser aux dépens de ses sujets. Pour Julia Bastin, c'est dans un autre milieu qu'il faut chercher, celui de l'hôtel du roi, et les animaux malfaisants déguisent tout simplement les chambellans, si influents sur saint Louis. On voit que l'identité des mauvais conseillers reste incertaine. Parmi eux la présence des grands barons est-elle vraisemblable ? Leur présence lors des grandes assemblées, des sessions du Parlement, est constatée ; la constitution de leurs hôtels à Paris témoigne de leur fréquente présence. Certes, lors du procès d'Enguerran de Coucy, le roi a fait peu de cas de leur avis ; mais ce peut être un fait exceptionnel.

Des hommes d'âge et d'expérience, habitués aux responsabilités du gouvernement des grands fiefs, bien apparentés enfin,
pouvaient être d'excellent conseil et méritaient qu'on les
ménageât. Si Thibaud V était de la même génération que les
fils du roi, Hugues de Bourgogne et Jean le Roux avaient le
même âge que le roi, et étaient tous deux de puissants barons.
Le premier avait résolu le délicat problème de la succession
de Brabant, pour lequel il avait dû s'entendre avec Richard
de Cornouailles ; son nom fut plusieurs fois prononcé pour
des arbitrages. Mais nous en sommes, en ce qui les concerne,
réduits aux hypothèses.

Simon de Clermont, sire de Nesle par son mariage, et cousin de Jean de Nesle, comte de Soissons, lui-même un des
« chevaliers privés » du roi qui l'utilisait pour diverses missions, est, au contraire, un des conseillers les plus écoutés. Né
vers 1210, contemporain donc du roi, il siège au conseil et
dans les Parlements ; il donne au roi des avis qui emportent
la conviction de celui-ci. Sa rigueur en matière de justice est
bien connue ; il se refuse à toute entorse au droit. Et saint
Louis fera de lui, en 1270, un des régents du royaume.

Faut-il faire place à ses côtés au sire de Joinville ? Celui-ci
se flatte de l'amitié que le roi a eue pour lui ; il a siégé au
conseil, vécu dans l'entourage de saint Louis qui lui a
demandé son avis à plusieurs reprises. Mais sa présence reste
épisodique, bien que relativement fréquente.

Des chevaliers de moindre rang paraissent figurer davantage dans le cercle le plus proche du roi. C'est Pierre de Fontaines, le grand juriste, auquel le roi témoigne une grande
confiance et qu'il charge, de même qu'un autre chevalier,
Geoffroy de Villette, de résoudre les cas soumis aux « plaids
de la porte ».

N'oublions pas les grands officiers de la couronne. Jean de
Beaumont, chambrier de France jusqu'à sa mort, survenue en
1252, a rempli diverses missions et, notamment, commandé
les troupes du roi. Il a été remplacé par Alphonse de Brienne,
comte d'Eu, l'un des fils de l'ancien empereur de Constantinople, dont le frère, Jean d'Acre, était en même temps pourvu
de l'office de bouteiller de France (ce qui lui permit de récla-

mer aux évêques et aux abbés les cent sous que la coutume
lui accordait, et qu'il n'obtint souvent qu'après avoir plaidé).
Cousins du roi, les deux Brienne figurent souvent auprès de
lui et doivent être comptés parmi les plus écoutés de ses
conseillers. Quant à la charge de connétable, saint Louis l'a
confiée dès avant la croisade à un baron étranger au royaume
et venant du comté de Hainaut : Gilles le Brun, seigneur de
Trazegnies, beau-frère de Joinville dont il avait épousé la
sœur Simonette, et qui nous a dit que c'était la réputation de
grande piété de Gilles qui avait décidé du choix du roi. Il
avait participé à la croisade et, pendant le voyage de retour, il
faisait partie du petit groupe dont Joinville était un autre
membre, avec lequel saint Louis s'entretenait et dont il
demandait l'avis.

C'est cependant dans l'hôtel royal que se trouvaient ceux
des laïcs qui ont été le plus étroitement associés au gouvernement : des hommes placés à la tête de l'un des « six métiers »,
disons des grands services de la maison royale, mais dont le
souverain utilisait le dévouement et les compétences dans des
domaines très variés. Tel Geoffroy de la Chapelle-la-Reine,
fils d'un bailli, lui-même bailli de Caux, dont il avait fait son
maître panetier vers 1240, et qu'on rencontre sans cesse tant
dans le conseil qu'aux Parlements ; tel Gervais d'Escrennes,
venu de la région gâtinaise et issu d'une famille de chevaliers : lui aussi comptait des baillis dans sa famille ; il était en
1241 maître queux du roi. Responsable d'un des services de
l'hôtel — la cuisine — il n'en avait pas moins été envoyé à
Frédéric II pour négocier la remise en liberté des prélats
interceptés par celui-ci au temps de son conflit avec Grégoire IX ; il était à la croisade ; il est chargé d'arbitrer la querelle relative à l'abbaye de Luxeuil ; il siège au Parlement.
Mais c'est le chambellan Pierre de Villebéon qui est le plus
proche du roi : chef de la chambre royale, « Pierre le Chambellan », neveu de Philippe de Nemours qui avait rempli le
même office jusqu'en 1255, cousin d'un Gautier qui était
maréchal de France, « était entre les autres secrétaires du roi
l'un des plus grands ». De par son office, il couchait aux
pieds du lit du roi — et Philippe III, lorsque Pierre fut mort

en revenant de Tunis, tint à récompenser sa fidélité en lui
accordant une sépulture au pied du tombeaude saint Louis.
Lui siège rarement au Parlement ; mais il est chargé par le roi
de nombreuses missions ; il est choisi comme arbitre par ceux
qui savent qu'il a toute la confiance de son maître.

Les clercs et les religieux ont aussi fourni à l'entourage
royal quelques-uns des hommes que saint Louis a le plus
écoutés. Les récits de Joinville montrent le roi faisant manger
à sa table Robert de Sorbon, « fils de vilain et de vilaine »,
qu'il considérait comme un homme droit en même temps que
comme un homme de science ; et nous savons comment il
l'aida à réaliser son dessein de favoriser les études de ceux
qui, comme lui, avaient été de pauvres clercs. Un autre maître
de l'Université, devenu archevêque, le Franciscain Eudes
Rigaud, est aussi de ses intimes. Fils d'un petit seigneur de
l'Ile-de-France, devenu Frère Mineur en 1236, il s'était acquis
une réputation de savant, il avait été l'un des « Quatre Maîtres » qui avaient rédigé le commentaire de la règle francis-
caine en 1242, avant de devenir maître régent au couvent de
Paris, puis maître en théologie. Le roi avait poussé à son élection comme archevêque de Rouen (le Vexin, où se trouvaient
quelques-unes des résidences favorites du souverain, comme
Pontoise, relevait de cet archevêché), en 1247. Leurs relations, interrompues par la croisade, avaient repris dès le
retour du roi ; presque chaque mois, on le voit à la cour, et il
devait l'accompagner à Tunis. Un autre Franciscain, Eudes
de Châteauroux, a figuré lui aussi dans l'entourage royal ;
c'est pendant la préparation et tout au long du déroulement
de la croisade à laquelle Innocent IV l'avait attaché en qualité de légat qu'il a eu accès de façon permanente auprès du
roi, avec lequel il semble avoir collaboré en parfaite harmo-
nie.

L'abbé de Saint-Denis, Mathieu de Vendôme, figure également parmi les conseillers les plus écoutés du roi, qui a
témoigné de la confiance qu'il éprouvait à son égard en le faisant l'un des régents du royaume, en 1270, en même temps
que l'un de ses exécuteurs testamentaires. D'autres prélats
sans doute devraient également être cités ; mais peut-être le

roi a-t-il été plus en confiance avec ceux qui avaient été ses clercs, et qu'il poussa par la suite à l'épiscopat : tel Guy Foulcois, ou ceux qui portaient son sceau et qui, par conséquent, avaient à faire mettre en forme ses décisions : Gilles de Saumur, Raoul Grosparmi, Simon de Brie. Ses confesseurs, et en particulier Geoffroy de Beaulieu ; ses aumôniers, parmi lesquels prend sans doute place Henri de Vézelay ; ses médecins et notamment ce maître Roger de Provins, chanoine de Saint-Quentin, qui reçut le don inappréciable d'une relique de la Passion ; d'autres encore.

Et dans quelle familiarité le roi vécut-il avec les modestes serviteurs de l'hôtel dont plusieurs — cuisiniers, valets de la chambre ou de la paneterie, huissiers, chirurgiens — déposèrent au procès de canonisation ? Isambard de Paris, qui fut son compagnon de captivité, n'était qu'un simple « queux » ; le souvenir des heures vécues ensemble ne le rapprochait-il pas du souverain ? Et cela d'autant plus que le roi n'était pas de ceux qui s'isolaient derrière un écran de majesté.

On hésite en effet entre deux images du roi : celle de l'homme austère, exerçant sur lui-même un rigoureux contrôle, volontiers sentencieux, donnant l'exemple de la sévérité, qu'on imagine à travers les propos relevés par les hagiographes. Ou bien celle d'un saint plus souriant, dissimulant ses mortifications et d'un abord facile, que d'autres témoignages laissent entrevoir.

C'est sans doute ce deuxième aspect qu'il faut retenir. « Il était », dit Geoffroy de Beaulieu, « affable et libéral ». Joinville apporte un témoignage de sa politesse à l'égard des humbles : lorsqu'à la fin d'un repas où il avait convié des barons, les ménestrels attachés à ceux-ci venaient chanter leurs pièces, il attendait qu'ils eussent fini pour se lever de table et dire ses grâces. Homme de bonne compagnie, aimant la conversation, il est attentif à éviter les heurts et tout ce qui peut humilier les autres : lorsque Joinville a mis à *quia* le pauvre Robert de Sorbon qui a eu la mauvaise idée de reprocher au sénéchal d'être mieux vêtu que le roi, sans prendre garde qu'on peut lui faire le même reproche, le roi prend son parti, et s'en excuse ensuite auprès de Joinville, en lui disant qu'il fallait bien venir au secours du maître déconfit, quoique ce fût le sénéchal qui avait eu raison... Sa réponse à Sarrette de Faillouël qui l'avait injurié le montre capable de répondre sur un ton plaisant à une femme en colère ; il paraît bienveillant et prêt à écouter les autres.

Ceci signifie-t-il qu'il était, comme le roi Noble que décrit Rutebeuf, sous la coupe de son entourage immédiat, et comme chambré par les gens de l'hôtel et les légistes de son conseil ? La question doit être posée ; il semble qu'on doive y répondre de manière nuancée. Saint Louis a fait confiance à des hommes qu'il estimait des «prud'hommes», et tel de ses biographes lui reproche trop de mansuétude à leur égard quand ils étaient pris en faute. De ce fait, il a pu être tenté de s'en remettre à leurs avis, et tout spécialement à ceux de ses conseillers que leur science ou leur expérience paraissaient distinguer. Il n'en reste pas moins que nous le savons très soucieux de son autorité, scrupuleux devant les droits d'autrui, pesant les avis des uns et des autres pour prendre une décision qui va parfois à l'encontre de celle des membres du conseil. Sa politique, dans l'ensemble, reste bien la sienne.

QUATRIÈME PARTIE

Retour vers la Méditerranée et vers l'Orient

« Je pensai qu'ils avaient fait un péché mortel, tous ceux qui lui conseillèrent le voyage, parce qu'au point où il était en France, tout le royaume était en bonne paix au-dedans et avec tous ses voisins. Et depuis qu'il partit, l'état du royaume ne fit jamais qu'empirer.

« Ils firent un grand péché, ceux qui lui conseillèrent le voyage, dans la grande faiblesse où son corps était, car il ne pouvait supporter ni d'aller en char, ni de chevaucher... Et pourtant, faible comme il l'était, s'il fût demeuré en France, il eût pu encore vivre assez et faire beaucoup de bien et de bonnes œuvres. »

C'est ainsi que Joinville moralise, à propos du départ pour la huitième croisade, constatant qu'au moment où l'œuvre de saint Louis en vue de réformer son royaume commence à porter ses fruits, une nouvelle aventure s'annonce, riche de périls et de déceptions, une aventure où le roi va perdre la vie.

Ce que le sénéchal de Champagne ne paraît pas avoir ressenti, c'est qu'entre 1260 et 1270 l'équilibre de l'Europe chrétienne est en danger. Un abcès qui s'envenimait depuis des décennies dans la péninsule italienne devient intolérable, et, mettant fin aux tergiversations d'Alexandre IV, le pape Urbain IV lance Charles d'Anjou à la conquête du royaume de Sicile. L'Empire latin de Constantinople, depuis longtemps réduit à une domination bien peu étendue, cède tout à coup à la pression grecque. Vingt ans après que les premières vagues de l'invasion mongole aient atteint l'Europe, une nouvelle offensive se dessine. Et, par contrecoup, voici que la Terre sainte connaît de nouvelles épreuves. On a vraiment l'impression d'assister brusquement à la montée des périls. L'opinion publique le ressent. Coup sur coup, en une dizaine d'années, Rutebeuf compose toute une série de chansons qui font de lui le chantre et le propagandiste de la croisade : «Complainte de Constantinople, Complainte de Geoffroy de Sergines, Dit d'outre-mer, Complainte sur la mort d'Eudes de Nevers, Voie de Pouille, Voie de Tunis». Dans chacune, tout en s'en prenant à ceux qui, par lâcheté, par avarice ou par aveuglement, restent chez eux, il exhorte les chevaliers à prendre la croix et à répondre aux appels qui leur sont lancés. Il chante Jérusalem, le Saint-Sépulcre et la Terre sainte ; il célèbre les vertus des croisés ; il invite ses auditeurs à tout quitter pour le service de Dieu, retrouvant des accents qui étaient déjà ceux du siècle précédent. Peu avant la mort du roi, dans la «Dispute du Croisé et du Décroisé», il ira même jusqu'à mettre en pendant, sous forme d'un dialogue, les arguments de ceux qui trouvent toute sorte de prétextes pour ne pas quitter leur terre et leur foyer, et ceux des chrétiens qui, plus généreux, sont prêts à combattre pour leur foi — que ce soit à Constantinople, à Acre ou en Italie.

D'autres exhalent simplement leur tristesse, au moment où s'effondre le pan oriental de la Chrétienté. C'est l'auteur d'un roman de chevalerie qui se passe dans un passé imaginaire, *Claris et Laris*, qui s'exprime ainsi :

> « Nous savons bien, par vérité,
> Que Grèce, et Acre, et Antioche,
> L'une tombe et l'autre cloche,
> Et la troisième est déjà noyée.
> Ce n'est pas une nouvelle joie :
> Constantinople en est perdue ;
> Antioche s'est rendue
> Et sujette au roi des Tartares ;
> ... Et Acre en tremble de racine

Si elle n'en prend pas médecine.
Car convoitise a su mordre
Sur clercs, sur lais et sur gens d'ordre. »

Le poète, qui déplore en ces termes que ceux qui ont mis à bas l'empire de Frédéric II aient affaibli la Chrétienté, en conclut qu'il vaut mieux chercher un argument dans la matière de Bretagne et revenir au roi Arthur, ce qui est une forme d'évasion devant la triste réalité.

Pour le roi de France, qui se sent la responsabilité du plus grand royaume d'Occident, ces événements constituent un appel à se tourner de nouveau vers ces contrées auxquelles il s'était particulièrement intéressé au début de son règne : les pays de la Méditerranée et de l'Orient. Il n'avait eu garde, depuis son retour de la croisade, d'oublier ni son port d'Aigues-Mortes, ni les chevaliers restés en Terre sainte dont il faisait régler ponctuellement les mandats de paiement. Mais la réforme de son royaume et les problèmes que posait la pacification de l'Occident suffisaient à retenir son attention.

A partir de 1260 ou 1261, c'est vers les pays riverains de la Méditerranée qu'il lui faut de nouveau regarder. La Terre sainte, cet « héritage du Christ » confié aux Chrétiens, se trouve une nouvelle fois exposée à être enlevée à ceux-ci par les Infidèles, Mongols d'abord, Musulmans ensuite. Ceci pose un double problème : celui des moyens temporels à mettre en œuvre pour parer à ce danger ; celui des motifs pour lesquels la Providence divine paraît prête à priver la Chrétienté de ce précieux héritage. Pour saint Louis, dont on sait déjà combien il était attaché à la Terre sainte, cette double interrogation est grave, et, dans le redoublement d'efforts qu'il fait pour éliminer de son royaume les péchés les plus choquants, le blasphème en particulier, ne faut-il pas voir l'effet de sa préoccupation pour le sort de la « Terre de Promission » ?

L'affaire de Sicile se place dans cette perspective. Jusqu'à ce moment, saint Louis était resté en dehors de la lutte des Hohenstaufen et de la Papauté, qu'il déplorait. Désormais, il

prend conscience du tort que la prolongation de cette querelle cause à l'Occident, en y entretenant un foyer de guerre,
comme en privant les Chrétiens d'Orient des secours qu'ils
auraient pu normalement attendre. Et il est amené à prendre
parti, sans pour autant d'ailleurs intervenir personnellement.

La menace mongole elle-même se mue peu à peu en un
appel à une coopération dont le roi semble avoir eu la pres-
cience en 1249. Tout paraît donc dominé par la perspective
de cette nouvelle croisade vers laquelle saint Louis se trouve
irrésistiblement attiré.

Affaire de Sicile et chute de Constantinople : l'apparition de la puissance angevine

Les événements qui affectaient l'Empire latin de Constantinople et le royaume de Sicile étaient indépendants les uns des autres. La reprise de l'antique Byzance par les Grecs de Nicée, brochant sur la défaite de Pelagonia infligée par ceux-ci à la coalition des Francs de Morée et des Épirotes, aboutissait au relèvement d'un Empire byzantin ayant recouvré sa capitale ; le règlement de la question de Sicile, ouverte par la mort de Frédéric II et longtemps laissée pendante, entraînait l'installation d'un prince capétien sur le trône des Normands de Sicile et de leurs héritiers de la maison de Souabe.

Charles d'Anjou allait reprendre les projets des Hohenstaufen et des Normands sur la péninsule balkanique et sur Byzance elle-même, en leur donnant une nouvelle ampleur, dans l'intention de réunir sous la même domination les deux rives de l'Adriatique et de la mer Ionienne. La première étape de son projet, la soumission du royaume de Sicile, n'était pas encore pleinement réalisée, puisque le dernier rejeton des Hohenstaufen préparait une expédition en vue de recouvrer le royaume de ses pères, que déjà l'empereur latin et le prince de Morée avaient accepté de seconder ses vues sur leurs territoires, et que le nouveau roi de Sicile entamait la réalisation de cet ambitieux programme.

Pour le royaume de France, celui-ci avait une grande importance. Charles d'Anjou ne pouvait réaliser ses vues qu'en recourant aux forces qu'il pourrait tirer de France, en hommes et en ressources de toute nature. Il allait lui falloir insérer ses visées dans l'effort de croisade vers lequel, sous l'impulsion de saint Louis, le royaume était tendu tout entier ; cet effort, il pouvait, soit le seconder, eu égard à la situation de son nouveau royaume sur la route qui menait outre-mer, soit le contrecarrer, en n'y tenant pas pleinement le rôle que son frère voulait lui réserver. Il pouvait, enfin, chercher à utiliser l'élan qui dirigeait les Français vers la Terre sainte pour ses propres buts. Quant à saint Louis, la création d'un royaume en Italie par son plus jeune frère lui posait également des problèmes difficiles. On peut se demander, et les historiens se demandent depuis longtemps, si la naissance du royaume angevin a été voulue et souhaitée par Louis IX, ou s'il s'y est simplement résigné.

LA QUESTION DE SICILE

L'attribution de la Sicile à Charles d'Anjou fut la conséquence d'une longue querelle, qui avait pris naissance lorsque Henri VI, fils de Frédéric Barberousse, ayant épousé l'héritière de la dynastie normande des Hauteville, s'était mis en possession du royaume de sa femme. Cette même attribution devait être à l'origine d'une longue dispute qui pesa sur l'avenir de l'Europe médiévale et se prolongea jusqu'au temps des guerres d'Italie.

L'enjeu dépassait en effet le royaume sicilien proprement dit. Le statut de celui-ci, objet de controverses et de guerres pendant le XIIIe siècle, était celui d'un fief tenu de la Papauté par les rois de Sicile, qui s'étaient fait donner l'investiture des anciens duchés de Pouille et de Capoue en même temps que celle du royaume érigé dans l'île elle-même ; en marque de cette dépendance, ils étaient astreints à payer un cens annuel, fixé à l'origine à six cents besants d'or par an. Mais, très vite, les rois de Sicile avaient étendu leur domination vers le Nord, dangereusement près des confins des états pontificaux. La réunion, aux mains des Hohenstaufen, de la dignité impériale et de la Sicile rendait cette progression plus menaçante encore, par le fait que les duchés de Spolète et d'Ancône, qui reliaient la Lombardie et la Vénétie, pièces maîtresses du royaume d'Italie (l'une des trois composantes de l'Empire), aux provinces du royaume sicilien, étaient considérés par les papes comme appartenant à la zone d'influence concédée par les empereurs à la Papauté. Celle-ci avait lutté d'autre part, au temps d'Alexandre III, pour soutenir les aspirations des communes lombardes à une liberté qui contrecarrait les ambitions impériales. Il n'était pas jusqu'à la Tuscie, cette partie de l'ancienne Étrurie qui couvrait les approches de Rome vers le nord, sur laquelle ne pesaient les visées des empereurs. C'était donc l'unification de l'Italie sous le sceptre des Hohenstaufen qui était en jeu, et, dans cette unification, le sort de Rome et du patrimoine de Saint-Pierre risquait de se trouver à la merci de l'Empire.

Or Frédéric II, dont Innocent III avait assuré l'avènement au trône de Sicile dans la pensée que l'Empire, reviendrait, soit à un Welf, Otton de Brunswick, soit même à un autre Hohenstaufen, Philippe de Souabe, s'était vu élevé à la dignité impériale du consentement même du pape, qui entendait bien que le nouvel empereur se dessaisirait en faveur de son fils du royaume de Sicile. Frédéric, au contraire, avait assuré à celui-ci, et l'expectative du titre impérial, et ses droits au trône des rois normands. Et toute sa politique avait tendu à faire de l'Italie tout entière un royaume unifié. Il avait repris la politique de Frédéric Barberousse en Lombardie, en essayant de plier les villes de la plaine du Pô et des régions voisines à l'autorité de ses podestats ; il avait occupé le duché de Spolète et installé ses officiers dans les villes toscanes. On sait que cette politique avait abouti à un conflit ouvert avec Innocent IV, qui avait prononcé en 1245 la sentence privant l'empereur de toutes ses dignités.

Mais, si cette sentence avait eu quelque effet en Allemagne, où successivement Henri Raspe et Guillaume de Hollande avaient été élus rois des Romains, sans pouvoir pour autant triompher du fils de Frédéric, Conrad IV, lequel continuait à être reconnu dans l'Allemagne du Centre et du Sud, elle n'avait pas entraîné les mêmes conséquences en Sicile : nul compétiteur ne s'étant présenté contre ce « Frédéric-Roger », qui était incontestablement l'héritier légitime, par sa mère Constance, des rois normands, Roger II, Guillaume Ier et Guillaume II. Mieux, en suscitant des complots que l'empereur-roi avait réprimés avec son habituelle rigueur, elle avait amené celui-ci à renforcer encore son emprise sur son royaume.

Frédéric avait en effet gouverné ce royaume d'une main de fer. Il avait trouvé en face de lui, au temps de sa minorité, des villes agitées par des aspirations autonomistes, des barons indociles, une population musulmane qui était allée jusqu'à reconnaître l'autorité d'un « commandeur des croyants », Muhammad Ibn Abbad, maître des nids d'aigle de Iato et d'Entella. Il avait réprimé durement les mouvements communaux, transférant les habitants de certaines places dans des villes nouvelles ; banni du royaume, après une première amnistie, la plupart des grands barons ; déporté les Sarrasins pour les établir dans le nord des Pouilles, auprès de la nouvelle forteresse de Lucera. Il s'était assujetti l'Église, désignant les prélats et expulsant les Mendiants qu'il regardait comme des agents du pape. Il avait imposé aux populations de lourds impôts, au mépris des « anciennes coutumes ».

Sa mort, survenant le 13 décembre 1250, modifiait-elle la situation ? Le testament qu'il avait rédigé trois jours plus tôt marquait quelques remords de conscience à l'égard des feudataires, des églises et des sujets qui avaient pâti de ses excès d'autorité ; mais il maintenait fermement la ligne politique que l'empereur avait suivie durant tout son règne. L'union de l'Empire et de la Sicile restait prévue en faveur de Conrad IV : si celui-ci mourait, de son frère Henri : si tous deux ne laissaient pas d'héritier, du fils que Frédéric avait eu de Bianca Lancia, Manfred. A ce dernier, Frédéric destinait une vaste dotation territoriale : la principauté de Tarente et l'« honor » de Monte Sant'Angelo, deux seigneuries grâce auxquelles Manfred contrôlerait l'ensemble des Pouilles. Il le désignait pour être « le bailli de Conrad en Italie et spécialement dans le royaume de Sicile », en lui donnant des pouvoirs pratiquement illimités, sur lesquels son frère ne pourrait revenir. Visiblement, c'est en Manfred que Frédéric plaçait son espoir de voir son œuvre italienne se poursuivre.

Le jeune prince, de cinq ans l'aîné de Conrad et de quinze ans celui d'Henri, était resté auprès de son père pendant que Conrad bataillait en Allemagne. Il était fort bien apparenté, sa mère appartenant à la famille piémontaise des marquis de Busca ; il était brave, habile et lettré. Toutefois la situation que lui faisait son père en Sicile risquait de compromettre les droits de Conrad sur ce pays.

De fait, la mort de l'empereur fut aussitôt suivie d'une révolte des villes et des féodaux, surtout en Campanie. Manfred vint à bout de la révolte, mais en jouant un jeu très personnel ; il prit contact avec Innocent IV en offrant de se faire le vassal du Saint-Siège, si le pontife lui remettait le gouvernement du royaume, tandis que le pape lui proposait seulement de lui reconnaître la principauté de Tarente. Conrad IV, que ces agissements inquiétaient, passa en Italie dès le mois d'octobre 1251, rallia les partisans de l'Empire en Lombardie, puis débarqua en Apulie, obligeant Manfred à se soumettre et expulsant les plus compromis des auxiliaires du prince de Tarente, notamment les Lancia.

Devant l'échec de sa tentative de se mettre en possession du royaume, Innocent IV, qui pouvait craindre de se trouver à nouveau dans la situation qui l'avait obligé à quitter l'Italie en 1244, chercha à susciter un prétendant au trône de Sicile pour l'opposer à Conrad : à ses yeux en effet, tant en vertu de la sentence de 1245 que parce qu'il n'avait pas investi ce dernier du royaume, fief du Saint-Siège, la Sicile retournait à la Papauté qui pouvait l'inféoder à un nouveau vassal.

Le représentant du pape, son notaire Albert de Parme, reçut mission d'offrir la Sicile soit à Richard de Cornouailles, soit à Charles d'Anjou. Le prince anglais, dont la richesse était connue et dont on n'avait pas oublié le rôle à la croisade, fut pressenti le premier ; il ne manifesta aucun enthousiasme, disant même qu'à défaut de concours importants, autant valait lui inféoder la lune. Le frère de saint Louis — ce

dernier étant alors en Terre sainte — fut davantage tenté
d'accepter ; au mois d'août 1252, le pape écrivait à Alphonse
de Poitiers pour lui demander de presser son frère de s'engager, en faisant valoir que, devenu roi de Sicile, Charles pourrait faire avancer les affaires de la croisade. En juin 1253, un
projet d'accord était rédigé ; mais les conditions pécuniaires
que le pape y insérait firent reculer le comte de Provence ; il
n'est pas exclu que saint Louis, à qui on aurait pu difficilement dissimuler ces négociations, s'y soit montré peu favorable. Et Charles poursuivait d'autres objectifs : c'était le
moment de sa campagne en Hainaut.

Albert de Parme revint alors en Angleterre et s'adressa à
Henri III (décembre 1253). Le roi anglais, à la perspective de
donner un trône à son second fils, Edmond, qui n'avait que
huit ans, se laissa séduire. Il s'accordait avec le représentant
du pape à la fin de février 1254, et sollicitait la commutation
du vœu qu'il avait fait de partir en Terre sainte, de telle sorte
que son vœu fût accompli s'il se rendait en Sicile. Grâce au
comte Thomas de Savoie (dont Edmond fit un prince de
Capoue pour le récompenser), le pape accepta (mai 1254).
Henri III promettait d'envoyer une armée et de verser plus de
135 000 marcs d'argent au pape, avant la fin de 1256.
Edmond reçut finalement l'investiture du royaume à
l'automne de 1255, et son père le présenta, revêtu du costume
apulien, aux grands du royaume d'Angleterre. Mais on sait
que l'effort financier qui leur était demandé parut excessif à
ceux-ci ; Henri III, que la perspective du trône de Sicile avait
décidé à faire la paix avec la France, sollicita des délais et des
conditions moins onéreuses. En décembre 1258, Alexandre IV finit par annuler la concession du royaume tout en
réservant la possibilité de la renouveler si Edmond s'acquittait de ses promesses.

En fait, la situation avait entre-temps évolué en Italie de
telle sorte que la concession de la Sicile à Edmond n'apparaissait plus aussi opportune. Conrad IV avait cherché à réaliser un accord avec le pape, proposant de prêter hommage et
de séparer la Sicile de l'Empire, en destinant la première à
son frère Henri. La mort prématurée de celui-ci rendit ce pro-

jet caduc. Conrad négociait encore quand, le 21 mai 1254, il mourut à son tour, offrant à Innocent IV la tutelle de son fils Conradin comme celle de Frédéric II avait été offerte à Innocent III. Mais le régent qu'il avait choisi, Berthold de Hohenburg, fut écarté par Manfred, qui ouvrit le royaume à Innocent IV, lequel put entrer à Naples en octobre. Le pape, enfin en possession du royaume sicilien, concédait à Manfred un vicariat constitué par le Sud de l'Italie péninsulaire. Cet arrangement ne put se maintenir ; Manfred mit la main sur Lucera et sur le trésor royal, et refoula les troupes pontificales. Le pape étant mort sur ces entrefaites, Alexandre IV reprit l'entreprise sur de nouveaux frais, en s'appuyant sur les villes du royaume qui avaient ouvert leurs portes aux représentants d'Innocent IV. Son légat se fit battre à Foggia (20 août 1255) et se hâta de reconnaître Manfred comme régent de la Sicile pour l'enfant Conradin, le pape reconnaissant au fils de Frédéric le titre de prince de Tarente et le droit d'exercer la régence, mais à condition que fussent remises aux représentants de la Papauté la Terre de Labour et l'île de Sicile. Ni Manfred, ni Alexandre n'étaient disposés à observer ces clauses. Le premier renouait ses relations avec les Gibelins de toute l'Italie, à commencer par le maître de Rome, Brancaleone. Et, sur le bruit, d'ailleurs controuvé, de la mort de Conradin, il se faisait couronner à Palerme, en août 1258. Le pape, de son côté, se refusait à rompre ses négociations avec l'Angleterre.

Mais c'est la vaste campagne diplomatique engagée par Manfred qui a décidé la Papauté à chercher vraiment un prince susceptible de tenir en échec les menées du nouveau roi de Sicile. Manfred avait tissé des liens avec les Montferrat et les Pallavicini, en Lombardie, avec Sienne et avec les Gibelins de Toscane, avec les villes pro-impériales du duché de Spolète et des Marches. En 1260, ses alliés siennois remportaient à Montaperti une éclatante victoire. La même année, le roi Jacques Ier d'Aragon acceptait de fiancer son fils aîné, Pierre, avec la fille de Manfred. En 1261, enfin, les Romains, élisant leur sénateur, portaient leurs voix les uns sur Richard de Cornouailles, roi des Romains aux yeux du parti guelfe,

les autres sur Manfred. Cette fois, Alexandre IV prit peur et
proclama une croisade dirigée contre ce dernier, auquel il
reprochait un certain nombre d'actes dirigés contre l'Église,
et aussi sa collusion avec les Musulmans de Lucera, dont il se
servait pour « opprimer les chrétiens ».

Le 25 mai 1261, Alexandre IV mourait ; et les cardinaux
portèrent au trône pontifical un homme d'une autre envergure, étranger aux liens familiaux et aux intrigues de partis qui avaient paralysé son prédécesseur. Urbain IV, jusque-là patriarche de Jérusalem et d'origine française, para
au plus pressé en suscitant une ligue des villes guelfes de
Lombardie et des seigneurs du même parti ; Manfred n'osa
pas pousser ses avantages. Le roi de Sicile fit intervenir
Jacques Ier d'Aragon qui proposa sa médiation ; le pape
lui répondit avec vivacité, traitant Manfred de « serpent
tortueux » auquel on ne pouvait faire aucune confiance :
n'avait-il pas dépouillé son propre neveu de son héritage ?
Henri III ayant encore rappelé, en mars 1262, la candidature du jeune Edmond, Urbain avait laissé la question en
suspens : Albert de Parme était à nouveau à la cour de
France.

On sait, par une lettre de ce dernier, que saint Louis n'avait
pas accueilli favorablement les ouvertures du pape. Il n'avait
pas, en 1245, tenu compte de la sentence de déposition prononcée par Innocent IV contre Frédéric II ; la négation des
droits héréditaires des Hohenstaufen sur leur royaume de
Sicile ne pouvait que le heurter, d'autant plus que nous
savons que les légistes de son entourage étaient fort attentifs
à ne pas laisser prise à la justice ecclésiastique en matière
temporelle. D'après Albert de Parme, il avait fait valoir les
droits de Conradin. Si ceux-ci étaient sans valeur, c'était la
concession faite par Alexandre IV à Edmond d'Angleterre
qui devait s'appliquer : le roi de France n'avait-il pas accepté
par le traité de Paris de contribuer financièrement à l'entretien de l'armée du roi d'Angleterre ? Néanmoins, maître
Albert sut développer les points de droit de l'argumentation
pontificale — confiscation d'un fief pour une juste cause,
expiration du délai consenti au roi d'Angleterre — et le roi de

France, tout en refusant la couronne de Sicile pour lui et ses fils, accepta qu'on l'offrît à Charles d'Anjou.

Albert de Parme était en route pour la Provence quand le roi de France le rappela. Il venait d'apprendre que l'empereur de Constantinople Baudouin II, chassé de sa capitale par les Grecs, avait obtenu que Manfred offrît sa soumission au pape, de manière à rendre possible une opération menée par les princes chrétiens pour restaurer l'Empire latin. « Toujours attentif aux besoins de l'Empire de Constantinople et à ceux de la Terre sainte », comme l'écrit le notaire, sans doute aussi inspiré par ce désir du compromis que nous avons constaté tant de fois, saint Louis demandait à l'envoyé du pape de surseoir à de nouvelles démarches. Urbain IV, averti de cette médiation, avait déjà accepté au mois de mai d'entrer en pourparlers avec Manfred qu'il invitait à venir se justifier devant lui des faits qui lui étaient reprochés. L'intervention du roi de France prolongea ces négociations ; Manfred trouva cependant une échappatoire, rendant ainsi la conclusion du traité avec Charles d'Anjou inévitable. Saint Louis et son frère décidèrent enfin, en mai 1263, de donner suite aux propositions pontificales ; le 17 juin, Urbain IV envoyait un projet d'accord au comte de Provence.

Celui-ci, qui avait rompu en 1253 ses pourparlers avec Innocent IV, peut-être parce que l'affaire du Hainaut lui paraissait plus tentante que celle de Sicile, telle qu'elle se présentait alors, n'était pas étranger aux affaires italiennes. Il avait, par l'achat du comté de Vintimille, étendu sa domination de l'autre côté des monts. S'il avait cédé à Gênes la plus grande partie du comté, il avait conservé, avec le col de Tende, plusieurs places qui lui ouvraient l'accès du Piémont, comme Cuneo, et noué des relations avec les seigneurs locaux. On savait en Italie qu'il nourrissait le dessein de s'attaquer à Manfred, et il s'était prémuni contre une éventuelle intervention du roi d'Aragon — lequel avait marié son fils Pierre à Constance de Sicile — en obtenant sa promesse de ne secourir ni les Marseillais avec qui il était en lutte, ni le roi de Sicile. On peut d'ailleurs se demander si l'attaque du Languedoc par les infants d'Aragon, désavoués par leur père, en 1263, ne tendait pas à contrecarrer les projets du comte de Provence contre Marseille et contre Manfred.

La négociation des conditions dans lesquelles Charles d'Anjou allait accepter de s'engager dans l'affaire de Sicile fut longue et ardue. Urbain IV lui avait fait proposer des clauses très rigoureuses (restriction des droits à la succession, abandon de la Terre de Labour à l'Église, sauf à payer un cens énorme ; renonciation à toute candidature à un autre royaume, et notamment à l'Empire, promesse de faire ratifier ces conventions par ses sujets siciliens, etc.). Non seulement Charles, mais aussi saint Louis, se penchèrent sur le traité et exigèrent des adoucissements, dont certains avaient été prévus d'avance par le pape. Le comte tenait à ce que l'expédition fût déclarée comme étant une croisade, et assortie de la levée d'une décime. Il l'obtint, la croisade étant prêchée contre « Manfred, ci-devant prince de Tarente, persécuteur de l'Église » et contre ses alliés musulmans de Lucera (la propagande pontificale alla jusqu'à affirmer que Manfred s'était lui-même fait musulman). Urbain IV atermoyait cependant, se rendant compte qu'il risquait, en se donnant un allié, de donner un maître à l'Italie. Mais, en juillet 1263, Manfred reprenait l'initiative des opérations militaires et diplomatiques.

C'est alors qu'un cardinal, présent à Rome au moment où le peuple romain allait élire son sénateur, et découvrant qu'un parti soutenu par le roi de Sicile allait pousser la candidature de l'infant Pierre d'Aragon, notoirement lié à ce dernier, son beau-père, proposa le nom de Charles d'Anjou. Les électeurs, où les tendances guelfes dominaient, acclamèrent ce dernier, qui devint ainsi le maître de la ville des papes.

Cette élection inattendue mettait Urbain IV dans un grand embarras, puisque toute la politique pontificale avait tendu à empêcher les rois de Sicile de prendre trop de puissance dans les états de l'Église. Mais les progrès que Manfred réalisait en Toscane et dans l'Italie du Nord le décidèrent à accepter l'élection pourvu que Charles s'engageât à renoncer au Sénat lorsqu'il aurait pris possession de son royaume. En même temps, et sous la pression conjuguée du roi de France et de son frère, il atténuait encore les exigences formulées en juin 1263.

Urbain IV mourait le 2 octobre 1264, et les cardinaux, après une assez longue vacance, le remplacèrent par Guy Foulcois, devenu Clément IV. Avec celui-ci, le Saint-Siège devenait encore plus favorable à une expédition dont, jusque-là, les papes redoutaient le déclenchement autant qu'ils le souhaitaient. Charles d'Anjou réprimait brutalement une nouvelle conspiration marseillaise, négociait le passage de ses troupes à travers le Piémont et la Lombardie. Il avait envoyé à Rome un vicaire, Jacques de Gantelme, qui avait réussi à déjouer un coup de main tenté par les partisans de Manfred. Se rendant compte que Rome était la clef de l'opération à venir, il réunit une petite troupe, et, avec elle, s'embarqua sur quelques navires. Le 21 juin 1265, il prenait officiellement possession du Capitole ; le 28, il recevait, à Rome, la couronne de Sicile.

Le pas décisif était fait. Un prince capétien avait pris pied en Italie ; il était à portée de l'objectif qu'il se proposait : le royaume de Sicile. Il avait fallu pour cela que fût définitivement écartée la candidature anglaise (Clément IV prononça, le 27 février 1265, l'annulation de l'investiture de 1255) ; que tout espoir de compromis avec Manfred fût perdu — et c'est le 24 juin que le roi de Sicile posa sa candidature à l'Empire en demandant au peuple romain de lui conférer la couronne impériale, dernier défi lancé au Saint-Siège ; que l'on triomphât enfin des scrupules de saint Louis, sans l'accord duquel l'entreprise aurait été impossible. Urbain IV avait soulevé la question de la réconciliation préalable de Charles et de la reine Marguerite : dans l'inquiétude des derniers mois de 1264, le roi et la reine de France acceptèrent que l'on mît cette question en sommeil eu égard à l'urgence de l'affaire de Sicile. Le roi Louis avait élevé des doutes sur la légitimité de la dépossession des Hohenstaufen : en la plaçant sur le terrain du droit féodal, celle-ci devenait régulière. Il avait eu le désir de ménager les Plantagenêts : la carence de ceux-ci était évidente.

Mais ce sont les intérêts de l'Orient latin — de Constantinople, de la Terre sainte — qui, à ses yeux, exigeaient qu'on écartât tout obstacle à la réalisation de la paix entre les princes chrétiens. En entretenant des rapports suspects avec des Musulmans, Manfred ne pouvait lui apparaître que comme un danger pour la croisade à venir. Au contraire, l'installation de Charles en Sicile pouvait se révéler d'un grand secours pour celle-ci : c'est ce que pensaient aussi les hommes qui, de Morée ou de Syrie, vinrent rejoindre le comte d'Anjou. Encore Louis IX avait-il tenu à ce que l'on tentât une suprême démarche pour ramener le roi de Sicile à de meilleurs sentiments, lorsque Baudouin II avait fait entrevoir la possibilité d'une opération que Manfred et le despote d'Épire auraient menée avec lui contre Michel Paléologue. Mais l'échec de cette dernière tentative de conciliation, suivie des nouvelles entreprises du Hohenstaufen en Italie centrale, marquait le véritable début de l'aventure sicilienne.

Quant à Charles d'Anjou, il n'était pas apparu dans toute cette affaire comme le protagoniste de l'opération. C'est au roi de France, c'est aussi à Alphonse de Poitiers, que les papes s'étaient adressés pour agir par eux sur le comte d'Anjou et de Provence et le convaincre de se laisser tenter par la couronne de Sicile. On peut cependant penser que, pressenti dès 1252, il n'avait jamais perdu de vue cette prestigieuse éventualité et qu'il avait tout fait pour qu'elle devînt une réalité. Le Gibelin Dante ne devait-il pas déplorer que la « grande dot provençale » ait dirigé le frère du roi de France vers l'Italie et décidé du sort de celle-ci ?

DE BÉNÉVENT À TAGLIACOZZO: LA NAISSANCE DU ROYAUME ANGEVIN

La situation de Charles d'Anjou, entré dans Rome grâce à un coup d'audace, après être passé à travers les escadres pisane et sicilienne qui infligèrent des pertes à ses navires au cours de leur retour vers Marseille, n'était pas de tout repos. Le comte de Provence avait amené des gens d'armes, chevaliers et arbalétriers, sans leurs montures, comptant se procurer celles-ci en Italie grâce au concours financier du pape. Il s'avéra vite que ses propres caisses n'étaient pas moins vides que celles de la Papauté : les deux alliés manquaient également d'argent. Le financement de l'expédition était en principe assuré grâce à la levée d'une décime sur les revenus ecclésiastiques en France, dans le royaume d'Arles et dans les pays d'Empire relevant de la comtesse de Flandre ; la décime rentrait mal et, de toute manière, très lentement. Il était inutile d'espérer une aide financière de saint Louis : c'est bien auparavant que le roi avait avancé à son frère les sommes dont il lui demanda par la suite le remboursement, et la perspective de la croisade qui commençait à se dessiner le retenait de mettre ses ressources à la disposition du futur roi de Sicile. Clément IV s'adressa à trois reprises à Alphonse de Poitiers, qu'il savait riche ; la troisième fois, le comte de Poitiers finit par prêter au pape une somme importante (4 000 marcs d'argent et 5 000 livres), mais moyennant la promesse d'être remboursé en février 1266.

A défaut de pouvoir presser davantage la rentrée de la décime, sur laquelle il fallait prévoir le remboursement de ce dernier prêt, Clément et Charles eurent largement recours aux banquiers de Sienne, de Rome et surtout de Florence : le pape alla jusqu'à mettre en gage les trésors des églises romaines et les joyaux de sa propre chapelle, Charles donnant de son côté toutes les assurances désirables, et contractant de la sorte à l'égard en particulier des Florentins des obligations qui devaient aboutir à une véritable collusion avec le parti guelfe de Florence. De la sorte, on pourvut tant bien que mal à l'entretien du contingent déjà installé à Rome, et aux préparatifs de la marche sur la Sicile.

Manfred avait un vicaire dans l'Italie du Nord, le marquis Oberto Pallavicini. Mais la diplomatie de Charles d'Anjou avait fédéré contre ce dernier les marquis de Montferrat, de Saluces, d'Este ; la révolte des villes de la plaine du Pô affaiblit considérablement les forces du vicaire impérial. Milan même se donna à un podestat provençal, Barral des Baux. Clément IV aurait souhaité que l'armée de renfort

qu'attendait Charles suivît la côte tyrrhénienne ; il dut accepter son passage par les cols de Largentière et de Tende, par la
plaine du Pô, par Mantoue et par Bologne, ce qui présentait
l'inconvénient de permettre à l'Angevin de s'imposer aux seigneuries de la région en substituant son hégémonie à celle de
Manfred. Ce dernier avait rappelé ses capitaines de la
marche d'Ancône ; les croisés de l'Italie du Nord, et en particulier ceux de Bologne, se joignaient aux forces qu'avaient
rassemblées à Lyon l'évêque d'Auxerre, Robert de Dampierre, Bouchard de Vendôme et Jean de Nesle, et qui parvinrent à Rome en janvier 1266.

La campagne fut très rapide. Le 2 février, Charles d'Anjou
entrait dans le royaume de Sicile ; ayant opté pour mener ses
opérations en hiver, il eut à souffrir du froid et des intempé-
ries, du fait qu'il avait évité la basse vallée du Volturne, que
l'ennemi eût facilement interdite, et qu'il s'était porté, par
Cassino (appelé alors San Germano), sur Bénévent. San Germano offrit quelque résistance ; les chevaliers français
l'emportèrent d'un élan, et l'armée continua sa marche
jusqu'à la plaine de Bénévent, où elle se heurta à l'armée sicilienne.

Manfred brusqua les choses : l'armée angevine était fati-
guée et lui-même n'était pas sûr de ses propres sujets. Il avait
placé en avant de ses lignes ses archers musulmans, derrière
lesquels étaient disposés en ordre de bataille ses chevaliers
allemands, lombards et toscans. L'armée de Charles, où figuraient d'autres Toscans et d'autres Lombards, des Romains,
les Français et les Provençaux, dispersa les Sarrasins et
enfonça la chevalerie adverse ; les troupes napolitaines se
débandèrent, et Manfred, se jetant dans la mêlée, se fit tuer.
On était le 26 février : le corps du fils de Frédéric II ne fut
retrouvé que deux jours plus tard.

Le destin du royaume de Sicile s'était joué en une bataille.
Clément IV avait envisagé une suite d'opérations de détail
aux frontières du Patrimoine de Saint-Pierre ; Charles,
conscient de la difficulté qu'il aurait à entretenir une armée
pendant l'hiver, avait payé d'audace. Il ne rencontra plus
aucune résistance : le châtelain de Trani lui livra l'épouse de

Manfred, Hélène d'Épire, et ses filles, qui avaient essayé de se réfugier de l'autre côté de l'Adriatique. Lucera et les redoutables Sarrasins qui avaient tant alimenté la propagande pontificale se soumirent sans attendre. Les parents de Manfred, les Lancia, Conrad d'Antioche, qui était un petit-fils de Frédéric II, firent aussi leur soumission. Charles put donc proclamer une amnistie et, tout en se conformant à ses engagements, notamment en rendant aux églises la liberté de leurs élections, reprendre les mesures déjà employées par Frédéric II : il fallait, en effet, payer au Saint-Siège les sommes promises et rembourser l'argent emprunté, ceci aux frais des Siciliens. La nomination de nombreux nouveaux venus, Français, Provençaux, parfois Lombards, dans les offices du royaume, ou l'attribution de fiefs qui leur fut consentie, suscitait également des réticences de la part des nouveaux sujets du roi.

Clément IV se hâta de rappeler à son nouveau vassal que celui-ci avait promis de ne pas conserver la sénatorerie de Rome. Charles accepta, et s'en démit en mai 1266. Les Romains élirent alors Henri de Castille, un frère du roi Alphonse X qui, s'étant révolté contre son frère, s'en était allé chez le roi de Tunis pour le servir comme mercenaire, avec toute une troupe de ses compatriotes (les « milices chrétiennes » étaient assez nombreuses dans le Maghreb d'alors). Henri avait pris contact, de Tunis, avec Charles en octobre 1266, en proposant de s'allier à lui par mariage. Il avait traversé la mer avec une bande de chevaliers espagnols pour se mettre au service du nouveau roi de Sicile. Sa parenté avec Alphonse X, roi des Romains par le fait d'Alexandre IV, mais bien vu des Gibelins d'Italie, et ses liens avec Charles en faisaient un candidat qui convenait aux deux partis. Il ne devait pas tarder à montrer qu'il n'était pas sûr.

Mais le roi de Sicile n'entendait pas renoncer à l'hégémonie qu'il s'était assurée dans le Nord ; Oberto Pallavicini et les Della Torre, de Milan, s'étaient ralliés à lui. Et il étendit les pouvoirs de son sénéchal de Provence, déjà chargé d'administrer le Piémont, à la Lombardie. Le pape se retrouvait en présence d'un roi de Sicile qui dominait aussi la plaine lombarde. De surcroît, inquiet de l'agitation qui se manifestait en Toscane, Clément IV pria Charles de chasser les Gibelins qui tenaient Florence. Charles acquiesça : mais lorsque Florence, Pistoie et Prato l'eurent élu comme podestat pour une durée de six ans, le pontife s'aperçut que la Toscane, à son tour, était passée sous le contrôle angevin. Devant les nouveaux dangers qui se dessinaient du côté du Nord, il se résigna à conférer à Charles le titre de « pacificateur » de la Toscane, avant de le faire, le 15 février 1268, vicaire général de l'Empire en Toscane, sans s'arrêter aux droits qu'auraient pu revendiquer Alphonse de Castille ou Richard de Cornouailles.

Les Hohenstaufen, cependant, allaient tenter un dernier effort. Le fils de Conrad IV, Conradin, qui avait alors quatorze ans, était élevé en Carinthie. Il reçut plusieurs de ceux qui avaient fait précédemment leur soumission à Charles (les Lancia, Conrad d'Antioche...), lesquels l'incitèrent à reconquérir le trône de son père. Une assemblée, réunie à Augsbourg en octobre 1266, avait décidé le principe d'une descente en Italie. Clément IV, averti, fit connaître son interdiction d'une telle entreprise. Mais Conradin passa outre : le 21 octobre 1267, il entrait à Vérone, tandis qu'un frère d'Henri de Castille, Frédéric, depuis Tunis, préparait un débarquement en Sicile. L'île se souleva, et le représentant de Charles, Foulques de Puyricard, ne put tenir que Messine et Palerme. A Rome, Henri de Castille changeait de camp, expulsait les nobles du parti guelfe, recevait Galvano Lancia et une garnison allemande. Il se faisait désigner comme capitaine général des Gibelins de Toscane.

Clément IV avait été pris au dépourvu ; Charles d'Anjou s'attardait en Toscane — peut-être pour l'interdire à Conradin. Le pape insista pour qu'il se consacrât à la défense de son royaume ; cependant Conradin, abandonné par certains de ses alliés, comme Louis de Bavière ou Rodolphe de Habsbourg, réussissait à forcer le passage du Pô et à gagner, par la mer, Pise où l'atteignit l'excommunication pontificale. Il battit les forces angevines que Charles avait laissées en Toscane sous le commandement de Jean de Brayselve et envoya sa flotte soulever la Calabre. Déjà ses agents avaient provoqué le soulèvement de Lucera, et Charles d'Anjou s'était porté sur cette ville pour l'assiéger. Lucera, en effet, était à la fois une place redoutable et la résidence de ces Musulmans, auxiliaires de l'armée des rois de Sicile, dont la réputation répandait la terreur bien qu'il ne se soit agi que d'archers armés à la légère, incapables de tenir devant une charge de chevaliers. Pendant ce temps, Conradin entrait à Rome (24 juillet 1268) où il connaissait un véritable triomphe. Après quelques jours, il reprenait la campagne, en se portant sur Lucera. Charles avait levé le siège et l'attendait à Tagliacozzo : Conradin, qui disposait de forces supérieures, tourna sa position et la bataille s'engagea dans le bassin du lac Fucin. Chacun des adversaires avait rangé son armée en trois « batailles » ; mais Henri de Castille, à la tête de ses compatriotes, engagea le combat en prenant les Français au dépourvu ; ses forces enfoncèrent celles qui leur étaient opposées. Les chevaliers de Conradin suivirent le mouvement, et le maréchal de France Henri de Cousances, « chevalier preux et hardi », qui portait ce jour-là les armes de Charles d'Anjou sur son écu, fut tué : on crut le roi mort. Un mouvement de panique s'amorçait, et déjà les gens de Conradin commençaient à piller les bagages quand Érard de Valery, qui était arrivé la veille de la bataille avec un groupe de chevaliers revenant de Terre sainte, intervint à la tête de la réserve, qu'il avait gardée jusque-là en arrière. Si les Espagnols d'Henri de Castille firent encore quelque temps bonne contenance, le reste de l'armée de Conradin abandonna le champ de bataille et s'enfuit en désordre (23 août 1268).

Les Angevins avaient eu des pertes sévères : de surcroît le maréchal du royaume, Jean de Brayselve, qui avait été capturé en Toscane, avait été décapité par ordre de Conradin avant la bataille. Mais Henri de Castille, réfugié au Mont-Cassin, fut fait prisonnier ; Conradin et son cousin Frédéric d'Autriche avaient pris la fuite et rejoint la côte, d'où ils pensaient gagner Pise par mer ; le seigneur de Torre d'Astura, près d'Anzio, s'empara d'eux et les livra au roi de Sicile. Charles fut impitoyable ; il fit intenter à Conradin un procès en règle ; le jeune prince, d'ailleurs, ne fit pas mystère que son intention avait été de mettre Charles à mort s'il avait pu le prendre ; il fut décapité avec Frédéric et avec plusieurs nobles de son entourage, le 29 octobre, tandis qu'Henri de Castille était condamné à la prison pour la vie. Les partisans de Conradin, pourchassés, furent massacrés en grand nombre. La Sicile se soumit, mais la ville d'Augusta fut mise à sac. Des mesures rigoureuses, confiscation des biens des traîtres, bannissement des coupables, furent prises. Quant à Lucera, dont le siège avait repris, il fallut près d'un an pour en venir à bout : la place ne capitula que le 29 octobre 1269. Cet événement eut un grand retentissement : il justifiait l'allure de croisade contre les Infidèles que l'on s'était efforcé de donner à toute l'entreprise. Mais Charles d'Anjou ne poursuivit pas les Musulmans de Lucera de sa rancune : il respecta la mosquée bâtie sous Frédéric II et il se garda de se priver des précieux auxiliaires que les Sarrasins avaient fournis à tous ses prédécesseurs sur le trône de Sicile. Les Musulmans furent en partie dispersés, mais l'Islam devait rester implanté autour de Lucera jusqu'à ce qu'en 1301 Charles II se décidât à anéantir la colonie musulmane. Ce sont les défenseurs chrétiens de Lucera qui furent traités comme des rebelles, traîtres à leur roi, et c'est eux qui furent exécutés. Néanmoins Charles faisait figure de vainqueur des Infidèles.

La victoire de Tagliacozzo accentuait le caractère de colonisation qu'avait eu l'installation de Charles d'Anjou dans le royaume de Sicile en 1266. Charles, pour s'assurer de l'obéissance de son royaume, y implanta en grand nombre des Français et des Provençaux. Pour repeupler Lucera, ce sont des Provençaux qu'il y établit ; ailleurs, les gens du royaume de France et ceux du comté de Provence, qui affluent — Durrieu en a dressé la liste d'après les registres, aujourd'hui disparus, de la chancellerie angevine —, se voient donner des fiefs, des charges, des offices. Là où Frédéric II avait, en accentuant les caractères de l'œuvre entreprise par les Normands, domestiqué une féodalité assujettie au service de la royauté, Charles d'Anjou établit des vassaux sur le modèle français. Le connétable du royaume, c'est Jean Britaud de Nangis (ce parent de

Pierre le Chambellan que saint Louis avait fait emprisonner, avant de le faire panetier de France) ; le sénéchal est un Geoffroy de Sergines ; l'amiral, Guillaume de Beaumont ; le maître justicier, Barral des Baux ; le chambrier, Pierre de Beaumont ; le chancelier, Jean d'Acy, à qui succède Geoffroy de Beaumont. Les maréchaux, outre le malheureux Brayselve, sont Guillaume de Milly, Guillaume l'Estendard, Dreu de Beaumont. Foulques de Puyricard, puis Gauselinet de Tarascon, sont justiciers du Principat ; Jacques de Gantelme, de la Capitanate ; Raymond Chibaud, de la terre de Bari ; Barras de Barras, de la Calabre ; Pierre de Lamanon, de la Sicile ; Gautier de Sommereuse, de la terre d'Otrante. Le comté de Montescaglioso est donné à Pierre de Beaumont, celui d'Arena à Thomas de Coucy, celui de Lecce à Hugues de Brienne, celui d'Avellino à Bertrand des Baux. Et l'on rencontre des Cornut, des Chevreuse, et combien d'autres, dans cette nouvelle féodalité.

Ce mouvement d'immigration, on le voit, a touché beaucoup de familles qui appartenaient à l'entourage du roi de France. Certes, la Provence a tout particulièrement profité de la conquête de la Sicile ; Marseille, indocile la veille encore, connaît une nouvelle fortune dans ses relations maritimes avec la Terre Ferme et avec la Sicile insulaire. Mais il ne faut pas minimiser l'importance numérique des sujets du royaume qui ont trouvé un nouvel établissement dans les États de Charles d'Anjou. Celui-ci, d'ailleurs, ayant perdu sa femme Béatrix au début de 1267, se remarie en novembre 1268 avec Marguerite, fille du défunt comte Eudes de Nevers, et petite-fille du duc Hugues de Bourgogne, lequel avait d'abord été hostile à l'entreprise sicilienne, puis l'a acceptée au point de prendre la charge de vicaire du royaume *a Faro citra* (c'est-à-dire en deçà du détroit de Sicile) à la veille de la huitième croisade. Avec la nouvelle reine arrivent des Bourguignons, les Neublans, les Sully, qui se mettent à leur tour au service du roi de Sicile.

Sans doute le pape Clément IV n'avait-il pas attendu un succès si complet. Lorsqu'Urbain IV avait appelé le comte d'Anjou au trône occupé par Manfred, cela avait été dans la pensée de trouver une épée disponible au service de l'Église, en limitant soigneusement au royaume sicilien la zone d'action qui lui serait reconnue en propre. Celui qui avait été Guy Foulcois, excellent auxiliaire du roi de France dans l'exercice de sa justice et de son administration, avant d'être évêque, puis archevêque, dans le même royaume, n'avait sans doute pas eu les coudées aussi franches à l'égard du frère de saint Louis ; les circonstances avaient joué elles aussi. Mais, désormais, chef d'un parti guelfe qui triomphe dans la plupart des villes d'Italie, contrôlant la Lombardie comme la Toscane, et à nouveau sénateur de Rome après la déchéance d'Henri de Castille, pour dix ans cette fois, Charles d'Anjou est devenu pour le Saint-Siège un redoutable protecteur.

Nous devons nous résigner à ignorer ce que fut la réaction de saint Louis en face de la fortune de son plus jeune frère. Sans doute la reine Marguerite n'en fut-elle pas très satisfaite : le succès était trop grand, et son beau-frère désormais trop bien assis en Provence (de surcroît, la mort de Béatrix ne pouvait qu'amener un plus grand refroidissement dans leurs relations). Saint Louis n'avait risqué dans l'affaire ni les ressources de son royaume, ni sa propre responsabilité. Il y avait néanmoins participé de façon indirecte, en acceptant l'utilisation de la décime pour l'expédition de Sicile, et en autorisant le départ de ses vassaux. Certes, si le connétable de France lui-même, Gilles le Brun, avait combattu à Bénévent, ce n'était pas en portant la bannière de France comme Amaury de Montfort l'avait fait à la croisade de 1239 : il était à la tête du contingent du fils du comte de Flandre, lequel était encore très jeune, et son père avant lui avait été connétable de Flandre. Néanmoins c'étaient des Français « nés de France » qui avaient fourni le gros des combattants de l'armée angevine ; le roi ne pouvait pas ne pas se sentir concerné par les succès de celle-ci.

Ces succès étaient ceux de l'armée de l'Église ; quels qu'eussent été les sentiments du roi à l'égard des entreprises antérieures couvertes par le privilège de croisade, le résultat final de la campagne devait lui apparaître comme positif. Certes, la saignée que l'appel du royaume sicilien opérait sur ses forces à la veille d'une autre entreprise qui lui tenait davantage à cœur, pouvait le préoccuper. Mais les accents d'épopée que trouve un Guillaume de Nangis pour raconter les exploits des chevaliers français, tant en 1266 qu'en 1268, pouvaient-ils ne pas trouver un écho chez un homme du XIIIe siècle ?

Et la victoire de Charles d'Anjou donnait à la maison capétienne une nouvelle autorité en Europe, dont saint Louis ne pouvait douter qu'il userait pour le bien de la chrétienté tout entière. Les aspirations de Charles d'Anjou à la monarchie universelle, si elles étaient déjà formées dans l'esprit du roi de Sicile, n'étaient pas encore assez reconnaissables pour pouvoir susciter des inquiétudes. Dans l'immédiat, le fait pour les deux frères de porter deux couronnes royales ne pouvait apparaître que comme un beau succès pour la dynastie capétienne.

CHARLES D'ANJOU ET L'EMPIRE DE CONSTANTINOPLE

On se souvient de la situation que connaissait, dans les dernières années qui précédèrent la croisade de 1248, l'empire fondé par les Latins à Constantinople. L'empereur Baudouin II ne gouvernait effectivement, avec la ville elle-même, que la péninsule où elle était située, sur la rive nord de la mer de Marmara. A une centaine de kilomètres de la capitale, Tzouroulon (Çorlu) et Vizya (Viza) étaient aux mains des Grecs. L'empereur était reconnu d'autre part comme le suzerain de la principauté de Morée, des autres seigneuries franques de Grèce orientale (Attique, Béotie, Thessalie), et les dynastes vénitiens des îles de la mer Égée ainsi que les seigneurs lombards de Négrepont (l'Eubée) se reconnaissaient aussi ses vassaux. Mais depuis 1236, ces différentes dominations n'étaient plus que des arrière-fiefs, le prince de Morée étant leur seigneur direct et prêtant hommage à l'empereur pour elles comme pour sa principauté. L'appui de la Papauté lui restait acquis ; mais, au temps d'Innocent IV, le souverain pontife s'était posé la question de savoir si la présence des Latins à Constantinople n'était pas moins précieuse que la restauration de l'unité de l'Église par une entente avec les Grecs.

Ceux-ci restaient divisés entre deux grandes dominations, l'Épire et Nicée. Mais la première, qui avait connu une période brillante dans le premier quart du XIIIᵉ siècle, avait dû laisser à la seconde tout l'ancien royaume de Salonique, ainsi que le titre impérial. Encore, à la veille de 1260, le despotat d'Épire était-il sur le point de se diviser en deux grandes seigneuries, ayant respectivement pour capitales Arta et Néopatras. A Nicée, au contraire, résidaient le *basileus,* l'empereur couronné, et le patriarche ; l'empire de Nicée s'étendait à la fois sur l'ouest de l'Asie Mineure, sur la Thrace et sur la Macédoine. Et les empereurs se considéraient comme les héritiers de la tradition de Byzance, aspirant à refaire l'unité de l'empire autour de sa véritable capitale. Michel VIII Paléologue, qui était monté sur le trône en s'associant au jeune Jean IV Lascaris qu'il avait ensuite éliminé, allait réaliser ces aspirations.

Au mois de septembre 1259, son armée campait dans la plaine de Pelagonia, aux environs de Monastir, dans la Macédoine occidentale, sous le commandement de son frère, le sébastocrator Jean. Elle avait en face d'elle une autre armée qui réunissait avec les troupes du despote d'Épire Michel Ange-Comnène celles de ses deux gendres : Guillaume de Villehardouin, prince de Morée, était là à la tête de ses chevaliers, et Manfred, roi de Sicile, avait envoyé un contingent. Les alliés avaient formé le projet de se porter sur Salonique, de donner la main à Baudouin II, et de refouler Michel VIII en Asie Mineure, voire de le détrôner. Mais le sébastocrator sut habilement susciter des divisions au sein de la coalition. L'un des fils du despote, Jean, qui gouvernait Néopatras, passa de son côté, Michel Ange-Comnène abandonna ses alliés ; les Francs de Morée et les Siciliens, restés seuls, furent taillés en pièces, et le prince de Morée était parmi les prisonniers avec la plupart de ses barons. Moins de

deux ans après, le 25 juillet 1261, un autre général de
Michel VIII, Alexis Strategopoulos, découvrant une poterne
non gardée, et au mépris des trêves, s'emparait de Constantinople : l'empereur Baudouin II n'avait eu que le temps de
s'échapper avec le patriarche latin, ses barons et une grande
partie de la population.

Cependant Michel VIII s'était décidé à traiter avec Villehardouin. Ce dernier obtenait sa libération moyennant la promesse de se faire le vassal du *basileus* et la cession des places
de Mistra, du Magne et de Monemvasie, qu'il avait conquises
une quinzaine d'années plus tôt. L'empereur grec s'était
d'autre part assuré le concours de la république de Gênes et
de ses forces navales, pour tenir en échec les Vénitiens, auxquels la chute de Constantinople, où ils avaient leurs établissements et une situation privilégiée, causait un grave préjudice. Les Byzantins essayèrent de pousser leurs avantages, en
prétextant que Guillaume se refusait à faire hommage de la
Morée à l'empereur, comme il l'avait promis, et en cherchant
à profiter du désarroi des dynastes vénitiens établis dans les
îles de la mer Égée. Ce fut en vain : la flotte vénitienne
affirma sa supériorité lors de la bataille navale de Sette Pozzi
(1264) et les tentatives des chefs byzantins pour s'avancer
dans la principauté de Morée n'aboutirent qu'à leur faire perdre Mistra. De surcroît, certains Génois, peut-être poussés
par Manfred, préparaient un coup de main sur Constantinople : Michel VIII préféra rétablir les privilèges des Vénitiens,
et proposa même à Guillaume de Villehardouin un mariage
entre son fils et l'héritière de la principauté, Isabeau.

Mais, pendant que les hommes d'armes bataillaient et que
les princes en arrivaient à la conclusion qu'ils étaient d'égale
force, l'empereur dépossédé s'efforçait de reconquérir son
empire. Non par la force de ses armes : il ne possédait plus
que des droits de suzeraineté sur la principauté de Morée, et
Villehardouin était assez occupé chez lui pour ne pas prêter
secours à son suzerain. C'est auprès des princes d'Occident
que, comme avant 1248, il chercha de l'aide. Et d'abord
auprès de Manfred, qui nourrissait une vive rancune contre
Michel VIII, coupable de retenir à sa cour la veuve de

l'empereur Jean Vatatzès, laquelle n'était autre que sa sœur
Constance. On sait comment, au début de 1262, Baudouin II
proposa au roi de Sicile un plan aux termes duquel Manfred
l'aiderait à récupérer sa capitale, lui-même se faisant auprès
du pape et de saint Louis le garant des bonnes intentions du
bâtard de Frédéric II. Il se rendit auprès du pape Urbain IV,
qui accepta de solliciter le secours du roi de France et de son
clergé, en juin 1262. Il prit ensuite le chemin de la France (où
saint Louis lui conseilla, pour se procurer des ressources, de
vendre son comté de Namur à Guy de Dampierre, qui le paya
20 000 livres en mars 1263), puis en Espagne. Urbain IV prescrivait de lever des taxes sur le clergé de France pour financer
l'expédition que Venise promettait de transporter à ses propres frais. Rutebeuf s'efforçait de réchauffer l'enthousiasme
par sa *Complainte de Constantinople*.

Mais, revenu en France, Baudouin se rendit compte que
l'affaire de Sicile primait la reconquête de son empire. Et,
pendant ce temps, Michel Paléologue avait tenté une
démarche auprès du pape : reprenant des pourparlers qui
avaient eu lieu entre Jean Vatatzès et Innocent IV, et où le
pontife avait été jusqu'à laisser entendre que Rome pourrait
accepter le retour de Constantinople aux Grecs si ceux-ci se
ralliaient à l'union des Églises, il offrait de faire la paix avec
les Latins et de reconnaître la suprématie pontificale.
Urbain IV, après avoir tergiversé, lui envoyait des Franciscains, pour sonder ses intentions : la paix conclue en 1264
avec la Morée et avec Venise paraissait ouvrir la voie à de
nouvelles négociations.

La cause de Baudouin II était mise en sommeil. Mais en
1266, Charles d'Anjou s'emparait du trône de Sicile ; il
retrouvait dans l'héritage de Manfred les prétentions que déjà
les rois normands avaient fait valoir sur l'autre rive de
l'Adriatique. L'amiral de Manfred, un réfugié de Chypre,
Philippe Chinard, avait pris possession de Corfou. Charles
s'entendit avec ses héritiers, Gace Chinard et Garnier Aleman, qui reconnurent sa suzeraineté sur l'île. La femme de
Manfred, fille du despote d'Épire, lui avait apporté en dot
Durazzo et Valona ; encore qu'il eût confisqué les biens de la

reine Hélène, Charles pouvait difficilement demander ces places albanaises au despote, dont il gardait la fille captive ; mais il ne les perdait pas de vue.

En 1267, au moment où de nouveaux ambassadeurs grecs arrivaient à Viterbe, dont Clément IV avait fait sa résidence, cette ville vit arriver également Guillaume de Villehardouin, Baudouin II et Charles d'Anjou lui-même. Baudouin avait entre-temps, trouvé un allié : en janvier 1266, il avait promis au duc Hugues IV de Bourgogne, si celui-ci lui prêtait son aide pour reconquérir son empire, le royaume de Salonique, accru des quatre baronnies les plus voisines, pour les tenir en fief de l'empire. Les négociations qui se déroulèrent à Viterbe lui en valurent un autre, plus puissant encore : Charles d'Anjou promettait qu'avant six ans, il fournirait deux mille hommes d'armes à Baudouin, et qu'en retour celui-ci lui céderait ses droits de suzeraineté sur la Morée, les îles de la mer Égée, l'Épire et Corfou, sans préjudice du tiers des terres qui seraient reconquises à frais communs (en 1269, Thibaud V à son tour, moyennant sa promesse de concourir à l'expédition, allait se voir concéder le quart de l'empire, que Baudouin II lotissait à l'avance entre ses alliés). En outre, le fils aîné de Baudouin devait épouser une fille de Charles. Ce traité était scellé le 27 mai 1267 ; mais, trois jours plus tôt, Guillaume de Villehardouin, en contrepartie de la promesse d'une aide pour reconquérir les places perdues de sa principauté, acceptait de céder celle-ci au roi de Sicile, de telle sorte que la Morée reviendrait au fils du roi qui épouserait sa fille Isabeau ; au cas où le mari d'Isabeau mourrait sans enfants, c'est le roi lui-même qui en deviendrait l'héritier. La dynastie des Villehardouin était, en fait, dépossédée : Guillaume restait prince de Morée à titre viager ; sa fille ne serait princesse qu'autant qu'elle serait l'épouse d'un Angevin, et, si un autre enfant naissait à Guillaume, il devrait se contenter d'une baronnie équivalente au cinquième de la terre.

Ainsi se dessinait un vaste projet : moyennant l'octroi à Baudouin II d'une aide pour reconquérir Constantinople et le reste de son empire, dont l'empereur titulaire avait déjà en grande partie disposé au profit du duc de Bourgogne, et, par

la suite, du roi de Navarre, Charles s'assurait de la Grève
continentale et péninsulaire, des îles de l'Égée et de la mer
Ionienne, enfin d'une partie de l'Albanie actuelle.

Il restait à convaincre le roi de France et le doge de Venise
de coopérer à cette entreprise. Malheureusement pour le roi
de Sicile et pour l'empereur Baudouin, saint Louis venait de
prendre la croix dans l'intention bien arrêtée de se rendre en
Terre sainte ; et le doge, Lorenzo Tiepolo, qui venait de passer avec l'empereur grec un traité rétablissant Venise dans ses
droits anciens, ne se sentait pas disposé à favoriser une opération dont la République risquait de faire les frais. En effet,
Venise avait autrefois lutté contre les rois normands pour
empêcher ceux-ci de mettre la main sur les deux rives du
canal d'Otrante, ce qui les aurait mis en mesure de fermer la
sortie de l'Adriatique à la navigation vénitienne. Le projet de
Charles d'Anjou faisait revivre ce danger.

Cependant la poursuite de l'entreprise balkanique passa
soudain au second plan. La descente de Conradin en Italie,
les révoltes survenues dans le royaume de Sicile, avaient
contraint Charles d'Anjou à se consacrer à son propre
royaume. C'est Guillaume de Villehardouin, avec quelque
quatre cents chevaliers moréotes, qui était venu aider son
nouveau suzerain sur le champ de bataille de Tagliacozzo. La
remise en ordre du royaume de Sicile occupa la fin de 1268.
Toutefois, le 28 octobre de cette année-là, le roi de Sicile était
prié d'attendre l'arrivée du duc de Bourgogne avant de partir
en guerre contre les Sarrasins de Lucera : Hugues IV tenait à
s'acquitter de son vœu de croisade. Et il allait prolonger son
séjour en Pouille : voulait-il être à pied d'œuvre pour le
départ de l'expédition qui lui vaudrait de prendre possession
de son royaume de Salonique ? C'est au début de 1269 que
Thibaut V s'engageait à son tour : la campagne des Balkans
prenait tournure, et Guillaume de Villehardouin parvenait à
obtenir la cession de Valona au roi de Sicile, qui acquérait
ainsi une base en Albanie.

Charles d'Anjou complétait ces préparatifs par une offensive diplomatique, se conciliant le roi de Serbie et le tsar de
Bulgarie, négociant avec le roi de Hongrie le mariage de l'une

de ses filles avec le fils de ce dernier, et celui de son fils aîné avec Marie de Hongrie. Michel Paléologue trouvait aussitôt la parade en proposant un autre mariage au Hongrois et en détachant la Bulgarie de l'alliance. Il avait aussi pris une contre-assurance du côté mongol par une autre alliance matrimoniale.

Mais c'est du côté de saint Louis que le *basileus* cherchait la meilleure parade. Le pape Clément IV, qui avait montré en couvrant de son autorité les traités de Viterbe qu'il préférait la restauration de Baudouin II aux promesses, toujours suspectes, de l'empereur byzantin, était mort ; les cardinaux ne semblaient pas pressés de lui donner un successeur (Grégoire X, qui devait être le pape de l'union avec les Grecs, ne fut élu qu'en 1271). Le roi de France, par contre, était connu par sa piété et par la priorité qu'il donnait aux impératifs d'ordre spirituel sur les ambitions temporelles. Aussi Michel VIII, en lui envoyant un précieux manuscrit du Nouveau Testament, lui demandait-il d'accepter un arbitrage de plus : celui des différends existant entre l'Église grecque et l'Église latine. Cette démarche, tentée pour la première fois en 1269, était reprise au début de 1270.

Le roi de Sicile préparait l'armement d'une flotte. Sans doute celle-ci n'était-elle pas destinée à cingler vers Constantinople pour y porter Baudouin II et ses alliés, mais plus modestement à transporter en Morée les éléments qui devaient faire de la domination angevine une réalité et peut-être rejeter les Byzantins hors de leurs possessions dans la péninsule. C'est ce qui fut fait en 1270, lorsque Anseau de Toucy et Jean Chauderon y emmenèrent des troupes, et que les sujets de la principauté prêtèrent serment à Charles d'Anjou ; le mariage d'Isabeau devait intervenir en 1271. On a avancé l'hypothèse que la croisade du roi de France avait sauvé Byzance d'une attaque ; peut-être, plus modestement, faut-il admettre que la campagne prévue pour 1270, faute d'avoir obtenu le concours vénitien, n'avait pour objet que d'assurer le contrôle du roi de Sicile sur la principauté et, en prélude à la reconquête de l'Empire de Constantinople, de mener des opérations de détail en Morée.

Par contre, en jouant la carte de l'union des Églises auprès
du roi de France, que ses relations avec les Frères Prêcheurs
et Mineurs, agents habituels des négociations entre les deux
Églises, pouvaient rendre particulièrement accessible à cette
perspective, Michel VIII espérait certainement contrecarrer
les ambitions de Charles d'Anjou. Saint Louis pouvait difficilement rester insensible à un tel appel, bien que nous
sachions, par la lettre déjà citée de maître Albert de Parme,
combien il était attentif « aux nécessités de l'empire de
Constantinople ». Ce qui est certain c'est qu'il n'était pas prêt
à se faire l'auxiliaire des projets de son frère sur la péninsule
balkanique.

CHAPITRE II

L'ombre des Mongols

Ce n'est pas avec l'appel d'Urbain IV à Charles d'Anjou pour la conquête de la Sicile, ni même avec la chute de Constantinople que la Chrétienté occidentale a pris conscience de la montée des périls qui caractérise la décennie 1260-1270. La nécessité de recourir à une croisade pour lutter contre ces périls a une autre origine : ce sont les informations qui révélaient l'ampleur de la menace que les Mongols faisaient peser sur le monde chrétien.

La menace était-elle plus grave en 1260 qu'elle l'avait été vingt ans plus tôt, lorsque l'invasion mongole avait déferlé dans l'Europe centrale, amenant les redoutables cavaliers des steppes jusqu'aux portes de Vienne et d'Aquilée ? Et, entre ces deux dates, l'Occident avait-il oublié l'existence de l'immense empire gengiskhanide dont, à l'échelle planétaire, la constitution est bien le fait majeur du XIIIᵉ siècle ? Il n'en était rien. Sans que la crainte d'un renouvellement de l'agression de 1241 ait pris la forme d'une obsession, les responsables de la chrétienté se sont préoccupés de ce dangereux voisinage. Si le devoir de recouvrer les Lieux saints leur apparaissait comme essentiel, et les amenait à tourner les yeux vers l'Orient, la menace des « Tartares » les poussait à regarder encore plus à l'Est pour chercher des informations, trouver des motifs pour se rassurer, discerner l'approche de nouveaux dangers.

Le roi de France n'a pas été le dernier à se préoccuper de la perspective d'une invasion mongole. Par la place qu'il tenait parmi les souverains occidentaux, il pouvait se considérer commme particulièrement visé par le programme mongol tendant à soumettre tous les royaumes du monde à la domination de Gengis-Khan et de ses successeurs. Parce qu'il se regardait comme spécialement responsable des États latins d'Orient, la politique des Mongols dans le Proche-Orient ne pouvait le laisser indifférent.

Et, de fait, depuis 1241 jusqu'à ses dernières années, saint Louis a été amené à se former une politique à l'égard de l'empire mongol. Celle-ci a évolué, à peu près comme le faisait à ce propos celle de l'Europe entière. La première invasion nécessitait la prise de mesures de défense, tant militaires que diplomatiques, pour éviter une deuxième surprise, plus grave encore que la première. Les contacts pris dans cette perspective ont ouvert, au moment précisément où le roi, étant en Orient, se trouvait bien placé pour entretenir de tels contacts, des perspectives missionnaires qui ne pouvaient le laisser indifférent. Et, quand se matérialisa la seconde menace d'invasion, le roi de France eut à prendre sa part de la mise en état de défense de l'Occident, avant d'être, le premier, mis en face du changement d'attitude de ceux que la chrétienté s'était habituée à considérer comme d'inconciliables adversaires.

« ET S'ILS VIENNENT, CES TARTARES... »

Dans toute l'Europe, il n'était certainement personne qui eût connaissance des luttes acharnées qui avaient permis à un chef de clan nomade, né vers 1167 dans le bassin supérieur du fleuve Amour, de rassembler sous sa loi les tribus habitant entre le désert de Gobi, l'Altaï et le lac Baïkal. La cérémonie au cours de laquelle le chaman Kökötchu, le Teb-Tengri, avait investi Témoudjin, alors âgé d'une quarantaine d'années, du « mandat du ciel », en lui confirmant son nom de Gengis-Khan, n'avait pas davantage attiré l'attention en dehors de la Mongolie, si ce n'est peut-être à la cour de l'empereur qui régnait sur la Chine du Nord.

En 1221, par contre, les croisés établis à Damiette entendirent parler, par les chrétiens orientaux, d'un souverain chrétien qui était en train de conquérir la Perse et les pays voisins, qu'on appelait le roi David, et qui se proposait d'apporter son concours à la conquête de l'Égypte et de la Syrie musulmanes. On s'étonna d'apprendre que ses armées, au lieu de poursuivre vers l'Ouest, s'étaient tournées vers le Nord et avaient saccagé la Géorgie, royaume chrétien dont précisément les croisés attendaient de l'aide. En fait, il s'agissait de la destruction par Gengis-Khan de l'empire du sultan Mohammed du Kharezm, et de l'expédition que deux de ses généraux menaient à travers les pays du Caucase, l'Ukraine méridionale et le Turkestan. Les princes russes avaient été battus et plusieurs d'entre eux avaient perdu la vie. Mais, bien que saint Louis eût eu dans ses veines un peu de sang de cette Anne de Kiev qui était l'arrière grand-mère de Philippe-Auguste, cette nouvelle ne semblait pas avoir filtré jusqu'en Occident. D'ailleurs, le roi de Hongrie en avait profité pour imposer sa domination à ses voisins nomades, les Turcs Comans, et aux princes russes de Galicie : la tranquillité de l'Europe en paraissait renforcée.

Il n'est pas jusqu'aux premières conquêtes opérées par les armées du Khan Ögödei, fils de Gengis, dans les pays de l'Oural et des bords de la mer Noire, qui ne soient passées presque inaperçues. Les Dominicains de Jérusalem enregistraient les progrès des « Tartares » en Iran ; ceux de Hongrie découvraient leur avance sur la moyenne Volga. Mais c'est lorsqu'ils s'attaquèrent aux Russes et aux Comans, en 1238, que les Hongrois s'émurent et commencèrent à rechercher des informations. Des rumeurs filtraient peu à peu vers l'Ouest, mais sans susciter de véritables inquiétudes. Il est vrai que le sac de Kiev, en décembre 1240, survint bien peu de temps avant la grande offensive qui allait, elle, réveiller l'Europe entière.

En février 1241, les Mongols envahissaient la Pologne, où

ils détruisaient Sandomierz, puis Cracovie. En Silésie, près de
Legnica, ils se heurtèrent à une armée de Polonais et d'Allemands : ils la mirent en déroute. D'autres corps franchis-
saient les Carpates et remontaient la vallée du Danube. Le 11
avril 1241, sur le Sayo, le petit-fils de Gengis-Khan, Batou,
anéantissait l'armée hongroise. Et les vainqueurs, courant à
travers le royaume de Hongrie, saccageaient les villes, brûlaient les villages et les monastères, raflaient des hordes de
captifs qu'ils acheminaient vers la lointaine Mongolie, tels les
mineurs allemands des Erzgebirge qui devaient se retrouver
dans les T'ien-chan. Les avant-gardes mongoles s'étaient portées devant Wiener-Neustadt et Spalato. Mais, en raison de la
mort du Khan, les princes mongols avaient hâte de rentrer
dans leur pays : la Hongrie fut évacuée au printemps de 1242.

La Hongrie appartenait pleinement au concert des
royaumes chrétiens. L'invasion qui l'avait si cruellement
éprouvée provoqua une émotion d'autant plus intense que les
assaillants, les Tartares, comme on les appelait de façon erro-
née aussi bien en Chine qu'en pays chrétien (en attribuant
aux Mongols le nom d'un peuple qu'ils avaient soumis dans
leur pays d'origine, celui des Tartares), étaient totalement
inconnus. Nous avons la bonne fortune que Mathieu Paris ait
transcrit, en annexe à ses *Chronica majora*, les lettres dont il
avait eu connaissance, c'est-à-dire celles qui, écrites de Hongrie ou d'Allemagne, circulaient de couvent en couvent. Le
landgrave de Thuringe avait écrit au duc de Brabant, qui
transmettait sa lettre à l'évêque de Paris tandis que l'archevêque de Cologne écrivait au roi d'Angleterre ; un évêque de
Hongrie écrivait aussi à celui de Paris ; un certain Yves de
Narbonne, clerc plus ou moins gyrovague, à l'archevêque de
Bordeaux ; le vicaire des Franciscains de Pologne, à tous les
fidèles. On s'efforçait d'expliquer d'où sortaient ces hordes
innombrables jusque-là totalement inconnues des auteurs de
l'Antiquité comme des contemporains ; on s'interrogeait sur
leurs buts, le bruit courant tantôt que, descendants des sujets
des rois Mages, ils voulaient aller à Cologne vénérer leurs
reliques, tantôt qu'ils entendaient se rendre à Compostelle.
Leurs cruautés effrayaient les Européens, qui s'expliquaient

mal comment la vaillante chevalerie hongroise n'avait pas tenu devant eux. Leur paganisme déroutait les chrétiens. On parlait de leurs ruses de guerre, de leur façon de pousser devant eux des troupes de captifs pour que ceux-ci reçoivent les traits lancés par leurs compatriotes en servant de boucliers aux envahisseurs. On disait enfin ceux-ci anthropophages.

Toutes ces informations n'avaient pu manquer d'être transmises au roi de France. Assez nombreux étaient d'ailleurs les Français fixés en Hongrie, depuis Barthélemy de Brancion, évêque de Pecs, jusqu'à cet orfèvre parisien que Rubrouck devait trouver en Mongolie en même temps qu'une Lorraine de Metz. Peut-être le nom des Tartares avait-il été prononcé devant lui dès 1239, par les envoyés musulmans (ceux du Vieux de la Montagne ?) qu'il avait reçus, si nous retenons l'information que nous donne Mathieu Paris, selon laquelle les Sarrasins recherchaient l'alliance des Chrétiens pour résister « à ces monstres ». Il avait, en tout cas, été l'un des destinataires de la circulaire de Frédéric II, lequel, après avoir incriminé la légèreté des Hongrois, profitait de la circonstance pour s'en prendre à la politique du Saint-Siège, dirigée contre lui alors qu'il était le seul, selon lui, à se préoccuper d'opposer une résistance efficace aux Mongols, résistance que Conrad IV était chargé d'organiser.

Mathieu Paris nous a laissé le récit d'une scène quelque peu larmoyante, où la reine Blanche s'écrie : « Qu'allons-nous faire, mon cher fils, en présence de cette catastrophe dont la nouvelle effrayante a franchi nos frontières ? Nous sommes menacés maintenant, nous tous et la sainte Église, d'un complet anéantissement du fait de cette invasion des Tartares qui déferle sur nous. » A quoi Louis répond : « Mère, que la consolation du Ciel nous réconforte ! Et s'ils viennent, ceux-là qu'on appelle Tartares, ou bien nous les renverrons au Tartare d'où ils sont venus, ou bien c'est eux qui nous enverront au Ciel. » Ces fortes paroles auraient suffi à rendre courage à la noblesse de France et même aux populations des pays voisins...

Saint Louis a-t-il réellement parlé ainsi ? Peut-être était-il assez lettré pour faire un jeu de mots sur le nom des Tartares et sur le vocable par lequel les poètes antiques désignaient le séjour des morts, et les poètes chrétiens, l'Enfer. Toutefois ce jeu de mots se retrouve dans la lettre de Frédéric II, du 3 juillet 1241 : Louis a pu le lui emprunter, s'il a prononcé les paroles que lui prête l'historien anglais. De toute façon, celui-ci laisse à penser que le roi de France n'avait pas cédé à la panique qui avait saisi toute l'Europe, de la Baltique à l'Adriatique.

La retraite de Batou permettait à l'Occident de respirer. Sans doute ne perdait-on pas de vue que le danger n'était qu'écarté ; mais les avant-postes mongols avaient été reportés sur le Dniepr, et les duchés russes de Kiev et de Galicie formaient à nouveau écran entre les pays occupés par les conquérants et l'Europe latine. La Pologne, la Hongrie, pansaient leurs plaies. Le pape avait proclamé une croisade dans les pays menacés par l'invasion ; le reflux de celle-ci avait fait oublier la croisade.

Ce qui rendit à nouveau la Papauté et les princes d'Occident attentifs, ce fut les nouvelles qui arrivèrent d'Orient en 1244. Pendant que Batou marchait vers l'Europe, une armée que commandait le *noyan* Baidjou soumettait à la domination mongole les pays du Caucase. En 1243, elle se heurtait, le 26 juin, près du Köze-Dagh, à l'armée du sultan de Turquie qu'elle mettait en déroute, en dépit de la présence de nombreux mercenaires francs au service du sultan. Baidjou exigeait ensuite la soumission des princes chrétiens et musulmans de la région : depuis le khalife de Bagdad jusqu'à l'empereur de Nicée, tous se reconnurent tributaires, et parmi eux le roi arménien de Cilicie, qui paraît avoir échangé sans regret l'hégémonie turque contre l'hégémonie mongole. Par contre, l'ultimatum adressé au prince d'Antioche consterna les Francs de Syrie : il était invité à démanteler ses forteresses, à verser au Khan tout l'or et l'argent provenant de ses revenus, et à fournir trois mille jeunes filles pour qu'elles fussent esclaves. Le prince refusa de céder à ces exigences, mais envoya aussitôt le patriarche d'Antioche en Occident pour demander du secours.

Et c'est ainsi que ce que l'invasion de la Pologne et de la

Hongrie n'avait pas suffi à provoquer, intervint à la suite de la menace d'une descente des Mongols sur Antioche : Innocent IV, en convoquant le concile de Lyon, mit à l'ordre du jour le « remède contre les Tartares ». Il n'attendit d'ailleurs pas la réunion de l'assemblée pour désigner des ambassadeurs qu'il chargea de deux lettres adressées « au roi et au peuple des Tartares ». La première (*Cum non solum*) faisait part à ses correspondants de son étonnement devant une agression qui n'avait pas été provoquée et les invitait à cesser leurs attaques contre les Chrétiens ; la seconde (*Dei patris immensa*) les sollicitait d'embrasser la foi chrétienne. Trois ambassades partirent, après la fin de mars 1245 : elles avaient à leur tête deux Dominicains, André de Longjumeau et Ascelin de Crémone, et un Franciscain, Jean de Piano di Carpine, qu'on appelle ordinairement Plancarpin. Ce dernier passait par la Bohême et la Pologne ; les deux premiers partaient de Terre sainte. Ils avaient pour mission de remettre leurs missives au commandant de la première armée mongole qu'ils rencontreraient.

André de Longjumeau, Dominicain déjà rompu à la tâche missionnaire, qui parlait l'arabe et le syriaque, débarqua à Acre, gagna Antioche, Alep, Mossoul et Tabriz ; son voyage n'avait duré que quarante-cinq jours. Il y fit une rencontre inattendue : celle d'un moine chaldéen venu de Mongolie, visiteur d'Orient pour le patriarche de Séleucie, qui était chargé par le Khan de la protection des églises chrétiennes dans les pays soumis par ses troupes. Et ce moine s'inquiétait du danger que couraient le pape et l'empereur à lutter l'un contre l'autre quand ils risquaient d'avoir à affronter les forces mongoles. Malheureusement le récit d'André ne nous est parvenu qu'à travers les notes de Mathieu Paris, ce qui nous prive de connaître l'accueil que les lettres pontificales reçurent de la part du chef mongol ; mais ce que nous devons aussi déplorer, c'est de ne pas connaître directement le témoignage de Frère André, car celui-ci devait devenir un des familiers du roi de France.

L'autre mission dominicaine avait adopté un autre itinéraire : partant d'Acre où elle avait pris avec elle un Dominicain français, Simon de Saint-Quentin, qui écrivit la relation du voyage, elle traversa la Turquie, la Grande Arménie, Tiflis où elle s'adjoignit un Dominicain du couvent fondé dans cette ville en 1240, et rejoignit après cinquante-neuf jours de marche le campement du *noyan* Baidjou, à Sisian, dans la vallée de la Barkouchat, un affluent de l'Araxe. La réception ne fut guère cordiale : les frères refusaient de se comporter comme les envoyés des princes soumis, qui venaient chargés de présents faire acte d'obéissance en se prosternant devant les dignitaires mongols, parce qu'ils tenaient à ne donner aucune prise aux prétentions mongoles à la souveraineté mondiale. La traduction de leurs lettres suscita un scandale : devenir chrétien, cela signifiait renoncer à l'appartenance au peuple mongol pour entrer dans la communauté latine, peuple étranger et voué à la soumission. Ce malentendu initial fut aggravé par le fait que Baidjou, estimant qu'il n'était pas qualifié pour traiter avec les ambassadeurs du pape, voulait les envoyer en Mongolie ; Ascelin de Crémone s'en tenait à la lettre de sa mission. Et, après plusieurs mois de séjour, le général mongol le renvoya en le faisant accompagner de deux de ses propres envoyés (dont l'un était chrétien), chargés de ses lettres où il déplorait l'arrogance des représentants d'Innocent IV.

L'invitation qu'Ascelin avait refusée, Plancarpin l'avait acceptée. Chaque chef mongol l'ayant renvoyé à son supérieur, toujours plus à l'Est, il accomplit un long voyage qui, de Kiev, le mena sur la basse Volga, puis jusqu'en Mongolie où il se trouva présent au moment même de l'intronisation du nouveau khan Güyük. La connaissance des langues slaves qu'avait son compagnon, Benoît de Pologne, favorisa les contacts, grâce aux Russes qui venaient présenter leurs hommages au nouveau souverain mongol. Et Plancarpin revint avec une moisson d'informations en même temps qu'avec une lettre adressée par Güyük au pape.

Les missives mongoles, bien qu'élaborées indépendamment l'une de l'autre, comportaient le même message, et celui-ci n'avait rien de rassurant. Baidjou répondait ainsi à la lettre du pape : « Tu nous demandes dans tes lettres : pour-

quoi tuez-vous, exterminez-vous et perdez-vous tant
d'hommes ? Le précepte établi par Dieu et l'ordre de celui qui
possède toute la face de la terre est celui-ci : ceux qui obéiront à cet ordre vivront sur leur propre terre, sur leur eau, sur
leur héritage et fourniront leur service à celui qui possède
toute la face de la terre. Ceux qui n'obéiront pas à ce précepte et à cet ordre, mais agiront autrement, seront anéantis
et détruits. » Et il lui communiquait l'édit que lui avait
adressé le Khan Güyük : « Dans la force du Ciel éternel ! La
parole de Gengis-Khan, fils du Dieu doux et vénérable, est
telle : il n'y a qu'un Dieu au ciel et qu'un souverain sur la
terre, Gengis-Khan. » En conséquence le chef de l'armée
stationnée au sud du Caucase devait faire connaître cette
parole et contraindre tous ceux à qui elle parviendrait à
s'y soumettre. Il invitait donc le pape à venir faire acte
de soumission. Güyük s'exprimait de même, dans la lettre
qu'il avait remise à Plancarpin : « Toi en personne, à la
tête des rois tous ensemble, venez nous offrir service et
hommage. »

Les intentions des Mongols étaient donc très claires. Le
nouveau Khan reprenait les prescriptions de ses prédécesseurs ; la conquête du monde, un instant arrêtée par la mort
d'Ögödei et la longue régence (1241-1246) qui avait suivi,
allait recommencer. Et tant l'Europe chrétienne que les États
latins se trouvaient à nouveau sous la menace.

Cette menace était elle aussi parfaitement connue : aussi
bien Plancarpin que Simon de Saint-Quentin et sans doute
aussi André avaient recueilli une masse d'informations sur les
origines de la puissance mongole, sur les mœurs et l'apparence extérieure du peuple des conquérants, et sur la façon
dont ceux-ci traitaient les peuples soumis, lourdement chargés d'impôts, contraints à livrer des esclaves, exposés à toutes
les exactions, bien que l'on eût constaté que les Mongols respectaient la religion de leurs sujets. Plancarpin, en particulier, avait réuni tout ce qu'il avait pu observer ou apprendre
sur la manière de combattre des Tartares, sur leur armement,
sur leur tactique, sur leurs ruses de guerre. Et, tout en s'excu-
sant de le faire bien qu'il ne fût pas un homme de guerre, il

suggérait un certain nombre de moyens à adopter pour pouvoir opposer aux envahisseurs une résistance efficace.

La tentative d'obtenir des Mongols une promesse de non-agression avait donc échoué ; pire, elle avait permis au Khan de faire parvenir aux rois d'Occident et au pape l'ultimatum qui, s'ils ne s'y conformaient pas, justifierait la destruction de leurs pays. On en revenait à la situation de 1241 : si les Tartares venaient, il n'y aurait qu'à leur livrer un combat à mort et d'issue incertaine. Certes, Simon de Saint-Quentin avait relevé des témoignages sur les prouesses accomplies à l'encontre des Mongols par les Francs au service des Turcs ; Plancarpin, informé par les Russes et les Comans christianisés, était beaucoup moins encourageant, mais prêchait aussi la résistance, en disant ce qu'était l'effroyable condition des peuples assujettis à leur joug.

De ces rapports, saint Louis eut certainement connaissance. La relation de Plancarpin, qui revint en Occident à la fin du printemps 1247, et qui était à Lyon durant l'été, fut très vite et très largement diffusée, tant on était anxieux d'être informé de ce qu'étaient les Tartares et de leurs intentions. Les messagers de Baidjou, Aïbeg et Sarkis, étaient eux aussi arrivés à Lyon, mais plus tard, à l'été de 1248. Les relations de saint Louis avec la cour pontificale étaient assez étroites pour qu'il eût connaissance de l'ultimatum adressé au pape et « aux rois » ; Innocent IV lui envoya Plancarpin lui-même au début de 1248, et le conseil royal put prendre une connaissance directe du message de Güyük. D'autre part, les Dominicains se transmettaient les relations qu'ils avaient reçues, et Vincent de Beauvais transcrivait aux livres XXXI et XXXII de son *Speculum historiale* de très larges extraits des récits de Plancarpin et de Simon, qu'il avait fondus ensemble. A la veille de la croisade, le roi de France ne pouvait ignorer que la menace de 1241 était toujours suspendue sur la Chrétienté, et qu'il faudrait sans doute lutter contre les Tartares.

PERSPECTIVES MISSIONNAIRES

Saint Louis avait débarqué à Chypre le 17 septembre 1248. Moins de trois mois plus tard, deux envoyés mongols arrivèrent à Kyrenia, le 11 décembre. Ils venaient de Tabriz par l'Asie Mineure ; le 20 décembre ils étaient reçus à Nicosie par le roi et par le légat Eudes de Châteauroux. Un interprète se trouvait là à point nommé : c'était André de Longjumeau, et celui-ci reconnut ses interlocuteurs qu'il avait rencontrés en 1246 dans l'entourage du représentant du Khan en Iran, Eljigideï. Il s'agissait de deux chrétiens orientaux, David (Saïf al-Dîn Muzaffar Daoud) et Marc, tous deux originaires de la région de Mossoul.

La lettre qu'ils apportaient de la part d'Eljigideï avait été écrite dès que ce dernier avait appris le débarquement du roi de France par le sultan de Mossoul, lui-même informé par une lettre du sultan du Caire, d'ailleurs antérieure à l'événement. Cette lettre se présente sous une forme assez inhabituelle : on y reconnaît la trame d'une missive rédigée selon les usages mongols, mais tout encombrée des formules dithyrambiques, des salutations et des vœux en usage dans les chancelleries orientales. Paul Pelliot qui l'a étudiée de près, est parvenu à en reconstituer la rédaction originelle sous toutes ces adjonctions. Elle devait commencer ainsi : « Dans la force du Ciel éternel, dans le fortune du Khan ! Eljigideï, notre parole. Au roi de France. » Le nom du roi de France est accompagné, dans la rédaction conservée, d'une foule d'épithètes ; la formule de salutation est suivie d'un vœu de prompte rencontre (« Dieu fasse que je puisse voir ce roi magnifique qui a débarqué. Que le Créateur suprême facilite notre rencontre dans l'amour réciproque et qu'il fasse que nous nous réunissions »).

L'essentiel du message était ainsi conçu : « Qu'il sache que dans cette lettre nous ne proposons rien d'autre que l'utilité des chrétiens et, si Dieu le veut, le renforcement de la puis-

sance de leurs rois. Et que Dieu leur accorde la victoire sur
leurs ennemis qui méprisent la croix ! Nous sommes venus de
la part du roi du monde, c'est-à-dire envoyés par Güyük
Khan, pourvu de pouvoirs et d'ordres en vue de faire libérer
tous les chrétiens de toute servitude, tribut, corvée, péage ou
autre charge semblable ; de les faire honorer et respecter ;
d'interdire que personne ne touche à leurs biens ; de faire restaurer les églises détruites ; d'autoriser la frappe des
tablettes ; de veiller à ce que personne ne les empêche de
prier d'un cœur libre et tranquille pour notre royaume... Et le
roi du monde ordonne dans ses lettres qu'il ne doit y avoir de
par la loi de Dieu aucune différence entre le Latin, le Grec,
l'Arménien, le Nestorien, le Jacobite et tous ceux qui hono-
rent la croix : ils ne font en effet qu'un à nos yeux. Aussi
nous demandons au roi magnifique qu'il ne fasse, lui non
plus, aucune différence entre eux. »

L'argument de la lettre est bien reconnaissable. On
retrouve ailleurs cette citation : « Gengis-Khan a dit : Quel
que soit le tribut ou la fourniture de vivres, ils ne doivent pas
y être assujettis dès lors qu'ils prient Dieu sincèrement pour
nous et notre peuple et qu'ils nous bénissent », ceci visant
notamment le clergé chrétien. Et le Siméon, « visiteur
d'Orient », qu'André avait rencontré en 1246, avait précisément reçu mission de veiller à l'abolition de la situation
humiliée faite aux chrétiens en pays musulman, à la restauration des églises, au droit à frapper les tablettes (l'équivalent
des cloches chez les Orientaux).

Mais pourquoi Eljigideï écrivait-il au roi pour lui indiquer
quelles étaient ses dispositions, éminemment favorables,
envers les chrétiens, dès le début de sa croisade ?

On peut considérer comme assuré que les Mongols
n'étaient pas sans inquiétude du fait de la venue de saint
Louis et de sa puissante armée. Eux-mêmes étaient beaucoup
moins nombreux qu'on le croyait, et il leur fallait renforcer
leur corps d'occupation par les contingents de leurs tributaires. Or ceux-ci, tout récemment soumis, pouvaient n'être
pas sûrs ; et, de toute façon, les combattants de race franque
paraissent avoir inspiré aux Tartares une certaine estime.

Détourner éventuellement une attaque des croisés sur leurs possessions — et l'ultimatum envoyé à Antioche, et non suivi d'effet, pouvait fournir un *casus belli* — était acte de saine politique.

Mais Eljigideï pouvait avoir un second objectif, dont son entourage chrétien ne se désintéressait pas. Les Mongols exemptaient d'impôts et de toutes charges les religieux et les clercs chrétiens. Les Latins agissaient-ils de même dans leurs possessions orientales? Tel prélat, répondant à Innocent IV en 1245, se plaignait qu'il n'en fût pas ainsi et que les Latins eussent soumis les membres des clergés orientaux à des redevances dont il sollicitait l'exemption; le pape devait essayer de décider les prélats latins à laisser une plus grande autonomie aux clercs des autres rites. Le représentant du Khan aurait donc rappelé le roi de France à l'observation de l'une des prescriptions de Gengis-Khan, celles-ci étant valables sur la terre entière.

Quoi qu'il en soit, la lettre en question faisait apparaître les Mongols sous un jour nouveau — auquel, à vrai dire, certains étaient déjà attentifs, comme on le voit par la relation d'André de Longjumeau —, celui de protecteurs des Chrétiens de leur empire, de chrétiens plus nombreux qu'on ne l'aurait cru. Les formules employées, le souhait pour la victoire des croisés, n'allaient-ils pas jusqu'à esquisser une ouverture diplomatique? Au lieu de l'alliance des Chrétiens et des Musulmans contre les Mongols, dont on avait parlé en 1239, ne pouvait-on songer à une alliance des Mongols avec les Chrétiens contre les Musulmans?

Devant toutes ces perspectives, le roi et le légat se décidèrent à continuer les pourparlers qui s'ouvraient ainsi — d'une part en répondant à Eljigideï, d'autre part en s'adressant directement au Khan lui-même. On avait sous la main l'homme qui convenait : André de Longjumeau. Celui-ci était probablement connu de longue date par le roi Louis, si on l'identifie au frère André qui rapporta la Couronne d'épines en 1238; il avait porté à Tabriz les lettres d'Innocent IV en 1246; il parlait l'arabe et le syriaque. Son frère, Guillaume de Longjumeau, Dominicain lui aussi; un troisième Frère Prê-

cheur, Jean de Carcassonne ; deux clercs, maître Jean Gode-
riche et Robert de Poissy ; deux sergents du roi, complétaient
l'ambassade. Le roi fit exécuter une magnifique tente destinée à servir de chapelle, toute d'écarlate avec des panneaux
brodés représentant la vie du Christ, et donna à ses envoyés
des fragments de la vraie Croix, pour Güyük et pour Eljigideï. Et les deux ambassades quittaient Nicosie le 27 janvier 1249.

Acheminés grand train par la poste mongole, André et ses
compagnons arrivèrent à la cour du Khan pour découvrir que
Güyük était mort depuis près d'un an. Sa veuve, Oghul-Qaïmish, exerçait la régence. Elle reçut les cadeaux du roi de
France qui, nous le verrons, excitèrent l'admiration des Mongols. Elle lui retourna en contrepartie une pièce d'étoffe précieuse. Mais la lettre que remportaient les ambassadeurs
n'était pas ce que saint Louis et Eudes de Châteauroux attendaient. Joinville en a gardé la substance. La régente faisait
l'éloge de la paix, affirmait que seule le soumission à
l'Empire mongol pouvait l'assurer, en rappelant combien de
rois avaient été abattus pour ne point s'être soumis. Et elle
ajoutait : « Ainsi nous te mandons de nous envoyer chaque
année telle somme d'or et d'argent ; sans quoi nous te détrui-
rons, toi et ta gent. » Loin de se prêter à une perspective de
coopération militaire, elle rappelait donc de façon abrupte
l'exigence fondamentale de la dynastie gengiskhanide : la
soumission ou la destruction.

« Sachez », dit Joinville, « que le roi se repentit fort d'avoir
envoyé » cette ambassade. (C'est sans doute au printemps de
1251 qu'André de Longjumeau était de retour à Césarée, où
saint Louis résidait alors.) Néanmoins André rapportait aussi
des informations sur l'état religieux de l'Empire mongol qui
pouvaient présenter un vif intérêt, et qui confirmaient d'ailleurs celles que l'on avait reçues à Chypre, au temps où le roi
y séjournait, par une lettre du connétable d'Arménie Sempad,
écrite à Samarkand alors qu'il était en route pour la Mongolie. La présence en Asie centrale de chrétiens déportés
d'Europe, qui attendaient des secours spirituels ; l'existence
de nombreuses communautés, de rite surtout nestorien ; la

présence au sein de la dynastie régnante de princesses appartenant à des tribus chrétiennes, de race turque ou mongole ;
la possibilité de prêcher librement, contrairement à ce qui se
passait en pays musulman, ouvraient la voie à la tâche des
missionnaires.

Ceux-ci, à vrai dire, étaient déjà au travail. Tant dans les
pays baltes que dans le sud de la Russie actuelle, le prosély-
tisme chrétien avait gagné au début du XIIIe siècle de nombreux néophytes ; il avait fallu l'invasion tartare pour anéantir le résultat des efforts réalisés par les Dominicains hongrois
chez les Turcs Comans, entre 1221 et 1241. Les contacts avec
les Russes, en Galicie, étaient prometteurs. En Géorgie, on
avait fondé un couvent à Tiflis. Et parmi les Musulmans, les
Dominicains avaient commencé un apostolat qui, dès 1237,
avait amené des frères du couvent de Jérusalem jusqu'à Bagdad, tandis que saint François avait essayé de convertir le sultan d'Égypte au cours même de la cinquième croisade. Pendant la croisade de 1239, l'espoir d'amener l'émir de Hama à
se déclarer ouvertement pour la foi chrétienne avait décidé
l'armée chrétienne à se diriger sur sa ville : c'était le résultat
de l'initiative d'un missionnaire qui avait eu avec lui des
entretiens encourageants. Et, à partir de 1237, les papes
accordaient régulièrement des privilèges aux religieux partant
en mission, pour les dispenser d'observer leur règle là où elle
était incommode en pays non catholique, et pour leur accorder des pouvoirs théoriquement réservés aux évêques : la liste
des peuples auprès desquels ils étaient accrédités ne cesse de
s'allonger. Contrairement à ce qu'on a souvent écrit, le zèle
pour la croisade ne se refroidissait pas pour autant : vouloir
défendre et étendre le territoire soumis à la loi du Christ était
une chose ; gagner à la foi les âmes des Infidèles en était une
autre. Mais une chose était certaine : c'est par la prédication
et par la persuasion seule qu'on pouvait et qu'on devait amener les Infidèles à la foi, ou ramener les schismatiques à
l'unité de l'Église.

Le zèle de saint Louis pour la mission n'est pas douteux ;
pendant sa croisade d'Égypte, il avait recommandé d'épargner les Infidèles, de façon à ce qu'on pût les convertir ; il

avait accueilli nombre de transfuges musulmans qui voulaient recevoir le baptême et les « baptisés » qu'il entretenait
à ses frais étaient des Juifs et des Musulmans convertis au
christianisme. Il s'intéressait au sort des chrétiens orientaux
demeurés sous le joug musulman, et il obtenait en 1253
d'Innocent IV une bulle autorisant le légat à consacrer, parmi
les Dominicains et les Franciscains, des évêques susceptibles
d'ordonner des prêtres pour ces communautés abandonnées.
Un peu plus tard, en 1256-1257, sa comptabilité porte trace
de cinq ouvrages de théologie qu'il fit copier pour les envoyer
aux frères outre-mer.

Mais, pendant qu'il était en Terre sainte, le bruit courut
que l'un des principaux parmi les descendants de Gengis-
Khan, Sartaq, fils aîné de Batou, s'était fait baptiser. La nouvelle était exacte, et ce baptême peut être daté de 1250 ou
1251. Il suscita un grand intérêt aussi bien chez les Orientaux
que chez les Occidentaux. C'est ainsi qu'un Franciscain fla-
mand, sujet du roi de France, qui vivait alors en Terre sainte,
se décida à partir pour la région que gouvernait le nouveau
chrétien en vue de se livrer à l'évangélisation des païens.
Saint Louis s'intéressa au projet de Guillaume de Rubrouck ;
il lui fournit des moyens financiers, lui offrit une bible tandis
que la reine Marguerite lui faisait don d'un psautier enluminé. Guillaume se mit en route vers la fin de l'hiver
1252-1253, en emmenant un autre frère, Barthélemy de Crémone, un clerc, Gosset, un interprète (qui devait se révéler
incapable de traduire les prédications de Rubrouck) et, grâce
à l'argent que lui avait donné le roi, il put se procurer à
Constantinople un jeune esclave, Nicolas. La petite troupe
s'embarqua dans cette ville le 7 mai 1253 ; elle atteignit la Cri-
mée le 21 et Rubrouck apprit que la rumeur publique l'avait
précédé, et qu'il passait pour un ambassadeur envoyé par
saint Louis à Sartaq.

C'était précisément ce que le roi de France voulait éviter. Il
avait donné au Franciscain une lettre de recommandation,
adressée à Sartaq, dans laquelle il félicitait le prince mongol
de sa conversion dont il disait combien elle serait profitable à
toute la Chrétienté. Mais son expérience précédente lui avait

appris que les Mongols ne manqueraient pas de réclamer une soumission en forme, dès l'instant qu'il y aurait entre eux échange officiel de correspondance. Or, de cette soumission, le roi de France ne voulait à aucun prix : en premier lieu, l'idée de se soumettre aux conquérants mongols, donc d'accepter leurs exigences, de se mettre à leur service, lui chrétien et eux païens, était intolérable ; en second lieu la précellence de la couronne de France, dont le détenteur jouissait du privilège de « ne reconnaître aucun supérieur en matière temporelle », excluait qu'il pût se faire le vassal d'un souverain, celui-ci fût-il aussi puissant que le « roi du monde ». Rubrouck savait fort bien quelles étaient les pensées de saint Louis sur ce point, et toute sa relation montre combien il en était conscient.

Comme il était muni d'autres lettres de recommandation émanant de Baudouin II, qui avait envoyé précédemment un ambassadeur en Mongolie (Rubrouck avait pu s'entretenir avec lui à Constantinople), il obtint un laissez-passer et des moyens de transport. Il atteignit ainsi le campement de Sartaq, le 31 juillet 1253. Le prince mongol le reçut, s'étonna de ne pas le voir muni de présents, et parla avec lui de l'état de l'Europe. Le Franciscain rencontra à sa cour un des personnages qui étaient venus à Chypre en décembre 1248. Il célébra la messe devant Sartaq, qui s'intéressa vivement à ses livres et tout spécialement au psautier enluminé et aux ornements. Rubrouck se persuada que Sartaq n'avait de chrétien que le nom ; il s'étonna lorsque celui-ci lui demanda, s'il revenait, d'amener avec lui un parcheminier. En fait Sartaq paraît avoir appris à lire et s'être fait ordonner diacre selon le rite chaldéen ; notre Franciscain se serait laissé arrêter par les apparences : pour lui, le prince mongol faisait mine d'être chrétien pour accaparer les cadeaux que pourraient offrir les souverains chrétiens !

Le Franciscain s'attendait à être autorisé à séjourner dans les domaines de Sartaq pour s'y livrer à sa tâche d'évangélisation. Mais l'examen de la lettre qu'il avait apportée au prince mongol de la part du roi souleva des difficultés. Les phrases par lesquelles saint Louis parlait de l'utilité que la Chrétienté tirerait de sa conversion, par la grâce d'interprètes que n'aimaient pas les Musulmans, apparurent comme une ouverture diplomatique, sollicitant un rapprochement entre Chrétiens et Tartares, évidemment dirigé contre l'Islam. N'osant prendre sur lui de décider d'un tel changement de politique, Sartaq en référa à son père Batou, et Batou au Khan Möngke, qui avait pris la place de la régente Oghul-Qaïmish et fait exécuter celle-ci. Le missionnaire suivit le même sort que la lettre : confié aux soins de la poste mongole, il fit en trois mois le trajet depuis la Volga jusqu'à Karakorum, laissant derrière lui ses livres, ses ornements et son clerc.

Le séjour de Rubrouck à Karakorum offre quelque chose de passionnant. Transplanté si rapidement au cœur de la Mongolie, où il retrouva quelques compatriotes, en particulier l'orfèvre Guillaume Boucher qui lui servit d'interprète et d'introducteur, il découvrit le bouddhisme, les communautés chrétiennes locales, un étrange monde d'aventuriers, les superstitions et les mœurs de la cour mongole. Il eut la satisfaction d'apporter aux déracinés des secours spirituels et de conférer six baptêmes. Il prêcha, instruisit, disputa ; il eut le privilège d'exposer la foi chrétienne à Möngke.

Mais la partie diplomatique qu'il devait jouer sans y être préparé n'était pas aisée. Il se méfiait des convoitises mongoles sur l'Europe, et s'efforçait de rester discret quand on l'entreprenait sur les richesses de celle-ci. Heureusement, la cour mongole, qui avait égaré la fameuse lettre à laquelle il devait ce long voyage, était aussi embarrassée que lui. Finalement, Möngke et ses ministres se décidèrent à le charger d'une longue lettre pour saint Louis ; en premier lieu, le Khan tenait à dissiper toute incertitude en ce qui concernait la négociation avec Eljigideï. David, disait-il, était un imposteur, et Oghul-Qaïmish, une femme incapable de comprendre les grandes questions politiques. Ceci revenait à dire que le roi de France s'était fait illusion en croyant que les Mongols lui offriraient une alliance sans que celle-ci prît la forme d'une soumission.

Cette soumission, il la réclamait de nouveau. Le « décret du Ciel Éternel » devait être respecté. Si le roi de France

n'envoyait pas d'ambassadeurs pour exprimer son allégeance, ce serait la guerre. « Ne vous dites pas : notre pays
est bien loin, nos montagnes élevées, notre mer vaste. Nous
savons ce que nous pouvons faire. Le Ciel Éternel qui a
rendu aisé ce qui était malaisé, et proche ce qui était lointain,
le sait aussi. »

La mission évangélisatrice de Rubrouck tournait court ; il
fut renvoyé d'autorité à saint Louis en passant à nouveau par
les campements de Batou et de Sartaq, puis par la rive occidentale de la mer Caspienne, l'Arménie et la Turquie. Le
29 juin 1255, il était à Nicosie. Mais saint Louis était reparti
un an plus tôt, et le provincial de Terre sainte affecta
Rubrouck au couvent d'Acre : c'est donc par écrit qu'il rendit
compte de son voyage au roi de France, auquel le clerc Gosset alla porter ce récit.

Rubrouck n'ignorait pas que, pendant qu'il séjournait à
Karakorum, le roi de Petite Arménie, Héthoum, s'acheminait
lentement à travers l'Asie pour venir trouver Möngke ; il était
loin de supposer que ce voyage allait marquer un tournant
dans les relations des Mongols avec la Chrétienté. Lui-même
déconseillait aux religieux qui, comme lui, se mettaient en
route pour évangéliser les Mongols, de poursuivre leur
voyage : c'est cependant à ce moment-là que les missions
commencent à s'implanter dans l'empire mongol.

Ce que le roi de France pouvait tirer comme enseignement
du rapport que lui adressait Frère Guillaume, c'est que les
espoirs qu'avaient fait naître la missive d'Eljigideï et la nouvelle de la conversion de Sartaq ne répondaient à rien de pré-
cis. Le « décret du Ciel Éternel » restait la règle de conduite
des empereurs mongols, et ceux-ci mettaient à son service
leurs armées, toutes prêtes à s'ébranler.

UNE CROISADE CONTRE LES MONGOLS OU AVEC EUX ?

Quelques mois avant l'arrivée de Rubrouck à Karakorum,
le Khan Möngke avait réuni le grand *qouriltaï*, l'assemblée

des chefs du peuple mongol, et décidé de reprendre la réalisation du programme de soumission du monde. Lui-même se
chargeait de réduire la Chine et les pays voisins, en compagnie de son frère Qoubilaï. Vers l'Ouest, c'est à son oncle
Batou, le doyen des petits-fils de Gengis-Khan, qu'il reviendrait de conquérir l'Europe. A son autre frère, Hülegü, il
réservait le soin de porter la domination mongole sur les
bords de la Méditerranée, en mettant fin à l'existence des
États qui, bien que payant tribut, n'obéissaient pas à la loi
mongole.

En réalité, le domaine confié à Batou et à sa « Horde
d'Or », s'il était fort vaste (il réunissait la Sibérie, les pays de
la mer d'Aral et de la Caspienne, le Caucase), était assez pau-
vrement doté en guerriers mongols. Batou ne disposait que
d'effectifs limités. D'autre part, lui-même et ses deux fils, Sartaq et Ulaqchi, devaient rapidement disparaître, et son demi-
frère Berke, qui leur succéda en 1257, fils d'une Musulmane
et élevé dans la religion de l'Islam, allait adopter une politique particulière, qui devait le mettre en opposition avec ses
neveux. Son intérêt pour la conquête de l'Europe passa après
sa volonté de reprendre les pays du Caucase à Hülegü qui les
avait rattachés à ses domaines et, à partir de 1262, les deux
hommes devaient engager l'un contre l'autre des hostilités
fort préjudiciables à la réalisation du grand projet des Gen-
giskhanides.

Face à la menace que représentait cependant l'armée de
Batou, stationnée entre le Dniepr et la Caspienne, la Papauté
avait tenté une parade. Puisque les ambassades de 1245
n'avaient pu obtenir aucune garantie contre une agression
éventuelle, les indulgences de croisade qui avaient été accordées lors de l'invasion de 1241 à ceux qui combattaient les
envahisseurs furent renouvelées. Et Alexandre IV s'efforça de
construire une digue protectrice, sous la forme d'une association d'États chrétiens couvrant la frontière orientale de la
chrétienté latine. Le chef lituanien Mindaugas et le duc de
Halicz, Daniel Romanovitch, acceptèrent, l'un de se faire
baptiser, l'autre de reconnaître la primauté pontificale sur
l'Église de ses États. Tous deux, en 1255, reçurent de Rome

une couronne royale. Face aux princes russes tributaires des Mongols (et en particulier au duc de Vladimir, Alexandre Newski), les chevaliers Teutoniques et Porte-Glaive, le roi de Pologne et le nouveau roi de Lituanie, le roi de Hongrie et le nouveau roi de Russie, encouragés par la protection pontificale, devaient assurer la défense des marches de la Chrétienté.

Mais, lorsque Daniel refusa de faire acte de soumission à Berke, en 1257, celui-ci le ramena vite à l'obéissance ; en 1259, les Mongols entraient en Pologne, après avoir dévasté la Lituanie ; ils brûlaient à nouveau Sandomierz et Cracovie avant de regagner leurs bases d'opérations. Les Baltes mal convertis, retournant au paganisme, se soulevèrent en 1260 contre les Porte-Glaive et les battirent à Durben ; Mindaugas abandonnait Rome. La Hongrie, menacée elle aussi, échappa à un sort analogue à celui de la Pologne grâce à l'habileté du roi Bela IV, qui sut éviter une nouvelle invasion sans pour autant se joindre à l'alliance dirigée contre l'Occident que voulait lui imposer Berke. Mais la situation de l'Europe orientale demeura pour Alexandre IV et pour ses successeurs une cause d'inquiétude.

Les papes comptaient cependant sur le royaume de France pour la défense d'un autre front, celui du Proche-Orient. Là aussi, la menace des « Tartares » était durement ressentie : le patriarche de Jérusalem, qui devait devenir Urbain IV, avait sonné l'alarme dans sa lettre envoyée à Alexandre IV en février 1257, et le pape répondit en autorisant l'affectation des sommes léguées pour la construction des murs de Jérusalem et d'Ascalon (ces deux villes étaient aux mains des Musulmans) à des tâches plus urgentes, parce qu'« un danger non négligeable menace la Terre sainte du fait de l'invasion des Tartares ».

L'armée de Hülegü, à qui Möngke avait remis le gouvernement des pays situés au sud de l'Amou-Daria, progressait cependant en direction de l'ouest. Elle passa d'abord à l'attaque de la principauté que le Vieux de la Montagne s'était constituée dans le Nord de l'Iran, près de la mer Caspienne : le grand-maître des Assassins fut mis à mort et ses forteresses

rasées (1256). Après avoir mis à la raison les petites dominations du Kurdistan, Hülegü s'en prit au khalife de Bagdad,
dont les prétentions à l'empire universel allaient directement
à l'encontre du « mandat du Ciel » dont se prévalait le Khan
des Mongols. Au début de 1258, Bagdad tombait ; un sac
gigantesque, accompagné de copieux massacres, mettait fin à
cinq siècles de domination en même temps qu'à la dynastie
abbaside. Puis Hülegü se portait au nord, occupant l'Azerbei-
jan et redevant l'allégeance des rois de Géorgie. Il entamait, à
la fin de 1259, une nouvelle étape de sa campagne, dirigée
contre les princes musulmans de Syrie.

Les chrétiens orientaux, jusque-là soumis à la domination
musulmane, accueillaient les Mongols en libérateurs,
d'autant plus que ceux-ci avaient reçu pour instruction de les
épargner. Le roi Héthoum d'Arménie était allé à Karakorum,
en 1255, pour conférer avec Möngke dont il s'apprêtait à
seconder les armées. Mais les intentions des Mongols à
l'égard des Latins d'Orient étaient-elles bienveillantes ? On
peut en douter lorsqu'on lit sous la plume de l'historien per-
san Rashid al-Dîn que Hülegü entendait « libérer les pays,
jusqu'au bord de la mer, des fils de France et d'Angleterre ».
Néanmoins, quand l'armée entra en Syrie, elle fut rejointe
non seulement par les guerriers de Héthoum, mais par les
chevaliers du prince d'Antioche. Bohémond VI, qui avait
épousé la fille du roi d'Arménie, avait été acquis par celui-ci
à l'idée d'une coopération avec les Mongols. Il avait fait acte
de soumission, ce qui l'avait obligé à accepter de laisser un
patriarche grec s'installer dans la cathédrale d'Antioche
(Hülegü poursuivant à l'égard des confessions chrétiennes la
politique d'Eljigideï) ; il accompagna l'armée mongole au
siège d'Alep (février 1260), puis à celui de Damas, et c'est lui
qui prit Baalbek. Le Khan l'en récompensait en rétrocédant à
la principauté Lattaquié et les autres places qui lui avaient été
enlevées par Saladin. Quant au roi de Chypre, la biographie
d'un général chinois laisse entendre qu'il accepta lui aussi de
faire allégeance aux Mongols ; mais ce ne fut peut-être que
de façon symbolique.

L'attitude de Bohémond fit scandale et lui valut une sentence d'excommunication de la part de Thomas de Lentino, légat du pape en Terre sainte : alors que son père avait refusé de se plier à l'ultimatum de 1244, voilà que « la chrétienne Antioche, sans même avoir élevé son bouclier et agité sa lance, se soumettait à l'envahisseur » !

L'effondrement de la Syrie musulmane (le sultan d'Alep et de Damas s'était rendu aux Mongols) apparut aux Francs d'Acre et de Tyr comme de fâcheux augure. Le légat a envoyé aux princes d'Occident plusieurs lettres révélatrices de cet état d'esprit. Le 1er mars 1260 — c'était le jour où Bohémond entrait dans Damas, où il allait rendre au culte catholique une église autrefois transformée en mosquée —, il énumère la liste des royaumes soumis en quelques semaines par les Mongols, la soumission d'Antioche, l'arrivée des envahisseurs à portée des territoires francs. Acre, Tyr, les forteresses tenues par les Templiers, les Hospitaliers et les Teutoniques représentaient le seul îlot qui n'eût pas été recouvert par la marée tartare. Le maître du Temple écrivait quelques jours plus tard, par un messager qui atteignit la cour d'Henri III d'Angleterre après avoir remis cette lettre aux princes d'Italie et d'« outre les monts » (saint Louis était certainement du nombre), une description de l'invasion, évaluant à quarante jours de marche l'espace occupé par l'armée mongole et évoquant les stratagèmes employés par celle-ci, notamment l'utilisation des captifs poussés en avant pour servir de bouclier aux Tartares. On parlait d'une lettre de menaces émanant du chef de celle-ci, toute emplie de blasphèmes : il s'agissait sans nul doute d'une demande de soumission.

Ce que le légat ne disait pas, c'est que, tout en prenant le parti de résister aux envahisseurs, les barons et les prélats s'étaient décidés à répondre à cette demande par l'envoi d'une ambassade qui ne devait d'ailleurs joindre Hülegü que plus tard, celui-ci étant reparti en Iran à la nouvelle de la mort de son frère Möngke, et que des négociations allaient s'ouvrir ; mais cela, à cette date, il l'ignorait encore. Pas plus qu'il ne semblait savoir que le chef de l'armée que le Khan laissait en Syrie, Kitbuqa, était lui-même chrétien. Mais les Latins, terrorisés par l'invasion, n'en concevaient pas moins l'idée que la Syrie était sans maître et à la merci de qui voudrait la prendre : c'est ce qu'ils écrivaient, le 22 avril, à Charles d'Anjou, et sans doute à d'autres princes parmi lesquels saint Louis figurait certainement. A leur avis, si une expédition survenait, elle trouverait devant elle les Sarrasins incapables de résister, tandis que les Tartares n'oseraient pas l'affronter. Et, avec les forces locales, on tenta quelques raids de pillage en territoire musulman. Ce fut pour se heurter aux détachements mongols. Kitbuqa, en représailles, fit saccager Sidon. Aussi les Francs restaient-ils très éloignés de l'idée de pactiser avec les Mongols : ils facilitèrent même le passage de l'armée égyptienne qui se heurta à celle de Kitbuqa à Aïn Jalûd, le 3 septembre 1260, et qui infligea une défaite complète au général mongol qui fut mis à mort. Le *noyan* Ilqa put seulement ramener les débris de l'armée en Asie Mineure pendant que les Mamelouks reprenaient Damas et Alep.

Mais ces événements n'étaient pas encore connus en Europe où l'on restait sous l'impression des succès mongols du début de 1260, en même temps que des dévastations commises en Pologne et des incursions qui s'annonçaient en pays hongrois. Alexandre IV, non content d'inviter tous les princes d'Europe à s'unir contre les Tartares, imita son prédécesseur Grégoire VIII qui avait proclamé une pénitence publique dans toute la chrétienté au lendemain de la prise de Jérusalem par Saladin. A son instigation, saint Louis réunit une assemblée de prélats et de barons le dimanche de la Passion, 10 avril 1261, et prescrivit la suppression des tournois et des jeux, à l'exception de ceux qui servaient à l'entraînement des archers et des arbalétriers, le renoncement au luxe des vêtements et des repas, pour une durée de deux ans, ainsi que des prières publiques et des processions. Ce qui suscita l'ire de Rutebeuf, car les trouvères et les ménestrels devaient pâtir de la suppression des fêtes et des festins où ils se produisaient pour gagner leur vie. Et saint Louis préparait l'envoi de représentants à la curie, où Alexandre IV avait convoqué une conférence en vue de traiter des cinq points qui lui paraissaient appeler une décision urgente : les affaires de Terre sainte, le secours à envoyer à l'empire de Constantinople (on était entre la défaite de Pelagonia et la chute de la ville), les affaires de Sicile, le « remède contre les Tartares », et la sanction à infliger aux rois de Russie, d'Arménie et au prince d'Antioche en raison de leur ralliement aux Mongols.

Là-dessus, Alexandre IV mourait (25 juin 1261). Deux envoyés des barons et des prélats de Terre sainte, l'archevêque de Tyr, Gilles de Saumur, et le sire de Cayphas, Jean de Valenciennes, venaient d'arriver pour exposer la situation où se trouvait l'Orient latin. Trouvant le siège pontifical vacant, et sachant le prix du temps qui passait, ils se rendirent aussitôt à la cour de France. Jean, qui avait commencé sa carrière dans l'empire de Constantinople, avait été sergent du roi et l'avait accompagné à la croisade ; Gilles avait été son garde des sceaux pendant son séjour en Orient : tous deux ne pouvaient qu'obtenir une audience favorable auprès de saint Louis. Puis ils se rendirent à la cour pontificale, à la nouvelle de l'élection d'Urbain IV, que les cardinaux avaient sans doute choisi en partie à cause de sa connaissance de l'Orient. Ils lui remontrèrent dans quelle situation difficile se trouvaient les villes franques : on y manquait d'argent, les marchands de Gênes et d'ailleurs qui servaient de banquiers ayant eu peur de s'y rendre. Aussi le pape décida-t-il la levée d'une imposition du centième des revenus ecclésiastiques pour venir en aide à la Terre sainte. Cette levée était prévue pendant trois ans, durée qui fut portée à cinq dans le royaume de France.

Cette imposition fut fort mal accueillie par le clergé français, et les collecteurs désignés par le pape, Eudes Rigaud et maître Eudes de Lorris (futur évêque de Bayeux), tous deux conseillers du roi Louis, n'osèrent pas passer outre. Urbain IV, qui avait demandé à Gilles de Saumur et à Jean de Valenciennes de ne pas repartir pour l'Orient, de manière à continuer la tâche qu'ils avaient entreprise en France, déchargea les deux collecteurs de leur mission pour en charger les deux représentants des Latins de Terre sainte (9 janvier 1263). Il leur demandait de procéder à la levée de l'imposition dans le royaume de France et dans la province ecclésiastique de Cambrai (à laquelle il joignit par la suite les

diocèses de Liège, Metz, Toul et Verdun), et de décider de
l'emploi des deniers en s'entourant des conseils du nouveau
patriarche de Jérusalem et surtout du roi de France. C'est
grâce à saint Louis que l'on avait pu passer outre aux réticences du clergé ; c'est lui qui entretenait des hommes
d'armes en Terre sainte et qui était au fait des nécessités de la
fortification des places fortes. Son zèle pour la défense et la
récupération de la « Terre de Promission », enfin, ne faisait
aucun doute.

Gilles de Saumur et Jean de Valenciennes ne faisaient pas
preuve d'un moindre zèle. L'archevêque, qui allait être chargé
de prêcher une croisade, devait finir par mourir à la tâche,
sans avoir pu retrouver son diocèse, comme il y aspirait (Clément IV allait enfin donner satisfaction à sa requête le 1er mai
1266, lorsque le prélat était mort une semaine plus tôt à
Dinant où il poursuivait sa mission). Urbain IV, de son côté,
s'efforçait de trouver des moyens supplémentaires pour alimenter la caisse sur laquelle l'archevêque, le sire de Cayphas
et saint Louis avaient la haute main : il autorisait ses représentants à absoudre ceux qui avaient enfreint diverses prohibitions, à accorder des dispenses et des indulgences, à autoriser le rachat de vœux de croisade, pourvu que les bénéficiaires fissent vœu de partir eux-mêmes en Orient ou versas-
sent les sommes correspondantes. Urbain restait hanté par ce
« grave péril menaçant la Terre sainte du fait de la persécution des Tartares » qu'il avait entrevu dès 1257 et sur lequel il
insistait encore en janvier 1263.

Or, tandis que la Chrétienté, et plus spécialement encore le
royaume de France, bandaient leurs efforts pour tenir tête à
l'invasion attendue tant du côté de la Russie que de celui de
la Syrie, voici qu'une ambassade arrivait à Paris dans les derniers mois de 1262. « Vingt-quatre nobles tartares, accompagnés de deux Frères prêcheurs servant d'interprètes », au
témoignage d'un chroniqueur franciscain, venaient, selon lui,
de la part du roi des Tartares, exiger la soumission du roi de
France en le menaçant de guerre, s'il ne s'exécutait pas.

Le texte de la lettre qu'ils apportaient au roi vient d'être
retrouvé par M. Paul Meyvaert dans un manuscrit conservé à

Vienne. Et il rend un son assez différent de ce que nous laisse entendre la chronique déjà citée. Cette lettre émanait de Hülegü, qui l'avait fait écrire, et traduire en latin, dans sa ville de Maragha, près du lac d'Ourmiah, le 10 avril de l'année du Chien (1262), la confiant à son ambassadeur, le Hongrois Jean, pour la remettre « au roi Louis et à tous les princes, ducs, comtes, barons, chevaliers et autres sujets du royaume de France ».

Certes, la lettre commençait par le rappel, très complet, du mandat que le Ciel Éternel, par la voix du Teb-Tengri, avait donné à Gengis-Khan, de « gouverner toute la terre et de faire disparaître ceux qui ne se soumettaient pas à lui ». Elle rappelait, comme l'avait fait Oghul-Qaïmish dans la missive confiée à André de Longjumeau et dont Joinville a donné l'analyse, combien de rois avaient eu à subir le poids des armes mongoles : les Kéraït et les Naïman, les Merkit et les Kirghis, les Kitaï et les Tangout, les Tibétains et les Ouïgour, les Kharezmiens, les Persans, les Comans et bien d'autres. Après quoi Hülegü passait au récit de sa propre campagne et de ses victoires sur les Assassins, sur les Kurdes, sur le khalife, sur le sultan d'Alep et de Damas.

Mais, au lieu de tirer de toute cette narration la conclusion que l'on attendrait : l'invite à payer tribut et à faire hommage, qui figurait dans la lettre de 1250, Hülegü, qui prenait les qualificatifs de « destructeur des perfides nations sarrasines, bienveillant zélateur de la foi chrétienne », et qui rappelait ses marques de bienveillance à l'égard du patriarche chaldéen et des chrétiens, soigneusement épargnés pendant cette campagne, annonçait au roi de France qu'il avait pris soin d'ordonner la libération de tous les Latins qui avaient été faits prisonniers et réduits en esclavage dans les pays soumis par ses armées. Il disait à saint Louis combien on avait été sensible, à Karakorum, à l'envoi de la fameuse tente d'écarlate qu'André de Longjumeau avait apportée à Güyük, dont on avait fort bien reconnu qu'elle représentait un gage d'amitié. Il expliquait que les Mongols avaient mal compris, au début, quelle était la situation respective du pape et des rois chrétiens, mais qu'ayant appris que le premier n'était que le chef spirituel de la Chrétienté, il s'adressait au roi de France comme au plus puissant des princes chrétiens, et comme à un ami.

Il lui faisait une proposition très précise. Ayant dû interrompre sa campagne après la prise d'Alep et de Damas, « ces chiens de rats de Babyloniens » (les Mamelouks) en avaient profité pour détruire une de ses armées. Il entendait en tirer vengeance et anéantir leur domination sur l'Égypte. Mais, n'ayant pas de flotte, il demandait à saint Louis, qui dominait les rives occidentales de la Méditerranée, de lui fournir l'appui de ses navires de guerre. Il espérait que le roi savait qu'il avait ordonné la restitution aux Latins de Jérusalem et de tout l'ancien royaume.

Ceci, saint Louis aurait pu l'apprendre par les ambassadeurs envoyés à Hülegü par les gens d'Acre en 1260, si ceux-ci avaient pu revenir assez tôt pour que les nouvelles dont ils étaient porteurs parviennent en Occident. L'un des Frères Prêcheurs envoyés auprès du chef mongol, David d'Ashby, confirme ce que nous avait aussi appris l'historien arménien Haython : que Hülegü avait promis aux Latins de les tenir en paix et de leur restituer le royaume de Jérusalem. La libération des captifs nous est également connue par la même source.

La lettre de Hülegü était, pour le roi de France, l'annonce d'un renversement complet de la politique que l'on avait jusque-là prêtée aux Mongols. Il apparaissait qu'en envoyant André de Longjumeau à la cour de Güyük, saint Louis avait semé à bon escient. Le magnifique présent qu'il avait envoyé au Khan n'avait pas été considéré comme un tribut, contrairement à ce qu'avait compris Joinville (et, sans nul doute, comme André de Longjumeau l'avait compris lui-même). Möngke avait rejeté la perspective d'une alliance avec les Francs qui ne serait pas fondée sur une soumission préalable, et dénoncé comme contraire à la doctrine politique des Mongols la démarche d'Eljigideï ; or Hülegü revenait à celle-ci. Sa lettre n'exigeait pas du roi de France la soumission réclamée jusque-là, sans pour autant renier l'idée de la domination universelle des Mongols. Mieux, elle montrait qu'on avait été impressionné en Orient par la précédente manifestation de la puissance navale du roi de France ; et elle faisait miroiter l'idée d'une « récupération de la Terre sainte » comme conséquence d'une collaboration militaire.

Certes, ce programme n'était que celui du « chef de l'armée mongole » en Iran ; mais il avait certainement reçu l'aval de Möngke. Il ne modifiait pas la situation existant en Europe orientale. Mais il était si différent de ce que l'on attendait de la part de Hülegü qu'il n'est pas surprenant qu'on soit resté, à Paris, sur ses gardes.

Saint Louis, en effet, ne se rallia pas à la proposition du chef mongol. Si nous retenons l'interprétation du chroniqueur déjà cité, le conseil royal fut surtout attentif au préambule de la lettre, qui rappelait l'exigence de la soumission générale, bien plus qu'aux protestations d'amitié et à l'offre d'alliance. Après tout, on avait déjà reçu d'Eljigideï, en 1248, une lettre amicale, qui avait été suivie par l'ultimatum d'Oghul-Qaïmish, confirmé par celui que Möngke avait confié à Rubrouck. Et, pour le roi de France, nous savons que l'indépendance de la couronne à l'égard de toute domination temporelle était un véritable dogme. Aussi ne donnat-on pas suite aux propositions de Hülegü. Mais, après avoir traité fort honorablement les ambassadeurs, le roi dirigea Jean de Hongrie et, sans doute, ses compagnons, vers la cour romaine.

Urbain IV ne fut pas moins embarrassé. Il finit par remettre à ce personnage une lettre destinée à Hülegü, qui commençait par les mots *Exultavit cor nostrum* ; il exprimait sa joie à l'idée des sentiments favorables à la chrétienté et au christianisme dont Jean de Hongrie se portait garant. Mais, dans l'incertitude où il se trouvait, il se contentait d'encourager Hülegü à recevoir le baptême, en confiant au patriarche de Jérusalem le soin de le faire instruire, tout en laissant entrevoir qu'une coopération de la Chrétienté avec un prince devenu chrétien pour la lutte contre les Sarrasins serait possible.

La négociation avec les Mongols était ainsi amorcée ; elle devait se poursuivre à travers bien des traverses (Hülegü pro-

posa au pape et aux rois d'Occident une « alliance perpétuelle » par une ambassade qui fut interceptée par Manfred ;
son successeur Abagha envoya à Rome en 1267 une lettre,
écrite en mongol, que personne ne sut traduire, et ce n'est
qu'en 1268, son « secrétaire latin » étant de retour, qu'il put
faire parvenir à la cour romaine une lettre portant des propositions d'alliance précises). Mais désormais, c'est avec la
papauté que ces négociations furent menées. Étaient-elles
déjà assez avancées durant les dernières années de saint
Louis pour que le roi de France pût envisager une collaboration avec les Mongols lors de sa dernière croisade ? Il est
curieux de constater qu'en 1267, ce soit Charles d'Anjou et
Jacques Ier d'Aragon, qui aient envoyé des ambassadeurs aux
Mongols, sans qu'on ait gardé trace d'une initiative analogue
de la part du roi de France qui, cependant, avait été à l'origine du rapprochement de la chrétienté occidentale et des
Mongols par son ambassade de 1249. Notre information, sur
ce point, ne serait-elle pas incomplète ?

CHAPITRE III

Vers la huitième croisade

La crise tartare, qui avait fait passer sur l'Occident un vent de panique au cours de 1260, s'achevait de la façon la plus inattendue. Si l'on restait en alerte sur la frontière septentrionale, celle qui regardait vers les principautés soumises à la Horde d'or, et où se manifestait l'activité un peu inquiétante du prince Nogaï, personnage qui menait les troupes mongoles, à travers la Bulgarie, jusqu'aux confins de l'Empire byzantin, c'est de plus en plus tout au nord, face aux peuples baltes à nouveau en effervescence, que se concentrait l'effort militaire. Le front méridional, celui de la Syrie, n'était plus menacé par les Mongols qui se révélaient des alliés en puissance et non des adversaires, et avec lesquels les souverains d'Occident entraient en relations suivies à partir de 1267.

Mais ce rapprochement même comportait ses dangers. Et le péril ne fit que changer de face ; puisque, comme allait l'écrire Clément IV dans une lettre de 1268, « le petit troupeau qui avait jadis échappé à la fureur du glaive des Tartares supporte à présent l'assaut des Égyptiens ». La crainte de l'alliance franco-mongole poussait les Mamelouks à la guerre, et une guerre menée avec méthode et sans aucun ménagement. En quelques années, plus d'un demi-siècle d'efforts était anéanti ; la principauté d'Antioche disparaissait, le royaume chrétien d'Arménie était considérablement affaibli, le royaume de Jérusalem ramené à une chaîne de places côtières.

Une fois de plus, saint Louis allait se retrouver le protecteur des Latins d'Orient. Lui qui était apparu aux Mongols comme l'interlocuteur privilégié auquel Hülegü s'était adressé quand il avait voulu entrer en relation avec les Occidentaux, comme près de quinze ans auparavant l'avait fait Eljigideï, se trouvait à nouveau en première ligne pour défendre la Terre sainte. La complexité des problèmes qui s'élevaient en ces années-là, où l'affaire d'Angleterre ne s'achevait par la victoire d'Henri III qu'en 1266, tout en laissant quelques séquelles, où l'affaire de Sicile brouillait les cartes, n'empêchait pas le roi de France de garder les yeux fixés sur l'Orient latin, sur Constantinople comme sur Acre. Deux papes, le premier ancien patriarche de Jérusalem et donc bien au fait de ce que le roi faisait pour la conservation des places franques, l'autre ancien conseiller du Capétien, l'associaient au travail de leurs légats en vue de fournir à la Terre sainte les secours nécessaires. Le royaume de France, à nouveau, envoyait ses fils combattre aux côtés des Latins d'Orient, en dépit de la ponction qu'opérait la diversion sicilienne.

Ces départs, espacés et insuffisants à tenir l'adversaire en échec, n'ont pas dissuadé le roi Louis de prendre lui-même la croix. On sait que, dans son royaume, plus d'un estimait qu'il avait déjà bien payé sa part, et que, dans son état de santé, il pouvait se dispenser de repartir. Saint Louis ne le pensait pas ; il savait que lui seul, en donnant l'exemple, en rendant possible le recours à des demandes exceptionnelles de subsides, pouvait provoquer le départ d'une croisade importante et efficace. La décision qu'il rendit publique le jour de l'Annonciation, en 1267, était dans la logique de son attitude antérieure comme de la conception qu'il se faisait de son devoir d'État. Louis avait-il trop présumé de ses forces ? Il est difficile de le dire. Mais on imagine mal qu'au moment où le roi d'Aragon et le fils du roi d'Angleterre allaient se mettre en route, où le Mongol de Perse et le *basileus* de Constantinople faisaient mine d'intervenir en faveur de la Terre sainte, le roi

de France, quand il s'appelait Louis IX, ait cru possible de se
dérober.

La détresse de la Terre sainte

Le long séjour de saint Louis en Terre sainte avait été
consacré au renforcement des défenses du territoire que les
Francs conservaient en Syrie. Par la construction et la moder-
nisation de places fortes, par le stationnement d'un contingent de chevaliers et d'arbalétriers placés sous le commandement d'un chef éprouvé, le roi de France pouvait avoir
conscience d'avoir prolongé la durée de l'existence des colonies latines.

Malheureusement celles-ci, où l'on ne reconnaissait plus
qu'à titre de symbole l'autorité du roi de Jérusalem, lequel,
depuis la mort de Conrad IV, était l'enfant Conradin, som-
braient dans l'anarchie. Un conflit entre les comptoirs vénitien et génois d'Acre à propos de la possession du moûtier de
Saint-Sabas dégénéra en une guerre civile. En 1257, les Pisans
se ralliaient aux Vénitiens pour assiéger le quartier génois ;
peu à peu les barons, les confréries, les ordres militaires prenaient parti. Le prince d'Antioche, qui était le frère de la
reine de Chypre, elle-même tutrice du jeune Hugues II qu'on
reconnaissait comme « seigneur du royaume » en l'absence
de Conradin, avait essayé de ramener la paix ; il n'y avait
gagné que de se brouiller avec son principal vassal, le sire de
Gibelet, Génois d'origine. On avait érigé des tours au-dessus
des maisons, des machines de guerre sur les tours, pour lancer des quartiers de roc sur les maisons adverses. En fin de
compte, les Génois avaient été chassés d'Acre ; mais les Vénitiens avaient été expulsés de Tyr : les deux villes avaient donc
choisi chacune un camp différent. On se battait dans le comté
de Tripoli ; Templiers et Hospitaliers étaient à deux doigts de
se faire la guerre. Finalement on avait reconnu à Geoffroy de
Sergines, déjà sénéchal du royaume, le titre de bayle, c'est-à-
dire de représentant du jeune Hugues II : lui seul symbolisait

l'unité des colonies de Terre sainte ; mais il n'était guère écouté.

L'approche des Mongols avait fait taire les querelles, sans refaire l'union. Les républiques maritimes ne se résignaient pas à la perte de leurs positions et restaient toutes prêtes à tenter un coup de main sur l'une ou l'autre ville, sans égard à la gravité de la situation. On devait même accuser les Génois et Philippe de Montfort, le seigneur de Tyr qui les protégeait, d'avoir poussé les Musulmans à attaquer Acre.

D'ailleurs la situation économique était préoccupante. Les grands barons, endettés, se voyaient obligés d'aliéner leurs terres, et seuls les ordres militaires, grâce aux ressources qu'ils tiraient d'Occident, pouvaient envisager de prendre à leur charge les villes et les châteaux ainsi mis en vente. Julien de Sidon, dont la terre avait été ravagée par les Mongols en représailles du coup de main qu'il avait dirigé dans leur territoire, doit vendre aux Templiers son fief de Sidon et de Beaufort, sans même prendre le temps de demander l'autorisation de son seigneur de fief. Jean d'Ibelin, sire de Beyrouth, cède aux Teutoniques une hauteur et tout le territoire qui l'avoisine ; Balian d'Ibelin, sire d'Arsur, cède la ville d'Arsur et toute la seigneurie aux Hospitaliers : tout ceci dans la seule année 1261. L'argent manque ; le maître du Temple signale dans une lettre de mars 1261 que, comme les marchands génois ne sont pas venus, on ne peut emprunter. La Terre sainte quémande des subsides : cette année-là, on envoie un Templier en Espagne, un Hospitalier en France, un Teutonique en Allemagne pour porter les lettres du légat du pape qui implore de l'aide. Peu après, c'est Geoffroy de Sergines qui lance un appel au secours : il manque d'argent pour payer les troupes que saint Louis a laissées sous son commandement et qui menacent de l'abandonner.

Lorsque les Mamelouks avaient lancé leur offensive contre les Mongols, en septembre 1260, les Francs d'Acre avaient été sur le point d'autoriser les Musulmans à passer par leur ville, et il avait fallu que le maître des Teutoniques les mît en garde contre une traîtrise possible. Néanmoins ils avaient témoigné d'assez de complaisance envers les Égyptiens pour qu'un chroniqueur arménien ait pu attacher une importance décisive à leur intervention.

Mais s'ils avaient espéré bénéficier de la reconnaissance des vainqueurs, la mort du sultan Qutuz, en janvier 1261, leur enlevait cet espoir. Qutuz avait été assassiné par un de ses lieutenants, l'émir Baîbars al-Bundukdâri, qui fut proclamé sultan, et qui n'attachait pas à la parole donnée la même importance que son prédécesseur. Dès son avènement, il laissa le gouverneur de Jérusalem molester et rançonner les pèlerins. Mais son premier objectif était de refouler les Mongols qui étaient revenus à Alep ; à cette occasion, il menaça Antioche ; une démonstration mongole parvint à écarter cette menace.

Vers la fin de 1262, Baîbars entra en négociations avec les Francs d'Acre, qui sollicitaient le renouvellement des trêves conclues en 1255 et la cession d'une bourgade qui leur avait été promise à cette date. Le sultan refusa ; puis il proposa de réaliser un échange de prisonniers ; le comte de Jaffa accepta, et y gagna de voir sa seigneurie à l'abri des attaques mamelouques jusqu'à sa mort. Le Temple et l'Hôpital s'y refusaient, dit-on, parce qu'ils tenaient à conserver la main-d'œuvre que leur fournissaient ces esclaves. Sans doute les Francs d'Acre s'associèrent-ils à leur refus.

Quoi qu'il en soit, Baîbars donna à cette fin de non-recevoir le caractère d'un *casus belli*. En mars 1263, sans autre préavis, il s'établissait avec son armée en Galilée. Un de ses émirs allait détruire Nazareth et l'église de la Nativité ; un autre, les églises du Mont-Thabor. Baîbars lui-même vint inquiéter Acre, et Geoffroy de Sergines fut blessé en défendant la ville, dont les alentours furent ravagés.

Une trêve avait été accordée pour permettre les semailles et la moisson ; elle fut troublée par quelques accrochages ; Baîbars lui-même surveillait la frontière. Mais il se préoccupait surtout de la présence d'une armée mongole sur l'Euphrate. A la tête d'une armée considérable, il se porta sur le fleuve, et l'ennemi recula. C'est alors qu'il revint en Syrie et se jeta sur la forteresse de Césarée, le 27 février 1265.

L'affaire de Césarée est fort instructive. Saint Louis avait

travaillé en personne aux fortifications ; ses ingénieurs
avaient réalisé un des chefs-d'œuvre de l'art militaire. Or Baîbars concentra une telle masse d'assaillants que les défenseurs ne purent suffire à les contenir. La muraille fut emportée d'assaut ; la citadelle tint quelques jours, et capitula le
5 mars. Il avait fallu moins d'une semaine au sultan pour
venir à bout de la place forte, qu'il fit démanteler séance
tenante. Le 16 mars, on s'attaquait à Châtel-Pèlerin : ici, la
citadelle tint bon, après la chute de la ville basse. Et aussi à
Cayphas (l'actuel Haïfa), la ville dont le seigneur, Jean de
Valenciennes, courait alors l'Occident pour chercher de
l'argent pour la Terre sainte : le château fut pris et rasé. Puis
l'armée se porta vers le sud et attaqua Arsur, le 21 mars. Ici
les Hospitaliers firent bonne contenance, repoussant assaut
par assaut. La place n'en tomba pas moins le 29 avril.

Baîbars revenait à la charge l'année suivante, faisant attaquer ses troupes partout à la fois et dévastant les campagnes
ouvertes. Du 8 juin 1266 au 23 juillet suivant, il assiégeait la
grande place forte des Templiers en Galilée, Safet. Grâce à
une ruse, il obtenait la capitulation du château et faisait aussitôt décapiter tous les défenseurs. Les forts voisins, le Toron
et Châteauneuf, tombaient à leur tour, et une chevauchée que
les Francs avaient tentée en Galilée s'acheva en désastre.

En 1267, le sultan se bornait à essayer de surprendre Acre
et à massacrer la population de la banlieue. Mais, au début
de 1268, il s'en prenait à Jaffa. Cette place, la plus méridionale de toutes, coupée d'Acre depuis 1265, avait fait l'objet
d'importants travaux de mise en défense tant pendant le
séjour de saint Louis que depuis 1263. Baîbars se jetait sur la
ville, le 7 mars ; il s'en emparait et faisait capituler la citadelle, puis démanteler le tout. Après quoi c'est Beaufort, dans
l'arrière-pays de Sidon, qui tombait entre ses mains le
15 avril.

Cet écroulement de tout un système défensif, dans un délai
si bref, a naturellement frappé les contemporains. Le maître
des Hospitaliers, dans une lettre au grand-prieur de Saint-
Gilles, relevait la brièveté de la résistance. Jaffa était tombée
en une heure ; Césarée, en deux jours ; Beaufort, en moins de

quatre ; Safet, en quinze jours. Seul Arsur avait tenu jusqu'au quarantième jour. Et il pouvait à cette date, ajouter un autre nom : celui d'Antioche.

Jusque-là, en effet, la guerre en Terre sainte avait été en quelque sorte une guerre de position. Les Latins s'étaient dotés d'un redoutable ensemble de forteresses, sans cesse renforcées : l'adversaire jouait un jeu analogue, en menant des sièges isolés, sans prolonger la campagne. Saint Louis, à Jaffa, à Césarée, à Sidon, avait contribué à l'édification de ce puissant réseau défensif. Or, Baîbars, peut-être à l'école des Mongols, employait une tout autre tactique. Il se portait sur ces places fortes avec toute son armée : régiments de Mamelouks, encasernés et fortement disciplinés, contingents de l'armée régulière, volontaires. Il multipliait les engins de siège, poussait les travaux de sape, noyait les défenseurs (toujours relativement peu nombreux) sous la masse des assaillants qu'ils ne suffisaient pas à repousser, accablés qu'ils étaient de surcroît par une grêle de flèches et d'autres projectiles.

Les places tombées, le sultan faisait systématiquement raser toutes celles de la région côtière ; au contraire, celles de l'arrière-pays furent réparées et renforcées : les « lions de Baîbars » qui ornent leurs murs attestent que le redoutable sultan marqua son passage, comme l'avait fait saint Louis, par des travaux considérables. Safet, Beaufort, devenaient la résidence des émirs qui, assistés d'une nombreuse garnison, faisaient régner l'ordre mamelouk jusqu'aux portes des villes franques. En 1267, Philippe de Montfort, auquel le sultan venait d'enlever son château du Toron, passait un traité avec Baîbars : celui-ci lui laissait Tyr et une dizaine de villages ; tout le reste de la seigneurie de Tyr était placé sous la domination conjointe du seigneur franc et de l'émir de Safet, qui s'en partageaient les récoltes par moitié.

Cependant l'ambition de Baîbars ne se limitait pas à la réoccupation de la Syrie littorale. Son objectif essentiel était de rejeter les Tartares loin de ses États. A cette fin, il s'était accordé avec le Khan de la Horde d'Or, Berke, à la fois par solidarité musulmane, par hostilité commune envers Hülegü

et sa maison, et parce que la plupart des Mamelouks, et Baîbars tout le premier, étaient originaires des contrées que gouvernait ce Khan. Berke et Hülegü en étaient venus aux mains
en 1262-1263, à propos des pays du Caucase. En 1266, sous
Nogaï, l'armée de la Horde d'Or passait le Caucase et se
heurtait à celle du fils de Hülegü, Abagha. En outre, en raison de la querelle de succession qui s'était ouverte à la mort
de Möngke, Abagha était en mauvais termes avec le Khan de
Transoxiane ; les Mongols de Perse étaient donc occupés sur
leurs frontières du Nord et de l'Est. Baîbars avait les mains
libres pour s'en prendre à leurs alliés : le roi d'Arménie et le
prince d'Antioche.

En 1266, au moment où le sultan s'emparait de Safet, un
de ses lieutenants se portait sur le comté de Tripoli, où il enlevait le château d'Arcas, qui couvrait Tripoli vers l'intérieur.
Puis il se jetait sur le royaume d'Arménie, écrasait l'armée
arménienne, s'emparait de la capitale, Sis, et mettait le
royaume à feu et à sang. Antioche avait échappé au même
sort ; mais, en mai 1268, Baîbars apparaissait à l'improviste
devant la ville et l'emportait après trois assauts infructueux.
Ce fut une débauche de pillage et de massacre, dont le sultan
se fit une joie de distiller tous les détails dans une lettre
d'insultes qu'il envoyait au prince Bohémond, auquel il ne
pardonnait pas de s'être allié aux Mongols. Les Templiers,
qui tenaient plusieurs châteaux voisins, les évacuaient après
les avoir incendiés. Il ne restait plus de la principauté d'Antioche que sa plus récente acquisition : Lattaquié, au bord de
la mer.

Baîbars accepta alors d'entrer en pourparlers avec Hugue-
s III d'Antioche-Lusignan, lequel avait recueilli la couronne
de Jérusalem à la mort de Conradin. Une trêve fut conclue :
mais le sultan ne reconnaissait le roi que comme maître de
Cayphas, d'Acre et de Sidon : il considérait Tyr et Beyrouth
comme des seigneuries autonomes. Et la situation faite aux
trois villes était la même que celle de Tyr : le plat pays était
placé sous la domination commune des Francs et des Musulmans. La trêve, d'ailleurs, n'empêcha nullement le sultan de
tenter un coup de main sur Acre en 1269 : le nouveau séné-

chal du royaume, qui était un chevalier picard, successeur de
Geoffroy de Sergines à la tête du contingent français, Robert
de Cresèques, fut tué à cette occasion. Mais ce n'est qu'en
1271 que Baîbars paracheva son œuvre par la prise des trois
grandes forteresses des Templiers, des Hospitaliers et des
Teutoniques : Chastel-Blanc, le Crac des Chevaliers et Montfort.

C'étaient les dernières places fortes de l'intérieur : Baîbars
avait réduit les Francs à ne plus tenir qu'un chapelet de villes
côtières, égrenées depuis Lattaquié au Nord, jusqu'à Châtel-
Pèlerin au Sud, coupées de l'Arménie et des Mongols, et
séparées de l'Égypte par un glacis où s'étaient élevés, avant
leur destruction, Césarée, Arsur et Jaffa. La montagne (sauf
dans le Liban entre Tripoli et Beyrouth) était tout entière
sous la surveillance des forteresses désormais occupées par
les émirs mamelouks qui contrôlaient étroitement les districts
côtiers.

Ce n'était certainement pas l'effet d'un hasard. Le sultan
mamelouk avait laissé vivre les ports dont les puissantes
murailles, la population nombreuse et les secours qu'ils pouvaient recevoir par mer rendait la conquête hasardeuse. Il
avait systématiquement fait raser toutes les places côtières
dont il s'était emparé, pour empêcher une croisade, qui aurait
débarqué dans ces ports, de trouver des points d'appui pour
pénétrer dans l'intérieur. Il avait fait renforcer la chaîne des
châteaux qui contrôlaient les passes de la montagne et qui
dominaient la plaine littorale.

De la sorte, il rendait plus difficile une croisade. Mais agis-
sait-il ainsi uniquement par haine du nom chrétien, haine qui
paraît effectivement réelle chez ce Turc converti à l'Islam et
animé du zèle du néophyte ? Ou bien sa pensée profonde
était-elle de priver une nouvelle descente des Mongols en
Syrie de l'aide qu'ils auraient pu attendre des Latins, renforcés par les éléments d'une nouvelle croisade et bien enracinés
derrière les forteresses de la côte ? La disparition de la puissante organisation défensive qui avait bénéficié des soins de
tous les princes croisés — de saint Louis en dernier lieu —
des libéralités et des legs de tant de chrétiens, s'inscrit parfai-

tement dans un tel projet. Moins de dix années avaient suffi pour la réalisation de celui-ci.

Baîbars n'avait pas hésité sur le choix des moyens : il avait cherché à inspirer la terreur par les massacres et les supplices, tant à l'endroit des paysans suspects de collusion avec les Francs que des guerriers capturés, au mépris parfois de la parole donnée. Il avait détruit les églises les plus vénérées, oublieux des égards des princes musulmans du temps passé. Il n'avait cependant pas abattu la résistance des Latins. Ceux-ci avaient mené des contre-offensives qui prenaient surtout l'allure de raids de pillage, parfois assez profondément en territoire musulman ; plus d'un de ces raids s'était d'ailleurs mal terminé. Les capitaines de saint Louis, Geoffroy de Sergines, Olivier de Termes, avaient fait des prodiges de valeur. Le nouveau roi de Jérusalem, qui avait précédemment exercé la régence de 1264 à 1268, avait amené ses chevaliers de Chypre à la rescousse. Il s'efforçait de reconstituer, face au sultan et à ses entreprises, un front uni. Ce n'était pas sans peine, car les séquelles de la « guerre de Saint-Sabas » n'étaient pas effacées ; tel seigneur comme Philippe de Montfort ne tenait guère à se soumettre à l'autorité royale ; les républiques italiennes ne désarmaient pas.

Le salut de la Terre sainte pouvait-il venir de ces Mongols dont les Francs de 1260 avaient tant redouté la venue, mais dont ils savaient désormais les intentions favorables ? Abagha, après Hülegü, se trouvait occupé sur d'autres fronts. Compter sur Michel Paléologue était fort hasardeux. Aussi est-ce uniquement de l'Occident que l'Orient latin pouvait attendre le salut ; et, une fois de plus, le roi de France était désigné pour jouer un rôle essentiel.

Le secours de l'Occident

A la perspective d'une attaque des Mongols contre l'Orient latin, Alexandre IV avait répondu en invitant les Occidentaux à prendre les armes, et en proclamant une pénitence publique pour implorer la miséricorde divine ; Urbain IV estima qu'il était indispensable d'assurer une assistance pécuniaire aux Chrétiens de Terre sainte pour leur permettre de renforcer leurs places fortes et de retenir à leur solde les combattants qui leur faisaient défaut. Il avait appris que Geoffroy de Sergines n'avait plus de quoi payer ses hommes, qui menaçaient de le quitter pour rentrer en Europe ; le bon chevalier devait finir par emprunter 3 000 livres tournois en hypothéquant son propre patrimoine — et, malgré les instances du patriarche de Jérusalem, ses héritiers n'avaient pas encore été remboursés en 1275. C'est ainsi qu'il fut amené à prescrire la levée d'un centième du revenu des bénéfices ecclésiastiques en France, en Angleterre, en Allemagne, en Scandinavie, au Portugal, etc. Mais, lorsque les prélats du royaume de France, réunis à Paris les 30 et 31 août 1262, se virent demander de surcroît, par l'évêque Guillaume d'Agen, des secours pour parer aux conséquences de la chute de Constantinople et de l'affaiblissement de la Morée, ils répondirent par une fin de non-recevoir qui s'étendait également à la levée du centième. Leur argument était que la Terre sainte n'était pas en danger : sans s'arrêter à la menace mongole qui préoccupait tant Urbain IV, ils faisaient valoir que les trêves conclues en 1255 avec l'Égypte assuraient la sécurité des colonies franques.

Nous savons qu'Urbain IV passa outre et que, déchargeant Eudes Rigaud et Eudes de Lorris de la mission de lever le centième, il la confia à Gilles de Saumur et Jean de Valenciennes, en s'en remettant à saint Louis de les conseiller pour l'emploi de cette imposition. En même temps, il demandait au roi l'envoi d'un secours urgent à Geoffroy de Sergines, en lui promettant le remboursement de cette somme sur le produit du centième.

Le centième prit l'allure d'un impôt permanent. C'est qu'en effet les besoins de la Terre sainte ne faisaient que s'accroître et que les appels à l'aide se succédaient. Le 4 avril 1263, le légat du pape, les trois maîtres des ordres de chevalerie et Geoffroy de Sergines écrivaient aux princes d'Occident pour leur apprendre qu'à la menace des Tartares et à la disette qui éprouvait cette année-là la Syrie venait de s'ajouter l'entrée

de l'armée du sultan dans les terres franques. Cette fois, les
réticences n'étaient plus de mise, et le clergé de France
accepta en novembre 1263 l'imposition qu'il refusait l'année
précédente. Ce même automne, le nouveau légat Guillaume,
qui d'évêque d'Agen était devenu patriarche de Jérusalem, ayant rejoint Acre, son prédécesseur Thomas de
Lentino, accompagné du célèbre missionnaire dominicain
Guillaume de Tripoli, s'embarquait pour venir exposer
au pape la gravité de la situation. Aussitôt, Urbain IV
s'adresse au roi de France : il l'informe de ce que le renforcement des fortifications de Jaffa est particulièrement
urgent ; qu'il faut faire un versement entre les mains du
patriarche et de Geoffroy de Sergines qui décideront de
son emploi.

L'argent collecté par Gilles de Saumur et Jean de Valenciennes était versé au trésor du Temple, à Paris. Le roi de
France recevait les demandes qui venaient de Terre sainte ;
c'est lui qui décidait de la suite à leur donner, de même que
lorsque des chevaliers prenaient la croix et annonçaient leur
prochain départ. C'est ainsi que, lorsque Pierre de Bretagne
se croisa, Clément IV invita son légat à demander conseil au
roi sur le montant de la somme à lui remettre en vue de son
« passage », et, de façon générale, à prendre conseil de saint
Louis pour l'affectation des sommes provenant du centième
et des autres recettes levées au même titre. En 1265, après la
chute de Césarée, le pape écrit au roi pour se louer des services de Geoffroy de Sergines, mais pour souligner aussi ses
besoins d'argent. Le roi envoie plusieurs lettres à ce dernier et
à Olivier de Termes, qui venait de rejoindre Geoffroy en
Terre sainte : il les autorise à contracter des emprunts montant à une somme totale de 4 000 livres. Ce sont les maîtres
du Temple et de l'Hôpital qui trouvent les prêteurs : des marchands de Plaisance et de Montpellier. On remet à ceux-ci les
lettres du roi, accompagnées de certificats délivrés par le
patriarche, Geoffroy et Olivier ; ces documents sont remis au
trésorier du Temple qui honore alors les lettres royales. Il en
est de même en 1266 ; saint Louis autorise, à la date du
9 mars, un emprunt de 4 400 livres ; les Buonsignori de

Sienne avancent la somme à Acre ; ils en sont remboursés à Paris.

La dépendance où se trouve le financement de la défense de la Terre sainte à l'égard de saint Louis est soulignée dans une lettre du patriarche Guillaume, confiée en août 1267 à un personnage dont le roi de France avait appuyé la désignation en qualité de commandeur de l'ordre du Temple en France, frère Amaury de la Roche. Le patriarche chiffre les besoins de cette défense : les chevaliers de Geoffroy de Sergines coûtent dix mille livres par an ; il faudrait pouvoir retenir les chevaliers venus avec Eudes de Nevers et Erard de Valery pendant huit mois, c'est-à-dire du 1er février au 1er octobre 1268, soit l'entretien de cinquante chevaliers à soixante livres chacun ; lui-même a emprunté à grands frais mille huit cents livres dont il demande le remboursement, pour solder quarante-huit chevaliers du 1er mars au 1er août, de même que Geoffroy de Sergines avait précédemment emprunté les trois mille livres déjà mentionnées. Ce recours aux emprunts étant à la fois aléatoire et coûteux, le patriarche suggérait que l'on déposât à Acre même un trésor où l'on pourrait puiser les sommes nécessaires à la solde des chevaliers et des arbalétriers disponibles, en précisant que cette « pécune » serait gérée par « celui que le roi de France établirait » ; et il suggérait également qu'on y versât directement le revenu de la décime levée dans le royaume de Chypre, soit deux mille livres par an.

Saint Louis assumait donc pratiquement, au nom de l'Église, la gestion des sommes prélevées pour la défense de la Terre sainte, non seulement dans le royaume, mais dans les diocèses de Cambrai, Metz, Toul, Verdun et Liège. Sur place, c'était à un prélat venu du royaume de France, l'ancien évêque d'Agen devenu patriarche et légat, et à deux chevaliers qui avaient appartenu à son entourage, qu'il appartenait de décider de l'attribution de ces subsides. De 1263 jusqu'à sa propre croisade, le roi de France ajoute donc la responsabilité de la Terre sainte à celle de ses propres États.

On s'acheminait vers une croisade ; les attaques de « la bête sanguinaire et horrible venue d'Égypte » (ainsi parlait

Clément IV) la rendaient inéluctable. Urbain IV pouvait
l'annoncer dans une lettre aux barons de Terre sainte, en juillet 1264. Et Gilles de Saumur, infatigable, prêchait et obtenait
de nombreuses prises de croix ; le pape l'en félicitait en août
1264 et le soutenait dans son action contre les contribuables
récalcitrants au nombre desquels se trouvait l'abbé de Cluny.
Quant à Clément IV, il décidait en juin 1265 qu'on n'autorise-
rait pas les grands à commuer leur vœu de croisade contre un
versement pécuniaire ; il invitait les barons du royaume de
France, ceux du Danemark, à prendre la croix, et offrait au
margrave de Brandebourg de prendre la tête de l'expédition.

Là-dessus, l'expédition de Sicile vint fâcheusement interfé-
rer avec l'organisation de la croisade de Terre sainte. Ceux
qui étaient le plus conscients des nécessités de l'Orient latin,
Baudouin II de Constantinople et Jean de Valenciennes,
avaient senti combien le conflit entre la Sicile et la Papauté
pouvait nuire aux efforts déployés pour Constantinople et
pour Acre : ils s'étaient interposés, en 1262, et avaient réussi à
persuader Urbain IV et saint Louis de tenter un suprême
essai de conciliation avec Manfred. L'échec de cette tentative
débouchait, en 1264, sur l'attribution de l'indulgence de croisade à l'expédition décidée contre « Manfred, ex-prince de
Tarente, et les Sarrasins de Lucera ». Clément IV décidait de
financer cette expédition par la levée d'une décime, et donnait à son légat en France, Simon de Brie, pleins pouvoirs
pour se procurer l'argent nécessaire. Ce fut un crève-cœur
pour l'archevêque de Tyr : Gilles de Saumur avait obtenu que
de nombreux chevaliers, barons et prélats prissent la croix, en
leur conférant les privilèges habituels ; or, sans que pour
autant l'on puisât dans la caisse du centième qui restait exclusivement affecté à la Terre sainte, le nouveau légat exigeait la
décime des ecclésiastiques qui s'étaient croisés — et qui, de
ce fait, se « décroisaient » ; il commuait les vœux de croisade
moyennant le versement d'un subside pour la « voie de
Pouille ». Tel chevalier, Eudes de Courpalay, qui avait
annoncé son départ pour la Terre sainte, obtenait de transférer l'exécution de ce vœu à l'expédition de Sicile ; il n'était
certainement pas le seul.

Saint Louis s'était laissé convaincre de l'utilité de l'occupation de la Sicile par Charles d'Anjou dans l'intérêt de la Terre sainte. Dans sa lettre de 1267, le patriarche de Jérusalem demande que le nouveau roi de Sicile tienne en permanence six galères dans les parages de la Syrie pour faire la guerre de course au commerce égyptien et assurer la maîtrise de la mer aux Latins. La Sicile pouvait contribuer efficacement au ravitaillement des colonies franques — très compromis en 1265 par une mauvaise récolte, en 1266 par le ravage de la plaine de Cilicie, jusqu'alors l'un des greniers à blé de la Syrie, enfin par les dévastations commises par Baîbars. Elle offrait enfin une base de départ commode pour les croisés.

Aussi, sitôt Manfred vaincu, reprit-on la préparation de l'expédition de Terre sainte. Dès le mois d'avril 1266, Clément IV déchargeait Gilles de Saumur de sa tâche d' « exécuteur de l'affaire de la croisade » *(executor negotii crucis)* pour la confier à Simon de Brie, qu'il chargeait de prêcher en vue du « passage de Terre sainte » ; il suspendait la levée de la décime pour l'expédition de Sicile pour l'affecter à celle de Syrie. Il invitait, au mois de mai, les barons français, le roi de Navarre, les ducs de Brunswick, de Bavière, le marquis de Misnie, les Polonais à prendre la croix et, autant que possible, à passer la mer avant le printemps de 1267 dont il redoutait l'échéance. Au mois d'août il était en mesure d'annoncer aux barons de Terre sainte l'arrivée de l'évêque de Liège, des comtes de Luxembourg, de Juliers, qui avaient pris la croix en même temps que Thomas de Coucy, le sire d'Houffalize, le comte de Gueldre : c'était donc tout un « passage » de chevaliers venus des régions comprises entre le Rhin et l'Escaut qui s'amorçait pour le printemps ; Clément se préoccupait d'y adjoindre deux mille arbalétriers qu'il demandait aux princes, et notamment à Henri III et à saint Louis, et trente galères, dont Charles d'Anjou acceptait de fournir la moitié.

Le pape ne négligeait pas une préparation diplomatique : écrivant à Michel VIII Paléologue, le 10 mai 1266, il le priait d'accorder son aide à la Terre sainte ; il écrivait aussi au Khan mongol Abagha ; il annonçait au roi d'Arménie le succès de la prédication de cette croisade. Tout laissait entrevoir qu'effectivement dans les premiers mois de 1267, quelques centaines de chevaliers débarqueraient en Terre sainte, tandis que les galères de Charles d'Anjou, renforcées par celles que le pape cherchait à louer en Provence et à Venise, opéreraient sur les côtes d'Égypte une diversion capable de retenir le sultan dans ce pays.

Le roi Louis participait bien entendu activement à ce projet ; son fidèle chambellan, Pierre de Villebéon, était à la cour romaine pendant l'été 1266 pour conférer avec le pape à ce propos. Mais une péripétie inattendue allait interrompre la réalisation de l'entreprise : la prise de croix du roi de France lui-même, qui allait enlever son caractère au « passage » prévu, à effectifs limités, en le transformant en un « passage général » qui ne pourrait se réaliser que trois ans plus tard.

Cependant le royaume de France avait déjà fourni une contribution notable à la défense du royaume de Jérusalem. C'est en 1265 que s'était mis en route, à la tête d'une cinquantaine de chevaliers, l'héritier du duché de Bourgogne, Eudes, qui était par son mariage, comte de Nevers, d'Auxerre et de Tonnerre. Eudes était parti en compagnie de cet Érard de Valery qui avait déjà pris part à la septième croisade et à la malheureuse expédition de Zélande, et qui était l'un des meilleurs chevaliers de France. Si nous écoutons Rutebeuf, qui a écrit la *Complainte du comte Eudes de Nevers,* le « bon comte » était « prud'homme et sage » et l'un des meilleurs seigneurs du royaume de France. La chronique écrite en Terre sainte par le « Templier de Tyr », qui fut sans doute témoin de sa venue, en parle comme d' « un saint homme des hauts barons de France ». Toujours est-il qu'Eudes de Nevers séjourna à Acre jusqu'à sa mort, qui survint le 4 août 1266. Son testament fit grand bruit : « il fit donner au nom de Dieu aux pauvres gens tout ce qu'il laissait de monnaie et d'équipement », selon le chroniqueur. Le compte de ses exécuteurs testamentaires, Geoffroy de Sergines le jeune et Hugues d'Augerans, montre en effet qu'à la réserve de son plus beau saphir qui fut envoyé à son frère le sire de Bourbon, ses joyaux, ses armes, ses vêtements, ses autres effets, sa chapelle, les ustensiles de sa cuisine, ses chevaux et tous ses deniers furent distribués aux hôpitaux, aux établissements religieux, ou vendus pour payer ses hommes d'armes, ses cinq arbalétriers, les quatre turcoples (des chrétiens indigènes servant à cheval) qu'il avait pris à son service et les gens de sa maison. La générosité du comte de Nevers et sa réputation de prud'homie firent bientôt de son tombeau, au cimetière de Saint-Nicolas d'Acre (son cœur avait été porté dans la nécropole familiale des ducs de Bourgogne, à Cîteaux) un lieu de vénération, où des guérisons miraculeuses intervenaient. Rutebeuf affirme que :

> « Si Dieu n'avait aimé sa compagnie,
> Il n'eût pas Acre dégarnie
> D'une bannière si redoutée. »

et que sa perte était pour la Terre sainte un coup très rude, mais qui devait inciter les autres barons à suivre son exemple ; il interpelle successivement le nouveau comte de Nevers, Jean, fils du roi de France, les comtes de Blois et de Saint-Pol, le sire de Coucy et les autres chevaliers français à ne pas laisser Acre sans secours, sans oublier d'en presser saint Louis lui-même et Alphonse de Poitiers. Seul Érard de Valery restait, avec ceux des chevaliers de leur contingent qui avaient accepté de prolonger leur séjour, pour renforcer la garnison du roi de France. Et Érard reprit la route de l'Occident à temps pour participer, en 1268, à la bataille de Tagliacozzo.

L'expédition d'Eudes de Nevers, limitée aux forces d'un grand baron — soutenu, d'ailleurs, par son père le duc Hugues IV, qui lui avait envoyé de l'argent pour la paye de ses hommes, et qui avait contribué à l'équiper, en lui prêtant un certain nombre des officiers de son hôtel — paraît avoir été la plus importante parmi les manifestations de l'aide des grands seigneurs d'Occident. La venue de contingents plus modestes, ceux qui accompagnaient Olivier de Termes, par exemple, n'a pas laissé les mêmes traces ; mais les « chevaliers soudoyers » qu'au nombre d'une cinquantaine également le patriarche avait pu retenir au service de la Terre sainte en 1266, et ceux qui, sans que nous connaissions leur nom, renforçaient le corps commandé par Geoffroy de Sergines, contribuaient eux aussi de leur personne à la défense d'Acre et des autres places en cause. Ils étaient trop peu nombreux, cependant, pour pouvoir intervenir efficacement contre les armées du sultan : c'est pendant qu'Eudes de Nevers et Érard de Valery étaient à Acre que Baîbars prenait Safet, sans qu'on mentionne la moindre opération dirigée contre les assiégeants depuis la côte.

Les secours en argent n'avaient pas été épargnés. Mais ici aussi les déceptions étaient grandes. Saint Louis pouvait méditer sur le sort de Césarée, où il avait passé plusieurs mois et employé ses meilleurs maîtres d'œuvre pour réaliser des fortifications qui n'avaient pas pu contenir la fougue des soldats de Baîbars. Le cas de Safet, dont la construction avait fait l'orgueil des Templiers et de l'évêque de Marseille, Benoit d'Alignan, était analogue. Baîbars se serait exclamé : « On ne défend pas un pays avec des murailles, ni ses habitants avec des fossés. » Tout l'effort financier consenti par l'Occident pour renforcer les murailles et les fossés se révélait vain ; Jaffa, où l'on avait tant travaillé et tant englouti d'argent, ne devait pas tenir un instant lors de l'attaque de 1268. La supériorité numérique, matérielle et l'énergie indomptable de Baîbars pouvaient donner à réfléchir.

Aussi peut-on se demander si la croisade organisée par Clément IV — au cas où tous les participants auraient répondu à l'appel du pape, chevaliers des Pays-Bas comme arbalétriers français et anglais, et où la flotte se serait effectivement rassemblée — aurait eu un effet durable. La décision de saint Louis de partir lui-même devait ruiner le projet du pontife ; elle relevait peut-être d'une meilleure appréciation des nécessités du moment. Et, du fait qu'il avait été si étroitement associé à l'aide fournie à la Terre sainte par l'Occident, le roi de France était sans doute particulièrement bien placé pour apprécier ces nécessités.

LE ROI PREND LA CROIX

Joinville, pour la dernière fois témoin oculaire, a laissé de la prise de croix de saint Louis un récit que l'on connaît bien. Mandé par le roi à Paris où celui-ci réunissait tous ses barons, il avait voulu s'excuser parce qu'il souffrait d'une fièvre quarte ; le roi avait insisté : il s'y était rendu. Arrivant à Paris le 24 mars, personne ne sut lui dire la raison de cette convocation ; mais, ayant vu en songe le roi à genoux, auquel plusieurs prélats imposaient une chasuble vermeille, il en parla avec son chapelain qui lui dit « Vous verrez que le roi se croisera demain » et qui tira de l'étoffe dont était faite cette chasuble — de la serge de Reims — le présage que la croisade aurait peu de succès. Le lendemain, à la Sainte-Chapelle, il entendit deux chevaliers du conseil royal se dire l'un à l'autre que le roi allait prendre la croix, en le voyant faire descendre la relique de la vraie Croix de la tribune sur laquelle elle était déposée. On peut en conclure que ce qui allait être une surprise pour le sénéchal de Champagne l'était moins pour les familiers de saint Louis.

Cette croisade, une partie au moins de l'opinion l'appelait de ses vœux. Rutebeuf s'exclame, dans sa *Complainte d'outre-mer* :

« Ha, roi de France, roi de France !
La loi, la foi et la croyance
Vont presque toutes chancelant :
Que ferais-je, vous le celant ?
Secourez-les ; il en est temps,
Et vous, et le comte de Poitiers,
Et les autres barons ensemble... »

Et il ajoute :

> « Or convient que vous y alliez
> Ou que vous envoyiez vos gens,
> Sans épargner or ou argent. »

Quelques mois après, il reprenait le même appel dans la *Complainte du comte Eudes de Nevers*, en des termes presque identiques, et en associant toujours Alphonse de Poitiers à son frère. Alphonse qui, depuis son retour d'Orient, méditait un nouveau départ, avait vainement sollicité le pape de lui accorder un subside en avril 1266 ; en juillet, Clément IV se laissait fléchir : le départ du comte de Poitiers était donc prévu dans un bref délai. Or l'intimité des deux frères ne faisant aucun doute, le roi ne pouvait pas ne pas partager les sentiments de son cadet. Et il est fort possible que la mort d'Eudes de Nevers, beau-père de son fils Jean et baron des plus estimés, ait été un des facteurs qui l'aient ancré dans sa décision. Mais celle-ci était prise avant que la nouvelle de cette mort ait pu parvenir à Paris.

Il est possible de préciser le moment où saint Louis se décida. En juillet 1266, Pierre de Villebéon était venu de sa part s'entretenir avec Clément IV, alors à Viterbe ; il n'était pas encore question du projet du roi. En septembre, le pape était secrètement avisé de l'intention qu'avait celui-ci de prononcer le vœu de croisade. Le 14 octobre, l'archidiacre de Paris et Jean de Valenciennes venaient l'en informer.

Clément IV fut fort embarrassé. Ancien serviteur du roi de France, il savait mieux que quiconque combien la présence de saint Louis était utile à son royaume ; il n'ignorait pas que la santé du roi était fragile et qu'un voyage aussi éprouvant risquait de lui être funeste. D'autre part, il avait préparé une expédition pour le printemps de 1267 ; les Chrétiens de Terre sainte, si on en jugeait par la lettre du patriarche d'août 1267 (qui est postérieure à la prise de croix du souverain, mais qui l'ignorait peut-être encore), bornaient leurs souhaits à l'envoi de secours limités, mais immédiats. Or la perspective d'un « passage général » arrêterait tout autre projet. Aussi le pape fut-il d'abord réticent, puis hésitant, avant de s'abandonner à l'enthousiasme et de donner son accord au roi Louis.

Comme nous l'avons vu, celui-ci réunit ses barons pour la fête de l'Annonciation (25 mars 1267) et c'est alors que, devant les reliques de la Passion qu'il avait fait apporter, il fit vœu de croisade. Ses trois fils, Philippe, Jean et Pierre prononcèrent le vœu après lui ; son neveu le comte d'Artois, Thibaud de Champagne son gendre et beaucoup d'autres les imitèrent : la comtesse de Flandre et son fils, les comtes d'Eu, de Bretagne, de la Marche, de Saint-Pol, de Soissons, les sires de Montmorency et de Nemours. D'après Geoffroy de Beaulieu, l'unanimité qui se manifesta donnait à penser que Dieu avait touché en même temps le cœur de tous. Joinville, par contre, relève le propos que tenait devant lui un chevalier : « Si nous ne nous croisons pas, nous perdrons l'amitié du roi. Si nous nous croisons, nous perdrons celle de Dieu, car nous ne nous croiserons pas pour lui, mais par peur du roi. » Seulement le sénéchal de Champagne, dont les historiens ont à l'envi retenu le témoignage pour en conclure au manque d'enthousiasme des barons et des chevaliers, était un des récalcitrants : les sollicitations pressantes du roi de France et du roi de Navarre ne parvinrent pas à le convaincre de prendre la croix. Et, écrivant après coup, il pouvait prédire avec certitude l'échec de la croisade...

Saint Louis comptait, pour réaliser son projet dans toute son ampleur, sur la fête qui accompagna l'adoubement de son fils Philippe, qui fut armé chevalier le 5 juin, jour de la Pentecôte. Clément IV, averti officiellement de la prise de croix du roi et de son entourage, avait renouvelé à Simon de Brie ses pouvoirs de légat pour la prédication de la croisade ; le 5 juin, le cardinal prononça un sermon, saint Louis adressa à ses barons une vibrante exhortation, et beaucoup de ceux qui avaient été peu favorables au projet lui donnèrent leur adhésion : on comptait parmi les nouveaux croisés le comte de Dreux et l'archevêque Eudes Rigaud.

Beaucoup d'historiens admettent que saint Louis, hanté par la conviction que c'était par sa faute que la croisade de 1248 s'était achevée par une humiliation pour la chrétienté tout entière, prenait cette fois la croix pour réparer son échec d'alors. Cependant ce n'est pas ce qu'écrit Geoffroy de Beaulieu : celui-ci, l'un des confesseurs du roi, affirme qu'il forma le projet de passer la mer de façon à accomplir pour l'amour de Dieu une œuvre pénible et à fléchir de la sorte la miséricorde divine, en apprenant les malheurs qui affligeaient la Terre sainte.

Saint Louis et le légat ne négligèrent rien pour réaliser le projet de croisade. Malheureusement nous sommes moins bien informés à ce propos qu'en ce qui concerne l'expédition de 1248. Comme alors, le roi se préoccupa de mettre sa conscience en règle par la réparation des torts qu'il avait pu causer à ses sujets. Mais nous conservons seulement des fragments de l'enquête qui eut lieu dans le baillage de Vermandois au début de 1269 « pour réparer les torts faits en quelque manière que ce soit dans sa terre et dans sa seigneurie, soit par lui, soit par ses ministres ». Les mesures prises contre les blasphémateurs, l'expulsion des Lombards, se situent au même moment.

La prédication de la croisade était organisée par Simon de Brie, que Clément IV pressait, encourageait, réprimandait, mais qu'il remplaça en 1268 par un autre cardinal, l'évêque d'Albano, Raoul Grosparmi, lui aussi ancien conseiller du roi. Aux sermons des religieux et des clercs désignés par les légats s'ajoutèrent les exhortations des ménestrels, parmi lesquels, bien entendu, nous retrouvons Rutebeuf. C'est entre 1267 et 1270 que celui-ci composa deux de ses œuvres, la *Voie de Tunes*, et la *Disputaison du Croisé et du Décroisé*.

La première est essentiellement destinée à annoncer la prise de croix du roi, lui qui « ne prend pas de répit, lui à qui la France est tout entière. Il aime tant l'âme qu'il ne redoute pas la mort, mais que, par mer, il va combattre cette gloutonne canaille. Que Jésus-Christ, par sa grâce, le garde lui et son armée ! ». « Et le comte de Poitiers, qui gouverne tout un peuple » s'en va aussi outre-mer, lui si riche en France et qui n'a rien là-bas ; et messire Philippe, et le bon comte d'Artois, et le comte de Nevers « qui sont preux et courtois », et le roi de Navarre « qui laisse une si belle terre ». Le poète en tire cette conclusion :

> « Voici un bien beau sermon : le roi va outre-mer
> Servir ce Roi là où il n'est rien d'amer.
> Qui voudra ces deux rois et servir et aimer,
> Qu'il se croise et voie après : il ne peut mieux semer,
> Les bons partiront, les mauvais resteront... »

Plus intéressante est la *Disputaison*. Le trouvère feint de s'être trouvé derrière la haie d'un jardin où deux chevaliers discutaient. L'un avait pris la croix, l'autre s'y refusait ; le premier essayait de convaincre le second de l'imiter ; l'autre ripostait qu'il ne voulait pas laisser les siens à l'aventure ; qu'on pouvait bien faire son salut sans quitter son pays ; que si le sultan venait, il serait bien reçu, mais que lui-même n'irait pas le chercher ; que « si Dieu est quelque part au monde, il est en France, sans aucun doute ». Et, comme il évoquait les clercs et les prélats qui vivaient grassement, alors que c'était à eux de servir Dieu, puisqu'ils « avaient sa rente », le croisé ripostait :

> « Laisse donc les clercs et prélats,
> Et regarde le roi de France,
> Qui pour conquérir paradis,
> Veut mettre son corps en péril,
> Et ses enfants à Dieu prêter. »

Ce débat du croisé et du décroisé, où le premier finit par l'emporter, résume les arguments des adversaires de la croisade et de ses partisans. Rutebeuf s'élève au-dessus des ordinaires exhortations pour essayer d'atteindre, à la façon d'un journaliste d'aujourd'hui, l'essentiel du problème de la croisade, tel que pouvait le concevoir un laïc étranger à la théologie et aux doctrines juridiques.

Bien soutenu sur le plan de la propagande, le grand dessein du roi exigeait une accumulation de moyens matériels. Comme en 1248, les deux principales sources de financement

devaient être les contributions des villes et celles des églises.
Pour les premières, saint Louis jumela la taille qu'il demandait pour la chevalerie de son fils aîné avec celle qu'il réclamait pour la croisade. On connaît mal les sommes qu'il sollicita et celles qu'il obtint. Mais on sait qu'il chercha à tirer de
son propre revenu une partie des moyens financiers nécessaires : Geoffroy de Beaulieu nous apprend qu'il opéra des
retranchements sur sa dépense ordinaire, sans doute dès
1266, en vue de la croisade.

On connaît mieux les efforts d'Alphonse de Poitiers. Le
frère du roi a mis, lui aussi, des enquêteurs dans sa terre,
pour redresser les torts commis par ses officiers ; mais il leur
demande aussi « de trouver les moyens par lesquels nous
pourrons avoir de l'argent pour l'affaire de la Terre sainte ».
Il vend des affranchissements aux serfs de ses domaines ; il
fait saisir la personne des prêteurs juifs pour exiger d'eux
qu'ils se rachètent ; il taxe les églises qui ont acheté des biens
en leur imposant un amortissement ; il fait couper ses bois et
vendre ses coupes. Tous ces expédients, combinés avec une
diminution drastique du montant accoutumé de ses aumônes
et une allocation de 30 000 livres qu'il obtient du pape, avec
un certain nombre de revenus accessoires accordés par ce
dernier, avec la levée d'un impôt par feu dans le Midi et d'un
doublement des cens payés par les tenanciers de ses
domaines septentrionaux, ont permis au comte de Poitiers de
payer les gages des chevaliers et des arbalètriers qu'il
emmène, de faire acheter des vivres (en mars 1270, il ne restait plus qu'à acheter du vin, des pois chiches et à faire
confectionner mille sacs de biscuit), de louer trois naves
génoises et catalanes.

Le roi avait obtenu du pape qu'on lèverait pendant trois
ans le dixième des revenus ecclésiastiques du royaume de
France et des pays qui lui étaient habituellement joints pour
financer la croisade, la « décime » étant réduite à un vingtième dans les autres pays de la chrétienté, et que les exemptions seraient limitées aux seuls ordres de chevaliers qui, eux
aussi, combattaient pour la Terre sainte. En fait, il y eut
d'autres exemptions. L'ordre de Cîteaux, qui pouvait s'en

réclamer, préféra accorder volontairement au roi l'impôt demandé. Le pape encourageait d'autre part les dons volontaires par l'octroi d'une indulgence plénière à qui affecterait le quart du revenu annuel de ses biens immobiliers au financement de l'expédition.

L'Église de France, qui venait de supporter, en plus du centième pour la Terre sainte, la décime pour l'expédition de Sicile ; qui s'était vue traiter sans ménagement pour le recouvrement des sommes dues (on avait saisi des biens, excommunié des clercs), se rebella. Les églises des provinces de Rouen, Sens et Reims déléguèrent leurs représentants à une assemblée qui adressa une supplique au pape demandant qu'on ne recourût pas à la décime. Le légat les reçut fort mal, saint Louis l'ayant invité à se montrer ferme. Quant à Clément IV, il leur demanda s'ils seraient moins zélés pour la cause de Dieu que le roi et les laïcs (23 septembre 1267). Il fallut s'incliner.

Que représentait l'armée qui allait se réunir ? Nous possédons deux listes des chevaliers de l'hôtel du roi, c'est-à-dire de ceux que le roi prenait à sa charge pour la durée de l'expédition. Elles ne coïncident malheureusement pas, et la présence sur l'une de ces listes du sénéchal de Champagne, qui avait refusé de se croiser, du sire de Nesle et du comte de Ponthieu, que le roi laissa en France, fait planer un doute sur la valeur de ces documents.

On en a tiré un chiffre vraisemblable : le roi aurait engagé près de 325 chevaliers. Mais nous apprenons surtout dans quelles conditions les chevaliers en question traitaient avec saint Louis. C'est ainsi qu'Érard de Valery, connétable de Champagne, lequel revenait de Terre sainte, envisageait d'y repartir à la tête de vingt-neuf autres chevaliers. Le roi lui promettait une somme de huit mille livres tournois pour les gages des trente chevaliers, étant entendu que chaque chevalier banneret aurait avec lui cinq personnes et deux chevaux, les chevaliers bacheliers deux personnes et un cheval, et que chaque cheval serait accompagné d'un garçon. Le roi payerait le passage outre-mer, et remplacerait tout cheval perdu ou hors d'usage ; Érard promettait de payer la solde de ses hommes en deux versements, l'un au début de l'année, l'autre à la fin du premier trimestre. Le contrat était conclu pour un an à partir du moment où l'armée aurait touché terre outre-mer, même si c'était dans une île où l'on séjournerait pour l'hivernage.

Érard ne devait pas être nourri par le roi, à la différence de Raoul de Nesle, qui promettait d'amener quatorze autres chevaliers, moyennant quatre mille livres, ou du comte de Guines, qui amenait neuf chevaliers et devait percevoir deux mille six cents livres. Par contre, le maréchal de Champagne ferait le voyage à ses propres frais. Et certains seigneurs obtenaient du roi des dons privés, en sus des gages normaux : le comte de Saint-Pol, avec ses vingt-neuf chevaliers, était engagé pour douze mille livres auxquelles le roi ajoutait un don de douze cents autres livres.

Le connétable, Gilles le Brun de Trazegnies, devait amener une troupe de quinze chevaliers ; le duc de Bourgogne Hugues IV, quarante chevaliers, dont huit bannerets ; le comte de Dammartin, le comte d'Auxerre (Jean de Chalon) et bien d'autres y figurent aussi.

Il est très difficile de se faire une idée de ce que représentait l'armée que le roi de France comptait emmener outre-mer. Les historiens estiment d'ordinaire qu'elle était moins nombreuse que celle de 1248. Il faut avouer que nous la connaissons moins bien.

D'ailleurs, l'armée royale ne devait pas être seule à faire la traversée. Comme en 1248, on avait recherché des alliances. Dès qu'il avait appris la prise de croix du roi, le 10 mai 1267, Clément IV avait écrit pour en informer le roi d'Arménie et les barons de Terre sainte ; il avait également écrit à Michel VIII Paléologue, en l'invitant à se réunir à l'Église romaine et à apporter son aide à la Terre sainte ; il avait écrit à Jacques Ier d'Aragon, qui avait lui aussi pris la croix, pour l'inviter à partir en même temps que le roi de France. Ce fut d'ailleurs en vain : Jacques s'embarqua le 4 septembre 1269 ; sa flotte fut prise dans une tempête, et il regagna son royaume, en laissant seulement deux de ses fils bâtards continuer leur traversée jusqu'à Acre, où ils passèrent l'hiver.

Plus importante devait être la contribution anglaise. Le fils aîné d'Henri III, Édouard, prit la croix le 24 juin 1268, en même temps que son jeune frère Edmond et que le fils de Richard de Cornouailles, Henri d'Allemagne. Mais l'état des finances du royaume plantagenêt était désastreux. Aussi Édouard eut-il en 1269 une entrevue, à Paris, avec saint Louis. Celui-ci prêta au prince anglais une somme de 75 000 livres, remboursable en sept ans, et accepta de se priver du contingent de Gaston de Béarn, qui devait partir avec lui, de telle manière que celui-ci fît partie de l'armée d'Édouard. Le départ de ce dernier devait intervenir un peu plus tard que celui du roi de France : Louis avait fixé à ses sujets, au cours de l'assemblée qui se tint à Paris le 9 février 1268, la première quinzaine de mai 1270, à Aigues-Mortes, pour leur embarquement. Édouard, lui, devait s'embarquer au même port, mais seulement le 15 août. D'autres croisés, venant d'Écosse ou des Pays-Bas, devaient eux aussi rejoindre l'expédition.

Mais l'un des principaux soutiens de celle-ci devait être le roi de Sicile. Saint Louis et Clément IV avaient pensé qu'en remplaçant les Hohenshaufen, Charles d'Anjou allait apporter une contribution de poids à la défense de la Terre sainte. Le pape s'était assez vite aperçu que Charles était plus prodigue de bonnes paroles que d'une aide efficace. Il avait demandé au roi de Sicile, en août 1266, que l'on prêchât la croisade dans son royaume.

Saint Louis avait de nombreuses questions à régler avec son frère : une affaire de gabelle levée sur le Rhône par les gens du comte de Provence, l'irritante affaire de la dot de la reine Marguerite, sur laquelle huit mille marcs d'argent n'avaient jamais été versés et dont Louis n'entendait pas que sa femme fût frustrée (à quoi s'ajoutaient d'autres versements assignés à Marguerite par le testament du comte Raymond Béranger) ; le remboursement de prêts consentis à Charles, l'un au moment de son mariage, l'autre lorsqu'il avait quitté Acre pour revenir en France : ici, saint Louis ne les réclamait pas comme un dû, mais comme un service, et Charles devait assigner le revenu de son comté d'Anjou à ce remboursement, en 1270. Ces questions, déjà agitées durant l'été 1266 par Pierre de Villebéon, envoyé par le roi de France à son frère, restaient sans réponse en mai suivant, quand une nouvelle ambassade vint trouver Charles.

Le maréchal Henri de Cousances et l'archidiacre de Paris, Guillaume de Rampillon, tout en reprenant la discussion précédente, venaient surtout interroger Charles d'Anjou au sujet de la croisade, dont il avait déjà été traité avec Pierre le Chambellan et Jean de Valenciennes. Saint Louis invitait son frère à prendre la croix lui aussi ; au cas où il ne se croiserait pas, il lui demanderait combien de galères et de gens de guerre il mettrait au service de la croisade ; il réclamait des précisions au sujet de la quantité de vivres, de bêtes de somme et de chevaux que l'on pourrait trouver dans son royaume. Il rappelait qu'il avait été convenu avec ses précédents envoyés que l'armée du roi et ses barons n'acquitteraient aucun droit de passage dans le royaume de Sicile, tandis que les marchands transportant des denrées pour l'armée paieraient les péages habituels.

Charles d'Anjou était-il très désireux de s'engager dans la croisade ? Ses objectifs, nous le savons, se trouvaient de plus en plus ailleurs. Il avait repris, dans l'héritage des Hohenstaufen, la tradition des bons rapports avec l'Égypte et, à l'automne 1268, il entamait avec le sultan Baîbars un échange d'ambassades qui amenait le doyen de Saint-Pierre d'Orléans au Caire, d'où il revenait avec les envoyés du sultan et du patriarche chrétien d'Alexandrie. Néanmoins, le roi de Sicile ne refusait pas son aide à l'expédition et il semble probable qu'il avait assuré son frère de sa participation à celle-ci. Lorsqu'en juillet 1269 saint Louis l'avisait de sa venue en Sicile pour le mois de juin 1270, Charles, qui avait ordonné quelques semaines plus tôt qu'on remît en état tous les navires appartenant à la royauté sicilienne, prescrivait que tous fussent de retour au port à cette date pour être disponibles. Le 24 novembre, il ordonnait de fournir au maître charpentier de saint Louis, maître Honorat, tout le bois nécessaire à la construction de machines de guerre ; sa contribution à l'effort de guerre de Louis IX était donc assurée et la concentration des navires qu'il avait ordonnée laisse penser qu'il envisageait de partir lui-même avec son frère. Toutefois, ce n'est qu'en février 1270 qu'il prenait effectivement la croix.

Non moins importante pour la réussite de la croisade était la réconciliation entre les cités maritimes italiennes. Les flottes de Venise et de Gênes s'étaient livré encore en 1267 une véritable guerre navale dans les eaux d'Acre et de Tyr. Comme Gilles de Saumur en 1265, le patriarche Guillaume avait insisté en août 1267 sur la nécessité vitale de cette réconciliation. Nous ne savons quand saint Louis prit lui-même l'affaire en mains. Mais ce sont ses envoyés — un juriste de Montpellier, Raymond Marc ; maître Pierre de Meulan, chanoine de Châlons, et un chevalier du roi, Jean de *Terenis* — qui obtenaient le 22 août 1270 (trois jours avant la mort de saint Louis) la conclusion d'un accord entre Gênes, Pise et Venise. Ce n'était pas le moindre service qu'on pouvait rendre à l'Orient latin.

Cependant une nouvelle péripétie était intervenue : Clément IV était mort le 29 novembre 1268. Les cardinaux, réunis en conclave, se divisaient en deux partis. L'un, qui suivait le Florentin Ottaviano degli Ubaldini, tendait à rompre avec la politique d'entente entre la Papauté et l'Angevin ; l'autre, qui soutenait la candidature d'un Orsini, voulait poursuivre l'orientation pro-française d'Urbain IV et de Clément IV. L'Église se trouvait donc sans gouvernement au moment où allait se déclencher l'expédition et où la question de l'union avec l'Église grecque devenait brûlante. Cette situation paraissait très préjudiciable au roi de France ; on a de lui une lettre, datée du 5 août 1269, par laquelle il pressait les cardinaux de faire un pape. Le conclave devait néanmoins se prolonger jusqu'en 1271, et choisir finalement un homme que le roi de France connaissait et qui avait décidé de faire le « passage » avec lui, l'archidiacre de Liège Tealdo Visconti, un Placentin qui devait devenir Grégoire X. Mais, pendant l'année décisive que fut 1270, la Chrétienté n'avait pas de pape.

LA FLOTTE DU ROI

Dans son *Histoire de la marine française*, Charles de la Roncière a pu estimer que la seconde croisade de saint Louis marquait la naissance de la marine royale en France. Pendant l'expédition de 1248-1249, en effet, le roi Louis avait traité avec des entrepreneurs génois : ceux-ci, qui avaient pris le titre d'amiraux, avaient fourni les navires, les équipages, le ravitaillement et gardé la haute main sur l'utilisation des bateaux. En 1270, c'est le roi qui nolise ou fait construire les nefs, qui se réserve le soin de décider de leur emploi, et qui place à la tête de ce « naville » un amiral choisi par lui.

En fait, on constate que, cinq ans plus tôt, saint Louis s'était déjà doté d'une escadre. Un procès soutenu devant le Parlement par des marchands de Bordeaux, lesquels se plaignaient d'avoir été assujettis par le bailli de Caen à la levée d'une taille qu'ils estimaient ne pas les concerner, nous apprend, à la date de 1265, que le roi avait fait armer cinq galères, aux frais du pays, pour donner la chasse aux pirates et protéger la terre et les navires marchands.

La réunion d'une flotte de transport, pour conduire « outre-mer » les troupes rassemblées par saint Louis, était un projet d'une toute autre ampleur. Ici, les gens du roi de France avaient l'expérience de la croisade de 1248. En 1246, les syndics de Marseille avaient proposé de fournir vingt nefs, la ville offrant en sus dix galères à ses frais ; le roi avait traité avec Gênes, qui avait fourni douze nefs, à raison de 1 300 marcs d'argent (environ 3 000 livres tournois) chacune, et quatre navires plus petits. Le roi de France avait eu recours à des spécialistes, comme l'Hospitalier Frère André, pour conseiller ses représentants.

En 1268, le roi s'adressa tout d'abord aux Vénitiens. La République offrit de mettre à sa disposition trois de ses plus grosses nefs, la *Sainte-Marie*, la *Roccaforte* et le *Saint-Nicolas*, navires aux formes pesantes, de plus de trente mètres de long, avec trois étages de ponts, château d'avant et château d'arrière, ainsi que sept nefs un peu plus petites que l'on construirait à neuf ; les nobles de leur côté, fourniraient cinq autres nefs. Mais Venise posait ses conditions : on s'embarquerait à Venise même ; la République bénéficierait dans toutes les terres à conquérir des franchises habituelles ; en outre le roi exempterait ses nationaux de l'exercice du droit de marque dans le royaume de France. Le prix de location, d'autre part, était élevé, et saint Louis chercha à obtenir des conditions plus avantageuses. Ses envoyés étaient à Venise pour en discuter au mois d'août 1268. Mais le doge qui venait d'être élu, Lorenzo Tiepolo, assez mal disposé envers Clément IV, venait de traiter avec Byzance et ne tenait pas à compromettre les positions que le commerce vénitien s'était assurées à Alexandrie. La négociation échoua.

Saint Louis avait aussi pris contact avec Marseille, qui proposait de transporter les croisés moyennant une somme de 800 marcs d'argent pour mille passagers. Il semble que le roi retint un certain nombre de bateaux marseillais. Mais il négocia essentiellement avec les Génois, en vue de se procurer, soit par achat, soit par location, une vingtaine de navires de fort tonnage. La décision fut prise à la suite d'une lettre de Clément IV (septembre 1268) ; les représentants du roi de France, qui étaient un clerc, Henri de Champrepus, un chevalier, Enguerran de Journy, et Guillaume de Mora, sergent du roi, reçurent procuration le 8 octobre 1268 et se rendirent à Gênes, où ils traitèrent individuellement avec le podestat et avec de nombreux armateurs. La Seigneurie s'engageait à construire, sur le chantier de San Pier d'Arena deux nefs, que le roi promettait de payer quatorze mille livres tournois ; quatre autres nobles génois, Oberto Francone, Simone Mellone, Lanfranco de'Ghizolfi et Guillenzono Comite, s'engageaient à en construire quatre sur le même modèle ; d'autres se chargeraient de la construction de nefs plus petites, ou de chelandres, c'est-à-dire d'autres bâtiments « ronds », de cent tonneaux seulement. Mais, à côté de ces constructions neuves, on mettait aussi à la disposition de saint Louis des navires existants, le *Paradis* de Pietro Doria, une nef de dimensions comparables aux six déjà citées, la *Bonaventure*, le *Saint-Sau-veur*, le *Saint-Esprit,* la *Charité.* En général, le prix de la loca-tion était de moitié celui de la construction neuve ; mais Guil-lenzono Comite, qui s'engageait à construire une nef, laissait au roi le choix de l'acheter pour 3 500 livres ou de la noliser pour 3 000. Dans certains cas, les constructeurs demandaient que saint Louis mît à leur disposition les arbres de ses forêts pour y trouver les troncs nécessaires à la confection des mâts, des antennes, et des grands « timons » (les avirons qui ser-vaient de gouvernail) — le *Paradis,* par exemple, avait à l'avant un mât d'artimon, de vingt-quatre mètres de haut, et au milieu un autre mât de vingt-deux mètres. Tous ces navires devaient être mis à la disposition du roi à Aigues-Mortes, avant le 10 mai 1270.

Les stipulations des contrats de nolis sont plus précises, en ce qui concerne les obligations des armateurs, que celles des contrats de vente. Ainsi Giovanni de Marino et Corrado Pan-zani, qui louaient au roi la *Bonaventure*, alors sur le chantier de Varazze, précisent-ils la nature du navire : une nave longue de vingt-cinq coudées à la quille et de trente-huit à l'étambot, haute de quatorze palmes depuis la sentine jusqu'au bordé, large de trente palmes au maître-bau. Deux ponts (les cou-vertes) et une coursive la divisaient dans le sens de la hau-teur ; chaque mât devait être muni de sept antennes avec leurs agrès ; le navire emportait cent vingt-quatre quintaux de cordage de chanvre, cinq voiles de coton neuves, dix-huit ancres, et était équipé de deux timons. On devait y établir des étables pour le transport des chevaux (les plus grandes naves emportaient cinquante chevaux chacune) et des « châteaux » à l'avant et à l'arrière. Deux barques avec leurs rames et des tonneaux d'une contenance fixée, pour le transport de l'eau, devaient également être fournies — les plus gros navires avaient en outre une gondole et une « barque de cantier », qui était remorquée et qui était munie d'une cinquantaine de rames, alors que les « barques de parascalme » comme celle de la *Bonaventure* n'en avaient qu'une trentaine. Le navire, enfin, devait être monté par trente-huit mariniers.

Les navires, même les plus grands, étaient plus petits que

les énormes nefs vénitiennes (la *Roccaforte* était montée par cent dix marins, et le *Saint-Nicolas*, qui ne mesurait que cent pieds, par quatre-vingt-six). C'étaient essentiellement des bateaux de transport, dont la largeur maxima équivalait au tiers de la longueur, à la différence des galères, beaucoup plus effilées. On se pose la question du nombre de passagers qu'ils pouvaient emporter ; il paraît assez élevé.

Les « conducteurs » du navire promettaient d'obéir en tout au roi, de faire le voyage qu'il leur commanderait, à partir du moment où le bateau quitterait Aigues-Mortes. Il était précisé que ce voyage pourrait amener à une île ou à un port, où le roi souhaiterait prendre conseil, ou bien attendre d'autres navires, et que les marins utiliseraient les barques déjà mentionnées pour décharger et éventuellement recharger la cargaison, car il était prévu qu'après une escale, le roi pourrait reprendre la mer avec ses nefs, pour se rendre où il voudrait. Les navires attendraient pendant un mois après le déchargement, tout en restant au service du roi. En principe, ils étaient loués pour un an ; mais, si saint Louis décidait d'hiverner, il pourrait le faire, en payant une somme proportionnelle au tonnage du navire, ou bien une somme forfaitaire.

On voit que le roi tenait à disposer de sa flotte sans avoir à négocier avec les propriétaires des navires. D'ailleurs un nombre appréciable de ceux-ci devaient être sa propriété, puisqu'il les avait fait construire à ses frais ; Gênes, toutefois, avait fourni les marins. Le traité envisagé avec Venise restreignait la liberté du roi, le doge suggérant les noms de la Crète ou de Chypre pour la première escale, réduisant à vingt jours le délai d'attente, et fixant à Venise le lieu d'embarquement de l'armée. En traitant avec les Génois, saint Louis s'était donné toute liberté pour employer ses navires.

Les négociations, en fait, se prolongèrent : si certains traités ont été passés à la fin de novembre 1268, tel contrat pour la construction d'une chelandre, avec Enrico Doria, est daté du 30 mai 1269, ce qui restreignait les délais envisagés pour la construction. Les constructeurs et les armateurs avaient demandé à être payés de la moitié du prix convenu à la signature du contrat : les envoyés du roi se trouvèrent parfois à

court d'argent ; la somme totale, d'ailleurs, était élevée. Mais
le roi de France avait cependant traité dans les meilleures
conditions.

D'autres croisés traitaient eux-mêmes avec d'autres :
Génois, Marseillais ou Catalans. Mais la flotte du roi fut placée, pour la première fois dans l'histoire, sous le commandement d'un grand officier de la couronne. Un seigneur picard,
Florent de Varennes, reçut le titre d'amiral. Nous voyons ce
personnage figurer dans la liste des chevaliers de l'hôtel du
roi comme emmenant un contingent de douze chevaliers, le
roi lui payant 3 255 livres. Rien ne permet de supposer qu'il
avait une expérience maritime antérieure. Mais la nomination
d'un amiral de France, au lieu des amiraux génois de la croisade de 1248, était aussi un fait nouveau et montrait comment
le roi avait pris conscience de la nécessité de se doter, fût-ce à
titre temporaire, d'une marine. Néanmoins, les Génois, capitaines ou mariniers, constituant l'équipage des navires, formaient une communauté qui avait sa vie propre : la commune
de Gênes désigna deux consuls pour présider à la vie de
cette communauté et rendre la justice à ses nationaux.
Parmi ceux-ci, d'ailleurs, ne figuraient pas seulement
ceux qui manœuvraient les navires du roi. Il est vraisemblable que Gênes (comme Marseille en 1246) avait fourni
les galères qui devaient escorter le convoi et tenir éventuellement en respect les navires du sultan. Le Templier de
Tyr affirme d'autre part que la croisade comprenait dix-
sept mille Génois, donc un très gros contingent, et que la
Seigneurie comptait bien profiter de leur présence en
Syrie pour récupérer le comptoir d'Acre dont elle avait
été chassée.

Entre 1246 et 1248, saint Louis avait fait constituer des
stocks de vivres à Chypre, et il avait chargé les amiraux
génois de fournir les navires des provisions indispensables
pour le voyage. En 1268-1269, on ne rencontre pas mention
de tels achats ; nous avons vu qu'Alphonse de Poitiers, pour
sa part, avait fait procéder à l'acquisition des denrées nécessaires, en même temps qu'au nolis de ses propres navires, par
un Templier, frère Jean de Kais. Sans doute est-ce à ses repré-

sentants à Gênes, d'une part (Jean Poilevilain remplaça Enguerran de Journy), et à l'amiral Florent de Varennes, d'autre part, que saint Louis en avait laissé le soin. Mais, ici encore, notre information reste décevante.

CHAPITRE IV

La « voie de Tunes »

La croisade de Tunis a valu à saint Louis, dans la littérature historique, une fâcheuse réputation. N'était-ce pas, au
plan stratégique, une aberration que de diriger les forces de la
Chrétienté dans une entreprise qui visait, non pas le sultan
d'Égypte, si redoutable à la Terre sainte, mais un prince
musulman à peu près étranger aux problèmes du Proche-
Orient, et, de surcroît, lié par de multiples relations avec
l'Occident chrétien ? N'était-ce pas une chimère, que de
s'attendre à voir un personnage qui venait de revendiquer le
titre khalifal, c'est-à-dire la lieutenance du Prophète, se
convertir à la foi chrétienne ? De ce qu'on a attribué à
Charles d'Anjou la paternité de cette déviation vers Tunis, on
en a conclu à l'affaiblissement de la volonté du roi de France.
La conduite de la campagne elle-même prêtait aux critiques.
Séjourner en plein été dans la campagne de Tunis, sans tenter
d'opération d'envergure, en raison de l'attente de la flotte de
Charles d'Anjou, avec la perspective de remettre à la voile au
moment où la Méditerranée deviendrait moins accueillante,
c'était une double erreur de la part d'un homme qui était au
fait des conditions climatiques, du fait de son précédent
séjour outre-mer.

Nos informateurs, d'ailleurs, ne sont plus d'enthousiastes
participants, comme le Joinville de la septième croisade ;
mais, à part le chapelain du roi, Pierre de Condé, dont les let-

tres un peu sèches sont un témoignage direct, des hagiographes avant tout attentifs à magnifier la résignation chrétienne du roi devant la mort. De surcroît ceux qui ont participé aux délibérations du conseil royal ont succombé à l'épidémie ou aux fatigues de la campagne : ni Thibaud de
Navarre, ni Pierre le Chambellan, ni Alphonse de Brienne, ni
Bouchard de Vendôme, ni le maréchal Gautier de Nemours,
ni maître Guillaume de Rampillon n'ont revu la France.
Alphonse de Poitiers mourut au retour et Charles d'Anjou
n'a pas été très disert sur les conditions dans lesquelles avait
été élaboré le projet de descente en Tunisie.

On admet couramment que la croisade avait été impopu-
laire et peu suivie. Les meilleurs historiens ont noté les signes
de découragement ; le fait que les taux de location des
navires sont plus bas en 1270 qu'en 1248 pourrait indiquer
qu'il y avait davantage de tonnage disponible, faute de
demande. Mais que savons-nous des effectifs ? Tel chroniqueur musulman parle de 40 000 cavaliers, 100 000 archers,
un million de gens de pied. Plus mesuré, Ibn Khaldoun parle
de 6 000 chevaliers et 30 000 fantassins. Le Templier de Tyr,
de 16 000 gens de cheval et d'un très grand nombre de gens
de pied ; « et de gens de mer il eut une grande flotte et beaucoup de monde ». Ferdinand Lot, constatant que les chevaliers de l'hôtel ne sont guère plus de trois cents, ramène à dix
mille le nombre total des participants. M. Mollat, au regard
de la capacité des navires, est tenté de majorer ce chiffre
jusqu'aux approches de quinze mille.

Mais il y avait aussi les gens des Pays-Bas, dont beaucoup
attendaient le départ depuis 1266, et notamment des Frisons ;
un certain nombre d'Écossais. Si les Aragonais du roi Jacques étaient partis dès 1269, les Anglo-Gascons du prince
Édouard allaient rejoindre l'armée à l'automne de 1270, peu
après les Siciliens de Charles d'Anjou. On s'explique que les
contemporains aient vu la croisade nombreuse et fervente.

Des facteurs imprévisibles — ou difficiles à prévoir avec
exactitude — ont joué contre elle, à commencer par le retard
du rassemblement de la flotte, qui a fait perdre deux mois
précieux ; l'épidémie qui a, dès le mois de juillet, décimé

l'armée des Croisés ; la mort du roi, qui a privé celle-ci de la ferme volonté du souverain ; la tempête qui, finalement, a détruit la flotte, interdisant la poursuite de l'expédition. Ajoutons qu'en se prolongeant, la vacance du siège pontifical, favorable aux projets de Charles d'Anjou dirigés contre l'empire byzantin, a contribué à priver la croisade d'une direction qui devenait d'autant plus nécessaire avec la disparition du roi de France.

Dans les intentions de saint Louis, l'affaire de Tunis n'était qu'un premier temps, qui devait être suivi d'un autre plus décisif, mais dont nous ne devinons que peu de chose. Mais la réalité des faits nous met en présence de circonstances dramatiques d'où émerge un épisode majeur : la mort du roi, entourée d'une auréole où se manifeste la sainteté de celui qu'attend la canonisation prochaine.

Saint Louis quitte son royaume

Au cours de la réunion des barons et des prélats du 9 février 1268, le roi avait fixé au mois de mai 1270 le départ de son armée, et ses agents avaient assigné aux armateurs génois la date du 8 ou du 10 mai pour amener leurs navires à Aigues-Mortes. Si le plan de campagne du roi n'avait pas été divulgué, il allait de soi qu'on mettrait à la voile aussitôt que la saison serait assez avancée pour que les colères de la Méditerranée fussent moins à craindre.

Le roi Louis, avant sa première expédition, avait tenu à faire une tournée à travers son domaine. Il en fait autant en 1269 : on le voit en particulier dans des régions qu'il ne visitait pas fréquemment, à Ham, à Tours, à Vendôme, à Meaux. Il avait, nous le savons, mis des enquêteurs en sa terre pour réparer les torts dont il s'était rendu coupable. Avant le départ de 1248, il avait recherché les prières des communautés régulières, en vue du succès de son expédition. Avant celui de 1270, on le voit, certes, offrir des reliques de la Passion à l'évêque de Clermont, aux Dominicains de Rouen, à un couvent de Blois ; il précise aux Cisterciens que le subside que l'ordre lui accorde n'est pas, à ses yeux, un impôt, mais bien un pur don qui laisse intact le principe de l'exemption dont jouit l'ordre ; il abandonne aux religieuses de Maubuisson le remboursement des sommes qu'il leur avait avancées. Point de doute que, ce faisant, le souverain s'attende à bénéficier des prières de ceux qui profitent de ses donations. Mais on ne se trouve pas en présence d'une campagne systématique ayant pour but d'attirer sur la croisade le plus grand nombre de prières possible : après tout, depuis 1254, saint Louis s'était largement prémuni de ce côté et les ordres religieux priaient régulièrement pour lui, pour les siens et pour le royaume.

Vingt-deux ans plus tôt, la sécurité du royaume avait exigé de gros efforts diplomatiques. En 1270 aussi, le roi emmenait avec lui quasi tous ses grands barons et la majeure partie de sa chevalerie ; mais il pouvait être rassuré sur le maintien de la paix aux frontières. Les arbitrages — qui se prolongèrent jusqu'en 1268 — avaient porté leurs fruits. L'Angleterre était désormais amie, et le prince Édouard devait rejoindre saint Louis. Du côté de l'Aragon, malgré les nuages qu'avait fait naître la conquête de la Sicile, il n'y avait rien à craindre non plus ; deux infants d'Aragon étaient partis « servir Dieu, outre la mer ». Entre Rhin et Escaut, saint Louis avait réconcilié Lorraine, Bar et Luxembourg ; Hainaut, Flandre et pays voisins. De là aussi, des croisés partaient en même temps que lui. Richard de Cornouailles régnait sur l'Allemagne ; sa bonne volonté était certaine et son fils, Henri d'Allemagne, devait rejoindre le prince Édouard. Quant à l'Italie, si Louis avait fini par prêter la main à Charles d'Anjou pour éliminer les Hohenstaufen, c'était dans la perspective de rendre la paix à la péninsule et à l'Église en mettant fin à la domination de ces fauteurs de trouble. A la date de 1269-1270, le succès paraissait avoir couronné l'entreprise. Et la paix de la Chrétienté garantissait la sécurité du royaume de France.

Il fallait organiser le gouvernement du royaume en l'absence du roi. En 1248, Louis s'en était reposé sur Blanche de Castille ; il est vrai que la disparition de cette dernière avait créé un certain vide du pouvoir puisque ni le prince Louis, ni les deux frères du roi, ni les prélats du Conseil n'avaient réussi à asseoir totalement leur autorité. Le roi avait alors emmené avec lui la reine Marguerite. Cette fois, il la laissait derrière lui. D'aucuns en ont conclu que ceci marquait le refroidissement des liens d'affection au sein du ménage royal ; il se peut que la reine de quarante-huit ans ait paru moins capable d'affronter les fatigues d'une croisade que la jeune Provençale de vingt-six ans en 1248... Ce qui frappe davantage, c'est que le roi ne laissait pas à sa femme l'exercice de la régence. Était-ce parce qu'il redoutait le tempérament bouillant de son épouse, et qu'il pensait que celle-ci serait capable de profiter de l'absence simultanée de saint Louis et de Charles d'Anjou pour se mettre enfin en possession de son héritage provençal ? Il ne faut pas oublier que le roi de France avait rappelé à son frère, en 1267, les droits de sa femme, et qu'en 1268, le 31 mai, Clément IV avait bien précisé que, si Louis et Marguerite avaient consenti trois ans plus tôt à mettre en sommeil la revendication de cette dernière, ses droits à la succession de Raymond-Béranger restaient intacts : il n'était donc pas nécessaire que le roi de France fût absent pour que la reine fût en mesure de faire valoir ses prétentions. Et saint Louis n'avait sans doute pas à manifester une telle défiance à l'égard de son épouse : c'est vers le même moment qu'il recommandait à son fils Philippe de suivre ses conseils.

Plus probablement, le roi de France a tenu à laisser le gouvernement à ceux qui étaient le plus étroitement associés à son exercice, pour assurer la continuité de l'action gouvernementale. Et ceci serait un indice de la dimension qu'avait prise le sens de l'État au temps de saint Louis. L'abbé de Saint-Denis, Mathieu de Vendôme, élu en 1258 à la tête de la grande abbaye royale et qui avait refusé en 1269 d'être transféré à l'évêché d'Évreux, et Simon de Clermont, sire de Nesle, le conseiller le plus écouté du roi, devenaient ses lieutenants en son absence. Il leur confiait en mars 1270 « la garde, la défense et l'administration du royaume », avec le pouvoir d'ordonner, de juger et de contraindre, le droit de nommer et de révoquer les baillis et les prévôts. Il leur confiait un sceau, d'un type très particulier : au lieu de l'effigie classique du roi assis « en majesté », l'avers portait la représentation de la couronne ; la légende LUDOVICUS DEI GRATIA REX FRANCORUM cédait la place à S. LUDOVICI DEI G. FRANCOR. REG. IN PARTIBUS TRANSMARINIS AGENTIS (« sceau de Louis, par la grâce de Dieu roi de France, se trouvant outre-mer »). Le modèle adopté en dit long sur la signification qu'avait prise le symbole de la couronne, à la faveur du travail des légistes de l'entourage royal.

Il restait une prérogative, dont Blanche de Castille avait joui avec les autres durant la régence de 1248-1252 : c'était le droit de conférer les bénéfices, prébendes et dignités ecclésiastiques à la disposition du roi. Louis IX les conférait après avoir fait enquêter sur les candidats par le chancelier de l'église de Paris et des religieux ; en mars 1270, c'est à Étienne Tempier, évêque de Paris, qui avait longtemps été ce chancelier, qu'il remettait le pouvoir de procéder à ces collations, en lui enjoignant de prendre conseil du nouveau chancelier de l'église cathédrale, du prieur des Dominicains et du gardien des Franciscains de Paris.

La mort pouvait enlever l'un ou l'autre de ces personnages : Louis avait prévu de substituer en ce cas à l'abbé de Saint-Denis, le nouvel évêque d'Évreux, Philippe de Chaource ; à Simon de Clermont, le comte de Ponthieu Jean de Nesle ; à Étienne Tempier, Mathieu de Vendôme lui-même.

Ce sont les mêmes personnages, Mathieu, Philippe et Étienne, que le roi avait désignés quelques semaines plus tôt pour être les exécuteurs de son testament, en leur adjoignant l'abbé de Royaumont, maître Jean de Troyes et maître Henri de Vézelay. Quelques autres clercs et barons étaient eux aussi laissés en arrière pour former le conseil des lieutenants du roi : le comte de Ponthieu et Nicolas d'Auteuil, trésorier du chapitre de Saint-Frambault de Senlis. Lorsque le roi écrit, de Tunis, pour donner l'ordre d'affecter des rentes au collège des chapelains de la Sainte-Chapelle, c'est Nicolas qui, avec

Mathieu de Vendôme et Henri de Vézelay, est le destinataire de la lettre.

Le testament du roi, que nous avons déjà eu l'occasion de rencontrer, était, comme la plupart des documents de ce genre, l'énumération des legs, très nombreux, que saint Louis assignait aux maisons religieuses et aux pauvres. Il témoignait aussi de la sollicitude du testateur envers les gens de sa maison, serviteurs, clercs, chapelains, en prescrivant que chacun reçût son dû, les clercs touchant une pension s'ils n'avaient pas été dotés d'un bénéfice.

Mais le roi n'oubliait pas ses proches : il réservait à l'avance le montant de la dot de sa fille Agnès ; il prescrivait au futur Philippe III de mettre ses trois jeunes frères en possession de l'apanage qui leur avait été constitué. En ce qui concerne la reine Marguerite, c'est par elle que commence la distribution des legs : le roi lui destine une somme de 4 000 livres en sus de son domaine, témoignant une fois de plus de son souci de mettre sa femme à l'abri des difficultés financières.

Il est remarquable qu'une fois en mer, saint Louis se sentit pris d'inquiétude à l'idée qu'il avait pu donner trop le pas au souci des intérêts de l'État par rapport à ceux de ses enfants. Dans un codicille qui fut dicté pendant l'escale de Cagliari, à bord de la *Montjoie*, il recommande à son fils aîné ses frères Jean et Pierre, les deux jeunes gens (Jean avait vingt ans et Pierre dix-neuf) qui s'étaient embarqués avec lui, en lui demandant de les assister dans leurs nécessités et de se comporter envers eux « comme un père » ; une sérieuse majoration (2 000 livres) de l'apanage destiné à Pierre vient confirmer cette attitude. Louis se posait-il la question de savoir s'il n'avait pas été un peu trop économe des biens de la couronne en constituant leurs apanages ? A cette manifestation de sollicitude paternelle s'en ajoutait une autre, cette fois à l'égard des gens de l'entourage et de l'hôtel royal : Philippe était prié, si son père mourait, de les reprendre à son service.

Les exécuteurs de ce codicille étaient pris parmi les compagnons de voyage du roi : leurs noms nous apprennent quels étaient ceux que ce dernier avait emmenés à titre de conseil-

lers, parallèlement à ceux qui restaient à Paris. L'archevêque
Eudes Rigaud, le chambellan Pierre de Villebéon, le comte
Bouchard de Vendôme, l'archidiacre de Paris Guillaume de
Rampillon et le prince Philippe lui-même étaient chargés
d'exécuter les dispositions de cet acte, et notamment de faire
vendre les joyaux, les ustensiles, d'utiliser l'argent et tous les
autres biens que saint Louis avait avec lui pour acquitter ses
dettes. Un second codicille, au mois d'août, était uniquement
destiné à substituer d'autres noms à ceux de Guillaume et de
Bouchard qui venaient de mourir.

Est-ce au moment où il rédigeait son testament ou au cours
du voyage que saint Louis fit mettre par écrit ses instructions
destinées à deux des enfants qu'il avait avec lui pendant la
croisade : Philippe et la reine de Navarre Isabelle ? Joinville
nous dépeint le roi faisant venir, à son lit de mort, son fils
aîné auprès de lui pour lui dire ses *Enseignements*; il n'en a
pas été le témoin oculaire, et ces deux textes peuvent être
antérieurs à la maladie du roi, voire à son départ de France.

C'est le 14 mars 1270 que saint Louis se rendit à Saint-
Denis pour recevoir de l'abbé le bourdon de pèlerin et pour
prendre sur l'autel l'oriflamme dont la levée symbolisait la
mise en campagne de l'armée royale — cet oriflamme que
Geoffroy de Sergines et Jean de Beaumont portaient au cours
du débarquement de 1249. Le 15, il quittait le Palais de la
Cité pour se rendre pieds nus jusqu'à Notre-Dame. De là, il
gagnait Vincennes et c'est dans ce château qu'il affectionnait
qu'il fit ses adieux à la reine Marguerite.

Villeneuve-Saint-Georges, Melun, Sens, Auxerre, Vézelay,
Cluny, Mâcon, Lyon, Vienne et Beaucaire marquèrent les
étapes du voyage du roi et de ses trois fils, Philippe, Jean et
Pierre. A Aigues-Mortes, d'autres contingents arrivaient, et
notamment celui de Thibaud de Navarre. Une forte concentration de troupes engorgeait la ville et ses alentours.

Mais le début de mai était passé et les navires n'étaient pas
au rendez-vous. Cinq sur sept seulement des nefs en
construction étaient achevées — il est vrai que les délais
accordés aux armateurs avaient été bien courts, du fait que
l'on avait perdu des mois en négociations inutiles avec

Venise, et que la conclusion des contrats passés à Gênes avait elle aussi traîné sur plusieurs mois. Le roi renonça à se prévaloir des clauses qui prévoyaient une indemnité en cas de retard : c'était les navires qu'il voulait avoir.

Ce long stationnement (et, quand les navires furent arrivés, il fallut les charger, autre opération qui prit du temps) entraîna des conséquences fâcheuses.

Dans l'immédiat tout d'abord : les barons, lassés d'attendre à Aigues-Mortes, se dispersèrent dans les villes et les abbayes du voisinage ; saint Louis lui-même se rendit à Saint-Gilles pour les fêtes de la Pentecôte. Pendant ce temps les gens du commun, laissés à eux-mêmes, se prirent de querelle. Une rixe opposant des Catalans et des Provençaux à des Français dégénéra en une véritable bataille ; elle fit quelque cent morts. Le roi, revenu en hâte, rétablit l'ordre en faisant pendre les coupables.

A long terme, d'autre part. Au lieu d'amener les Croisés à pied d'œuvre vers la fin de mai, c'est après le milieu de juillet que l'expédition toucha la Tunisie. Quatre mois plus tard, quand elle revint à sa base, elle affrontait les tempêtes d'automne. Saint Louis avait, nous dit-on, éprouvé un vif chagrin de ce retard ; les conséquences en furent effectivement très graves.

Vers la fin de juin, cependant, les préparatifs s'achevaient. C'est le 25 juin que le roi adressa ses dernières recommandations à l'abbé de Saint-Denis et au sire de Nesle, insistant en particulier sur la répression des blasphèmes qui lui tenait tant à cœur. On avait chargé sur les navires les armes et les provisions ; peut-être avait-on calculé celles-ci à l'économie : il semble qu'on se soit plaint, sous Tunis, de l'insuffisance du ravitaillement, à laquelle il fallut remédier par de nouveaux achats en août et en septembre. Parmi les barons qui avaient traité directement avec des armateurs, d'autres partaient également d'Aigues-Mortes : ainsi Alphonse de Poitiers, qui avait donné le 26 mars l'ordre d'y acheminer les vivres qu'il avait fait acheter, et les trois ou quatre nefs qu'il avait retenues. D'autres avaient choisi d'autres ports : le roi Louis avait fixé le lieu du rendez-vous général sur la côte méridio-

nale de la Sardaigne, dans la rade de Cagliari. Il semble toutefois que l'un des grands barons avait continué sa route vers
la Sicile : Hugues IV de Bourgogne, dont la petite-fille Marguerite de Tonnerre avait épousé en 1268 Charles d'Anjou,
s'y était déjà rendu en 1269 ; il était revenu dans son fief (on
le voit en avril 1270 à Saint-Jean-de-Losne) ; il en repartait
pour prendre les fonctions de régent du royaume pendant
l'absence de Charles d'Anjou, qu'il libérait ainsi pour lui permettre d'aller en Tunisie.

A l'extrême fin de juin, les troupes et les chevaux commencèrent à s'embarquer. Saint Louis montait le 1er juillet sur la
nef La *Montjoie*. Le 2, le signal du départ était donné, et l'on
perdait de vue les côtes de France.

Pourquoi Tunis ?

La flotte du roi avait mis à la voile le 2 juillet. Elle trouva
sur sa route du gros temps, et les navires se dispersèrent.
Saint Louis fit célébrer quatre messes qui furent des « messes
sèches » en l'honneur de la Vierge, des Anges, du Saint-
Esprit et pour les morts. On craignait d'avoir perdu le cap ;
mais enfin la côte sarde se profila à l'horizon au bout de six
jours de mer. Deux jours plus tard, les navires de Saint Louis
jetaient l'ancre devant Cagliari.

On avait déjà souffert : on avait perdu des hommes et des
chevaux, et il y avait plus d'une centaine de malades qu'il
était urgent de porter à terre ; parmi eux figuraient un des
chapelains du roi, Jean de Corbeil, et le frère du comte de
Vendôme. Saint Louis envoya son amiral à Cagliari ; Florent
de Varennes ne reçut qu'un accueil très réservé. Cagliari était
aux Pisans. Or ceux-ci avaient toute raison de se défier tant
des Génois, leurs ennemis héréditaires, qui formaient les
équipages de la flotte, que des gens de Charles d'Anjou, dont
les troupes avaient débarqué en 1269 dans les « judicats » du
nord de la Sardaigne où l'on avait proclamé roi le second fils
de l'Angevin. Florent de Varennes revint une seconde fois,

accompagné de Pierre le Chambellan : les gens de Cagliari acceptèrent que l'on mît à terre les malades, pourvu que ce fût hors de la ville, dans un couvent de Cordeliers, et non dans la forteresse. L'huissier Guillaume le Breton et le portier Jean d'Aubergenville furent laissés avec eux pour les soigner ; et lorsque, au moment du départ, les Calaritains offrirent en présent au roi vingt tonneaux de bon vin, saint Louis les refusa en les priant d'avoir plutôt soin de ses malades.

En dehors de la fraîcheur de l'accueil, Cagliari s'était révélé décevant en raison de sa pauvreté. On ne put s'y procurer que de l'eau et des légumes. Et encore les taux de change étaient-ils très défavorables. Il y eut des croisés pour conseiller à saint Louis de donner une leçon à ces mauvais chrétiens ; le roi s'y refusa. Son descendant Louis de Bourbon devait, en 1390, montrer moins de mansuétude.

Les autres navires de l'expédition rallièrent le 11 et le 12 juillet. Le jour suivant, saint Louis tint conseil, pour décider de la suite de l'expédition. C'est alors qu'il dévoila son but immédiat : Tunis. Il y eut, nous dit-on, des murmures ; il fallut que le légat, Raoul Grosparmi, cardinal-évêque d'Albano, affirmât que cette destination n'était pas contraire à l'accomplissement du vœu pris pour le secours de la Terre sainte. Les Génois, qui avaient souscrit des lettres de change payables en Syrie, ne furent pas les derniers à protester. Mais le roi fit prévaloir ses vues, et le conseil s'y rallia. D'ailleurs, sans doute pendant son séjour à Aigues-Mortes, Louis avait avisé Charles d'Anjou de ses intentions : le jour même où se tenait le conseil, Charles donnait ordre de transporter à Trapani, le port le plus occidental de l'île de Sicile, de grandes quantités de grain « en vue de son heureuse traversée de Sicile à Tunis » (13 juillet). Et le choix de Cagliari comme lieu de concentration de la flotte était en lui-même significatif quant à l'objectif envisagé.

Il l'était d'autant plus que, précédemment, un autre nom avait été avancé. Un contrat passé le 29 mai 1269 avec le patron génois de la nave la *Charité* et une lettre, en date du 23 juillet suivant, de saint Louis au roi Charles, envisageaient une relâche à Syracuse, qui était le port sicilien d'où l'on mettait à la voile pour gagner Chypre, la Terre sainte ou l'Égypte. Saint Louis avait annoncé à son frère qu'il comptait s'y trouver le 24 juin 1270.

Que s'était-il passé, entre juillet 1269 et juillet 1270 pour faire changer le plan de campagne initial ?

Le choix de Tunis a surpris les contemporains ; il n'a pas cessé d'exciter la perspicacité des historiens. Geoffroy de Beaulieu a tenu à l'expliquer en présentant plusieurs arguments. Le roi de Tunis aurait fait savoir qu'il était prêt à se convertir à la foi chrétienne, pourvu qu'une armée chrétienne stationnât devant ses murs pour persuader ses sujets d'accepter sa décision. Si cette perspective ne se réalisait pas, Tunis n'étant pas en mesure de résister à une attaque de vive force, la ville tomberait aux mains des croisés et, comme elle n'avait jamais été prise par un ennemi, on y trouverait de grands trésors qui pourraient être utilisés au profit de la Terre sainte. La Tunisie, d'autre part, fournissait des secours et des vivres au sultan d'Égypte dans sa lutte contre les Latins ; l'occuper, ce serait priver les Égyptiens de ces secours.

Le dernier de ces arguments n'était pas sans valeur. Le Maghreb avait fourni dans le passé, et continuait sans doute à fournir aux Musulmans du Proche-Orient des guerriers et surtout des marins qui avaient combattu les croisés. Toutefois l'émir Hafside qui régnait à Tunis, Muhammad, n'entretenait pas les meilleures relations avec les Mamelouks. Ceux-ci n'avaient pas accepté que l'émir de Tunis, qui avait déjà pris en 1253 le titre de « commandeur des croyants », jusque-là porté par les Almohades du Maroc, se soit fait reconnaître en 1259 par le shérif de la Mecque comme le légitime héritier des khalifes abbasides dont la lignée avait été exterminée par les Mongols (c'est alors que Muhammad avait pris le nom d'Al-Mustansir-Billâh). Mais ces prétentions traduisaient la réalité de la puissance de l'émir : maître de la Tunisie, de Constantine, de Bougie, d'Alger, il exerçait son hégémonie sur Tlemcen comme sur Meknès.

Ce n'était pas un ennemi des Chrétiens d'Occident. Il entretenait de fort bonnes relations avec les rois d'Aragon qui lui envoyaient des chevaliers pour sa « milice chrétienne ». Il avait aussi été en bons termes avec Frédéric II et avec Manfred ; et les Hafsides payaient régulièrement aux rois de Sicile ce que ceux-ci présentaient comme un tribut et les premiers comme la contrepartie de l'octroi de licences d'exportation permanentes pour l'acheminement du blé sicilien vers la Tunisie. Seulement Muhammad avait soutenu Manfred contre Charles d'Anjou, accueillant à Tunis les partisans des Hohenstaufen chassés par l'Angevin ; c'est à partir de ses États que Frédéric de Castille et Frédéric Lancia avaient lancé une attaque contre l'île de Sicile ; et depuis 1266, le paiement du « tribut » était interrompu. Il y avait donc tout un contentieux pendant entre Charles d'Anjou et les Hafsides. Comme le premier avait renoué les relations traditionnelles des maîtres de la Sicile avec l'Égypte en échangeant des ambassades avec Baïbars, on a supposé — et cela dès le XIIIe siècle sous la plume du chroniqueur génois Saba Malaspina — que Charles, peu désireux de voir son frère attaquer l'Égypte, avait fait pression sur lui pour l'amener à détourner sa croisade sur Tunis, dans l'unique but de servir les intérêts de la royauté sicilienne.

Cette interprétation a été, depuis, écartée par nombre d'historiens. La Tunisie ne présentait pour Charles d'Anjou qu'un intérêt très secondaire ; mieux, des conversations étaient en cours pour régler les litiges entre les deux souverains. Une lettre de Pierre de Condé nous apprend même que Charles, en raison de ces négociations, avait demandé aux Français de s'abstenir d'attaquer l'émir de Tunis.

Les ambitions de Charles d'Anjou le portaient ailleurs : c'était la conquête de l'Albanie, de l'Épire, de la Grèce, la reconquête de Constantinople qui attiraient ses regards. Or la croisade venait à l'encontre de la réalisation de ces projets. Saint Louis n'était certainement pas disposé à utiliser sa croisade pour rétablir Baudouin II à Constantinople ou pour soulager Guillaume de Villehardouin en Morée. D'ailleurs les cardinaux réunis en conclave lui avaient envoyé, le 15 mai, la copie de la correspondance échangée entre Clément IV et Michel Paléologue. Il apparaissait que l'empereur grec recherchait un moyen de rétablir l'union des Églises ; et des messagers vinrent encore de sa part trouver saint Louis, au camp devant Carthage, en août. Une coopération des Byzantins à la libération de la Terre sainte était même susceptible d'être envisagée. Charles d'Anjou avait donc dû se résoudre à différer la réalisation de son grand projet, et à se rallier à l'idée d'une attaque de la Tunisie.

S'il fallait une preuve de plus pour penser que Charles d'Anjou fût étranger au détournement de la croisade vers Tunis, nous la trouverions dans la date tardive à laquelle il entreprit ses préparatifs : c'est le 13 juillet seulement qu'il ordonnait de réunir des approvisionnements à Trapani ; il ne pouvait pas rejoindre le roi de France moins d'un mois plus tard. Et, à cette date, il y aurait déjà plusieurs semaines que la croisade française serait à terre.

Il semble donc que la conception du plan de campagne soit venue de la cour de France. Ce plan, d'ailleurs, ne comportait pas seulement un débarquement en Tunisie. Comme le montrent les contrats passés avec les armateurs, on envisageait, après ce premier temps, un rembarquement, éventuellement après un hivernage, et une deuxième campagne. Ceci, normalement, en un an de temps. Plusieurs hypothèses peuvent s'être présentées : l'émir de Tunis faisait sa soumission et l'on repartait presque aussitôt, renforcé par ses propres contingents, pour aller attaquer l'Égypte ou pour débarquer en Syrie. Ou bien la campagne de Tunisie se prolongeait et contraignait l'armée à passer l'hiver, soit dans ce pays même, soit en Sicile ; en 1271, on passerait à la réalisation de la seconde partie du plan de campagne.

Le roi de France envisageait-il, pour cette seconde partie, le concours des Mongols de Perse ? Ce n'est pas impossible. Jacques d'Aragon et Edouard d'Angleterre se sont mis en rapport avec le Khan Abagha pour essayer de coordonner leurs opérations avec les siennes ; et Abagha, ayant manqué à coopérer en 1271 avec Edouard, le pria à plusieurs reprises de l'en excuser. Des envoyés du même Abagha seraient venus au camp sous Carthage au moment de la mort de saint Louis : celui-ci avait-il pris contact avec leur maître, comme l'y incitait la fameuse lettre de 1262 ? Et y avait-il une amorce de collaboration militaire entre les uns et les autres ?

Que saint Louis se fût ou non remémoré la demande du Khan Hülegü, tendant à ce qu'il prît à revers par l'ouest les Égyptiens en leur barrant la retraite tandis que les Mongols attaqueraient en venant de l'est, la campagne de Tunisie ne devait pas apparaître aux contemporains comme une aberration stratégique. Déjà, en 1248, Jacques Ier d'Aragon avait demandé au pape de dissuader le roi de France d'attaquer l'émir de Tunis. Baîbars, de son côté, garda son armée en Égypte et donna ordre à son gouverneur de Cyrénaïque de faire creuser des puits pour lui permettre de se porter au secours des Tunisiens, ce qui atteste que cette opération l'inquiétait. On peut d'ailleurs se souvenir que le détournement de la IVe croisade présente d'étranges similitudes avec celui de la VIIIe : la flotte des croisés entendait faire une démonstration devant Constantinople pour provoquer la restauration d'un empereur qui mettrait ensuite ses forces à leur disposition en vue de la poursuite de la croisade. Le plan de saint Louis n'aurait pas été très différent, et Tunis ne faisait pas oublier le Caire.

Néanmoins ce détournement ne s'imposait que si quelque raison pressante rendait souhaitable une descente en Tunisie. La seule raison qui soit alléguée par les historiens est de caractère missionnaire plus que de caractère stratégique : il s'agit de la perspective de la conversion de l'émir Muhammad au christianisme.

Tunis n'était pas, pour les missionnaires latins, une terre inconnue. Comme les autres souverains musulmans du Maghreb au XIIIe siècle, le Hafside employait des mercenaires chrétiens, essentiellement des chevaliers espagnols. Ces chevaliers étaient habituellement accompagnés de leurs chapelains, et le pape avait même consacré parmi ceux-ci un évêque du Maroc, au début du siècle. Les marchands pisans, génois, catalans, siciliens qui fréquentaient les ports tunisiens se faisaient, eux aussi, dire leurs offices. Et, depuis 1250, les Dominicains avaient à Tunis un couvent qui leur servait d'école pour apprendre la langue arabe. L'émir, lettré et

aimant, comme tant d'autres princes musulmans, les disputations théologiques, paraît avoir bien accueilli les religieux.
Saint Raymond de Pennafort avait espéré sa conversion.
André de Longjumeau avait séjourné à Tunis et conversé
familièrement avec l'émir.

Le célèbre arabisant Raymond Marti, peu avant la croisade, se félicitait des progrès que la foi chrétienne faisait
dans la population tunisienne. Certes, les Dominicains
s'illusionnaient sur les intentions du souverain ; il faut
admettre que celui-ci leur avait au moins donné de bonnes
paroles.

Or nous connaissons un précédent. En 1239, les barons
croisés avaient été invités par un clerc, Guillaume Champenois de Tripoli (peut-être le célèbre Dominicain à qui nous
devons le traité *De statu Saracenorum*), à se porter sur Hama
dont le prince souhaitait leur présence, de façon à se déclarer
chrétien sans risquer que les Musulmans de la ville lui fissent
un mauvais parti. Ce n'était qu'un leurre, et les Latins
d'Orient estimaient que le prince avait seulement cherché, en
attirant les croisés, à provoquer la retraite de l'armée du sultan d'Alep. Mais il avait fallu qu'il fît miroiter cette perspective aux yeux de Guillaume.

La décision de saint Louis est intervenue à la suite de la
présence à Paris, à l'automne 1269, d'une ambassade tunisienne. Un historien a émis l'idée que celle-ci pouvait avoir
demandé l'intervention française pour détourner de Tunis la
menace d'une attaque de Charles d'Anjou, ce qui paraît
insoutenable. L'historien Ibn Khaldoun affirme que c'est
parce que Muhammad avait appris le dessein du roi de
France qu'il lui faisait porter 80 000 pièces d'or pour le
détourner de descendre en Tunisie ; il ajoute même que le roi
garda l'argent et annonça néanmoins sa venue. On nous parle
aussi, toujours de source musulmane, de deux marchands
francs qui auraient eu recours à l'intervention des croisés
pour se faire rembourser d'une dette par un notable tunisien :
l'ambassade serait-elle venue à Paris pour traiter de cette
affaire ? Ce qui est certain, c'est qu'elle s'était d'abord rendue
à la cour de Sicile, à la fin d'août 1269, avant de gagner la

France — et nous savons qu'elle y avait noué des négociations en vue de parvenir à un accord avec le roi Charles.

Quelle qu'ait été son objet, cette ambassade donna à saint Louis l'idée d'obtenir la conversion de l'émir Muhammad. Comme les ambassadeurs se trouvaient là au moment du baptême d'un juif connu, dont le roi allait être le parrain, il les convia à la cérémonie, qui eut lieu à Saint-Denis le 9 octobre 1269, et il leur dit : « Dites à votre maître que je désire tant le salut de son âme que je veux bien passer le reste de ma vie dans les prisons des Sarrasins, sans jamais revoir la lumière du jour, pour que votre roi et son peuple se fassent chrétiens d'un cœur sincère. » Et il disait souvent « Oh ! si je pouvais être le parrain et le compère d'un si grand filleul. » Mais il nous faut nous résigner à ignorer comment il fut amené à penser que l'émir était disposé à recevoir le baptême. Est-ce les Dominicains qui, peut-être, servaient d'interprètes (on songe à André de Longjumeau, que le roi connaissait bien et qui venait de Tunis) qui l'en auraient persuadé ? Et qui lui auraient expliqué comment, dans le contexte sociologique de la communauté musulmane, seule une démonstration militaire pouvait permettre à l'émir de se déclarer publiquement chrétien ?

Toujours est-il qu'au moment où la flotte, désormais au grand complet, quittait Cagliari pour Tunis, le 15 juillet 1270, saint Louis envisageait de combiner une opération de caractère stratégique avec une démarche missionnaire. Prélude à une offensive dirigée contre le sultan d'Égypte, la descente en Tunisie, si elle réussissait, vaudrait à la croisade d'être renforcée, ravitaillée, mieux fournie d'argent, avant d'aborder son adversaire principal. Tentative de conversion, elle se place dans la perspective du grand effort missionnaire qui a marqué la seconde moitié du XIIIe siècle. Le roi qui avait recommandé Rubrouck à Sartaq lors de la conversion de celui-ci ; qui avait envoyé à la cour mongole André de Longjumeau et sa tente-chapelle ; qui avait déployé ses efforts pour faire instruire les Musulmans dans le christianisme au cours de sa précédente croisade, restait logique avec lui-même. Il n'envisageait pas de contraindre par la force l'émir à embrasser le christianisme : il pensait faciliter par une démonstration militaire la démarche publique d'un prince déjà convaincu par la voie de la persuasion. On peut s'étonner qu'il n'ait pas emmené avec lui André de Longjumeau, dont il prononçait le nom, sur son lit de malade, comme celui du religieux qui devrait prêcher aux habitants de Tunis après l'entrée dans la ville : l'entreprise n'avait donc probablement pas été préparée en liaison ni avec la Cour de Rome, ni avec les maîtres des ordres franciscain et dominicain, et elle garde un curieux caractère d'improvisation. Mais le roi croisé ne séparait pas l'idée de la mission de celle de la croisade.

AU CAMP DEVANT CARTHAGE

Grâce à un vent favorable, l'armada réunie devant Cagliari ne mit que deux jours à atteindre la côte de Tunisie. L'effet de surprise avait joué : l'amiral Florent de Varennes, dépêché en avant-garde, trouva dans le lac de Tunis des navires musulmans et des vaisseaux marchands de Gênes, qui n'avaient nullement songé à se mettre à l'abri. Néanmoins l'émir Muhammad, peut-être alerté par des rumeurs, avait fait réparer les brèches du mur d'enceinte de sa capitale du côté de la mer. On avait accumulé des réserves de grain, restreint la circulation des marchands chrétiens à l'intérieur de la Tunisie. L'émir avait fait venir des guerriers du Maroc et il avait pris contact avec le sultan d'Égypte qui lui avait promis son aide. A la nouvelle de l'arrivée de la flotte, il hésita entre deux tactiques : attendre les croisés sur la plage, comme les Égyptiens l'avaient fait à Damiette, ou bien les laisser débarquer et les contenir aussitôt qu'ils auraient établi leur camp. La première solution ne fut pas retenue.

Aussi Florent de Varennes, trouvant dépourvue de défenseurs la langue de terre qui ferme le port de Tunis, y débarqua-t-il sans attendre. Le conseil du roi fut pris au dépourvu par cette initiative : saint Louis n'était pas satisfait que l'on eût agi sans qu'il en eût donné l'ordre. Le chevalier Renaud de Pressigny, lequel avait en 1265-1266 accompagné Eudes de Nevers en Terre sainte et dont le roi allait faire un maréchal de France, opta pour le maintien de la tête de pont ainsi réalisée. On se décida à envoyer le grand-prieur de l'ordre de l'Hôpital en France, frère Philippe d'Egly, et le maître des arbalétriers, Thibaut de Monleart, pour reconnaître la situation. On ramena les troupes à bord.

C'est ainsi que le débarquement, qui eut lieu le lendemain 18 juillet, se réalisa selon le plan prévu. Les nefs restèrent à distance ; des bateaux à fond plat et les barques des navires firent le transbordement. Saint Louis était monté sur une galère qui fut la première à s'approcher de la côte. On trouva, sur la langue de terre déjà reconnue par Florent, quelques éléments ennemis qui furent vite dispersés. Et l'armée s'établit sur les positions conquises.

Elle s'aperçut très vite que celles-ci n'étaient pas tenables. Si l'on commandait l'entrée du port de Tunis, on manquait d'eau potable. On décida donc de quitter cette presqu'île pour se porter sur la terre ferme. La tour de La Goulette, qui barrait le chemin, fut emportée le 21 juillet ; on trouva immédiatement au nord la plaine de Carthage, qui convenait fort bien à un campement, puisque chaque champ était pourvu de son puits. Aussi l'armée s'y installa-t-elle. La petite ville fortifiée de Carthage fut attaquée le 24 juillet, à l'initiative des marins de la flotte. Le roi leur avait donné des arbalétriers et quatre « batailles » : les chevaliers des bailliages de Beaucaire, de Carcassonne, du Périgord et de Châlons-sur-Marne, pendant que lui-même avec le reste de son corps de chevaliers couvrait l'assaut en tenant en respect les Musulmans qui auraient pu prendre les assaillants à revers. Les murailles furent emportées et les défenseurs pourchassés jusque dans les nombreux souterrains de la ville antique. Saint Louis, cependant, ne transféra pas son poste de commandement derrière les murs : il fit installer les malades dans la ville, tandis qu'il vivait sous la tente, au milieu de ses compagnons. Ceux qui avaient espéré faire du butin furent déçus : on ne trouva à Carthage que de l'orge, renfermée dans des silos.

Cependant les espoirs que l'on avait fondés sur la conversion de l'émir ne se réalisaient pas. Muhammad disposait de bonnes troupes : les Musulmans d'Andalousie réfugiés dans ses États et les guerriers marocains renforçaient ses propres guerriers ; il utilisait les Arabes nomades pour harceler le camp des croisés. Saint Louis ne se portait pas sur Tunis : le commandeur du Temple, Amaury de la Roche, venait de lui annoncer la prochaine arrivée de Charles d'Anjou qui lui demandait de l'attendre et il tenait à affronter l'adversaire toutes forces réunies. Mais cette attente fut pénible ; les Musulmans harcelaient le campement, et le roi finit par ordonner à Amaury de la Roche d'entourer celui-ci d'un fossé. Lui-même avait prescrit à l'armée de garder strictement ses rangs, en interdisant à quiconque de se laisser attirer hors de ceux-ci. Mais, à chaque alerte, il fallait mettre les chevaliers en bataille ; le roi devait revêtir son armure et monter à cheval jusqu'à quatre et cinq fois par jour. On se demande comment cet homme dont Joinville a dépeint l'extrême faiblesse pouvait supporter de telles fatigues.

Il fallait aussi se méfier des ruses de l'ennemi. Si les deux chevaliers catalans de la milice chrétienne de l'émir, qui se présentèrent en annonçant que ce dernier avait fait emprisonner leurs camarades et menacé de les faire périr si les Chrétiens entraient dans Tunis, furent reçus sans difficulté, les Musulmans qui annonçaient leur intention de renier leur foi étaient-ils sincères ? Les frères de Brienne, Jean et Alphonse, virent arriver certain jour trois chefs musulmans et leurs compagnons. Le roi, informé, leur recommanda une grande prudence : de fait, d'autres Musulmans surgirent et tuèrent des croisés. Saint Louis ordonna de renvoyer les soi-disant convertis à leur camp — ce qu'on trouva excessivement généreux.

Le séjour sous la tente, en pleine canicule, était pénible ; Geoffroy de Beaulieu affirme que non seulement l'eau, mais les arbres répandaient les fièvres. La maladie se mit dans l'armée — dysenterie ou typhus ? Elle emporta très vite le second fils du roi, Jean-Tristan. Comme le roi lui-même était tombé malade, on essaya de lui dissimuler ce décès ; mais il s'inquiétait, et Geoffroy finit par le lui annoncer. Louis montra une grande douleur, avant de pouvoir prononcer les paroles de Job : « Le Seigneur me l'a donné ; le Seigneur me l'a ôté. Que le nom du Seigneur soit béni ! » Peu après, c'était le légat, Raoul Grosparmi, qui était emporté à son tour, le 10 ou le 11 août. Et d'autres morts suivaient.

Ce n'est pas la peste, comme on l'écrit si souvent, qui allait entraîner la mort du roi. Geoffroy de Beaulieu parle de fièvre et d'un flux de ventre — un retour de la dysenterie à laquelle Louis avait déjà été exposé ? Quelque quinze jours après le débarquement, il lui fallut s'aliter ; il resta trois semaines au lit. Il s'affaiblissait : au début de sa maladie, il voulait encore dire Matines et ses autres Heures ; il voulut, quand on lui apporta la communion, sortir de son lit pour se prosterner ; ses gens se hâtèrent de jeter un manteau sur ses épaules ; mais il fallut qu'on le recouchât, et il dut se borner désormais à s'agenouiller pour recevoir l'Eucharistie.

Il continuait néanmoins à veiller au sort de l'armée. Il semble que ce soit pendant sa maladie qu'il reçut les envoyés de Michel Paléologue. Il se souciait de l'épuisement de ses ressources financières, et il écrivait aux régents d'emprunter cent mille livres, à rembourser sur le produit de la décime ou sur les revenus du royaume, pour les lui faire parvenir. Il gardait l'espoir de pouvoir réaliser l'objectif de la campagne : la conversion des Tunisiens, et il s'inquiétait de savoir si l'on pourrait disposer d'un missionnaire capable de leur prêcher la foi, en regrettant l'absence d'André de Longjumeau. Sans doute espérait-il encore que l'émir se déclarerait lorsque l'armée arriverait devant Tunis, ou que l'on prendrait la ville.

Mais la maladie empirait. On donna l'extrême-onction au roi ; il était si faible que l'on devinait seulement qu'il s'associait aux prières par le mouvement de ses lèvres. Il avait fait disposer une grande croix, du type de celles qu'on suspendait dans les églises, devant son lit, pour l'aider dans sa prière. Pendant près de quatre jours, il resta à peu près sans voix ; mais, comme l'écrivent Thibaud de Champagne et Geoffroy de Beaulieu, il gardait sa pleine connaissance, manifestant à ses gens qu'il les reconnaissait et leur souriant.

Le dimanche 24 août, la fin s'annonçait. Louis se confessa

une dernière fois à Geoffroy de Beaulieu et reçut la communion. Pierre d'Alençon rapporta à Joinville que son père s'était fait coucher sur un lit de cendres —symbole de pénitence — et qu'il invoquait le suffrage des saints, en particulier de saint Jacques — le patron des pèlerins — et de sainte Geneviève — la patronne de Paris. On recueillit quelques-unes de ses dernières paroles. La nuit, il soupira en disant à voix basse : « O Jérusalem, ô Jérusalem ! » Il priait pour le peuple qu'il avait conduit là, suppliant Dieu de le ramener dans son pays et de ne pas le livrer aux mains de ses ennemis. Ayant somnolé, il se réveilla vers midi, le 25 août. Selon Geoffroy, ses derniers mots furent ceux du Christ en croix : « Père, je remets mon âme entre tes mains » ; selon Thibaud, ce verset d'un psaume : « J'entrerai dans ta demeure, j'adorerai dans ton saint temple. » Puis, vers trois heures, il expirait.

« Nous pouvons témoigner », écrivait son gendre Thibaud à Eudes de Châteauroux, qui avait été le légat du pape à la septième croisade, « que jamais, en toute notre vie, nous n'avons vu fin si sainte ni si dévote, chez un homme du siècle ni chez un homme de religion ». Le visage paraissait souriant et gardait sa couleur. Mais, le lendemain, il fallut procéder aux macabres préparatifs destinés à rendre le corps transportable en ce temps où l'on ignorait la méthode de l'embaumement. Les entrailles et les chairs prirent le chemin de la cathédrale de Monreale, en Sicile, où on les déposa dans un tombeau ; le cœur et les ossements devaient être ramenés à Saint-Denis.

On dit que c'est à l'heure même où saint Louis expirait que la flotte du roi de Sicile abordait et que Charles d'Anjou, averti, se hâta vers la tente où gisait son frère dans l'espoir de le revoir vivant. Il est certain que le roi de Sicile fit montre d'une grande douleur ; ce géant se jeta en larmes aux pieds de son frère et essaya de consoler ses neveux. Mais, quand il sortit de la tente, il reprit contenance : il fallait maintenir le moral de l'armée ; et la venue du roi Charles fut fort bien accueillie, car on sentait le besoin d'une direction ferme. Les messagers du Khan Abagha et ceux du roi d'Arménie étaient arrivés, eux aussi, après la mort de saint Louis.

Le jeune roi Philippe, qui avait été atteint lui aussi, se rétablissait ; mais le chapelain Pierre de Condé estimait qu'il ne pourrait pas supporter longtemps le climat tunisien. Il se hâta de confirmer les pouvoirs que son père avait donnés à Simon de Nesle et à Mathieu de Vendôme auxquels il envoya deux religieux, dont l'un était Guillaume de Chartres ; il fit parvenir en France le testament de son père. Et Thibaud de Navarre faisait savoir à Eudes de Châteauroux qu'il témoignait toute sa confiance au chambellan Pierre de Villebéon, ce qui assurait la continuité de la politique paternelle.

Mais il restait à liquider la campagne. Les morts étaient nombreux : on comptait parmi eux, avec le roi Louis, son fils Jean, le légat, les comtes d'Eu, de la Marche, de Vienne, les sires de Fiennes, de Montmorency, le maréchal Gautier de Nemours, le chambellan Mathieu de Villebéon, ainsi qu'un grand baron écossais, le comte d'Athol. Les Sarrasins continuaient leurs attaques. Le comte de Soissons (celui-là qui avait combattu aux côtés de Joinville sur le Bahr al-Seghir) commandait le corps de bataille ; il avait interdit que l'on s'écartât. Le nouveau maréchal Renaud de Pressigny, qui venait de remplacer Gautier de Nemours, et quelques autres enfreignirent la consigne et se firent tuer. Charles d'Anjou repoussa finalement les Musulmans et s'empara de leur camp. Et, le 24 septembre, Thibaud de Navarre espérait encore que l'on pourrait achever l'œuvre commencée par son beau-père, et prendre Tunis.

Charles d'Anjou n'était pas attaché à la prise de cette ville ; l'émir Muhammad, dont l'armée n'avait pas été épargnée par la maladie, souhaitait un accommodement. On négocia et, le 30 octobre, on parvenait à un accord. Certains avaient espéré que l'on imposerait à l'émir d'autoriser la libre prédication de la foi chrétienne dans ses États et de fournir un contingent pour la guerre contre l'Égypte. Charles se contenta d'exiger une indemnité de guerre de 210 000 onces d'or (plus de 500 000 livres) dont un tiers lui reviendrait ; le paiement du « tribut » dû aux rois de Sicile, dont le montant était doublé, avec ses arrérages ; l'expulsion des Gibelins réfugiés en Tunisie, Frédéric de Castille, Frédéric Lancia et leurs complices.

L'émir accordait en outre la liberté du commerce aux marchands chrétiens et, pour les prêtres et religieux, le droit « de prêcher et de prier publiquement dans leurs églises », ce qui restait bien en deçà de la liberté de prêcher en public.

Il y eut des résistances : on accusa le roi de Sicile d'avoir fait tourner à son profit et à celui de son royaume l'expédition commune. Edouard d'Angleterre, qui arriva le 10 novembre, fut fort contrarié d'être mis devant le fait accompli et de n'avoir aucune part à l'indemnité. Une lettre que Pierre de Condé écrivit au prieur d'Argenteuil et à Nicolas d'Auteuil, le 11 novembre, au moment où l'armée se rembarquait, fait état des rumeurs qui couraient à ce moment-là sur la poursuite de l'expédition. On disait que le roi Philippe, qui se rétablissait mal, rentrerait en France (en s'arrêtant au passage pour visiter la cour de Rome), et qu'il y rapporterait les restes de son père. Alphonse de Poitiers et Pierre le Chambellan partiraient pour l'Orient avec la plus grande partie des gens de guerre qui étaient retenus à gages ; Charles d'Anjou aurait convaincu plusieurs barons de se joindre à lui pour une campagne, en Grèce, contre Michel Paléologue. Mais ce n'étaient que des supputations : l'armée et la flotte devaient d'abord gagner Trapani et Palerme, où l'on aviserait.

Le 11, on s'embarquait, sous la protection d'un détachement commandé par le connétable, le maréchal et par Pierre de Villebéon ; le 14, les navires jetaient l'ancre devant Trapani. Peut-être ceux d'Edouard d'Angleterre gagnèrent-ils Palerme, ce qui expliquerait comment ils échappèrent à la catastrophe qui survint deux jours plus tard. Le samedi 15, le roi et la reine de France débarquaient, mais il restait encore beaucoup de monde à bord. Or, dans la nuit qui suivit, une tempête d'une violence exceptionnelle se déchaînait. Un espion que le sultan Baîbars entretenait à Acre lui annonçait que quarante navires avaient sombré ; on comptait dans ce nombre dix-huit des grosses naves, et, à bord de celle qui portait l'évêque de Langres, près de mille personnes auraient péri, le prélat ayant été sauvé avec un seul écuyer sur une petite barque.

Ce désastre mettait fin à tout espoir de reprendre la campagne au printemps. Nous devons à Charles d'Anjou de savoir que Philippe III tint conseil à Trapani avec ses barons. Tous se déclarèrent en faveur de la reprise de la croisade, mais pas dans l'immédiat : les barons jurèrent de reprendre l'expédition, si le roi y participait en personne, dans les trois années qui suivraient la Saint-Jean, donc entre le 24 juin 1271 et le 24 juin 1274. Cependant Alphonse de Poitiers prit son frère à part et lui dit qu'il entendait personnellement repartir pour la Terre sainte sans rentrer entre-temps en France ; et c'est le roi de Sicile qui le persuada qu'il vaudrait mieux, dans l'intérêt même de la croisade, qu'il retournât d'abord dans ses États. On sait comment Alphonse devait mourir le 21 août 1271, un jour avant la comtesse Jeanne son épouse, à Savone, au moment où il allait à Gênes chercher des bateaux.

Pierre de Villebéon mourait ; Thibaud de Navarre expirait à son tour le 4 décembre 1270. Philippe III repartait alors pour la France où les régents le rappelaient ; il devait perdre en route sa femme Isabelle, morte à Cosenza des suites d'un accident. Parmi ceux qui l'accompagnaient figurait le fils du roi des Romains, Henri d'Allemagne, qui devait périr à Viterbe, victime de la vengeance du fils de Simon de Montfort.

Ainsi Edouard d'Angleterre restait-il seul pour poursuivre l'exécution du plan de saint Louis, mais avec des effectifs bien réduits. Les Mamelouks avaient rasé Damiette dès la fin de la septième croisade, pour empêcher les Croisés de s'y accrocher une troisième fois ; Baîbars, en apprenant le départ de saint Louis, avait fait détruire jusqu'aux ruines d'Ascalon, pour leur ôter d'autres bases possibles. Le prince anglais ne pouvait donc que débarquer à Acre, ce qu'il fit au printemps de 1271. Faute de recevoir l'aide qu'il attendait des Mongols, il se borna à des opérations de détail. Mais celles-ci permirent de tenir le sultan en respect ; et, en 1272, ce dernier acceptait de renouveler les trêves avec ce qui restait des colonies franques.

Il faut donc suivre le destin de la croisade voulue par saint Louis au-delà de la mort du roi pour constater qu'en fin de compte elle valait un nouveau répit aux chrétiens de Terre sainte. Mais la première partie du programme stratégique avait tourné court : le roi de France disparu, Charles d'Anjou, auquel la prise de Tunis ne tenait pas à cœur, avait fait abandonner l'entreprise tunisienne, ce qui lui rendait sa liberté d'action en Grèce. Le désastre de Trapani avait considérablement réduit la portée de la deuxième partie de ce programme : le petite armée d'Edouard d'Angleterre, auquel ne s'étaient même pas joints ceux des barons français désireux d'accomplir leur vœu, puisqu'ils en avaient reporté l'exécution à plus tard, était hors d'état d'accomplir ce qu'aurait pu faire la grande armée de saint Louis.

Nul ne pouvait alors penser que l'on ne reverrait plus un roi de France et son armée sur les chemins de la Terre sainte. Tout l'effort du pape Grégoire X — ce Tealdo Visconti qui avait, en 1269, mis en dépôt son argent auprès de saint Louis au moment où l'on se préparait au départ — allait tendre à faire de l'expédition suspendue en 1270 une grande entreprise de toute la chrétienté, secondée par les Mongols du Khan Abagha et par les Byzantins de Michel Paléologue ; et Philippe III s'y associa d'enthousiasme. Mais la croisade de Grégoire X ne se réalisa jamais, et l'expédition qui tourna court devant Tunis devait être la dernière campagne effectivement menée par un roi de France pour secourir la Terre sainte. C'est ainsi que la mort de saint Louis a pu être inscrite dans l'historiographie traditionnelle comme marquant la fin des grandes croisades.

CONCLUSION

Il n'est pas dans notre propos de prétendre porter une appréciation d'ensemble sur le règne de saint Louis, pas plus que de psychanalyser une personnalité comme la sienne en usant de balances qui seraient celles de notre temps. Par contre, ses contemporains, au moins ceux d'entre eux qui l'ont bien connu, ont porté sur lui et sur son règne des jugements qui nous font savoir comment on le voyait avec des yeux du XIIIᵉ siècle.

Le 24 septembre 1270, moins d'un mois après sa mort, son gendre Thibaud de Navarre écrivait à Eudes de Châteauroux la lettre que nous avons déjà citée, et où il évoquait les circonstances de cette fin, « la fin la plus sainte et la plus dévote » qu'il eût jamais vue. Il nous rapporte ensuite comment, après que l'on eût disséqué le corps du roi, on porta les entrailles et les chairs de celui-ci à Monreale, en Sicile. Déjà, ajoute-t-il, des miracles se sont produits sur ce tombeau. Mais l'armée des croisés se refuse à se séparer de son cœur et de ses ossements, qui doivent prendre le chemin de Saint-Denis : on les regarde donc déjà comme un objet de vénération et l'instrument des grâces du Seigneur. De fait, c'est Philippe III qui va les rapporter en un lent cheminement à travers l'Italie et la France, en compagnie d'autres bières contenant d'autres corps (ceux de Jean-Tristan, d'Isabelle d'Aragon, de Thibaud de Navarre, de Pierre de Villebéon). Tout au

long de ce voyage, les miracles fleurissent, et d'autres interviennent après l'inhumation, au point que l'abbé de Saint-
Denis, Mathieu de Vendôme, commence à en recueillir les
attestations.

Dans ces miracles, les contemporains voient la manifestation de l'élection par Dieu de celui que déjà plusieurs, de son
vivant, appelaient « le saint roi ». Mathieu Paris qui mourut
en 1259 était du nombre. La vie édifiante d'un roi soumis aux
exigences évangéliques, sa mort non moins édifiante, le rangent d'emblée au rang des saints, et ceci vient spontanément
à l'esprit de ceux qui vont demander au roi, en vénérant ses
reliques, d'intercéder pour eux auprès de Dieu.

Une autre lettre a été écrite à Philippe III, alors encore en
Sicile, par les deux « lieutenants du roi » en France, Mathieu
de Vendôme et Simon de Nesle. Dans cette lettre, qui a pour
but d'inviter le nouveau roi à rentrer au plus vite dans son
royaume, les deux hommes se réfèrent au souvenir de son
père, en rappelant leur longue collaboration avec lui. C'est
pour dire qu'en lui resplendissait une grâce admirable, éclatante comme la lumière du soleil au milieu de celle des planètes. C'est aussi pour dire ce qu'a été son gouvernement :

« Vous savez comment, du temps de votre père, ce roi très
clément..., après les quelques difficultés qu'il a éprouvées au
début de son règne, son glorieux royaume a prospéré entre
ses mains ; comment le fruit de la douceur et de la paix se
répandait non seulement dans les pays voisins, mais dans des
contrées plus éloignées et même très lointaines. » Il avait
apporté la tranquillité à tous ; la sécurité à l'Église, aux
clercs, aux religieux ; la paix au peuple ; le soutien aux pauvres ; la concorde à ceux qui étaient en conflit ; la consolation
aux affligés ; l'assistance et la libération aux opprimés. Et ce
n'étaient pas seulement ses proches et ses amis, mais des
étrangers et des ennemis qui avaient bénéficié de son aide.

Ce ne sont plus ici les vertus de l'homme, ce sont les qualités de l'homme d'État qui sont en cause ; et il n'est pas indifférent que ces lignes émanent de deux hommes qui, étroitement associés à son gouvernement, lui ont paru les plus qualifiés pour assurer en 1270 la lieutenance générale du royaume.

Dès 1272, s'ouvrent les premières démarches en vue de la canonisation du roi. Grégoire X demande à son légat, Simon de Brie, de mener une enquête confidentielle, qui porte avant tout sur les miracles attribués à l'intercession de saint Louis. C'est alors que Geoffroy de Beaulieu établit un rapport sur les vertus du roi. En 1278, Nicolas III fait reprendre une enquête, publique cette fois ; mais il meurt, et c'est Simon de Brie, devenu Martin IV, qui la reprend en 1282 : cette fois, Guillaume de Saint-Pathus rassemble les données disponibles dans une *Vie de saint Louis*. Mais le décès du pape fait que Boniface VIII ne reprend qu'en 1297 le processus qui aboutit cette année-là à la canonisation du roi.

De l'énorme dossier rassemblé, dont le pape Boniface disait qu'il faisait plus que la charge d'un âne, il nous reste bien peu de choses : des fragments de la déposition de Charles d'Anjou ; quelques interrogatoires très complets au sujet de certains miracles, et ce que Guillaume de Saint-Pathus a tiré des dépositions de plusieurs familiers du roi : Joinville lui-même, Simon de Nesle, les valets de chambre Herbert de Villebéon et Guillaume le Breton, les cuisiniers Roger de Soisy et Isembard de Paris — deux rescapés de la croisade de Damiette —, le valet de paneterie Hue Porte-Chape, l'huissier Guillaume le Breton, le chirurgien Jean de Bethisy. Tous ont été invités à déposer selon un schéma qui devait démontrer que saint Louis avait été doté des vertus nécessaires à son élévation sur les autels. C'est donc les concordances du comportement de saint Louis avec les exigences évangéliques qui ont permis de l'inscrire au rang des bienheureux.

Il aurait été possible de proclamer Louis saint en fonction d'autres critères, également reconnus pour assurer une canonisation : ceux qui définissent le roi juste, qui gouverne son peuple selon la volonté divine. Louis, qui avait assuré la paix à son peuple et cherché à étendre cette paix au-dehors de son propre royaume, aurait parfaitement répondu à ces critères. Mais les papes de la fin du XIIIe siècle, face à un dossier déjà surabondant relatif aux vertus de l'homme, n'ont pas insisté sur celles du souverain. Et, comme l'a écrit M. Robert Folz,

les textes liturgiques composés en l'honneur du nouveau
saint, qui exaltent ses vertus, ne jettent qu' « une lumière
tamisée sur le gouvernement du roi ».

Ce sont les sujets du royaume qui ont été amenés à célébrer
le bon gouvernement de saint Louis. Ce sont les bons usages
du temps de ce dernier, c'est sa bonne monnaie, qu'évoquent
ceux qui critiquent le temps présent et leurs gouvernants, à
l'époque de Philippe le Bel déjà. La dynastie capétienne, qui
a témoigné une véritable vénération envers son saint ancêtre
qui lui fournit un modèle que les princes s'efforcent d'imiter
— et cette imitation est parfaitement reconnaissable au temps
de Charles V, par exemple —, tire une part de son prestige de
cette référence au saint roi (déjà la duchesse Agnès de Bourgogne, la plus jeune fille de celui-ci, se dit avec fierté dans
l'intitulé de ses actes « fille monseigneur saint Louis »). Mais,
en même temps, elle se voit opposer cet ancêtre prestigieux
dont les façons de gouverner sont exaltées au détriment de
celles de son petit-fils ou de tel autre de ses descendants.

Saint Louis a donc laissé le souvenir d'un souverain idéal.
Les contemporains, nous le savons, ont parfois regimbé : le
roi avait la main lourde quand il s'efforçait d'éliminer de son
royaume les péchés les plus scandaleux ; il a été un rude justicier, et les barons eux-mêmes se sont vu jeter en prison et
condamner à de fortes amendes ; les prélats, vénérés en tant
que serviteurs de Dieu (Louis a demandé la canonisation de
l'archevêque de Bourges, Philippe Berruyer) se sont vu imposer sans faiblesse le respect de la prérogative royale ; les villes
et les églises ont gémi devant ses exigences fiscales. Le roi, en
adoptant les théories juridiques de l'École, a heurté ceux qui
restaient attachés au « droit des francs » et aux vieilles coutumes ; mais il a passé outre. En se considérant comme responsable de la conservation de la Terre sainte, de la libération de Jérusalem, voire de la conversion des Infidèles, il a
donné au royaume de France une dimension nouvelle qui le
plaçait au premier rang de l'Europe ; mais ce n'était pas sans
imposer des charges sévères aux Français.

Toutefois ceux-ci ne lui en ont pas tenu rigueur. Car le roi
a su rencontrer les aspirations de son peuple. Son idéal de

prud'homie est aussi celui de ses barons ; s'il use des moyens que les légistes mettent à sa disposition pour faire régner la paix et la justice, il respecte l'ordre féodal en dépassant les formalismes. Entre les principes et leurs applications, il sait rechercher un équilibre qui l'amène à préférer le compromis à la coercition. C'est parce que son image, celle d'un justicier sans faiblesse, a été empreinte de douceur qu'elle est restée chère à des âges où cette modération dans la rigueur des lois avait disparu. C'est aussi parce qu'elle restait celle du plus grand « faiseur de paix » que le XIIIe siècle ait connu.

ANNEXES

Sources

Le procès de canonisation de saint Louis, qui s'est étendu sur près d'un quart de siècle, avait permis de rassembler une énorme documentation sur sa vie et sur les miracles obtenus par l'intercession du roi. Il ne subsiste de ce dossier que quelques épaves :

DELABORDE (H. F.), « Fragments de l'enquête... en vue de la canonisation de saint Louis », dans *Mémoires de la Société d'histoire de Paris et de l'Ile-de-France*, 23, 1896.

RIANT (P.), « Déposition de Charles d'Anjou », dans *Notices et documents publiés par la Société de l'histoire de France à l'occasion du 50e anniversaire de sa fondation*, Paris, 1884.

Mais c'est en vue de cette canonisation que le confesseur du roi, Geoffroy de Beaulieu, et son chapelain, Guillaume de Chartres, ont écrit deux *Vies* de saint Louis. Au lendemain de la proclamation par Boniface VIII de la sainteté de ce dernier, et à la demande d'une fille et d'une petite-fille de celui-ci, ont été écrites les *Vies* dues à Guillaume de Saint-Pathus, ancien confesseur de la reine Marguerite (qui a utilisé les dépositions du procès), et à Jean de Joinville. En même temps, Yves de Saint-Denis et Guillaume de Nangis, travaillant dans la grande abbaye, ont écrit d'autres biographies du saint roi. Tout ce matériel a été réuni dans le tome XX du *Recueil des Historiens de la France*. Mais, pour Joinville, on se reportera à :

JOINVILLE, *Histoire de saint Louis*, éd. N. de Wailly, Paris, 1872.

Une adaptation en français moderne d'extraits de cette œuvre a été donnée par Mme Andrée Duby, *Saint Louis par Joinville*, Paris, 1963. Un autre petit volume a été composé par D. O'Connell et traduit en français avec un avant-propos de J. Le Goff sous le titre *Les Propos de saint Louis*, Paris, 1974. On y trouve la traduction de la lettre du roi à ses sujets (1250) et de ses *Instructions* à Philippe le Hardi et Isabelle de Navarre.

Nombreuses sont les informations qui peuvent être glanées dans les chroniques du temps, en particulier dans :

> *Chronica Albrici monachi Trium Fontium*, éd. Scheffer-Boichorts, dans *Monumenta Germaniae histor., Scriptores* 23 (cette chronique, qui ne dépasse pas 1241, est particulièrement attentive aux liens des lignages).
> Mathieu PARIS, *Chronica Majora*, éd. H. Luard, Londres, 1872-1883.
> *Chronique rimée de Philippe Mouskès*, éd. F. de Reiffenberg, Bruxelles, 1836-1838.
> Salimbene de Adam de Parme, *Cronica*, éd. G. de Scalia, Bari, 1966.
> *Chronique dite de Baudouin d'Avesnes,* dans *Recueil des historiens de la France*, XXI.

Nous possédons également de nombreuses lettres, adressées au roi, ou émanant de lui ou de son entourage. On les trouve pour la plupart dans les recueils de :

> DU CHESNE (André), *Historiae Francorum scriptores*, 5, Paris, 1649.
> MARTÈNE et DURAND, *Thesaurus novus anecdotorum*, 1, Paris, 1717.
> D'ACHERY, *Spicilegium sive collectio veterum aliquot scriptorum,* nouv. édit., 3, Paris, 1723.

Celle d'Eudes de Châteauroux, écrite de Nicosie en 1250, a été reproduite dans Vincent de Beauvais, *Speculum historiale*, Douai 1624, livre 31.

On y ajoutera :

> *Historia diplomatica Friderici secundi*, éd. Huillard-Bréholles, 6 vol., Paris, 1860-1861.
> *Registres des papes du XIIIe siècle*, publiés par l'École française

de Rome (*Grégoire IX*, par P. Auvray ; *Innocent IV*, par E. Berger ; *Alexandre IV*, par C. Bourel de La Roncière ; *Urbain IV*, par J. Guiraud ; *Clément IV*, par E. Jordan).

Les ordonnances publiées par le roi figurent dans :

Ordonnances des rois de France de la troisième race, éd. E. de Laurière, I, Paris, 1723.

Les registres du Parlement commencent en 1254. Ils sont publiés dans :

Les Olim ou arrêts rendus par la cour du roi, éd. A. Beugnot, Paris, 1839 (analyse par E. Boutaric, *Actes du Parlement de Paris*, I, Paris, 1863).

Les chartes et autres actes sont très nombreux. On ne peut se dispenser du recours à :

Les Layettes du Trésor des chartes, éd. A. Teulet, J. de Laborde, E. Berger et H. F. Delaborde, 5 vol., Paris, 1863-1909.

Mais les chartriers des grands feudataires, des évêchés, des abbayes, des chapitres, des couvents, des hôpitaux, contiennent également une documentation importante, en grande partie inédite.

La comptabilité royale a été pour une grande part anéantie dans l'incendie de la Chambre des comptes de Paris (1737) ; il en reste cependant des épaves significatives : comptes de l'Hôtel, sur tablettes de cire ; comptes des années 1231, 1234, 1238, 1248, 1267 ; documents concernant les décimes levées sur le clergé ; récapitulation des dépenses de la croisade. Tout ceci a été rassemblé et présenté par N. de Wailly aux tomes XXI et XXII du *Recueil des Historiens de la France*, tandis que plusieurs documents relatifs au service d'ost, y compris des listes de croisés, ont été publiés dans le tome XXIII.

Les enquêtes menées sur l'ordre du roi ont été éditées par L. Delisle au tome XXIV du même *Recueil*.

On peut y ajouter :

Comptes d'Alfonse de Poitiers, éd. A. Bardonnet, dans *Archives historiques du Poitou*, 4, 1875, et 8, 1879.

Les chansons écrites en français et en provençal ont fait l'objet d'éditions souvent anciennes et très dispersées. Des notices, dont certaines sont dépassées, mais ont été complétées par des additions ultérieures, sont consacrées à leurs auteurs dans l'*Histoire littéraire de la France*, publiée par l'Académie des Inscriptions et Belles-Lettres, tomes 16-23. Pour les troubadours, on peut utiliser commodément :

> *Poesie provenzali storiche relative all'Italia*, éd. V. de Bartholomaeis, 2 vol., Turin, 1931. (*Fonti per la storia d'Italia*, 71-72),

Pour les chansons écrites en français, notons :

> *Les Chansons de Thibaut de Champagne, roi de Navarre*, éd. A. Wallensköld, Paris, 1925.
> *Rutebeuf. Œuvres complètes*, éd. E. Faral et J. Bastin, Paris, 1959-1960.

La chanson « Gent de France, mult estes esbahie » a été publiée par Leroux de Lincy dans *Bibliothèque de l'École des Chartes*, I, 1840, et celle qui raconte la prise de croix de saint Louis en 1244, par W. Meyer, dans *Nachrichten der kgl. Gesellschaft der Wissenschaften zu Göttingen*, 1907.

On ne saurait enfin négliger l'excellent catalogue de l'exposition organisée par la Direction générale des Archives de France et préparée par Paul Deschamps :

> *Saint Louis à la Sainte-Chapelle*, Paris, 1960.

Bibliographie

La figure de saint Louis ne pouvait manquer d'attirer les historiens, et on ne compte pas les biographies, en toutes langues, qui lui
ont été consacrées. Beaucoup sont l'œuvre de plumes pieuses et relè-
vent de l'hagiographie plus que de l'histoire ; mais il en est d'autres
où l'on relève des points intéressants et suggestifs. Pour nous en tenir
à ce qui a paru en français pendant ces dernières années, citons, à
côté de deux ouvrages déjà anciens :

FUSTEL DE COULANGES (N.), *Saint Louis et le prestige de la
    royauté* (extrait des *Leçons à l'Impératrice*), Colombes, 1970.
LECOY DE LA MARCHE (A.), *Saint Louis, son gouvernement et sa
    politique*, Paris, 1889.

Plusieurs livres plus récents :

BAILLY (A.), *Saint Louis*, Paris, 1949.
PERNOUD (R.), *Un chef d'État : saint Louis*, Paris, 1960.
GUTH (P.), *Saint Louis, roi de France*, Paris, 1961.
LEVRON (J.), *Saint Louis ou l'apogée du Moyen Age*, Paris, 1969.
GUILLAIN DE BENOUVILLE, *Saint Louis ou le printemps de la
    France*, Paris, 1970.
LEVIS-MIREPOIX (duc de), *Saint Louis, roi de France*, Paris, 1970
    (avec une préface de Gérard WALTER présentant « Saint
    Louis, fou du Christ »).
KLEIN (C.), *Saint Louis, un roi au pied du pauvre*, Paris, 1970.
EYDOUX (H. P.), *Saint Louis et son temps*, Paris, 1971.

LABAL (P.), *Le Siècle de saint Louis,* 2e éd., Paris, 1979.

Un point de vue très différent des précédents, en ce qu'il souligne les aspects négatifs de la personnalité et du règne, de façon souvent excessive, a été présenté par :

BORZEIX (D.), PAUTAL (R.) et SERBAT (J.), *Louis IX alias saint Louis et l'Occitanie,* Pignan, 1976.

Des articles qui ouvrent des voies nouvelles :

LE GOFF (J.), « Saint-Louis a-t-il existé ? », dans *L'Histoire,* n°40, déc. 1981.
CAROLUS-BARRÉ (L.), « Saint Louis dans l'histoire et la légende », dans *Annuaire-Bulletin de la Société de l'histoire de France,* 1970-1971.

GÉNÉRALITÉS

Les travaux de base sur l'ensemble du règne sont, en premier lieu :

LE NAIN DE TILLEMONT (L.), *Vie de saint Louis,* éd. par J. de Gaulle, Paris, 1849, 6 vol.
WALLON (H.), *Saint Louis et son temps,* Paris, 1875, 2 vol.
Le Siècle de saint Louis, ouvrage collectif, Paris, 1970.
Septième centenaire de la mort de saint Louis. Actes des colloques de Royaumont et de Paris (21-27 mai 1970), publ. sous la direction de L. CAROLUS-BARRÉ, Paris, 1976.

D'autres travaux, également fondamentaux, n'envisagent qu'une partie du règne :

BERGER (E.), *Histoire de Blanche de Castille,* Paris, 1895.
PAINTER (S.), *The Scourge of the Clergy : Peter of Dreux, Duke of Britanny,* Baltimore, 1937 (modifie la chronologie établie par le précédent).
JORDAN (William C.), *Louis IX and the Challenge of the Crusade. A Study in Rulership,* Princeton, 1979 (avec une excellente bibliographie).
BERGER (E.), « Les dernières années de saint Louis d'après les

layettes du Trésor des Chartes », introduction au tome IV des *Layettes du Trésor des Chartes*, Paris, 1902.

LA FAMILLE ROYALE

PETIT-DUTAILLIS (Ch.), *Étude sur la vie et le règne de Louis VIII (1187-1226)*, Paris, 1894.
PERNOUD (R.), *La Reine Blanche*, Paris, 1972.

On utilisera aussi :

Histoire de Blanche de Castille d'Élie BERGER, déjà citée.
BOUTARIC (E.); « Marguerite de Provence. Son caractère. Son rôle politique », dans *Revue des questions historiques*, III, 1867.
CAROLUS-BARRÉ (L.), « Le prince héritier Louis et l'intérim du pouvoir royal de la mort de Blanche de Castille au retour de saint Louis », dans *Comptes rendus de l'Académie des Inscriptions*, 1970.
BOUTARIC (E.), *Saint Louis et Alfonse de Poitiers*, Paris, 1870.
GARREAU (A.), *La bienheureuse Isabelle de France*, Paris, 1955.
LANGLOIS (Ch.-V.), *Le règne de Philippe III le Hardi*, Paris, 1887.

On retrouvera plus loin Charles d'Anjou à propos de sa politique italienne. Mais nous signalerons ici l'importance du rôle tenu par les Savoie, oncles de la reine :

COX (E. L.), *The Eagles of Savoy. The House of Savoy in Thirteenth Century Europe*, Princeton, 1974.

LA FRANCE FÉODALE

L'approche de la connaissance des principautés féodales est grandement facilitée par l'existence des volumes consacrés aux différentes provinces dans la collection *L'Univers de la France*, publiée à Toulouse sous la direction de Philippe WOLFF, chaque volume étant doté d'une bibliographie. On a cependant toujours recours aux études classiques, parmi lesquelles :

ARBOIS DE JUBAINVILLE (H. d'), *Histoire des ducs et des comtes de Champagne*, Paris, 1859-1866.

DEVIC et VAISSÈTE, *Histoire générale de Languedoc*, 2e éd. par A. MOLINIER, Toulouse, 1872-1904.

PETIT (E.), *Histoire des ducs de Bourgogne de la dynastie capétienne*, Paris, 1885-1905.

LE MOYNE DE LA BORDERIE (A.) et POCQUET (B.), *Histoire de Bretagne*, Rennes, 1896-1914.

BOURILLY (V. L.) et BOUSQUET (R.), *La Provence au Moyen Age*, Paris, 1924.

LODGE (E. C.), *Gascony under English Rule*, Londres, 1936.

L'étude de la constitution du pouvoir princier dans les états féodaux a été envisagée dans :

LOT (F.) et FAWTIER (R.), *Histoire des institutions françaises au Moyen Age*, I — *Institutions seigneuriales*, Paris, 1957.

RICHARD (J.), *Les Ducs de Bourgogne et la formation du duché*, Paris, 1954.

Une figure de grand féodal, étudiée d'autre part par Sidney PAINTER dans l'ouvrage déjà cité *(The Scourge of the Clergy)* :

LEVRON (J.), *Pierre Mauclerc, duc de Bretagne*, Paris, 1935.

On utilisera aussi :

PETIT-DUTAILLIS (Ch.), *La Monarchie féodale en France et en Angleterre du Xe au XIIIe siècle*, Paris, 1933.

DU CANGE (Ch. DU FRESNE, sieur), *Dissertations ou réflexions sur l'histoire de saint Loüys*, publiés à la suite du tome VII du *Glossarium mediae et infimae latinitatis*, éd. Henschel, Paris, 1850.

LONGNON (A.), *La Formation de l'unité française*, publié par H. F. Delaborde, Paris, 1922.

et la carte dressée par ce dernier pour l'*Histoire de saint Louis* par Joinville, publiée par N. de Wailly (1872).

LE ROYAUME ET SES VOISINS

FOURNIER (P.), *Le royaume d'Arles et de Vienne (1138-1378)*, Paris, 1891.

Ce livre classique est renouvelé par :

KIENAST (W.), *Deutschland und Frankreich in der Kaiserzeit (900-1270)*, 2ᵉ éd., Stuttgart, 1974-1975.

Sur les relations avec les Plantagenêts, qui interfèrent avec la crise constitutionnelle, objet de nombreux travaux anglais :

POWICKE (F.), *King Henry III and the Lord Edward*, Oxford, 1947.

DENHOLM-YOUNG (N.), *Richard of Cornwall*, Oxford, 1947.

BÉMONT (Ch.), *Simon de Montfort, comte de Leicester*, Paris, 1864 (trad. anglaise mise à jour par E. P. Jacob, Oxford, 1930).

BÉMONT (Ch.), « La campagne de Poitou, 1242-1243 », dans *Annales du Midi*, V, 1893.

GAVRILOVITCH (M.), *Étude sur le traité de Paris*, Paris, 1899.

CHAPLAIS (G.), « Le traité de Paris de 1259 et l'inféodation de la Gascogne allodiale », dans *Le Moyen Age*, 1955.

WOOD (C.), « The Mise of Amiens and saint Louis' Theory in Kingship », dans *French historical Studies*, VI, 1970.

Pour les affaires de Flandre et de Hainaut :

DUVIVIER (Ch.), *La Querelle des Avesnes et des Dampierre jusqu'à la mort de Jean d'Avesnes*, Bruxelles et Paris, 1894.

Sur l'origine des droits réclamés par les rois d'Aragon :

ABADAL (R. d'), « A propos de la « domination » de la maison comtale de Barcelone sur le Midi français », dans *Annales du Midi*, 76, 1964.

HIGOUNET (Ch.), « Un grand chapitre de l'histoire du XIIᵉ siècle : La rivalité des maisons de Toulouse et de Barcelone pour la prépondérance méridionale », dans *Mélanges L. Halphen*, Paris, 1951.

LES AFFAIRES DU MIDI

Plusieurs fascicules des *Cahiers de Fanjeaux* sont à consulter, notamment *Le Credo, la Morale et l'Inquisition* (cahier nº 6, 1971). On peut se reporter à :

> STRAYER (J. R.), *The Albigensian Crusade*, New York, 1971.
> GUIRAUD (J.), *Histoire de l'Inquisition au Moyen Age*, Paris, 1935-1938, 2 vol.
> DOSSAT (Y.), *Les crises de l'inquisition toulousaine au XIIIe siècle, 1233-1273*, Bordeaux, 1959.

Sur un épisode célèbre, dont la localisation et la date traditionnelles sont d'ailleurs erronées (Y. DOSSAT a montré que les Cathares furent exécutés à Bram) :

> OLDENBOURG (Z.), *16 mars 1244. Le bûcher de Montségur*, Paris, 1959.

L'ÉGLISE

Les rapports avec la Papauté ont été envisagés par :

> BERGER (E.), *Saint Louis et Innocent IV. Études sur les rapports de la France et du Saint-Siège*, Paris, 1895.

ainsi que par plusieurs travaux allemands sur les relations de saint Louis avec Innocent IV, entre 1244 et 1247 (W. MEYER, Marburg, 1915) ; avec Alexandre IV et Urbain IV (F. BÜNGER, Berlin, 1896) ; avec Clément IV (U. PRUNGER, Halle, 1897), et par

> CAMPBELL (G.), « The Protest of St. Louis », dans *Traditio*, XV, 1959.

Sur l'épiscopat :

> *Les évêques, les clercs et le roi*, Toulouse, 1972 (*Cahiers de Fanjeaux*, 7).
> ANDRIEU-GUITRANCOURT (P.), *L'archevêque Eudes Rigaud et la vie de l'Église au XIIIe siècle*, Paris, 1938.
> PONTAL (O.), « Le différend entre Louis IX et les évêques de

Beauvais et ses incidences sur les conciles (1232-1248) », dans *Bibliothèque de l'École des Chartes*, 123, 1965.

Sur les ordres religieux, on peut recourir à :

DIMIER (A.), *Saint Louis et Cîteaux*, Paris, 1954.
LITTLE (L.), « Saint Louis'Involvement with the Friars », dans *Church history*, 33, 1964.

Les problèmes universitaires parisiens, outre le *Chartularium universitatis Parisiensis*, entrepris par H. DENIFLE en 1889, ont fait l'objet d'une étude récente :

DUFEIL (M.-M.), *Guillaume de Saint-Amour et la polémique universitaire parisienne, 1250-1259*, Paris, 1972.

L'ENTOURAGE

Au vieux répertoire du Père ANSELME (Pierre DE GUIBOURS), *Histoire généalogique de la Maison de France*, dont les derniers tomes (VII-IX) sont consacrés aux grands officiers, s'ajoutent les travaux généalogiques de :

STEIN (H.), « Recherches sur quelques fonctionnaires royaux des XIIIe et XIXe siècles originaires du Gâtinais », dans *Annales de la Soc. hist. et archéol. du Gâtinais*, 20 (1902), 21 (1903), 32 (1914-1915), 33 (1918-1919).
RICHEMOND (E.), *Recherches généalogiques sur la famille des seigneurs de Nemours*, Fontainebleau, 1907.

Quelques carrières d'officiers et de conseillers du roi, avec un aperçu sur leur formation et sur leurs origines sociales, dans :

DOSSAT (Y.), « Guy Foucois », dans *Cahiers de Fanjeaux*, VII, 1972.
GRIFFITHS (Q.), « Les origines et la carrière de Pierre de Fontaines », dans *Revue hist. de droit français et étranger*, 1970. Du même, « New Men among the Lay Counsellors of saint Louis », dans *Medieval studies*, 32, 1970.
NEWMAN (William M.), *Les Seigneurs de Nesle en Picardie (XIIe-XIIIe siècles)*, Paris, 1971, 2 vol.

LE GOUVERNEMENT

Aux considérations de LECOY DE LA MARCHE et de WALLON, qui sont déjà anciennes, on ajoutera l'excellent tableau dressé par William C. JORDAN, *Saint Louis and the Challenge of the Crusade*, déjà cité, et de nombreuses études locales, telles que :

> MICHEL (L.), *L'Administration royale dans la sénéchaussée de Beaucaire au temps de saint Louis*, Paris, 1910.

Ces études sont à compléter grâce à :

> *Correspondance administrative d'Alfonse de Poitiers*, éd. A. Molinier, Paris, 1894.

Sur les enquêteurs royaux :

> STRAYER (J. R.), « La conscience du roi », dans *Mélanges R. Aubenas*, Montpellier, 1974.

Sur les origines des grands services de la monarchie :

> BORELLI DE SERRES (L.), *Recherches sur divers services publics du XIIIe au XVIIe siècle*, Paris, 1895-1901.
> LANGLOIS (Ch.-V.), « Les origines du Parlement de Paris », dans *Revue historique*, 42, 1890.

Les réformes introduites par le roi ont fait l'objet de diverses études :

> CAROLUS-BARRÉ (L.), « La grande ordonnance de 1254 sur la réforme de l'administration et la police du royaume », dans *Septième centenaire...*
> FARAL (E.), « Le procès d'Enguerran de Couci », dans *Revue d'histoire de droit français et étranger*, 1948.
> GUILHIERMOZ (P.), « Saint Louis, les gages de bataille et la procédure civile », dans *Bibl. de l'Ecole des Chartes*, 48, 1887.
> CAZELLES (R.), « La réglementation royale de la guerre privée », dans *Revue hist. de droit fr. et étr.*, 1960.
> BLANCARD (L.), *La Réforme monétaire de saint Louis*, Marseille, s.d.

GUILHIERMOZ (P.), « Les sources manuscrites de l'histoire monétaire de saint Louis », dans *Le Moyen Age*, 34, 1923.
MICHAUD-QUANTIN (P.), « La politique monétaire royale à la Faculté de théologie de Paris », dans *Le Moyen Age*, 1962.

La politique royale à l'égard des communautés urbaines, en dehors de nombreuses monographies, a été étudiée par :

STEPHENSON (C.), « Les " aides " des villes françaises aux XIIe et XIIIe siècles », dans *Le Moyen Age*, 33, 1922.
PETIT-DUTAILLIS (Ch.), *Les communes françaises*, Paris, 1947.
SCHNEIDER (J.), « Les villes du royaume de France au temps de saint Louis », dans *Comptes rendus de l'Académie des Inscriptions*, 1971.

La doctrine qui sous-tend l'action de l'administration royale a été étudiée par W. KIENAST, *Deutschland und Frankreich*, et par :

BUISSON (L.), *König Ludwig IX der Heilige und das Recht*, Fribourg-en-Brisgau, 1954.

Les premiers textes coutumiers et réglementaires font leur apparition :

Les établissements de saint Louis, éd. P. Viollet, Paris, 1881-1887.
Le livre de jostice et de plet, éd. P. Rapetti, Paris, 1850.
Le Conseil de Pierre de Fontaines, éd. A. Marnier, Paris, 1846.
Le livre des métiers d'Étienne Boileau, éd. R. de Lespinasse et F. Bonnardot, Paris, 1879.

LES CROISADES

Les chapitres donnés par S. PAINTER (« The Crusade of Theobald de Champagne ») et J. R. STRAYER (« The Crusades of Louis IX ») dans *History of the Crusades*, publié sous la direction de K. M. SETTON, tome II, 2e éd., Madison, 1969, sont à la base de toute recherche. On verra aussi :

GROUSSET (R.), *Histoire des croisades et du royaume franc de Jérusalem*, III, Paris, 1936.

PRAWER (J.), *Histoire du royaume latin de Jérusalem* trad. J. Nahon, Paris, 1970, tome II.

DELARUELLE (E.), « L'idée de croisade chez saint Louis », dans *Bulletin de littérature ecclésiastique*, 61, 1960, réimpr. dans *L'Idée de croisade au Moyen Age*, Turin, 1980.

PURCELL (Maureen), *Papal crusading Policy, 1244-1291*, Leyde, 1975.

RICHARD (J.), *L'Esprit de la croisade*, Paris, 1969. Du même, « La politique orientale de saint Louis », dans *Septième centenaire...*, réimprimé dans *Les Relations entre l'Orient et l'Occident au Moyen Age*, Londres, 1977.

Sur la septième croisade, un ouvrage ancien :

DAVIS (E. J.), *The Invasion of Egypt by Louis IX and a History of the contemporary Sultans of Egypt*, Londres, 1897 ; et plusieurs articles :

RICHARD (J.), « La fondation d'une église latine en Orient par saint Louis : Damiette », dans *Bibl. de l'École des Chartes*, 120, 1962, réimprimé dans *Orient et Occident au Moyen Age*, Londres, 1976.

KEDAR (B. Z.), « The passenger list of a crusader ship », dans *Studi medievali*, 1972.

PARIS (G.), « La chanson composée à Acre », dans *Romania*, 22, 1893, complété par DELABORDE (H. F.), « Joinville et le conseil tenu à Acre en 1250 », *ibidem*, 23, 1894.

Entre les deux croisades, le rôle de l'archevêque de Tyr Gilles de Saumur, les envois d'argent de saint Louis et les premiers départs de croisés français sont mis en lumière dans :

CHEHAB (Emir M.), « Tyr au Moyen Age », II, 2, dans *Bulletin du Musée de Beyrouth*, 32, 1979.

SAYOUS (A.), « Les mandats de saint Louis sur son trésor pendant la septième croisade », dans *Revue historique*, 167, 1931.

SERVOIS (G.), *Emprunts de saint Louis en Palestine et en Afrique*, Paris, 1858.

CHAZAUD (A.-M.), « Inventaire et comptes de la succession d'Eudes, comte de Nevers », dans *Mémoires de la société nationale des Antiquaires de France*, 32, 1871.

Voir aussi sur la propagande pour toutes ces croisades :

BASTIN (J.) et FARAL (E.), *Onze poèmes de Rutebeuf concernant la croisade*, Paris, 1946.

La huitième croisade a donné lieu à une polémique sur la part jouée par Charles d'Anjou dans son orientation vers Tunis ; l'étude classique est celle de :

STERNFELD (R.), *Ludwigs des Heiligen Kreuzzug nach Tunis und die Politik Karls I. von Sizilien*, Berlin, 1896 — avec le compte rendu de DELABORDE (H. F.) dans *Revue de l'Orient latin*, IV, 1896.

MOLLAT (M.), « Le passage de saint Louis à Tunis. Sa place dans l'histoire des croisades », dans *Revue d'histoire économique et sociale*, 50, 1972.

LONGNON (J.), « Les vues de Charles d'Anjou pour la deuxième croisade de saint Louis : Tunis ou Constantinople », dans *Septième centenaire...*

Sur la préparation et le déroulement de la croisade, voir aussi :

LEFEVRE (Renato), *La crociata di Tunisi del 1270*, Rome, 1977 (Quaderni della rivista *Africa*, 5).

JAL, « Pactiones naulorum », dans *Documents historiques inédits*, éd. Champollion-Figeac, 1841 (à compléter par L. BELGRANO, dans *Archives de l'Orient latin*, II, 1883). Du même, *Archéologie navale*, II, Paris, 1840.

Sur les relations avec les Mongols, en dehors du texte même du récit de voyage de Rubrouck, on dispose de :

PELLIOT (P.), « Les Mongols et la Papauté. III. André de Longjumeau », dans *Revue de l'Orient chrétien*, 28, 1931-1932.

RICHARD (J.), « Sur les pas de Plancarpin et de Rubrouck. La lettre de saint Louis à Sartaq », dans *Journal des Savants*, 1977.

MEYVAERT (P.), « An unknow Letter of Hulagu, il-khan of Persia, to king Louis IX of France », dans *Viator*, 11, 1980.

RICHARD (J.), « Une ambassade mongole à Paris en 1262 », dans *Journal des Savants*, 1979.

L'AVENTURE ANGEVINE

JORDAN (E.), *Les origines de la domination angevine en Italie*, Paris, 1909.

LÉONARD (E. G.), *Les Angevins de Naples*, Paris, 1954.

CAPO (Lidia), « Hypothèse sur les rapports de Charles d'Anjou et de la France », dans *Mélanges de l'École française de Rome*, *Moyen Age*, 1977.

HOUSLEY (Norman), *The Italian Crusades*, Oxford, 1982.

CADIER (L.), *Essai sur l'administration du royaume de Sicile*, Paris, 1891.

Sur les projets de Charles d'Anjou dans les Balkans :

LONGNON (J.), *L'Empire latin de Constantinople et la principauté de Morée*, Paris, 1949.

RÉALISATIONS ARCHITECTURALES ET ARTISTIQUES

Notons seulement ici quelques travaux effectués par ordre de saint Louis, au milieu de beaucoup d'autres :

GEBELIN (F.), *La Sainte-Chapelle et la Conciergerie*, Paris, 1931.

EYDOUX (H. P.), « Château des pays de l'Aude », dans *Congrès archéologique de France*, 131, Pays de l'Aude, 1973.

BRUAND (Y.), « La cité de Carcassonne », *ibidem*.

ERLANDE-BRANDENBURG (A.), *Le roi est mort. Étude sur les funérailles, les sépultures et les tombeaux des rois de France jusqu'à la fin du XIIIe siècle*, Paris, 1976.

LE ROI ET L'OPINION

SAYOUS (E.), *La France de saint Louis d'après la poésie nationale*, Paris, 1866.

HAM (E. B.), *Rutebeuf and Louis IX*, Chapel Hill, 1962.

ROUSSET (P.), « Rutebeuf, poète de la croisade », dans *Revue d'histoire ecclésiastique suisse*, 60, 1966.

LE SAINT

Les divers aspects de la dévotion du roi ont été recensés déjà par
LE NAIN DE TILLEMONT, repris par A. DIMIER et beaucoup d'autres.
Certains ont été renouvelés :

CAROLUS-BARRÉ (L.), « Saint Louis et la translation des corps
saints », dans *Études d'histoire du droit canonique dédiées à
M. G. Le Bras*, II, Paris, 1965.
LABANDE (E. R.), « Saint Louis pèlerin », dans *Revue d'histoire
de l'Église de France*, 57, 1971.

Dans le même tome de cette revue ont paru deux autres articles
qui serviront de terme à cette bibliographie :

CAROLUS-BARRÉ (L.), « Les enquêtes pour la canonisation de
saint Louis ».
FOLZ (R.), « La sainteté de Louis IX d'après les textes liturgiques de sa fête ».

Chronologie

1200   23 mai. Mariage de Louis (VIII) et Blanche de Castille.
1214   25 avril. Naissance de saint Louis.
1223   14 juillet. Mort de Philippe-Auguste.
1226   8 novembre. Mort de Louis VIII.
1226   29 novembre. Sacre de saint Louis.
1227   janvier. Libération de Ferrand de Portugal.
1227   16 mars. Traité de Vendôme (Pierre Mauclerc et Hugues de Lusignan).
1228   Affaire de Montlhéry.
1228   Fondation de Royaumont.
1229-1231   Grève de l'Université de Paris.
1229   12 avril. Traité de Meaux (et de Paris) avec Raymond VII.
1229   été. Conférence des barons à Corbeil.
1229   octobre. Hommage de Pierre Mauclerc à Henri III.
1229   novembre. Concile de Toulouse.
1229   décembre. Trêve imposée à Thibaud IV et Philippe Hurepel.
1230   janvier. Prise de Bellême.
1230   30 mai. Prise de Clisson.
1230   juillet-septembre. Guerre de Champagne.
1231   janvier. Émeutes de Beauvais.
1231   4 juillet. Trêve de Saint-Aubin du Cormier.
1233   Institution de l'Inquisition en Languedoc.
1233   27 juillet. Mort de Ferrand.
1233   hiver. Mort de Philippe Hurepel.
1234   6 avril. Paix entre le roi et l'évêque de Beauvais.
1234   27 mai. Mariage de saint Louis.

1234   juillet-août. Dernière guerre de Bretagne.

1234   septembre. Accord entre Thibaud IV et Alix de Chypre.

1234   novembre. Soumission de Pierre Mauclerc.

1235   septembre. Première ligue des barons contre la juridiction ecclésiastique.

1235   19 octobre. Dédicace de Royaumont.

1235   octobre-décembre. Les inquisiteurs chassés de Toulouse.

1236   juillet. Soumission de Thibaud IV.

1237   7 juin. Adoubement de Robert d'Artois.

1237   novembre. Accession de Jean le Roux au comté de Bretagne.

1239   juin. Départ de la croisade des barons.

1239   11-18 août. Réception de la Couronne d'épines.

1240   août-septembre. Révolte de Raymond Trencavel et chute de Carcassonne.

1241   mars. Traité entre le sultan et Richard de Cornouailles.

1241   11 avril. Victoire des Mongols sur le roi de Hongrie.

1241   24 juin. Adoubement d'Alphonse de Poitiers (fêtes de Saumur).

1241   25 décembre. Révolte d'Hugues de Lusignan.

1242   avril-mai. Campagne de Poitou.

1242   12 mai. Débarquement d'Henri III à Royan.

1242   29 mai. Meurtre des inquisiteurs à Avignonet.

1242   21-22 juillet. Victoires de Taillebourg et de Saintes.

1242   17 août. Révolte de Raymond VII et prise de Narbonne.

1243   janvier. Paix de Lorris avec Raymond VII.

1243   12 mars. Trêve avec l'Angleterre.

1243   25 juin. Élection d'Innocent IV.

1244   16-20 mars. Capitulation de Montségur.

1244   26 juin. Consécration de Maubuisson.

1244   23 août. Prise de Jérusalem par les Kharezmiens.

1244   septembre. Saint Louis à Cîteaux.

1244   17 octobre. Désastre de La Forbie.

1244   décembre. Maladie du roi et vœu de croisade.
       Arrivée d'Innocent IV à Lyon.

1245   28 juin. Concile de Lyon.

1245   19 août. Mort de Raymond-Béranger, comte de Provence.

1245   novembre. Entrevue, à Cluny, du roi et du pape.

1246   31 janvier. Mariage de Charles d'Anjou et de Béatrix de Provence.

1246   mai. Octroi d'une charte à Aigues-Mortes.

1246   27 mai. Adoubement de Charles d'Anjou.

1246   juillet. Conclusion d'un accord entre les Avesnes et les Dampierre.

1246   novembre. Seconde ligue des barons contre la juridiction ecclésiastique.

1247   Institution d'enquêteurs par saint Louis.

1248   26 avril. Consécration de la Sainte-Chapelle.

1248   12 juin. Le roi quitte Paris pour la croisade.

1248   28 août. Départ d'Aigues-Mortes.

1248   17 septembre. Débarquement à Chypre.

1248   20 décembre. Réception d'ambassadeurs mongols.

1249   30 mai. Départ de Limassol.

1249   5 juin. Débarquement et prise de Damiette.

1249   27 septembre. Mort de Raymond VII.

1249   24 octobre. Arrivée d'Alphonse de Poitiers à Damiette.

1249   20 novembre. Départ de Damiette.

1250   9 février. Bataille de la Mansoura.

1250   6 avril. Capture de saint Louis, suivie de l'écrasement de son armée à Fariskur.

1250   6 mai. Libération du roi.

1250   26 juin et 3 juillet. Conseils tenus à Acre.

1250   13 décembre. Mort de Frédéric II.

1251   29 mars. Début des travaux de Césarée.

1251   mai-juin. Croisade des Pastoureaux.

1251   6 juin. Mort de Guillaume de Dampierre.

1252   mai. Début des travaux de Jaffa.

1252   fin novembre. Mort de Blanche de Castille.

1253   mai. Attaque musulmane sur Sidon.

1253   juin. Coup de main sans résultat sur Baniyas.

1253   4 juillet. Défaite des Dampierre à Westcapelle.

1253   27 décembre. Arrivée de Rubrouck à la cour mongole.

1254   janvier. Charles d'Anjou maître du Hainaut.

1254   février. Trêves avec le sultan d'Alep.

1254   avril-mai. Affrontement entre Guillaume de Hollande et Charles d'Anjou.

1254   25 avril. Embarquement du roi à Acre.

1254   21 mai. Mort de Conrad IV.

1254   10 juillet. Débarquement à Hyères.

1254   4 septembre. Retour du roi à Paris.

1254   décembre. Ordonnance pour la réforme du royaume.
         Passage d'Henri III à Paris.
         Élection d'Alexandre IV.

1255   mai. Siège de Quéribus.

1255 novembre. Saint Louis à Gand.

1255 23 novembre. Capture de Thomas de Savoie par les Astesans.

1256 28 janvier. Mort de Guillaume de Hollande.

1256 24 septembre. Dit de Péronne rendu entre les Avesnes et les Dampierre.

1256 octobre. Condamnation de Guillaume de Saint-Amour.

1256 novembre. Réconciliation de Charles d'Anjou et Béatrix de Savoie.

1256 décembre. Occupation de la ville de Namur par le comte de Luxembourg.

1257 13 janvier. Élection de Richard de Cornouailles comme roi des Romains.

1258 février. Prise de Bagdad par les Mongols.

1258 11 mai. Traité de Corbeil avec l'Aragon.

1258 28 mai. Traité de Paris avec l'Angleterre.

1258 juin. Provisions d'Oxford.

1258 août. Manfred couronné roi de Sicile.

1259 21 janvier. Chute de la citadelle de Namur.

1259 juillet. Procès d'Enguerran de Coucy.

1259 octobre. Défaite de Guillaume de Villehardouin à Pélagonia.

1259 4 décembre. Hommage d'Henri III à saint Louis.

1260 janvier. Mort du prince Louis.

1260 3 septembre. Défaite des Mongols par les Mamelouks.

1261 février. Interdiction du duel judiciaire.

1261 15 août. Chute de Constantinople.

1261 29 août. Élection d'Urbain IV.

1262 10 avril. Lettre de Hülegü à saint Louis.

1263 5 janvier. Acceptation du centième par le clergé français.

1263 mars. Attaque de la Syrie franque par Baîbars.
     Ordonnance sur le cours des monnaies.
     Offre du royaume de Sicile à Charles d'Anjou.

1264 24 janvier. Mise d'Amiens : arbitrage entre Henri III et ses barons.

1264 25 mai. Affaire de Montpellier.

1265 5 février. Élection de Clément IV.

1265 26 février. Investiture du royaume de Sicile à Charles d'Anjou.

1265 21 juillet. Entrée de Charles d'Anjou à Rome.

1265 4 août. Bataille d'Evesham et mort de Simon de Montfort.

1265 novembre. Décri des esterlins.

1266 26 février. Bataille de Bénévent et mort de Manfred.

1266 22 juillet. Création du gros tournois.

1266   4 août. Mort à Acre d'Eudes de Nevers.
1267   25 mars. Saint Louis reprend la croix.
1267   27 mai. Traité de Viterbe entre Charles d'Anjou et Baudoin II.
1267   5 juin. Adoubement de Philippe (III).
1267   octobre. Arbitrage mettant fin à la « guerre de Ligny ».
1268   mai. Chute d'Antioche.
1268   22 août. Bataille de Tagliacozzo.
1268   29 octobre. Mort de Conradin.
1268   29 novembre. Mort de Clément IV et début de la vacance du Saint-Siège.
1269   11 avril. Mort de Geoffroy de Sergines.
1269   (ou 1268), 15 août. Ordonnance contre le blasphème.
1269   automne. Réception à Paris d'une ambassade tunisienne.
1269   29 octobre. Chute de Lucera.
1270   février. Accord entre les chanoines et les bourgeois de Lyon.
1270   23 février. Mort d'Isabelle, sœur du roi.
1270   15 mars. Départ pour la croisade.
1270   1er juillet. Embarquement à Aigues-Mortes.
1270   10-15 juillet. Relâche à Cagliari.
1270   17 juillet. Débarquement à La Goulette.
1270   3 août. Mort de Jean-Tristan.
1270   25 août. Mort de saint Louis.
1270   30 octobre. Convention avec le roi de Tunis.
1270   11 novembre. Rembarquement de l'armée.
1270   15 novembre. Relâche à Trapani et anéantissement de la flotte.
1271   mai. Ensevelissement de saint Louis à Saint-Denis.
1297   9 août. Canonisation de saint Louis.

LES DIFFICULTÉS DE LA MINORITÉ :
régions affectées par les hostilités

C. DE
ST POL
(1230)

La Haye-Pesnel ○
(1230)

Paris ○

Monthléry ○
(1228)

COMTÉ
DE CHAMPAGNE
(1229-1230)

1230

St James de Beuvron
(1230)

1230 ○ Bellême
(1230)

L'Isle-Aumont ○

St Aubin du Cormier
1231

Ancenis ○

○ Angers

○ Chinon

1230

Clisson

Fontenay le Comte ○ Poitiers
1242 ○ Montreuil
○ Frontenay
○ St Jean d'Angély
○ Taillebourg
▼ ○ Saintes

○ Blaye

Penne d'Agenais ○
(1242)

COMTÉ
DE
TOULOUSE
**(1226-1229
1242-1243)**

○ Millau
(1237)

Avignonnet ○
(1242)

Carcassonne
○ (1240)

Montréal ○

Montségur ○ **(1241)**
(1243)

Narbonne
(1242)

0   200 km

•••••▶ campagne menée
par le roi lui-même

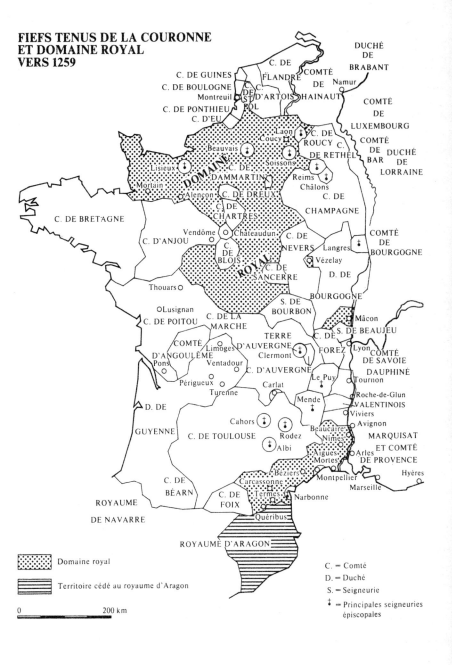

**FIEFS TENUS DE LA COURONNE
ET DOMAINE ROYAL
VERS 1259**

DUCHÉ
DE
BRABANT

C. DE GUINES
C. DE BOULOGNE
Montreuil
C. DE PONTHIEU
C. D'EU

C. DE
FLANDRE
COMTÉ
DE
HAINAUT
Namur

C.
DE
ST-
POL
C.
D'ARTOIS

COMTÉ
DE
LUXEMBOURG

Laon
Coucy
C. DE
ROUCY
C.
DE RETHEL

COMTÉ
DE
BAR
DUCHÉ
DE
LORRAINE

Beauvais
Lisieux
DOMAINE
Mortain
C. DE
DAMMARTIN
Soissons
Reims
Châlons

Alençon
C. DE DREUX
C. DE
CHARTRES

C. DE
CHAMPAGNE

C. DE BRETAGNE

C. D'ANJOU

Vendôme
Châteaudun
C.
DE
BLOIS
ROYAL
C. DE
SANCERRE
C. DE
NEVERS
Langres
Vézelay

D. DE
BOURGOGNE

COMTÉ
DE
BOURGOGNE

Thouars

Lusignan
C. DE POITOU
C. DE LA
MARCHE

S. DE
BOURBON
BOURGOGNE

Mâcon
S. DE BEAUJEU

COMTÉ
D'ANGOULÊME
Limoges
Pons
Ventadour
TERRE
D'AUVERGNE
Clermont
C. DE
FOREZ
Lyon
COMTÉ
DE SAVOIE

Périgueux
Turenne
C. D'AUVERGNE
Carlat
Le Puy
Tournon
DAUPHINÉ

D. DE
GUYENNE
Cahors
Rodez
Albi
Mende
Roche-de-Glun
VALENTINOIS
Viviers
Avignon

Beaucaire
Nîmes
MARQUISAT
ET COMTÉ
DE PROVENCE

C. DE TOULOUSE
Aigues-
Mortes
Arles
Hyères

C. DE
BÉARN
Béziers
Carcassonne
C. DE
FOIX
Termes
Narbonne
Montpellier
Marseille

ROYAUME
DE NAVARRE
Quéribus

ROYAUME D'ARAGON

Domaine royal

Territoire cédé au royaume d'Aragon

C. = Comté
D. = Duché
S. = Seigneurie
✝ = Principales seigneuries
épiscopales

0   200 km

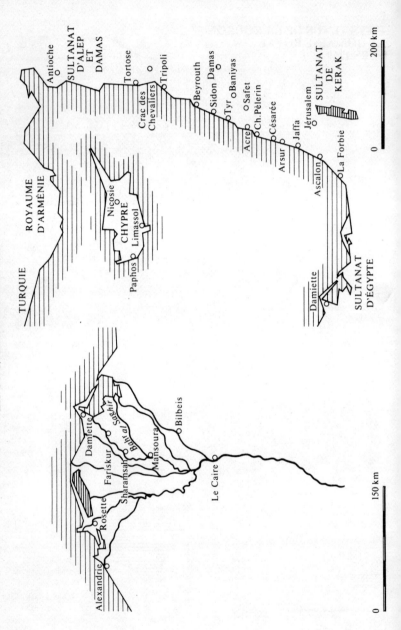

LA CROISADE DE 1249-1254

TURQUIE

ROYAUME D'ARMÉNIE

Antioche

SULTANAT D'ALEP ET DAMAS

Tortose

Crac des Chevaliers

Tripoli

Beyrouth

Sidon Damas

Tyr Baniyas

Safet

Ch. Pèlerin

Acre Césarée

Arsur

Jaffa

Jérusalem

SULTANAT DE KERAK

Ascalon

La Forbie

Nicosie

CHYPRE

Limassol

Paphos

Damiette

SULTANAT D'ÉGYPTE

200 km

0

Alexandrie

Rosette

Damiette

Fariskur

Sharamsah

Baḥr al Saghir

Mansoura

Bilbeis

Le Caire

150 km

0

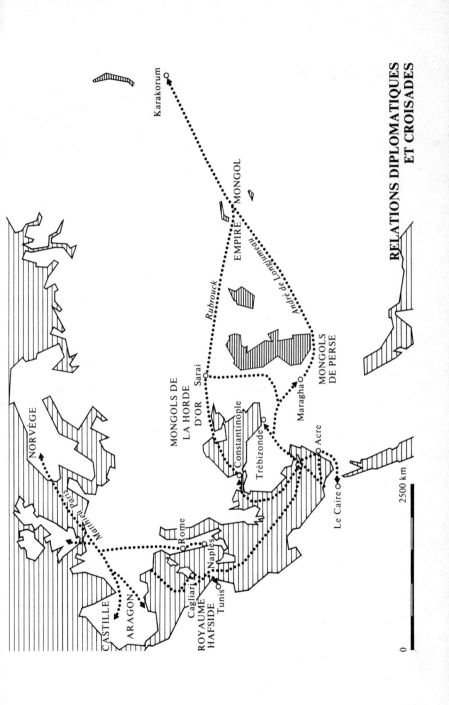

RELATIONS DIPLOMATIQUES ET CROISADES

CASTILLE
ARAGON
NORVÈGE

ROYAUME
HAFSIDE
Tunis
Cagliari
Naples
Rome
Marthieu Paris

MONGOLS DE
LA HORDE
D'OR
Sarai

Constantinople
Trébizonde

Rubrouck
André de Longjumeau

EMPIRE MONGOL

Karakorum

MONGOLS
DE PERSE
Maragha
Acre
Le Caire

0   2500 km

Généalogies

LES CAPÉTIENS

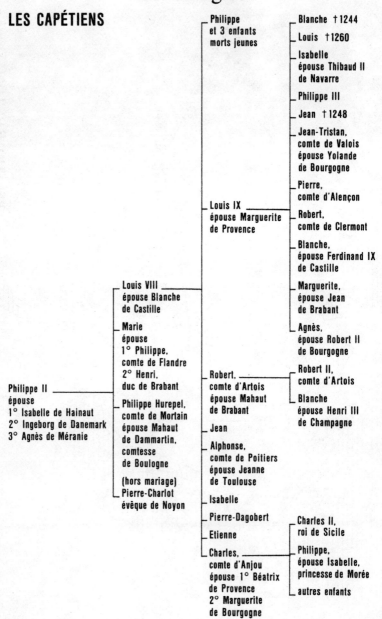

Philippe II
épouse
1° Isabelle de Hainaut
2° Ingeborg de Danemark
3° Agnès de Méranie

Louis VIII
épouse Blanche
de Castille

Marie
épouse
1° Philippe,
comte de Flandre
2° Henri,
duc de Brabant

Philippe Hurepel,
comte de Mortain
épouse Mahaut
de Dammartin,
comtesse
de Boulogne

(hors mariage)
Pierre-Charlot
évêque de Noyon

Philippe
et 3 enfants
morts jeunes

Louis IX
épouse Marguerite
de Provence

Robert,
comte d'Artois
épouse Mahaut
de Brabant

Jean

Alphonse,
comte de Poitiers
épouse Jeanne
de Toulouse

Isabelle

Pierre-Dagobert

Etienne

Charles,
comte d'Anjou
épouse 1° Béatrix
de Provence
2° Marguerite
de Bourgogne

Blanche †1244

Louis †1260

Isabelle
épouse Thibaud II
de Navarre

Philippe III

Jean †1248

Jean-Tristan,
comte de Valois
épouse Yolande
de Bourgogne

Pierre,
comte d'Alençon

Robert,
comte de Clermont

Blanche,
épouse Ferdinand IX
de Castille

Marguerite,
épouse Jean
de Brabant

Agnès,
épouse Robert II
de Bourgogne

Robert II,
comte d'Artois

Blanche
épouse Henri III
de Champagne

Charles II,
roi de Sicile

Philippe,
épouse Isabelle,
princesse de Morée

autres enfants

PLANTAGENÊTS ET CAPÉTIENS

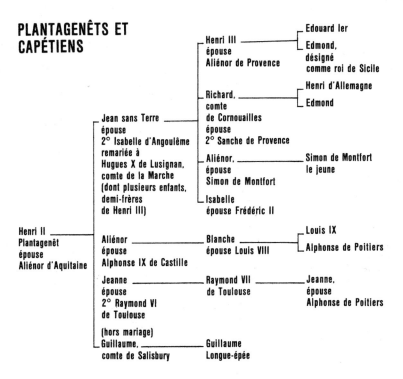

Henri III
épouse
Aliénor de Provence
  — Edouard Ier
  — Edmond, désigné comme roi de Sicile

Richard, comte de Cornouailles
épouse
2° Sanche de Provence
  — Henri d'Allemagne
  — Edmond

Aliénor, épouse Simon de Montfort
  — Simon de Montfort le jeune

Isabelle épouse Frédéric II

Jean sans Terre
épouse
2° Isabelle d'Angoulême remariée à Hugues X de Lusignan, comte de la Marche (dont plusieurs enfants, demi-frères de Henri III)

Henri II Plantagenêt épouse Aliénor d'Aquitaine

Aliénor épouse Alphonse IX de Castille
  Blanche épouse Louis VIII
    — Louis IX
    — Alphonse de Poitiers

Jeanne épouse 2° Raymond VI de Toulouse
  Raymond VII de Toulouse
    — Jeanne, épouse Alphonse de Poitiers

(hors mariage)
Guillaume, comte de Salisbury
  Guillaume Longue-épée

LES THIBAUDIENS

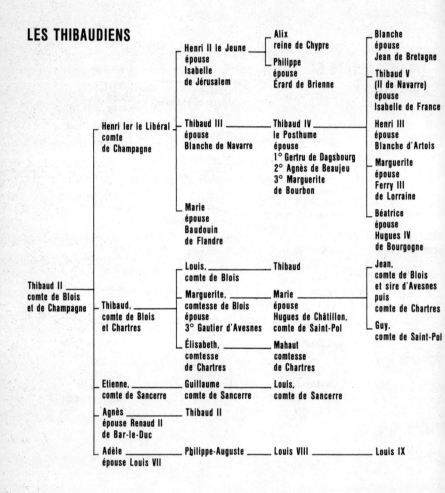

LA FAMILLE DE FLANDRE

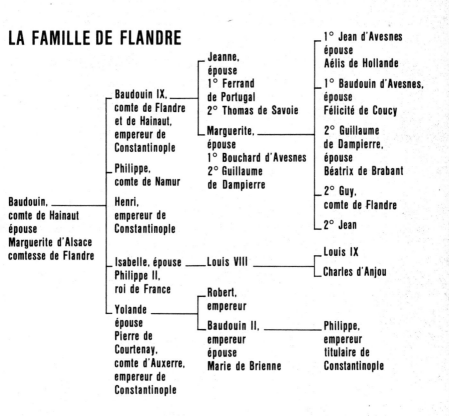

Baudouin,
comte de Hainaut
épouse
Marguerite d'Alsace
comtesse de Flandre

Baudouin IX,
comte de Flandre
et de Hainaut,
empereur de
Constantinople

Philippe,
comte de Namur

Henri,
empereur de
Constantinople

Isabelle, épouse
Philippe II,
roi de France

Yolande
épouse
Pierre de
Courtenay,
comte d'Auxerre,
empereur de
Constantinople

Jeanne,
épouse
1° Ferrand
de Portugal
2° Thomas de Savoie

Marguerite,
épouse
1° Bouchard d'Avesnes
2° Guillaume
de Dampierre

Louis VIII

Robert,
empereur

Baudouin II,
empereur
épouse
Marie de Brienne

1° Jean d'Avesnes
épouse
Aélis de Hollande

1° Baudouin d'Avesnes,
épouse
Félicité de Coucy

2° Guillaume
de Dampierre,
épouse
Béatrix de Brabant

2° Guy,
comte de Flandre

2° Jean

Louis IX

Charles d'Anjou

Philippe,
empereur
titulaire de
Constantinople

UN PUISSANT LIGNAGE :
LES DREUX

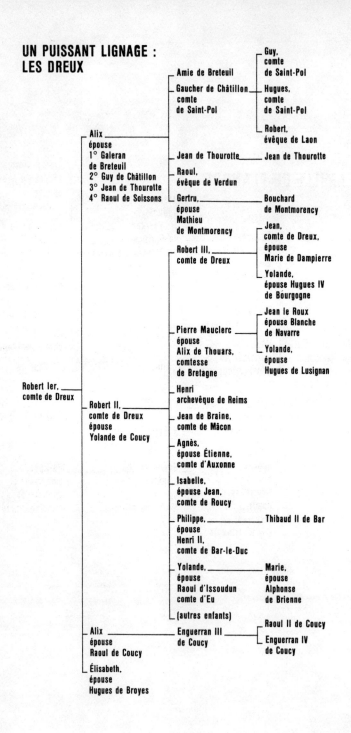

Robert Ier, comte de Dreux

— Alix, épouse 1° Galeran de Breteuil, 2° Guy de Châtillon, 3° Jean de Thourotte, 4° Raoul de Soissons

- Amie de Breteuil
- Gaucher de Châtillon, comte de Saint-Pol
  - Guy, comte de Saint-Pol
  - Hugues, comte de Saint-Pol
  - Robert, évêque de Laon
- Jean de Thourotte
  - Jean de Thourotte
- Raoul, évêque de Verdun
- Gertru, épouse Mathieu de Montmorency
  - Bouchard de Montmorency

— Robert II, comte de Dreux, épouse Yolande de Coucy

- Robert III, comte de Dreux
  - Jean, comte de Dreux, épouse Marie de Dampierre
  - Yolande, épouse Hugues IV de Bourgogne
- Pierre Mauclerc, épouse Alix de Thouars, comtesse de Bretagne
  - Jean le Roux épouse Blanche de Navarre
  - Yolande, épouse Hugues de Lusignan
- Henri archevêque de Reims
- Jean de Braine, comte de Mâcon
- Agnès, épouse Étienne, comte d'Auxonne
- Isabelle, épouse Jean, comte de Roucy
- Philippe, épouse Henri II, comte de Bar-le-Duc
  - Thibaud II de Bar
- Yolande, épouse Raoul d'Issoudun comte d'Eu
  - Marie, épouse Alphonse de Brienne
- (autres enfants)

— Alix, épouse Raoul de Coucy

- Enguerran III de Coucy
  - Raoul II de Coucy
  - Enguerran IV de Coucy

— Élisabeth, épouse Hugues de Broyes

UN CLAN FAMILIAL DANS L'HÔTEL DU ROI :
LES NEMOURS-VILLEBÉON ET LEURS ALLIÉS :
BEAUMONT, CLÉMENT, CORNUT

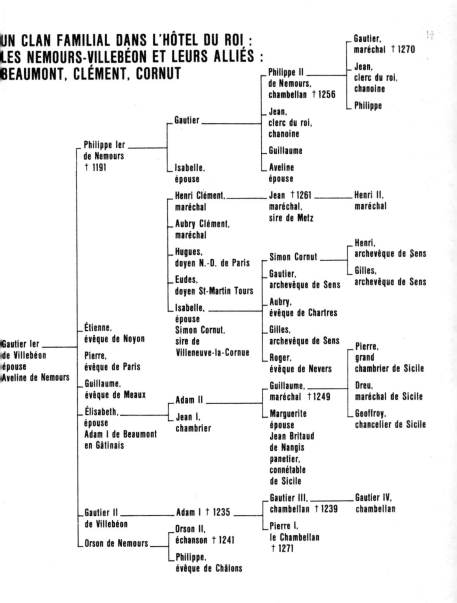

Index

MARLE, Thomas de : 165.
MARSEILLE (Bouches-du-Rhône), Marseillais : 102, 124, 128, 140, 167, 199, 208, 234, 359, 443, 464, 542, 543.
MARTIN IV : 577 ; voir aussi Simon de Brie.
MATHIEU PARIS : 184, 348, 576, et *passim.*
MAUBUISSON (Val-d'Oise) : 149, 396, 423, 425, 434, 552.
MAULÉON, Savary de : 41.
MAUVOISIN, Guy : 239.
MAYENNE (Mayenne) : 139.
MEAUX (Seine-et-Marne) : 98, 551.
MELGUEIL (aujourd'hui Mauguio, Hérault), comté : 76, 358.
MELLO, Dreu de : 72 ; — Guy de, évêque d'Auxerre puis de Paris : 386.
MELUN (Seine-et-Marne) : 44, 55, 56, 99, 139, 165.
MENDE (Lozère), évêque : 21, 76, 319, 391.
MÉRANIE, Alix de : 342 ; — Otton II de : 90 ; — Otton III : 242 ; — voir Agnès.
MÉSOPOTAMIE : 251.
METZ (Moselle) : 344.
MEULAN (Val-d'Oise) : 55, 439 ; — Pierre de : 541.
MICHEL ANGE-COMNÈNE, despote d'Épire : 476.
MICHEL VIII PALÉOLOGUE : 466, 476-478, 481, 522, 527, 540, 543, 561, 569, 572, 574.
MILAN (Italie) : 113, 467, 469.
MILLAU (Aveyron) : 357, 358, 360.
MILLY, Adam de : 100, 101 ; — Guillaume de : 473.
MINDAUGAS, roi de Lituanie : 502, 503.
MINERVOIS : 358.
MIREBEAU (Vienne) : 109 ; — Hertaud de : 69, 146.
MIREPOIX (Ariège) : 68, 98, 105 ; — Pierre de : 105.
MOISSAC (Tarn-et-Garonne) : 78, 393.
MOLESME (Côte-d'Or) : 343.
MONCONTOUR (Vienne) : 114.
MÖNGKE : 500-505, 510, 511, 520.

MONGOLS : 176, 178, 184, 188, 212, 213, 243, 250, 251, 483-512, 516, 517, 519-521, 562.
MONLÉART, Thibaut de : 567.
MONREALE (Italie) : 570, 575.
MONS (Belgique) : 332.
MONT-AIMÉ (Marne) : 145.
MONTAPERTI (Italie) : 461.
MONTARGIS (Loiret) : 86.
MONTDIDIER (Somme) : 44.
MONTEREAU (Seine-et-Marne) : 96.
MONTFERRAT, famille de : 461, 467 ; — Conrad de : 90.
MONTFORT (Qalat Qurain, Israël) : 521.
MONTFORT-L'AMAURY (Yvelines), comté : 70, 73 ; — Amaury, comte de : 24, 34, 38, 39, 56, 67, 79, 97, 99, 153, 166-168, 170 ; — Jean, comte de : 197, 210 ; — Philippe de : 99, 170, 177, 226, 227, 516, 519 ; — Simon, comte de : 24, 96, 357, 390 ; — Simon de, comte de Leicester : 109, 112, 137, 192, 255, 258, 259, 261, 350, 352, 355, 362-369, 439 ; — Simon, son fils : 368, 573 ; — Étienne de : 389.
MONTVILLIERS (Seine-Marit.) : 84.
MONTLHÉRY (Essonne) : 43.
MONTMORENCY (Val-d'Oise) : 71, 533, 571 ; — Mathieu de : 39.
MONTPELLIER (Hérault) : 101, 357-360, 429, 524.
MONTPENSIER (Puy-de-Dôme) : 34.
MONTRÉAL (Aude) : 104.
MONTRÉAL (EN-AUXOIS), Anseri de : 376.
MONTREUIL-EN-GÂTINE (aujourd'hui Montreuil-Bonin, Vienne) : 115, 116, 319.
MONTREUIL-SUR-MER (Pas-de-Calais) : 44, 55.
MONTSÉGUR (Ariège) : 105, 107, 283.
MORA, Guillaume de : 543.
MORÉE, principauté : 210, 239, 475-477, 479, 481, 523 ; voir Guillaume et Isabelle de Villehardouin.
MORTAIN (Manche), comté : 37, 76, 134, 378, 380.
MOSSOUL (Irak), sultan : 493.
MOUSKÈS, Philippe : 431.
MUHAMMAD AL-MUSTANSIR-BIL-

Table des matières

L'impression de ce livre
a été réalisée sur les presses
des Imprimeries Aubin
à Poitiers/Ligugé

pour le compte de la librairie Arthème Fayard
75, rue des Saints-Pères à Paris

ISBN 2-213-01168-0

N° d'édition, 6567. — N° d'impression, L 15411
Dépôt légal, mars 1983